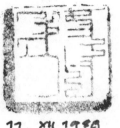

CARLO GINZBURG

Hexensabbat

Entzifferung einer
nächtlichen Geschichte

Aus dem Italienischen von
Martina Kempter

Verlag Klaus Wagenbach   Berlin

Die italienische Originalausgabe erschien unter dem Titel
Storia notturna. Una decifrazione del sabba
bei Giulio Einaudi editore, Turin.

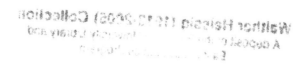
© 1989 Giulio Einaudi editore s.p.a., Turin
© 1990 für die deutsche Übersetzung:
Verlag Klaus Wagenbach   Ahornstraße 4   1000 Berlin 30
Seite 2 verwendet das Bild *Die Hexen* von Hans Baldung, gen. Grien, 1510
Umschlaggestaltung: Rainer Groothuis unter Verwendung des Gemäldes *Zwei Hexen* von Hans Bal-
dung, gen. Grien (Archiv für Kunst und Geschichte, Berlin) · Satz von Utesch Satztechnik, Hamburg ·
Druck und Bindung durch die Druckerei Wagner, Nördlingen · Lithografien von Reprowerkstatt
Peter Rink, Berlin · Alle Rechte vorbehalten. Printed in Germany · ISBN 3 8031 3549 4

Inhalt

Dem Gedächtnis meines Vaters
Meiner Mutter

Einleitung

Hexen und Hexer versammelten sich nachts, im allgemeinen an abgelegenen Orten, auf Feldern oder Bergen. Manchmal gelangten sie, nachdem sie sich ihren Körper mit Salben eingerieben hatten, auf Stöcken oder Besenstielen fliegend dorthin, manchmal hingegen auf dem Rücken von Tieren oder gar selbst in Tiere verwandelt. Die zum ersten Mal zu einer Versammlung kamen, mußten dem christlichen Glauben widersagen, die Sakramente entweihen und dem in Menschen- oder (häufiger) in Tier- oder Halbtiergestalt anwesenden Teufel huldigen. Es folgten Festmähler, Tänze, sexuelle Ausschweifungen. Bevor Hexen und Hexer nach Hause zurückkehrten, erhielten sie zauberkräftige, aus Kindsfett und anderen Ingredienzien bereitete Salben.

Dies sind die Grundelemente, die in den meisten Sabbatbeschreibungen vorkommen. Die lokalen Varianten – besonders des Namens, mit dem die Versammlungen bezeichnet wurden – waren überaus zahlreich. Neben dem erst spät Verbreitung findenden Terminus »Sabbat«, dessen Etymologie unklar ist, finden wir gelehrte Ausdrücke wie *Sagarum synagoga* oder *Strigiarum conventus*, die eine Vielzahl von volkstümlichen Bezeichnungen wie *Striaz, Barlott, Akelarre* usw. übersetzten[1]. In Kontrast zu dieser terminologischen Vielfalt steht jedoch die außergewöhnliche Einheitlichkeit der Geständnisse der an den nächtlichen Zusammenkünften Beteiligten. Aus den vom beginnenden 15. bis zum ausgehenden 17. Jahrhundert in ganz Europa geführten Hexenprozessen wie auch aus den direkt oder indirekt auf diesen Prozessen fußenden Dämonologietraktaten geht ein Bild des Sabbat hervor, das mit dem von uns summarisch beschriebenen im wesentlichen übereinstimmt. Es machte die Zeitgenossen die Existenz einer regelrechten Sekte von Hexen und Hexern glauben, deren Gefährlichkeit weit höher veranschlagt wurde als die der seit Jahrhunderten bekannten Einzelgestalten verhexender Frauen oder Zauberer. Die Einheitlichkeit der Geständnisse wurde als Beweis dafür genommen, daß die Anhänger dieser Sekte überall verbreitet waren und überall dieselben grauenvollen Riten praktizierten[2]. Es war also das Stereotyp des Sabbat, das den Richtern die Möglichkeit gab, mit Hilfe physischer und psychologischer Druckmittel den Angeklagten reihenweise Angaben abzupressen, die ihrerseits wiederum wahre Wellen der Hexenjagd auslösten[3].

Wie und weshalb kristallisierte sich das Bild vom Sabbat heraus? Was verbarg sich hinter diesem Bild? Aus diesen beiden Fragen – die mich, wie man sehen wird, in völlig unvorhergesehene Richtungen geführt haben – ging meine Untersuchung hervor. Ich wollte auf der einen Seite die ideologischen Mechanismen rekonstruieren, welche die Hexenverfolgung in Europa begünstigten, auf der anderen die Glaubensüberzeugungen der als Hexen und Hexer angeklagten Frauen und Männer. Beide Themen sind eng miteinander verknüpft. Aber vor allem der zweite Aspekt rückt dieses Buch, wie bereits *Die Benandanti* (1966), dessen Fortführung und Vertiefung es darstellt, im Verhältnis zu der unter Historikern seit nunmehr über zwanzig Jahren intensiv geführten Diskussion über das Hexenwesen in eine Randposition. Auf den folgenden Seiten versuche ich zu erklären, weshalb.

2. Was K. Thomas 1967 noch mit gutem Recht als Thema bezeichnen konnte, »das die meisten Historiker für marginal, um nicht zu sagen, für bizarr halten«[4], ist in der Zwischenzeit tatsächlich ein mehr als respektables Thema der Geschichtsschreibung geworden, mit dem sich selbst Exzentrizitäten eher abgeneigte Historiker befassen. Was sind die Gründe dieses plötzlichen Erfolgs?

Dem ersten Eindruck nach handelt es sich sowohl um wissenschaftliche als auch um außerwissenschaftliche Gründe. Einerseits hat die immer verbreitetere Tendenz, Verhaltensweisen und Einstellungen subalterner oder zumindest nicht privilegierter Gruppen, wie etwa der Bauern oder Frauen, zu untersuchen[5], die Historiker dazu bewogen, sich mit Fragestellungen (und manchmal auch Methoden und Interpretationskategorien) der Anthropologen bekannt zu machen. Nun nehmen in der britischen (aber nicht nur in der britischen) Anthropologie, wie Thomas in seinem bereits erwähnten Aufsatz bemerkte, Magie und Hexenwesen traditionsgemäß eine zentrale Stelle ein. Auf der anderen Seite kam in den letzten beiden Jahrzehnten nicht nur die Frauenbewegung auf, sondern auch eine wachsende Unduldsamkeit gegenüber den mit dem technologischen Fortschritt verbundenen Kosten und Risiken. Historiographische Erneuerung, Feminismus, Wiederentdeckung der vom Kapitalismus überrollten Kulturen haben – auf verschiedenen Ebenen und in unterschiedlichem Maß – zum Erfolg und, wenn man so will, zur Mode der Untersuchungen zur Geschichte des Hexenwesens beigetragen.

Untersucht man die in diesen Jahren erschienenen Forschungsarbeiten allerdings eingehender, erscheint der soeben angedeutete Zusammenhang sehr viel loser. Vor allem beeindruckt die Tatsache, daß sie sich, von sehr wenigen Ausnahmen abgesehen, wie in der Vergangenheit auch weiterhin fast ausschließlich auf die Verfolgung konzentrieren, den Einstellungen oder Verhaltensweisen der Verfolgten aber geringere oder gar keine Aufmerksamkeit widmen.

3. Die unumwundenste Rechtfertigung dieser interpretativen Wahl hat H. R. Trevor-Roper in einem sehr bekannten Aufsatz vorgebracht. Wie war es möglich, so fragte er sich, daß eine gebildete und fortgeschrittene Gesellschaft wie die europäische ausgerechnet in der Zeit der sogenannten wissenschaftlichen Revolution eine Verfolgung entfesselte, die auf einer wahnhaften Vorstellung von Hexerei *(witch-craze)* beruhte, dem Ergebnis der von Klerikern des Spätmittelalters vorgenommenen systematischen Aufbereitung einer Reihe von volkstümlichen Glaubensvorstellungen? Diese Glaubensvorstellungen selbst tat Trevor-Roper mit geringschätzigen Worten ab: »Wunder- und Aberglauben«, »Geistesgestörtheit«, »Phantasien von Gebirgsbauern«, »geistige Wahnvorstellungen bäuerlichen Glaubens und weiblicher Hysterie«. Wer ihm vorhielt, die bäuerliche Mentalität nicht mit größerer Anteilnahme untersucht zu haben, dem entgegnete Trevor-Roper beim Nachdruck seines Aufsatzes, er habe nicht »den Glauben ans Hexenwesen *(witch-beliefs),* der überall und immer vorhanden ist, sondern den räumlich und zeitlich begrenzten Hexenwahn *(witch-craze)*« erforschen wollen. Dieser, so bemerkte er, unterscheide sich von jenem, wie sich »der Mythos von den Weisen von Zion von der bloßen Abneigung gegen Juden unterscheidet – welche man freilich auch mit Anteilnahme *(sympathetically)* erforschen kann, wenn man der Ansicht ist, jeder Irrtum, sofern er nur von den Unterschichten mitgetragen werde, sei unschuldig und verdiene Respekt«[6].

Davor hatte Trevor-Roper vorgeschlagen, in Hexen und Juden die Sündenböcke für verbreitete soziale Spannungen zu sehen (auf diese Hypothese werden wir zurückkommen). Es steht jedoch außer Frage, daß die feindliche Einstellung der Bauern gegenüber den Hexen – nicht anders als der volkstümliche Antisemitismus – von innen heraus analysiert werden kann, ohne daß dies notwendig ein ideologisches oder moralisches Einverständnis mit ihren Prämissen bedeutet. Noch bezeichnender ist der Umstand, daß Trevor-Roper die Einstellungen der als Hexen angeklagten Individuen – die im Rahmen der von ihm vorgeschlagenen Analogie denjenigen der verfolgten Juden vergleichbar sind – außer acht gelassen hat. Der in den »Halluzinationen« und »geistigen Wahnvorstellungen bäuerlichen Glaubens und weiblicher Hysterie« leicht erkennbare Glaube an die nächtlichen Zusammenkünfte wird erst von dem Moment an zu einem legitimen Gegenstand der Geschichtsforschung, in dem »gebildete Männer« wie Inquisitoren und Dämonologen den unförmigen, »wirren Bauernglauben« in ein »zwar bizarres, aber geistig in sich geschlossenes System« umzugestalten verstanden[7].

4. Der 1967 erschienene Aufsatz von Trevor-Roper ist nicht nur fragwürdig[8], sondern auch – zumindest dem Anschein nach – dem Ansatz der in den nachfolgenden zwanzig Jahren über das Hexenwesen erschienenen Untersuchungen fremd. Es handelt sich um eine Darstellung von allgemeinem Charakter, die die Hauptlinien der Hexenverfolgung in Europa nachzuzeichnen versucht und die Möglichkeit, den Beitrag der Anthropologen in Anspruch zu nehmen, mit abschätziger Geste von sich weist. Beschränkung des Untersuchungsfeldes und Berufung auf die Sozialwissenschaften charakterisieren hingegen jüngere Forschungsarbeiten wie die von A. Macfarlane über das Hexenwesen in Essex (*Witchcraft in Tudor and Stuart England,* 1970), zu der E. E. Evans-Pritchard eine Vorbe-

merkung schrieb. Unter Berufung auf dessen berühmtes Buch über das Hexenwesen bei den Azande erklärte Macfarlane, er habe sich nicht gefragt, »weshalb die Menschen ans Hexenwesen glaubten«, sondern »auf welche Weise das Hexenwesen in einer Situation *funktionierte*, die durch bestimmte Grundeinstellungen zur Natur des Bösen, zu den Formen von Kausalität und zu den Ursprüngen der übernatürlichen ›Macht‹ gekennzeichnet war«. Die Analyse zielte demnach im wesentlichen auf die Mechanismen, die den Hexereivorwürfen im Innern der Gemeinschaft förderlich waren, auch wenn Macfarlane (unter Hinweis auf das damals aktuelle Buch von K. Thomas) die Legitimität »einer Erforschung der philosophischen Grundlagen des Glaubens ans Hexenwesen und seiner Beziehung zu den religiösen und wissenschaftlichen Vorstellungen jener Zeit« nicht ausschloß[9]. In Wirklichkeit untersuchte Macfarlane Alter und Geschlecht der Personen, die man der Hexerei beschuldigte, ihre Beziehungen zu den Nachbarn und zur Gemeinde im allgemeinen, die Gründe der Anklage: aber darauf, was jene Männer und Frauen glaubten oder zu glauben versicherten, ging er so gut wie nicht ein. Auch der Kontakt zur Anthropologie war kein Anlaß, den Glauben der Opfer der Verfolgung von innen heraus zu analysieren. Dieser grundsätzliche Mangel an Interesse tritt im Zusammenhang mit den im Jahre 1645 in Essex geführten, an Sabbatbeschreibungen reichen Prozessen in besonders krasser Weise zutage. In ihrem sehr bekannten Buch *The Witch-Cult in Western Europe* (1921) hatte M. Murray sich weitgehend auf diese Prozesse gestützt, um ihre These zu vertreten, der von gewöhnlichen Malefizien *(operative witchcraft)* unterschiedene Sabbat *(ritual witchcraft)* sei die zentrale Zeremonie eines organisierten Kultes, der mit einer in ganz Europa verbreiteten vorchristlichen Fruchtbarkeitsreligion in Zusammenhang stehe. Macfarlane hielt dagegen: 1) Murray habe die Geständnisse der Angeklagten in den Hexenprozessen fälschlicherweise als Wiedergabe von realen Ereignissen anstatt von Glaubensvorstellungen gelesen; 2) das Belegmaterial aus Essex biete keinerlei Beweise für die Existenz eines organisierten Kultes wie des von Murray beschriebenen. Insgesamt, so schloß Macfarlane, »wirkt das von Murray gezeichnete Bild vom Hexenkult übertrieben ausgeklügelt und bewußt *(sophisticated and articulate)* für die Gesellschaft, mit der wir uns hier befassen«[10].

In dieser Bemerkung klang etwas abgeschwächt die von Trevor-Roper zum Ausdruck gebrachte kulturelle Überlegenheit gegenüber den der Hexerei Angeklagten an. Der erste (berechtigte) Einwand gegen Murray hätte es Macfarlane immerhin noch erlaubt, in den von den Angeklagten in den Prozessen von 1645 gegebenen Beschreibungen des Sabbat einen Beleg für komplexe, in einen zu rekonstruierenden symbolischen Kontext eingebettete *Glaubensvorstellungen* zu entziffern. Wessen Glaubensvorstellungen? Der Angeklagten? Der Richter? Beider? Es ist unmöglich, darauf a priori eine Antwort zu geben: Die Angeklagten wurden nicht gefoltert, waren aber gewiß einem starken kulturellen und psychologischen Druck von seiten der Richter ausgesetzt. Macfarlane zufolge waren diese Prozesse »außergewöhnlich«, »anormal«, voller »seltsamer«, »bizarrer« Elemente, die auf den »Einfluß (offenbar auf die Richter) von Vorstellungen kontinentaler Herkunft« zurückzuführen seien[11]. Diese Hypothese ist angesichts der Spärlichkeit von Zeugnissen zum Sabbat in England mehr als wahrscheinlich –

auch wenn daraus nicht zwingend folgt, daß alle von den Angeklagten aufgeführten Einzelheiten von den Richtern suggeriert waren. Auf jeden Fall würden wir von einem Buch, das sich vom Untertitel an als »regionale und vergleichende« Forschung gibt, an diesem Punkt einen analytischen Vergleich zwischen den in jenen Prozessen aus Essex vorkommenden und den in den Dämonologietraktaten und kontinentaleuropäischen Prozessen enthaltenen Beschreibungen des Sabbat erwarten. Der Vergleich, dem Macfarlane einen ganzen Teil seines Buches widmete, wurde jedoch nur anhand von außereuropäischen, insbesondere afrikanischen Daten durchgeführt. Unklar ist, wie ein Vergleich mit dem Hexenwesen beispielsweise bei den Azande in diesem Fall einen Vergleich mit dem europäischen Hexenwesen ersetzen können soll: schließlich fiel, wie Macfarlane selbst zeigte, der mutmaßliche Einfluß dämonologischer Doktrinen vom Kontinent mit einem plötzlichen Anstieg der Hexenprozesse und -verurteilungen in Essex zusammen[12]. Jedenfalls wurden die von den Angeklagten in den Prozessen von 1645 angeführten »seltsamen« oder »bizarren« Einzelheiten als »Anomalien« angesehen, als Kuriositäten, die vernachlässigen konnte, wer eine wahrhaft wissenschaftliche Perspektive einnahm.

5. Ausrichtung und Grenzen der Forschung Macfarlanes sind typisch für eine Geschichtsschreibung, die stark vom anthropologischen Funktionalismus beeinflußt und daher an der symbolischen Dimension von Glaubensanschauungen grundsätzlich nicht interessiert ist[13]. Auch die beeindruckende Untersuchung von K. Thomas, *Religion and the Decline of Magic* (1971), weicht im Grunde von dieser Tendenz nicht ab. Die Diskussion oder die unterlassene Diskussion bestimmter Aspekte des Hexenwesens – an erster Stelle des Sabbat – erweist sich erneut als aufschlußreich.

Zum Glauben ans Hexenwesen im 16. und 17. Jahrhundert in England, wie auch zu den anderen von ihm untersuchten Phänomenen, hat Thomas sehr umfangreiches Material gesammelt. Er hat es unter drei Gesichtspunkten untersucht: a) einem psychologischen (»Erklärung der Beweggründe der Personen, die am Drama der Anklagen wegen Hexerei beteiligt waren«); b) einem soziologischen (»Analyse der Situation, in der solche Anklagen meistenteils vorgebracht wurden«); c) einem intellektuellen (»Erklärung der Konzeptionen, die sie plausibel machten«)[14]. In dieser Aufzählung fehlt, wie man sieht, eine Untersuchung der Bedeutung, die der Glaube ans Hexenwesen nicht für die Opfer, Ankläger und Richter, sondern für die Angeklagten hatte. In ihren Geständnissen (vorausgesetzt natürlich, sie gestanden) stoßen wir oft auf eine symbolische Reichhaltigkeit, die sich allem Anschein nach nicht auf psychologische Absicherungsbedürfnisse, auf Spannungen in der Nachbarschaft oder auf Kausalitätsvorstellungen reduzieren läßt, wie sie in England zu jener Zeit allgemein verbreitet waren. Thomas bemerkt zwar zu Recht, daß, je größer die Übereinstimmung der Geständnisse mit den Doktrinen der Dämonologen vom Kontinent war, es um so wahrscheinlicher ist, daß sie von den Richtern suggeriert wurden. Doch unmittelbar darauf gibt er selbst zu, daß man manchmal allzu ungewöhnliche (*unconventional*) Elemente in den Prozessen vorfindet, um sie der Einflüsterung zuschreiben zu können[15]. Hätte eine systematische Analyse dieser Elemente nicht etwas Licht auf den Glauben ans Hexenwesen bei (wirklichen oder vermeintlichen) Hexen und Hexern werfen können?

Eine konzise Kritik am psychologischen Reduktionismus und soziologischen Funktionalismus in *Religion and the Decline of Magic* hat H. Geertz formuliert[16]. In seiner Antwort darauf gab Thomas zu, »auf die symbolischen und poetischen Bedeutungen der magischen Riten« weniger geachtet zu haben, als man dies sollte (einen in gewisser Hinsicht analogen Einwand hatte auch E. P. Thompson gegen ihn erhoben[17]); um sich teilweise zu entschuldigen, bemerkte er, die Historiker hätten eine gewisse Vertrautheit mit dem Begriff »soziale Tiefenstrukturen«, seien aber weit weniger daran gewöhnt, »unsichtbare mentale Strukturen« zu erforschen, »vor allem wenn sie auf rudimentäre, schlecht dokumentierte, lediglich fragmentarisch ausgedrückte Denksysteme bezogen sind«. Und er fügte hinzu: »Auf einer weniger unzugänglichen Ebene allerdings erkenne ich an, daß man der Symbolhaltigkeit der volkstümlichen Magie gerechter werden sollte. Die Mythologie des Hexenwesens – der nächtliche Flug, die Dunkelheit, die Verwandlung der Tiere, die weibliche Sexualität – sagt uns etwas über die Wertmaßstäbe der Gesellschaft, die an sie glaubte, über die Grenzen, die man gewahrt wissen wollte, über das Triebverhalten, das man unterdrücken zu müssen meinte...«[18].

Angeregt durch die Kritik von Geertz, weist Thomas hier einen Weg, das allzu rigide funktionalistische Bild vom Hexenwesen, das er in *Religion and the Decline of Magic* entworfen hatte, zu überwinden[19]. Daß seine Wahl auf den Sabbat fiel, ist gewiß bezeichnend. Ebenso bezeichnend ist die Tatsache, daß die Möglichkeit, anhand des Sabbat die »unsichtbaren mentalen Strukturen« der volkstümlichen Magie zumindest zu einem Teil auszukundschaften, stillschweigend ausgeschlossen wird. Der Sabbat ist zwar aufschlußreich – doch für eine »weniger unzugängliche« kulturelle Schicht: die des gesellschaftlichen Umfeldes. Durch den Symbolgehalt des Sabbat formulierte die Gesellschaft in negativer Wendung ihre Werte. Das Dunkel, das die Zusammenkünfte der Hexen und Hexer umgab, brachte eine Verherrlichung des Lichts zum Ausdruck; der Ausbruch der weiblichen Sexualität in den diabolischen Orgien eine Mahnung zur Keuschheit; die Tierverwandlungen eine deutlich gezogene Grenze zwischen Tierischem und Menschlichem.

Diese Interpretation des Sabbat in den Begriffen einer symbolischen Umkehrung ist sicherlich plausibel[20]: wie Thomas selbst zugibt, macht sie allerdings auf einer relativ oberflächlichen Ebene halt. Zu behaupten, die von der volkstümlichen Magie zum Ausdruck gebrachte Weltsicht sei derjenigen der Theologen an Kohärenz nicht vergleichbar, ist leicht, aber ein wenig aprioristisch[21]: in Wirklichkeit bleibt der Hintergrund der Geständnisse der Hexen und Hexer ins Dunkel gehüllt.

6. Wie man sah, gehen all diese Studien von einer bereits zur Selbstverständlichkeit gewordenen Feststellung aus, daß nämlich in den Zeugnissen zum europäischen Hexenwesen heterogene kulturelle Schichten, gelehrte und volkstümliche, sich überlagern. Einen Versuch, analytisch die einen von den andern zu sondern, hat R. Kieckhefer (*European Witch-Trials. Their Foundations in Popular and Learned*

Culture. 1300–1500, 1976) unternommen. Er klassifizierte die vor 1500 liegenden Zeugnisse nach ihrer, sagen wir, gelehrten Beimischungsquote, die in den dämonologischen Traktaten und Inquisitionsprozessen sehr hoch und in den von Laienrichtern geführten Prozessen – vor allem in England, wo der Zwang geringer war – minimal ist; in den Zeugnissen der Ankläger und in den von Personen, die sich zu Unrecht der Hexerei beschuldigt glaubten, angestrengten Verleumdungsprozessen schließlich geht sie nahezu gegen Null[22]. Das Material nach 1500 hingegen ließ er mit der Begründung außer acht, daß gelehrte und volkstümliche Elemente darin bereits unauflöslich miteinander verschmolzen seien. All dies ließ ihn den Schluß ziehen, der Sabbat *(diabolism)* habe im Unterschied zum Malefizium und zur Teufelsbeschwörung keine Wurzeln in der Volkskultur[23].

Diesem Schluß widerspricht die Verbreitung von Vorstellungen im Volksglauben, die später teilweise in den Sabbat eingegangen sind. Es gibt zum Beispiel eine erkleckliche Reihe von Zeugnissen über nächtliche Flüge: Einige Frauen behaupteten, sich in Ekstase daran zu beteiligen und dabei einer geheimnisvollen weiblichen Gottheit zu folgen, die je nach Gegend mit verschiedenen Namen bezeichnet wurde (Diana, Perchta, Holda, Abundia usw.). Kieckhefer zufolge müssen diese Zeugnisse, wenn sie in frühmittelalterlichen Bußbüchern oder kirchenrechtlichen Sammlungen verzeichnet sind, als dem Hexenwesen fremd angesehen werden, es sei denn, man faßt dieses in einer »ungewöhnlich weiten« Bedeutung; wenn sie in literarischen Texten stehen, sind sie irrelevant, weil sie keine Angaben über die tatsächliche Verbreitung der erwähnten Glaubensvorstellungen machen; wenn sie in der Tradition des Volksglaubens überliefert sind, stellen sie bloße Überreste dar, die keine Rekonstruktion vorhergehender Situationen zulassen[24]. Doch trotz dieser präventiven Aussonderung von Quellen stößt Kieckhefer zufällig auf ein Zeugnis wie die Ende des 14. Jahrhunderts gefällten Urteile gegen zwei Frauen aus Mailand, die ihre periodischen Treffen mit einer mysteriösen »Herrin«, mit »Madona Horiente«, eingestanden hatten. Weder handelt es sich hier um späte Volkstraditionen, noch um einen literarischen Text oder um dem Hexenwesen fremd erachtete Glaubensvorstellungen (die beiden Frauen wurden ausdrücklich als Hexen verurteilt). Kieckhefer zieht sich aus der Affäre, indem er mit offensichtlicher Verlegenheit feststellt, die beiden Fälle gehörten weder zur Kategorie der Malefizien noch zu der des richtigen Sabbat (»typical diabolism«): In einer flüchtigen Anwandlung von »Murrayismus« interpretiert er die Zusammenkünfte mit »Madona Horiente« als Beschreibungen von Volksriten oder -festen, ohne die offensichtliche, von den Inquisitoren sofort wahrgenommene Verwandtschaft zwischen dieser Figur und der vielgestaltigen weiblichen Gottheit (Diana, Holda, Perchta…) zu bemerken, die in den Visionen der in der kirchenrechtlichen Tradition erwähnten Frauen ihren festen Platz hatte[25]. Dokumente wie diese widersprechen ganz offenkundig der noch heute verbreiteten These, der Sabbat sei als ein ausschließlich oder fast ausschließlich von den Verfolgern ausgestaltetes Bild anzusehen.

7. Mit teils neuen Argumenten hat N. Cohn (*Europe's Inner Demons,* 1975) diese These noch einmal vertreten. Das Bild vom Sabbat griff Cohn zufolge ein über tausend Jahre altes negatives Stereotyp auf, beruhend auf Sexualorgien, rituel-

lem Kannibalismus und Verehrung einer Gottheit in Tiergestalt. In diesen Anschuldigungen sollen angeblich uralte, weitgehend unbewußte Zwangsvorstellungen und Ängste zum Ausdruck kommen. Nachdem man sie gegen die Juden, die ersten Christen, die mittelalterlichen Ketzer vorgebracht habe, seien sie schließlich geballt gegen Hexen und Hexer gerichtet worden.

Die Entwicklung, die zur Herauskristallisierung des von Richtern und Inquisitoren ausgearbeiteten Bildes vom Sabbat führte, ist meines Erachtens eine andere. Wie ich im weiteren (Teil I, Kap. I und II) zu zeigen versuche, waren Akteure, Zeiten und Orte zum Großteil andere[26]. Hier möchte ich festhalten, daß in jenes Bild Elemente volkstümlicher Herkunft Eingang fanden, die dem von Cohn analysierten Stereotyp ganz offensichtlich fremd sind. Er erwähnt sie eher flüchtig im Zusammenhang mit den um 1430 in der Dauphiné abgehaltenen Hexenprozessen, in denen angeblich zum ersten Mal Beschreibungen des Sabbat aufgetaucht sind. (Ich sage »angeblich«, weil ich, wie man sehen wird, eine andere Chronologie vorschlage.) Die mit der Verfolgung der waldensischen Ketzer befaßten kirchlichen und weltlichen Behörden »stießen mehrmals auf Personen – vor allem Frauen –, die von sich selbst Dinge glaubten, die haargenau zu den Geschichten paßten, die man seit Jahrhunderten ketzerischen Sekten nachsagte. Das gemeinsame Element bildete die Vorstellung vom kannibalischen Kindsmord. Es gab den verbreiteten Glauben, bei den nächtlichen Zusammenkünften der Ketzer würden Kinder oder Neugeborene verschlungen. Analog dazu gab es den verbreiteten Glauben, bestimmte Frauen ermordeten und fräßen, wiederum nachts, Kinder oder Neugeborene, und einige Frauen glaubten wirklich, es zu tun.« Die »außergewöhnliche Übereinstimmung (congruence)« der beiden Vorstellungen soll den Richtern den Beweis dafür geliefert haben, daß die den Ketzern traditionsgemäß zugeschriebenen Ruchlosigkeiten tatsächlich begangen wurden, und die Bestätigung des althergebrachten Stereotyps soll für die nachfolgende Ausarbeitung des Bildes vom Sabbat den Grund gelegt haben[27]. Dieser Rekonstruktion zufolge handelte es sich um einen historisch entscheidenden Übergang; die erklärenden Anmerkungen sind jedoch ganz offensichtlich nicht angemessen, genausowenig wie der unmittelbar folgende Hinweis auf die »verblendeten (deluded)« Frauen, die, wer weiß warum, bei Nacht umherzuziehen und Kinder zu verschlingen glaubten. Das Kapitel, das Cohn der Nachthexe in der volkstümlichen Vorstellung widmet, ist nicht erhellender. Zu behaupten, daß nach einer Erklärung für diese Einbildungen nicht, wie viele Forscher meinten, in der Pharmakologie – und folglich im Gebrauch psychotroper Substanzen bei den Hexen –, sondern in der Anthropologie zu suchen sei[28], heißt, ein Problem aufzuwerfen, ohne es zu lösen. Das Geständnis einer afrikanischen Hexe, die sich selbst des nächtlichen Kannibalismus anklagt, dient Cohn einzig zur Bekräftigung der Annahme, es handle sich in beiden Fällen um bloß im Traum angesiedelte und nicht – wie Murray vertreten hatte – um reale Ereignisse.

Der Widerlegung der alten These von Murray ist nicht nur ein Kapitel[29], sondern in einem gewissen Sinn Cohns ganzes Buch gewidmet, da es die Inexistenz einer organisierten Hexensekte in Europa nachweisen soll. Es handelt sich um eine mit besonders schlagkräftigen Argumenten geführte Polemik, die sich aber bereits erledigt hat. Ihr Fortdauern ist ein Symptom (und zum Teil eine

Ursache) der Einseitigkeit, die viele Arbeiten zur Geschichte des Hexenwesens kennzeichnet. Wir wollen sehen, woran das liegt.

8. In ihrem Buch *The Witch-Cult in Western Europe* vertrat die Ägyptologin und an Frazer orientierte Anthropologin Murray, daß 1) die in den Hexenprozessen enthaltenen Beschreibungen des Sabbat weder durch die Richter abgepreßte Märchen noch Berichte über innere, mehr oder weniger halluzinatorische Erfahrungen seien, sondern genaue Beschreibungen tatsächlich praktizierter Riten; daß 2) diese von den Richtern in Richtung auf das Diabolische deformierten Riten in Wirklichkeit mit einem vorchristlichen Fruchtbarkeitskult zusammenhingen, dessen Ursprung vielleicht in der Vorgeschichte liege und der in Europa bis in die Neuzeit hinein überlebt habe. Obwohl *The Witch-Cult* wegen mangelnder methodischer Strenge und der Unwahrscheinlichkeit seiner Thesen sogleich von etlichen Rezensenten negativ beurteilt wurde, gelang es dem Buch dennoch, weitreichende Zustimmung zu ernten. Murray, die ihre Thesen nach und nach dogmatischer ausformulierte, wurde mit der Abfassung des Artikels »Witchcraft« für die *Encyclopaedia Britannica* betraut, der dann fast ein halbes Jahrhundert lang unverändert nachgedruckt wurde[30]. Gleichzeitig mit der Neuauflage von *The Witch-Cult* im Jahr 1962 erschien jedoch eine systematische Kritik (E. Rose, *A Razor for a Goat*), welcher in den darauffolgenden Jahren eine Reihe von immer schärferen Polemiken gegen Murray und ihre tatsächlichen oder mutmaßlichen Anhänger folgte. Fast alle Historiker des Hexenwesens sind sich heute darin einig, Murrays Bücher (wie bereits die ersten Rezensenten) als dilettantisch, absurd und bar jeden wissenschaftlichen Wertes hinzustellen[31]. Diese an sich durchaus gerechtfertigte Polemik hatte jedoch den unerwünschten Nebeneffekt, Forschungen über symbolische Elemente des Sabbat, die den gelehrten Stereotypen fremd sind, zu entmutigen. Wie wir gesehen haben, wurde eine solche Untersuchung auch von Historikern wie Thomas und Macfarlane aufgrund der Inexistenz eines organisierten Hexenkults (oder wenigstens des Mangels an Beweisen dafür) vernachlässigt[32]. Die Vermischung von Handlungen und Glaubensvorstellungen, wie sie Murray zu Recht vorgeworfen wurde, kehrte sich paradoxerweise gegen jene, die gegen sie Einspruch erhoben.

Im Vorwort zu den *Benandanti* habe ich eine Feststellung getroffen, die ich immer noch voll und ganz unterschreibe, obwohl sie mir die amtliche Aufnahme in die nicht genau zu fassende (aber diskreditierte) Sekte der »Murrayists« eingetragen hat, daß nämlich Murrays These, wenngleich »völlig unkritisch formuliert«, »ein Quentchen Wahrheit« enthalte[33]. Natürlich darf dieses nicht im ersten der beiden Punkte, in die sich, wie man sah, jene These gliedert, gesucht werden. Es ist symptomatisch, daß Murray bei ihrem Versuch, die Realität der in den Sabbatbeschreibungen erwähnten Vorkommnisse zu behaupten, gezwungen war, deren sperrigste Elemente – den nächtlichen Flug, die Verwandlungen in Tiere – zu verschweigen und sich mit Schnitten zu behelfen, die die Gestalt richtiggehender Textmanipulationen annahmen[34]. Zwar kann man die Möglichkeit nicht schlechterdings ausschließen, daß Männer und Frauen, die magische Praktiken ausübten, sich in einigen Fällen versammelten, um Riten zu zelebrieren, in denen beispielsweise sexuelle Orgien vorgesehen waren; doch fast alle

Beschreibungen des Sabbat liefern keinerlei Beweis für Vorkommnisse dieser Art. Das soll freilich nicht heißen, daß sie ohne dokumentarischen Wert sind: nur dokumentieren sie Mythen, keine Riten.

Wiederum müssen wir uns fragen: wessen Glaubensvorstellungen und Mythen? Wie bereits angedeutet, gibt es eine lange, auf die aufklärerischen Polemiken gegen die Hexenprozesse zurückgehende und immer noch sehr lebendige Tradition, der zufolge es sich bei den Geständnissen der Hexen, die den Angeklagten mit Folter und psychologischen Druckmitteln abgepreßt wurden, um eine Projektion der abergläubischen Vorstellungen und Obsessionen der Richter handelt. Die »Dianareligion«, der vorchristliche Fruchtbarkeitskult, den Murray in den Sabbatbeschreibungen erkannt hatte, ohne ihm weiter nachzugehen, legte eine andere, komplexere Interpretation nahe[35].

Das »Quentchen Wahrheit« der These Murrays liegt hier. Allgemeiner gesagt liegt es in der Entscheidung, die Geständnisse der Hexen entgegen jeder rationalistischen Reduktion ernst zu nehmen – wie es bereits weit berühmtere (paradoxerweise jedoch vernachlässigte) Vorgänger, angefangen bei Jakob Grimm, getan hatten. Die nicht minder rationalistische Absicht aber, in jenen Geständnissen exakte Beschreibungen von Riten zu suchen, trieb Murray in eine Sackgasse. Hinzu kam ihre Unfähigkeit, die im Lauf der Jahrhunderte durch die praktischen und theoretischen Eingriffe von Richtern, Inquisitoren und Dämonologen verursachten Überformungen in den Zeugnissen zum Sabbat herauszufinden[36]. Anstatt zu versuchen, die ältesten Schichten von späteren Überlagerungen zu unterscheiden, übernahm Murray (abgesehen von den bereits angedeuteten Textmanipulationen) unkritisch das bereits verfestigte Stereotyp vom Sabbat als Grundlage für ihre eigene Interpretation, die sie dadurch ganz und gar unglaubwürdig machte.

9. Was mich in Murrays untauglicher These (oder besser in einem Teil davon) eine richtige Ahnung erkennen ließ, war die Entdeckung eines zwischen dem 16. und 17. Jahrhundert in Friaul verbreiteten Feldkultes von ekstatischem Charakter. Dokumentiert wird er durch rund fünfzig entschieden atypische, aus später Zeit (ca. 1575–1675) und aus einer kulturellen Randzone stammende Inquisitionsprozesse, deren Eigenschaften mithin sämtlichen äußeren Kriterien widersprechen, die Kieckhefer festgelegt hat, um jenseits der gelehrten Überlagerungen die Grundzüge des volkstümlichen Hexenwesens ausfindig zu machen. Und doch kommen in diesen Dokumenten Elemente zum Vorschein, die den Stereotypen der Dämonologen entschieden fremd sind. Männer und Frauen, die sich selbst als »Benandanti« (Wohlfahrende) bezeichneten, behaupteten, da sie »bekleidet« (d. h. in die Eihaut gehüllt) zur Welt gekommen seien, müßten sie viermal im Jahr nachts »im Geiste« ausziehen, um, mit Fenchelzweigen bewaffnet, gegen Hexen und Hexer, die ihrerseits mit Hirsestengeln bewaffnet seien, zu kämpfen: Auf dem Spiel stehe bei diesen nächtlichen Kämpfen die Fruchtbarkeit der Felder. Die sichtlich verwirrten Inquisitoren versuchten, diese Erzählungen in das Schema des Teufelssabbat zu pressen, aber trotz ihrer Bemühungen mußten fast fünfzig Jahre vergehen, ehe sich die Benandanti halb zögernd, halb reumütig entschieden, ihre Geständnisse im verlangten Sinn zu modifizieren.

Die physische Realität der Hexenzusammenkünfte findet in den Prozessen gegen die Benandanti keinerlei Bestätigung, auch nicht durch Analogieschluß. Einmütig erklärten sie, bei Nacht »unsichtbar im Geiste« auszuziehen und den Körper leblos zurückzulassen. Nur in einem Fall lassen diese rätselhaften Ohnmachten die Existenz tatsächlicher, alltäglicher, vielleicht sektenartiger Beziehungen erahnen[37]. Die Frage, ob sich die Benandanti regelmäßig trafen, ehe sie die in ihren Geständnissen beschriebenen, ganz und gar individuellen halluzinatorischen Erfahrungen machten, läßt sich nicht mit letzter Bestimmtheit beantworten. Durch ein merkwürdiges Mißverständnis haben einige Gelehrte nun aber gerade in dieser Möglichkeit die Quintessenz meiner Untersuchung gesehen. Von J. B. Russell wurden die Benandanti als »der sicherste Beweis, der jemals für die Existenz des Hexenwesens erbracht worden ist« bezeichnet, von H. C. E. Midelfort als »der bislang einzige in den ersten Jahrhunderten der Neuzeit in Europa nachgewiesene Hexenkult«. Wie aus dem Zusammenhang hervorgeht, in dem sie stehen, lassen Ausdrücke wie »Existenz des Hexenwesens« und »nachgewiesener Hexenkult« – wenig glückliche Ausdrücke, da sie sich den verzerrenden Gesichtspunkt der Inquisitoren zu eigen machen – die bereits erwähnte Verwechslung zwischen Mythen und Riten erkennen, zwischen einem kohärenten, verbreiteten Komplex von Glaubensvorstellungen und einer *organisierten* Gruppe von Personen, die diese praktiziert haben sollen. Dies ist besonders deutlich im Fall von Russell, der von nächtlichen Kämpfen mit »Mitgliedern des lokalen Hexenkultes« spricht und dabei übersieht, daß die Benandanti erklärten, »unsichtbar im Geiste« daran teilzunehmen; weniger eindeutig weist Midelfort auf die Schwierigkeit hin, auf den Spuren der Benandanti weitere Beispiele für ein »Gruppenritual« zu finden[38]. Der Einwand, den N. Cohn gegen mich erhoben hat, daß nämlich »die Erfahrungen der Benandanti... allesamt ekstatischer Natur *(trance experiences)*« gewesen seien und »eine lokale Variante jener Erfahrung, die Jahrhunderte zuvor den Anhängerinnen der Diana, Herodias und Holda gemein war«, darstellten, muß in Wirklichkeit an Russell und zum Teil auch an Midelfort gerichtet werden. Mir scheint er vollauf akzeptabel – auch deshalb, weil er fast wörtlich mit dem übereinstimmt, was ich in meinem Buch geschrieben habe[39].

Der Wert der friaulischen Zeugnisse ist meines Erachtens in einer ganz anderen Richtung zu suchen. Zum Hexenwesen – dies ist eine Selbstverständlichkeit, doch sie zu wiederholen schadet nicht – verfügen wir lediglich über gegnerische, von Dämonologen, Inquisitoren, Richtern stammende oder gefilterte Zeugnisse. Die Stimmen der Angeklagten erreichen uns erstickt, verändert, verzerrt; in vielen Fällen sind sie gar nicht bis zu uns gelangt. Hierher rührt – wenn man sich nicht damit begnügen will, zum abertausendsten Mal die Geschichte aus der Perspektive der Sieger zu schreiben – die Bedeutung der Anomalien, der Risse, die sich manchmal (sehr selten) im Belegmaterial öffnen und dessen Geschlossenheit aufbrechen[40]. Die Abweichung der Erzählungen der Benandanti von den Stereotypen der Inquisitoren, die sich lange hielt, bringt eine tiefliegende Schicht ländlicher, mit außerordentlicher Intensität erlebter Mythen zum Vorschein. Durch die allmähliche Internalisierung eines feindlichen kulturellen Modells verwandelte sie sich nach und nach in den Sabbat. Hatten sich ähnliche Fälle auch anderswo abgespielt? Bis zu welchem Punkt ließ sich der – hinsichtlich seiner Zeugnisse außergewöhnliche – Fall der Benandanti verallgemeinern? Damals war ich nicht imstande, diese Fragen zu beantworten. Sie schienen mir aber »eine weitgehende Neuformulierung des Problems der volkstümlichen Wurzeln des Hexenwesens erforderlich« zu machen[41].

10. Heute würde ich eher von »in Volkstraditionen liegenden Wurzeln des Sabbat« sprechen. Das Urteil über die Neuheit der Problemstellung hingegen ist meines Erachtens immer noch zu unterschreiben. Von einigen wenigen Ausnahmen abgesehen, ist die Forschung über das Hexenwesen tatsächlich ganz andere Wege als den gegangen, den ich damals vor mir sah. Zur Ausrichtung der Aufmerksamkeit der Forscher vorwiegend auf die Geschichte der Verfolgung des Hexenwesens hat gewiß in vielen Fällen ein (nicht durchweg unbewußtes) Geschlechts- und Klassenvorurteil beigetragen[42]. Ausdrücke wie »Überspanntheiten und abergläubische Vorstellungen«, »bäuerliche Leichtgläubigkeit«, »weibliche Hysterie«, »Wunderlichkeiten«, »Verschrobenheiten«, die, wie zu sehen war, in einigen der bedeutendsten Studien vorkommen, spiegeln eine Vorentscheidung ideologischer Art wider. Doch selbst eine Forscherin wie Larner, die von völlig anderen Voraussetzungen ausging, konzentrierte sich letztlich auf die Geschichte der Verfolgung[43]. Zwar unterscheidet sich eine Haltung postumer Solidarität mit den Opfern grundsätzlich von einer zur Schau gestellten Überlegenheit über deren kulturelle Grobschlächtigkeit, doch auch im ersten Fall hat der intellektuelle und moralische Skandal, den die Hexenjagd darstellt, fast immer die ganze Aufmerksamkeit in Anspruch genommen. Die Geständnisse der Verfolgten, Frauen wie Männer, erschienen – vor allem, wenn sie sich auf den Sabbat bezogen – je nach Fall als an sich irrelevant oder als entstellt durch die Gewalt der Verfolger. Wer versuchte, sie wörtlich, als Dokumente einer für sich bestehenden weiblichen Kultur zu verstehen, nahm letztlich ihren dichten mythischen Gehalt nicht zur Kenntnis[44]. Versuche, sich diesen Dokumenten mit den von Religionsgeschichte und Volkskunde dargebotenen analytischen Mitteln zu nähern, – Disziplinen, von denen sich auch die seriösesten Historiker des Hexenwesens gewöhnlich fernhielten, als handle es sich um Minenfelder – waren tatsächlich höchst selten[45]. Furcht, in Handel mit Sensationen zu verfallen, Ungläubigkeit in bezug auf magische Kräfte, Betroffenheit angesichts des »nahezu universellen« Charakters von Glaubensvorstellungen wie der Verwandlung in Tiere – sowie natürlich die Inexistenz einer organisierten Hexensekte – wurden als Gründe herangezogen, um eine drastische, auf lange Sicht unergiebige Beschränkung des Untersuchungsfeldes zu rechtfertigen[46].

Verfolger wie Verfolgte stehen hingegen im Mittelpunkt der Arbeit, die ich hier vorlege. Im Stereotyp vom Sabbat meinte ich eine »kulturelle Kompromißgestalt« erkennen zu können[47]: das hybride Resultat eines Konfliktes zwischen Volkskultur und Gelehrtenkultur.

11. Die Heterogenität des Gegenstandes hat den Aufbau dieses Buches bestimmt. Es besteht aus drei Teilen und einem Epilog. Im ersten Teil rekonstruiere ich das Aufkommen des inquisitorialen Bildes vom Sabbat; im zweiten die

sehr tiefliegende mythische und rituelle Schicht, aus der die später in das Sabbat-schema gepreßten volkstümlichen Glaubensvorstellungen stammen; im dritten mögliche Erklärungen für die Streuung dieser Mythen und Riten; im Epilog die Durchsetzung des schon verfestigten Stereotyps vom Sabbat als Kompromiß zwischen Elementen gelehrter und solchen volkstümlicher Herkunft. Im ersten Teil verläuft die Erzählung linear: das untersuchte chronologische und geographische Gebiet ist begrenzt, das dokumentarische Netz relativ dicht. Im ganzen mittleren Teil des Buches hingegen reißt der Faden der Erzählung ständig ab, ja werden chronologische Abfolgen und räumliche Nachbarschaften sogar ignoriert: er stellt den Versuch dar, anhand von Ähnlichkeiten einige mythische und rituelle Konfigurationen zusammenzustellen, die über Jahrtausende hinweg, manchmal über Tausende und aber Tausende von Kilometern voneinander entfernt, belegt sind. Auf den Schlußseiten wechseln Geschichte und Morphologie, erzählerische und (ideell) synoptische Darstellung einander ab und überlagern sich zugleich.

12. Es beginnt mit der gedrängten, fieberhaften, nach Tagen bemessenen Zeit der politischen Aktion, vielmehr des Komplotts. Auf lange Sicht setzte dieses unvorhersehbare Mechanismen in Gang. Die Verkettung, die im Laufe eines halben Jahrhunderts von der Verfolgung der Leprakranken und Juden bis zu den ersten auf den Teufelssabbat gegründeten Prozessen führte, ist in gewissem Sinne analog zu der, die Marc Bloch in seinem glänzenden Buch *Die wundertätigen Könige* rekonstruiert hat. Es war eine regelrechte Machination, zum Nutzen der französischen und englischen Monarchie den Glauben zu verbreiten, dem zufolge die legitimen Herrscher dieser beiden Länder über die Macht verfügten, durch Handauflegung die Skrofulösen zu heilen. Dauerhaft durchzusetzen vermochte sich dieser Glaube jedoch, weil im vorindustriellen Europa verbreitete und fest verankerte Einstellungen ihn stützten: das verbreitete Bedürfnis nach Schutz, die Zuschreibung magischer Kräfte an die Herrscher[48]. Die untergründigen Motive, die zu Beginn des 14. Jahrhunderts den Erfolg des Komplotts gegen die Juden und Leprakranken sicherten, waren andere: aus einer tiefen ökonomischen, sozialen, politischen und religiösen Krise entstanden Unsicherheit, wachsende Feindseligkeit gegen Randgruppen und die krampfhafte Suche nach einem Sündenbock. Die unzweifelhafte Analogie zwischen den beiden Phänomenen wirft jedoch ein grundsätzliches Problem auf.

Soziale Bewegungen durch Verschwörungen erklären zu wollen, ist grob vereinfachend, wenn nicht grotesk – angefangen bei der am Ende des 18. Jahrhunderts von Abbé Barruel in Umlauf gebrachten Erklärung der französischen Revolution als eines Freimaurerkomplotts[49]. Aber es gibt Verschwörungen: sie sind, besonders heute, eine alltägliche Realität. Verschwörungen von Geheimdiensten, von Terroristen, oder von beiden: welches ist ihr effektives Gewicht? Welche gelingen, welche scheitern hinsichtlich ihrer wahren Ziele, und warum? Über diese Phänomene und ihre Implikationen nachzudenken, erscheint sonderbar unangemessen. Schließlich ist das Komplott nur ein Extremfall, fast die Karikatur eines weitaus komplexeren Phänomens: des Versuchs nämlich, die Gesellschaft zu transformieren (oder zu manipulieren). Wachsende Zweifel an der Wirksamkeit und den Ergebnissen sowohl revolutionärer als auch technokratischer Projekte zwingen dazu, noch einmal darüber nachzudenken, auf welche Weise sich die politische Aktion in die sozialen Tiefenstrukturen einschaltet und über welche reale Fähigkeit sie verfügt, diese zu verändern. Verschiedene Anzeichen sprechen dafür, daß die auf die langen Zeitabläufe der Ökonomie, der sozialen Bewegungen, der Mentalitäten achtenden Historiker wieder begonnen haben, über die Bedeutung des Ereignisses (auch, aber nicht zwangsläufig, des politischen Ereignisses) nachzudenken[50]. Die Analyse eines Phänomens wie der Entstehung des inquisitorialen Bildes vom Sabbat reiht sich in diese Tendenz ein.

13. Aber in dem um die Mitte des 14. Jahrhunderts in den westlichen Alpen aufgetretenen Stereotyp vom Sabbat kommen auch Elemente aus Volkstraditionen zum Vorschein, die dem inquisitorialen Bild fremd und in einem sehr viel umfassenderen Gebiet verbreitet sind. Die Historiker des Hexenwesens haben sie, wie zu sehen war, im allgemeinen ignoriert. In der Mehrzahl aller Fälle bezogen sie den Gegenstand ihrer Forschung aus den Interpretationskategorien der Dämonologen, der Richter oder der Zeugen der Anklage. Wenn etwa Larner die Hexerei mit der »Kraft übersinnlichen Ursprungs, Böses zu tun«, gleichsetzt[51], schlägt sie eine Definition vor, die alles andere als neutral ist. In einer in ihrer ganzen Breite von Konflikten gezeichneten Gesellschaft (also vermutlich in jeder Gesellschaft) kann, was für ein Individuum schlecht ist, von dessen Gegner für gut angesehen werden: Wer entscheidet darüber, was das »Böse« ist? Wer entschied, als in Europa die Hexen gejagt wurden, daß bestimmte Individuen »Hexen« oder »Hexer« seien? Ihre Identifizierung war stets das Ergebnis eines Machtverhältnisses, dessen Wirksamkeit mit zunehmend kapillarer Verbreitung seiner Ergebnisse anstieg. Durch die – partielle oder totale, allmähliche oder plötzliche, gewaltsame oder augenscheinlich freiwillige – Internalisierung des feindlichen, von den Verfolgern vorgeschlagenen Stereotyps verloren die Opfer schließlich ihre eigene kulturelle Identität. Wer sich nicht damit begnügen will, die Ergebnisse dieser historischen Gewaltanwendung zu registrieren, muß versuchen, sich die seltenen Fälle zunutze zu machen, in denen die Zeugnisse nicht nur formal dialogischen Charakter haben, d. h.: in denen von Entstellungen relativ freie Fragmente der Kultur aufzufinden sind, deren Auslöschung Ziel der Verfolgung war[52].

Ich sagte bereits, aus welchen Gründen mir die Prozesse aus Friaul wie ein Riß in der dicken, dem Anschein nach undurchdringlichen Kruste des Sabbat vorkamen. Aus ihnen gehen zwei Themen hervor: die Totenprozessionen und die Kämpfe um Fruchtbarkeit. Bei denen, die in Ekstase daran teilzunehmen erklärten, handelte es sich im ersten Fall vor allem um Frauen, im zweiten vorwiegend um Männer. Allesamt bezeichneten sie sich als Benandanti. Daß es nur eine Bezeichnung gibt, läßt einen Hintergrund von gemeinsamen Glaubensvorstellungen erkennen. Während die Totenprozessionen aber offensichtlich mit in weiten Teilen Europas verbreiteten Mythen (den Anhängerinnen der Diana, der »wilden Jagd«) zusammenhängen, schienen mir die Kämpfe um Fruchtbarkeit zu Anfang ein auf Friaul beschränktes Phänomen zu sein. Mit einer bemerkenswerten Ausnahme allerdings: der eines alten livländischen Werwolfs[53], der am Ende des 17. Jahrhunderts gestanden hatte, in regelmäßigen Abständen mit seinen Gesellen nachts in den Kampf gegen die Hexer zu ziehen, um die von diesen entwendeten Sprößlinge der Feldfrüchte zurückzuholen. Die Hypothese, die ich zur Erklärung dieses zusätzlichen Beleges vorgebracht hatte – ein gemeinsames, vielleicht slawisches Substrat –, war, wie man sehen wird, nur zum Teil exakt. Sie implizierte bereits eine beachtliche Erweiterung des Untersuchungsbereiches. Die unausweichliche Feststellung, daß die beiden Versionen des Mythos der Benandanti – die auf die Felder und die auf die Toten bezogene – eine Einheit bildeten, machte jedoch eine weit umfassendere vergleichende Untersuchung erforderlich. Dem Auszug der Seele aus dem Körper – in die nächtlichen Kämpfe oder zu den Prozessionen der umherschweifenden Toten – ging nämlich in beiden Fällen ein kataleptischer Zustand voraus, der unweigerlich einen Vergleich mit der Ekstase der Schamanen aufdrängt. Allgemeiner gesagt, scheinen die Aufgaben, die sich die Benandanti zuwiesen (Kontakt zur Totenwelt, magische Kontrolle der Naturgewalten, um das materielle Überleben der Gemeinschaft zu sichern), eine soziale Funktion wahrzunehmen, die der von den Schamanen ausgeübten sehr ähnlich ist.

Vor vielen Jahren hatte ich diese (später von M. Eliade bestätigte) Beziehung vorgeschlagen, wobei ich sie als »nicht qua Analogie, sondern real« bestehende definierte[54]; gleichwohl hatte ich nicht gewagt, mich näher mit ihr zu befassen. Ich erinnere mich, daß mich beim Nachdenken über die von ihr implizierten Forschungsperspektiven ein schwindelähnliches Gefühl befiel. Naiv fragte ich mich, ob ich eines Tages wohl über die nötigen Kompetenzen verfügen würde, ein so umfassendes und komplexes Thema in Angriff zu nehmen. Heute weiß ich, daß ich sie niemals haben werde. Doch die friaulischen Zeugnisse, auf die ich durch Zufall gestoßen war, warfen Fragen auf, die eine – und wenn auch nur inadäquate und provisorische – Antwort verlangten. In diesem Buch versuche ich, sie zu geben.

14. Die strittigsten Teile dieses Buchs (der zweite und dritte) sind, wie ich glaube, zugleich auch die neuartigsten. Es ist nötig, zu erklären, was mich veranlaßte, eine für ein historisches Buch nicht gerade gewöhnliche Analyse- und Darstellungsstrategie zu wählen.

Daß eine Erforschung der Wurzeln des Sabbat in der Volkskultur in vergleichender Perspektive durchgeführt werden sollte, ist naheliegend. Nur weil man Vergleiche mit Kontinentaleuropa (A. Macfarlane) oder Vergleiche *tout court* (K. Thomas) nicht zuließ, war es beispielsweise möglich, sich die Frage zu ersparen, ob Spuren ähnlicher Glaubensvorstellungen wie jene von den Anhängerinnen der Diana auch in England zu finden sein könnten[55]. Die Analogie zwischen den Geständnissen der Benandanti und des livländischen Werwolfs und, mehr noch, die Analogie zwischen diesen beiden und den Zeugnissen über die eurasischen Schamanen bewiesen jedoch, daß die vergleichende Untersuchung auch auf andere Gebiete und Zeiten als jene, in denen sich die Verfolgung des Hexenwesens abspielte, ausgedehnt werden mußte. Die in den Maschen der Materialsammlung überraschend zutage tretenden Glaubensvorstellungen (der ekstatischen Frauen im Gefolge Orientes, der Benandanti, des Werwolfs Thiess usw.) auf die Jahre 1384, 1575, 1692 anzusetzen – auf die Momente also, in denen Inquisitoren und Richter sie zur Kenntnis nahmen –, hätte zweifellos eine ungebührliche Vereinfachung bedeutet. Selbst Zeugnisse aus jüngster Zeit konnten Spuren von sehr viel älteren Phänomenen bewahren; umgekehrt mochten Zeugnisse aus der fernen Vergangenheit Licht auf sehr viel spätere Phänomene werfen[56]. Diese Hypothese autorisierte zwar keine automatische Projektion der Inhalte der Volkskultur in eine weit zurückliegende Vergangenheit; doch hinderte sie daran, die chronologische Abfolge als Leitfaden zu benutzen. Dasselbe galt für die geographische Nähe; die Wiederkehr analoger Phänomene in sehr weit voneinander entfernten Gegenden konnte sich aus kulturellen Kontakten in weit älterer Zeit erklären. Die Rekonstruktion einer einerseits extrem langlebigen, andererseits fragmentarisch und zufällig dokumentierten Kultur implizierte, zumindest vorläufig, den Verzicht auf einige der wesentlichen Postulate historischer Forschung: zuallererst auf jenes einer unilinearen, gleichförmigen Zeit[57]. In den Prozessen prallten nicht nur zwei Kulturen, sondern auch zwei radikal verschiedene Zeiten aufeinander.

Ausgehend von den Materialien über die Benandanti versuchte ich über Jahre hinweg, auf der Basis rein formaler Ähnlichkeiten Zeugnisse über Mythen, Glaubensvorstellungen und Riten nebeneinander zu stellen, ohne mich um ihre Einordnung in einen plausiblen historischen Rahmen zu kümmern. Selbst die Natur der Affinität, nach der ich vage suchte, ist mir erst im nachhinein klargeworden. Auf diesem Weg begegneten mir neben den glänzenden Ausführungen von Jakob Grimm die Forschungsarbeiten von W. H. Roscher, M. P. Nilsson, S. Luria, V. Propp, K. Meuli, R. Bleichsteiner – um nur einige Namen einer langen Liste zu nennen. Studien, die oft unabhängig voneinander vorgenommen worden waren, trafen am Ende faktisch zusammen. Nach und nach zeichnete sich eine unter morphologischen Gesichtspunkten ziemlich kompakte, unter chronologischen, räumlichen, kulturellen Gesichtspunkten ziemlich heterogene Konstellation von Phänomenen ab. Es schien mir, als bezeichneten die Mythen und Riten, die ich gesammelt hatte, einen symbolischen Kontext, innerhalb dessen die im Sabbatstereotyp eingelagerten Elemente aus der Volkstradition sich als weniger unentzifferbar erwiesen. Aber in regelmäßigen Abständen kamen mir Zweifel, ob ich nicht unsinnig Daten anhäufte und dabei irrelevanten Analogien nachspürte.

Erst als meine Forschung ein Stück weit gediehen war, fand ich die theoretische Rechtfertigung für das, womit ich mich seit Jahren versuchshalber befaßt hatte. Sie ist in einigen überaus dichten Bemerkungen Wittgensteins zu Frazers *The Golden Bough* enthalten: »Die historische Erklärung, die Erklärung als eine Hypothese der Entwicklung ist nur *eine* Art der Zusammenfassung der Daten – ihrer Synopsis. Es ist ebensowohl möglich, die Daten in ihrer Beziehung zueinander zu sehen und in ein allgemeines Bild zusammenzufassen, ohne es in Form einer Hypothese über die zeitliche Entwicklung zu machen.« Diese »*übersichtliche Darstellung*«, bemerkte Wittgenstein, »vermittelt das Verständnis, welches eben darin besteht, daß wir die ›Zusammenhänge sehen‹. Daher die Wichtigkeit des Findens von *Zwischengliedern*.«[58]

15. Dies war der Weg, den ich, ohne mir darüber im klaren gewesen zu sein, gegangen war. Gewiß, keine historische (auf einen religiösen, institutionellen, ethnischen usw. Bereich bezogene) Hypothese hätte es mir gestattet, die unvorhersehbaren Konstellationen von Zeugnissen zusammenzubringen, die ich im zweiten Teil dieses Buches vorstelle. Aber war eine beinahe ahistorische Darstellung der erlangten Ergebnisse ausreichend? Wittgensteins Antwort war eindeutig: die »übersichtliche Darstellung« sei nicht nur eine alternative Art der Darstellung, sondern der historischen auch implizit überlegen, da sie a) weniger willkürlich und b) frei von unbewiesenen Entwicklungshypothesen sei. Eine »interne Beziehung der Kreisform zur Ellipse«, bemerkte er, werde dadurch illustriert, »daß man eine Ellipse allmählich in einen Kreis überführt; aber *nicht um zu behaupten, daß eine gewisse Ellipse tatsächlich, historisch, aus einem Kreis entstanden wäre* (Entwicklungshypothese), sondern nur um unser Auge für einen formalen Zusammenhang zu schärfen.«[59]

Dies Beispiel schien mir *zu* beweiskräftig. Statt mit Kreisen und Ellipsen, definitionsgemäß Einheiten außerhalb der Zeit, hatte ich es mit Männern und Frauen zu tun, mit friaulischen Benandanti zum Beispiel. Hätte ich mich darauf beschränkt, ihre allmähliche Umwandlung in Hexer in rein formalen Begriffen zu beschreiben, hätte ich schließlich ein entscheidendes Element vernachlässigt: die kulturelle und psychologische Gewalt, die von den Inquisitoren ausgeübt wurde. Die ganze Geschichte hätte sich als völlig durchschaubar, aber auch als völlig unbegreiflich erwiesen. Klammert man beim Studium menschlicher Angelegenheiten die Zeitdimension aus, gelangt man unweigerlich zu einem entstellten, da von Gewaltverhältnissen gesäuberten Ergebnis. Die menschliche Geschichte geschieht nicht in der Welt der Ideen, sondern in der sublunarischen Welt, in der die einzelnen unwiderruflich geboren werden, Leid zufügen oder erfahren, sterben[60].

Die morphologische Untersuchung schien mir, aus intellektuellen und moralischen Gründen zugleich, die historische Rekonstruktion also nicht ersetzen zu können. Sie konnte ihr – vor allem in schlecht dokumentierten Gebieten oder Zeiten – jedoch förderlich sein. Die geschichtliche Natur der Zusammenhänge, die ich rekonstruiert hatte, stand für mich außer Zweifel. Ich hatte mich der morphologischen Untersuchung wie einer Sonde bedient, um eine andernfalls unerreichbare Tiefenschicht auszuloten[61].

Wittgensteins These mußte also umgekehrt werden: Im Bereich der Geschichte (wohlgemerkt nicht der Geometrie) kann die formale Verknüpfung als anders formulierte entwicklungs- oder besser entstehungsgeschichtliche Hypothese aufgefaßt werden. Mittels der Komparation galt es zu versuchen, die Streuung der bis dahin auf der Grundlage innerer, formaler Ähnlichkeiten dargebotenen Daten in historische Begriffe zu übertragen. Demnach wäre es also – Propps Beispiel folgend – die Morphologie, die, obwohl achronisch, die Diachronie begründen würde[62].

16. Die – in einer Kapitelüberschrift (Teil III, Kap. I) auch zum Ausdruck gebrachte – konjekturale Natur dieses Versuchs war aufgrund der Dürftigkeit der Belege unvermeidlich. Dennoch gestatteten Berührungspunkte zwischen

den Zeugnissen, einige historische Zwischenglieder festzuhalten: Eine uralte Zirkulation von Mythen und Riten, die an ekstatische Erfahrungen gebunden waren und aus den asiatischen Steppen stammten, schien, wenn auch nicht in jeder Beziehung bewiesen, so doch mehr als wahrscheinlich. Ein im wesentlichen unbekanntes Phänomen kam zum Vorschein. Doch war dies Ergebnis nicht nur provisorisch, sondern offensichtlich auch inadäquat. Die enorme Streuung und vor allem die Zählebigkeit jener Mythen und Riten in solch unterschiedlichen Kontexten blieben unerklärlich. Daß analoge symbolische Formen nach Jahrtausenden in völlig heterogenen räumlichen und kulturellen Umgebungen erneut auftraten, ließ sich das in rein historischen Begriffen analysieren? Oder handelte es sich vielmehr um Extremfälle, die im Gewebe der Geschichte einen atemporalen Einschlag erkennen ließen?

Aus diesem Dilemma fand ich lange Zeit keinen Ausweg[63]. Dem Anschein nach hätte einzig eine Vorabentscheidung ideologischer Art die Alternative zur einen oder anderen Seite hin auflösen können. Am Ende versuchte ich der Zwangslage zu entkommen, indem ich eine Art Experiment konstruierte (Teil III, Kap. II). Ausgehend von einem rätselhaften Detail, das in einigen bereits besprochenen Dokumenten vorgekommen war, stellte ich ein – sicherlich unvollständiges – Ensemble von Mythen, Legenden, Märchen, Riten zusammen, die oftmals für einen sehr weiten zeitlichen und räumlichen Bereich bezeugt sind und sich in jedem Fall durch einen erhöhten Grad von »Familienähnlichkeiten« auszeichnen[64]. Von einigen wenigen Ausnahmen abgesehen (O. Gruppe, S. Luria, A. Brelich), waren die einzelnen Komponenten der Serie als gesonderte Einheiten analysiert worden. Ich werde später ausführen, was – um nur irgendein Beispiel zu geben – Ödipus, Achilles, Aschenputtel, den mythischen Monosandalismus und das rituelle Sammeln der Knochen getöteter Tiere miteinander verbindet. Hier mag die Feststellung genügen, daß mich die Gesamtanalyse der Serie das anfängliche Dilemma überwinden und zu auch unter theoretischem Gesichtspunkt vielleicht nicht ganz belanglosen Schlußfolgerungen gelangen ließ.

17. Die potentielle Fruchtbarkeit des Experiments ergab sich vor allem aus der außergewöhnlichen Streuung in Zeit und Raum, die, wie gesagt, fast alle einzelnen Einheiten der Serie auszeichnet. Soweit ich weiß, hat keiner der Forscher, die sich dazu äußerten, dieses Merkmal als zufällig abgetan; viele haben sich damit begnügt, es als gegebenes Faktum zur Kenntnis zu nehmen; einige haben es zu erklären versucht. Die wichtigsten, fast immer unabhängig voneinander formulierten Hypothesen sind die folgenden:

a) Die Zählebigkeit und Verbreitung ähnlicher Phänomene bilde den Beweis für eine halb ausgelöschte historische Kontinuität, in der elementare psychologische Reaktionen ihren Niederschlag gefunden haben sollen; von daher, so K. Meuli, die Analogien zwischen den Riten der Jäger im Paläolithikum (die anhand der Zeugnisse über die Schamanen Nordasiens teilweise rekonstruiert werden können) und dem griechischen Opfer. Das Element der psychologischen Kontinuität betonend, deutete W. Burkert unter Hinweis auf die Theorie von Jung atemporale Archetypen an, ebenso R. Needham hinsichtlich des Mythos vom einseitigen oder halben Menschen, der in extrem heterogenen kulturellen Kontexten anzutreffen ist.

b) Meulis Hypothese wurde, namentlich in Burkerts Formulierung, von J.-P. Vernant und M. Detienne abgelehnt, da sie zwangsläufig auf »einem psychischen Archetyp oder irgendeiner unveränderlichen Struktur« beruhe. Folglich hielten sie auch einen Vergleich mit anderen und älteren Kulturen als der griechischen für unangebracht. In diesem polemischen Kontext bekräftigten sie einerseits die Ablehnung einer »vertikalen Geschichte« (M. Detienne), andererseits eine »Wette zugunsten der Synchronie« (J.-P. Vernant)[65], die auch einige Essays über einen in der hier vorgeschlagenen Serie vertretenen Mythos angeregt hat: den Ödipusmythos.

c) Ein Forscher (C. Lévi-Strauss) beschäftigte sich eingehend mit dem Thema des mythischen und rituellen Hinkens und bemerkte, seine enorme geographische Verbreitung scheine für einen Ursprung in sehr weit zurückliegender Zeit (im Paläolithikum) zu sprechen, der eben deshalb nicht verifizierbar sei. Dies führte, wie wir sehen werden, zu einem Erklärungsvorschlag formaler Art, der sich auf eine summarische, aber weitausholende Vergleichung stützt.

d) Der Ursprung einiger der Phänomene, die ich untersucht habe, in prä- oder protohistorischer Zeit wurde oft angenommen, allerdings nur selten begründet. Eine der Ausnahmen ist L. Schmidt, der den historischen und geographischen Rahmen zu präzisieren versucht hat, innerhalb dessen sich der Mythos von der Auferstehung der Tiere aus den Knochen und andere verwandte Mythen ausbreiteten.

Es handelt sich um grundverschiedene Ansätze, sowohl hinsichtlich ihrer allgemeinen Voraussetzungen und der zur Identifizierung des Untersuchungsgegenstandes angewandten Kriterien als auch hinsichtlich ihrer jeweiligen Implikationen. Eine Bewertung sollte all diese Elemente auseinanderhalten, ohne bei bequemen ideologischen Etikettierungen haltzumachen, die die erste Interpretation als archetypisch, die zweite und dritte als strukturalistisch und die vierte als diffusionistisch kennzeichnen würden.

Sehr oft wird generisch, ohne daß damit Erklärungsansprüche erhoben würden, von Archetypen gesprochen. Wenn der Begriff jedoch mehr oder weniger explizit auf eine völlig unbewiesene erbliche Übertragung erworbener kultureller Merkmale verweist *(a)*, dann erweisen sich seine Erklärungsansprüche als ganz und gar nicht stichhaltig, ja sogar potentiell rassistisch. Und dennoch scheint es mir kein akzeptables Vorgehen, ein Problem nicht anzuerkennen, weil die vorgeschlagenen Lösungen unbefriedigend sind *(b)*. Wie Detienne von einem »Erbe des Paläolithikums« zu sprechen, bedeutet außerdem, die möglichen Lösungen, indem man sie disqualifiziert, willkürlich einzugrenzen. Die Hypothese *(c)*, nach der das Auftreten ähnlicher Phänomene in verschiedenen Kulturen auf unwandelbaren Strukturen des menschlichen Geistes beruht, impliziert tatsächlich angeborene formale Zwänge, kein Erbe und auch keine Archetypen – auch wenn, wie zu sehen sein wird, die im speziellen Fall vorgeschlagene Lösung in theoretischer wie praktischer Hinsicht unbefriedigend ist. Die Entscheidung *(d)* fordert einen prinzipiellen Einwand heraus, der sich gegen jede diffusionistische Theorie vorbringen läßt: Kontakt oder Kontinuität sind äußere Ereignisse, die nicht ausreichen, um die Weitergabe kultureller Phänomene in Raum und Zeit zu erklären – vor allem, wenn diese, wie in den zur Frage stehenden Fällen, riesige Ausmaße annimmt.

Betrachten wir nun die Kriterien, die von Mal zu Mal zur Bestimmung des Forschungsgegenstandes angewandt werden. In den vom Strukturalismus angeregten Forschungen zum Mythos oder Ritus wird der Gegenstand konstruiert (oder rekonstruiert), indem zunächst die Oberflächendaten zerlegt und dann Reihen erstellt werden, die sich auf ein Netzwerk tiefliegender Isomorphismen stützen[66]. Die polemische Zielscheibe dieses Ansatzes bildet die positivistische Angewohnheit, ausgehend von isolierten Einheiten nach Analogien zu suchen, die stets auch Übertragungen oder Filiationen bedeuten. Freilich setzen die Theoretiker des Strukturalismus die eigenen Prinzipien nicht immer in die Praxis um; umgekehrt haben auch Forscher positivistischer Ausrichtung einen Blick für die tiefe Verwandtschaft zwischen scheinbar verschiedenen Mythen oder Riten bewiesen. Doch jenseits dieser Etikettierungen scheint mir der Weg, dem gefolgt werden sollte, klar: Der Isomorphismus begründet die Gleichheit, nicht umgekehrt. Nicht nur hinsichtlich der Voraussetzungen, sondern auch der Methode bedeutet dies einen grundlegenden Unterschied zu all jenen, die den Anspruch erheben, intuitiv die unwandelbaren Symbole – Archetypen – zu erfassen, in denen die Offenbarungen des kollektiven Unbewußten (Jung) oder die ursprünglichen Manifestationen des Heiligen (Eliade) zum Ausdruck kommen sollen[67].

Um zusammenzufassen: die auf einer weit gefaßten diachronischen und einer breit angelegten vergleichenden Betrachtung basierenden Forschungen antworten auf die von Kontinuität und Streuung ähnlicher Mythen und Riten aufgegebene Frage, indem sie haltlose (Archetypen) oder simplifizierende Hypothesen (mechanische Verbreitung) formulieren; jene Forschungen, denen ein synchronischer Ansatz zugrunde liegt, umgehen, zusätzlich zur Vergleichung, das Problem. Andererseits fordert, wie man sehen wird, die von Lévi-Strauss kurz umrissene, in gewisser Hinsicht dazwischenliegende Lösung – eine zugleich synchronische und vergleichende Analyse transkultureller Phänomene – sowohl prinzipielle als auch sachbezogene Einwände heraus. Aber ist es wirklich unvermeidlich, sich zwischen Alternativen zu entscheiden, deren eine inakzeptable Antworten und deren andere unzulängliche Fragen impliziert? Sind diachronische Perspektive und methodische Strenge tatsächlich nicht zu vereinbaren?

18. Diese Fragen lassen erkennen, weshalb das vorliegende Buch vor allem in seinem am stärksten theoretisch ausgerichteten Kapitel (Teil III, Kap. II) einen bald impliziten, bald expliziten Dialog mit den Gelehrten unterhält, die in den letzten Jahrzehnten, von nur zum Teil übereinstimmenden Gesichtspunkten aus, die Forschungen über den Mythos (C. Lévi-Strauss) und besonders den griechischen Mythos (J.-P. Vernant, M. Detienne) erneuert haben. Ich möchte zunächst den Rahmen der Diskussion mit den letztgenannten skizzieren.

Wie bereits bemerkt, hat J.-P. Vernant von einer »Wette zugunsten der Synchronie« gesprochen und sich damit gegen einen »retrospektiven Komparatismus« gewandt, der die »Etappen einer mutmaßlichen Entstehungsgeschichte« nachzuzeichnen versuche. Ebenso deutlich hat M. Detienne eine auf die »Nebel des Paläolithikums« gerichtete »vertikale Geschichte« verworfen. Das von Vernant und Detienne herangezogene Belegmaterial ist freilich weit eingegrenzter in Zeit und Raum: es reicht, um sich auf die Texte zu beschränken, von Homer bis zu den hellenistischen Mythographen. Was von einem »synchronischen« Ansatz zu sprechen erlaubt, ist die Auffassung dieses mehr als ein Jahrtausend umfassenden Text*korpus* als Einheit[68]. Die Besonderheit der griechischen Kultur geltend zu machen und ihre Religion und Mythen als »organisiertes System« erforschen zu wollen, sind zwei Seiten desselben Projekts[69]. In dieser Perspektive stellt sich die Beziehung zwischen Synchronie und Diachronie, wie Vernant luzide bemerkt hat, als unaufgelöste Aporie dar[70].

Eigentümlichkeit ist freilich kein Synonym für Autochthonie. In früheren Jahren hatte Vernant die – von Rohde angedeutete und später von Meuli und anderen Gelehrten weiterentwickelte – Hypothese ernsthaft in Erwägung gezogen, an Ekstase gebundene religiöse Phänomene bei den Griechen stellten eine Fortentwicklung von Themen aus dem eurasischen Schamanismus dar[71]. Die Serie, die ich auf morphologischen Grundlagen rekonstruiert habe, fügt diese Verbindung in eine noch weitere chronologische Perspektive ein, die beispielsweise bis zu den Anhängerinnen Orientes, den friaulischen Benandanti und dem livländischen Werwolf reicht. Das Wiederauftreten bestimmter Phänomene innerhalb verschiedener Kulturen als ein Zeugnis für unvollkommen bezeugte oder gar nicht bezeugte historische Beziehungen anzusehen, bedeutet, sich von der Entscheidung für eine strenge Synchronie, wie sie Vernant und Detienne für den griechischen Bereich getroffen haben, zu entfernen. Es ist zwar richtig, daß ihre Polemik gegen den »retrospektiven Komparatismus« die eine oder andere Ausnahme einräumt, da beide wiederholt Anregungen aus den Forschungen Dumézils und, in geringerem Maß, Benvenistes bezogen haben[72]. Allerdings hatten die indoeuropäischen Sprachen für Dumézil und Benveniste den unzweifelhaften Beweis für eine Gesamtheit historischer Filiationen geliefert. Im Fall der Beziehungen zwischen eurasischen und indoeuropäischen Sprachen fehlt dieser Beweis. Gewiß, wenn ich mich darauf beschränkt hätte, die Datenreihen, die ich zunächst auf der Basis innerer Analogien vorgestellt hatte (Teil II), in – wenn auch hypothetische – historische Begriffe zu übertragen (Teil III, Kap. I), hätte man den Vorwurf gegen mich erheben können, implizit eine veraltete, lediglich auf Filiationen und genetische Beziehungen gestützte diffusionistische Interpretation noch einmal vorzuschlagen[73]. Das nachfolgende Experiment (Teil III, Kap. II) stellt jedoch zwei Themen zu dem Zweck heraus, die ganze Frage noch einmal unter einem komplexeren Gesichtspunkt aufzurollen und damit auch dem Rechnung zu tragen, worin die Stärke der von Vernant ausgesetzen »Wette zugunsten der Synchronie« liegt: dem systematischen Ansatz.

Der unauflösliche Nexus zwischen »Synchronie« und »System« geht, abgesehen von seinen Formulierungen bei Lévi-Strauss, bekanntlich auf Saussure zurück[74]. Freilich birgt der analoge Gebrauch des Terminus »System« in außerlinguistischen Bereichen (»kulturelles System«, »soziales System«, »mythisch-religiöses System« usf.) Gefahren: In diesen Fällen lassen sich die konstitutiven

Einheiten nicht im strengen Sinn gegeneinander abgrenzen. Ein Vergleich zwischen dem Begriff des »Mythems«, den Lévi-Strauss in einer ersten Phase einführte, und dem des »Phonems«, dem er nachgebildet war, zeigt deutlich, daß es nicht ausreicht, Begriffsmodelle aus der Linguistik zu beziehen, um damit auch schon ihre Strenge zu gewinnen[75]. Sowohl das phonologische System einer toten Sprache (oder einer vergangenen Phase einer lebenden Sprache) wie auch das »verborgene System« eines Mythos[76] müssen auf der Basis einer in ihrem Kern begrenzten, wenn auch (durch archäologische, papyrologische u. ä. Funde) sich potentiell vergrößernden dokumentarischen Gesamtheit rekonstruiert werden. Die häufig zufällige, indirekte oder fragmentarische Natur des Belegmaterials zum Mythos bringt die – im sprachlichen Bereich weniger häufige – Möglichkeit mit sich, daß für die Interpretation wesentliche Elemente entweder noch unentdeckt oder unwiederbringlich verloren sind[77]. Eine Nachlässigkeit von Lévi-Strauss (die eine gelungene Wiederaufnahme seiner Überlegungen nach sich zog) wird die Auswahlmechanismen des Überlieferungsprozesses und ihre Konsequenzen illustrieren[78].

Diese Überlegungen legen nahe, die Bezeichnung mythisch-religiöses System mit Vorsicht zu gebrauchen. Das Festhalten an einem rein synchronischen Ansatz stiftet noch größere Ratlosigkeit. Die Gefahr, auf diese Weise über die Komplexität der Phänomene hinwegzugehen, ist nicht allein von Historikern hervorgehoben worden, denen es – ihrer Profession gemäß, wenngleich nicht gezwungenermaßen – um die zeitliche Abfolge zu tun ist[79]. Ähnliche Besorgnisse äußerten auch Semiologen wie Lotman und seine Mitarbeiter, als sie eine Erforschung der Kultur vorschlugen, die sich auf ein weites Verständnis von »Text« gründet, so daß auch Mythen, Riten, Bilder, handwerkliche Erzeugnisse usw. darin eingeschlossen sind. »In der realen Existenz der Kultur funktionieren neben neuen auch Texte, die aus einer gegebenen kulturellen Tradition überkommen oder von außerhalb eingeführt worden sind. Dies verleiht jedem synchronen Stand der Kultur die Merkmale kultureller Mehrsprachigkeit. Von dem Augenblick an, in dem die Geschwindigkeit der kulturellen Entwicklung ungleich sein kann, kann eine synchrone Schicht der Kultur ihre Diachronie und die aktive Reproduktion ›alter Texte‹ einschließen«[80]. In diesen Worten vernimmt man ein Echo auf die Polemik R. Jakobsons gegen die drastische Antithese zwischen Synchronie und Diachronie, wie sie Saussure formulierte[81]. Sich seiner Erfahrungen als Volkskundler in jungen Jahren erinnernd, bemerkte Jakobson nämlich: »Wenn man die Handlungen und magischen Glaubensvorstellungen aktueller, unter volkskundlichem Aspekt zusammengehöriger Gruppen einer systematisch-synchronischen Deutung unterzieht..., scheint das prähistorische Alter eines Großteils dessen, was sich in den bis auf uns gekommenen Elementen verbirgt, überzeugend belegt. Man bemerkt dann und gewinnt weitaus zwingender die Überzeugung, daß die volkskundlichen Zeugnisse ihre Wurzeln in einer sehr viel weiter zurückliegenden Zeit und eine sehr viel weitere Verbreitung im Raum haben, als man denken mag. Wenn ähnliche Schlußfolgerungen nicht schon eher in überzeugender Weise vertreten werden konnten, dann darum, weil die mechanistischen Vorgehensweisen früherer Forschungen einer strukturalen Analyse der Verbreitung des volkskundlichen Erbes nicht den Vorrang gaben«[82].

Diese Perspektive scheint zur Beschreibung und zum Verständnis von Konflikt-situationen bei weitem geeigneter als das im wesentlichen monolithische und außerdem statische Postulat eines »einheitlichen Systems«, das für »das Feld der (kulturellen) Vorstellungen« einstehen soll[83]. Im Querschnitt jeder Gegenwart sind auch viele Vergangenheiten unterschiedlicher zeitlicher Dichte eingelassen, die – vor allem bei volkskundlichen Zeugnissen – auf einen sehr viel umfängliche-ren räumlichen Kontext hinweisen können.

19. Aus Jakobsons phonologischen Forschungen gewann Lévi-Strauss zu Anfang der 40er Jahre bekanntlich eine Methode zur Analyse von sozialen Phänomenen (in erster Linie von Verwandtschaftsstrukturen). Daß Lévi-Strauss damals und auch später die von Jakobson formulierte Notwendigkeit einer Über-windung der Antithese zwischen Synchronie und Diachronie vernachlässigte, ist sicher bezeichnend. Die gängige Interpretation jedoch, nach der aus Lévi-Strauss' Option für die Synchronie eine aggressiv geschichtsfeindliche Haltung spreche, ist oberflächlich. Anfangs hatte Lévi-Strauss in Anlehnung an einen berühmten Satz von Marx den Historikern die Sphäre des Bewußten (»Die Menschen machen ihre eigene Geschichte«) und den Anthropologen die des Unbewußten (»aber sie machen sie nicht aus freien Stücken«) zugewiesen: eine Aufteilung der Forschungsbereiche, die die Möglichkeit fruchtbarer Überschnei-dungen, wie sie etwa in den Untersuchungen von L. Febvre zu dunklen oder unbewußten Phänomenen der Mentalitäten vorlagen, gelten ließ[84]. Späterhin formulierte Lévi-Strauss das Verhältnis zwischen Anthropologie und Geschichte als Dilemma: der wiederholte Vergleich von homologen Mythen aus historisch nicht (oder zumindest nicht nachweislich) miteinander zusammenhängenden Kulturen endete jedesmal damit, daß die Analogien auf formale Zwänge statt auf kulturelle Entlehnungen zurückgeführt wurden[85]. Unlängst jedoch hat Lévi-Strauss, indem er, vom Titel angefangen, an einen mehr als dreißig Jahre zuvor geschriebenen Aufsatz anknüpfte, wie damals auf den Möglichkeiten einer Zusammenarbeit zwischen Historikern und Anthropologen insistiert. »Sogar der Diffusionismus«, so schreibt er, »und erst recht jede historische Forschung, ist also für die strukturale Analyse von grundlegender Bedeutung: auf unterschied-lichen Wegen und mit ungleichen Chancen verfolgen diese Verfahren dasselbe Ziel – nämlich oberflächlich gesehen heterogene Phänomene verständlicher zu machen, indem man ihnen größere Einheit verleiht. Die strukturale Analyse kommt der Geschichtswissenschaft sogar entgegen, wenn sie, jenseits der empiri-schen Gegebenheiten, zu tiefen Strukturen vorstößt, die, weil sie tief sind, in der Vergangenheit vielleicht auch gemeinsame Strukturen waren (*des structures pro-fondes qui, parce que profondes, peuvent aussi avoir été communes dans le passé*)«[86]. Diese Überlegungen stehen am Anfang einer dichten, von dem als Kladistik bekannten biologischen Klassifikationssystem angeregten Reflexion. Während die traditio-nelle Klassifizierung die Arten nach ihren mehr oder weniger komplexen Merk-malen längs einer Entwicklungsstufenleiter anordnet, stellt die Kladistik anhand von Homologien, die nicht notwendigerweise auf genealogische Beziehungen verweisen, eine Vielzahl von Ordnungen (oder Kladogrammen) auf. Lévi-Strauss bemerkt, daß die Kladistik dadurch »einen Mittelweg zwischen Struktur- und

Ereignisebene« eröffnet hat, den auch beschreiten kann, wer sich mit der menschlichen Species befaßt: Die dank der strukturalen Analyse erkannten Homologien zwischen Phänomenen, die in verschiedene Gesellschaften gehören, sollten nachfolgend einer genauen Prüfung durch den Historiker unterzogen werden, damit diejenigen ermittelt werden können, die tatsächlichen und nicht nur möglichen Verbindungen entsprechen.

Zwischen dem von Lévi-Strauss umrissenen Programm und dem vorliegenden Buch gibt es sichtliche Konvergenzen. Nicht minder wichtig sind jedoch die Divergenzen. Eine erste besteht in der Ablehnung der eingeschränkten und marginalen Funktion, die Lévi-Strauss der Geschichte beimißt: nämlich durch Erhärtung einer Reihe von Tatsachen auf Fragen zu antworten, die die Anthropologie gestellt hat. Wer, anders als Lévi-Strauss, mit datierten oder datierbaren Dokumenten arbeitet, dem kann auch das Umgekehrte widerfahren, und dies nicht nur dann, wenn – wie in der hier vorgelegten Untersuchung – Morphologie und Geschichte, die Ermittlung formaler Homologien und die Rekonstruktion von räumlich-zeitlichen Kontexten Aspekte einer von ein- und derselben Person durchgeführten Forschung sind. Aus diesem Ineinandergreifen ergibt sich auch eine zweite Divergenz. Die im zweiten und dritten Teil dieses Buches analysierten isomorphen Serien gehören in einen Bereich, der zwischen der (von Lévi-Strauss bevorzugten) abstrakten Tiefenstruktur und der Oberfläche der konkreten Ereignisse liegt[87]. In diesem Zwischenbereich findet möglicherweise, in Übereinstimmungen und Gegensätzen, die wahre Auseinandersetzung zwischen Anthropologie und Geschichte statt.

20. Vor langer Zeit hatte ich mir vorgenommen, von einem historischen Gesichtspunkt aus experimentell die Inexistenz der menschlichen Natur zu beweisen; fünfundzwanzig Jahre später sehe ich mich eine exakt entgegengesetzte Theorie vertreten. Wie man feststellen wird, wurde meine Forschung an einem bestimmten Punkt zu einer Reflexion – angestellt im Rahmen der Untersuchung eines vielleicht extremen Falles – über die Grenzen historischer Erkenntnis.

Vor allem aber bin ich mir der Grenzen *meines* Wissens bewußt. Die Entscheidung, mich in einer diachronen und vergleichenden Perspektive zugleich zu bewegen, ließ sie noch schwerer ins Gewicht fallen. Dies machte eine Ausweitung der Untersuchung vom »Feld der Mythologie auf die Gesamtheit der Informationen, die sämtliche Register des sozialen, geistigen und materiellen Lebens der betrachteten Gruppe von Menschen betreffen«[88], selbstverständlich unmöglich. Meinen Mangel an Fachwissen in Kauf zu nehmen, wurde schließlich zu einem Teil des Experiments. Unerfreulicher war der notgedrungene Verzicht darauf, eine manchmal vernachlässigte, da schwierig zu dokumentierende oder zu Unrecht für irrelevant gehaltene Dimension in die Analyse (bis auf wenige Ausnahmen) miteinzubeziehen: die subjektive. Die allermeisten Zeugnisse, die ich gefunden habe, sind fragmentarisch und vor allem indirekt – oft aus dritter oder vierter Hand. Welche Bedeutung die Akteure sowohl den in Ekstase nacherlebten Mythen wie den Riten, an denen sie teilnahmen, beilegten, entgeht uns in der Regel. Auch in dieser Hinsicht erscheinen uns die Zeugnisse über die Benandanti kostbar. In ihren Erzählungen sehen wir verschiedene Individuen auf unterschiedliche Weise, einen jeden mit einem eigenen Akzent, einen Kern gemeinsamer Glaubensvorstellungen artikulieren. Diese Reichhaltigkeit an Erlebtem ist in den gedrängten Zusammenfassungen, wie sie von den hellenistischen Mythographen, den Autoren frühmittelalterlicher Bußschriften oder den Volkskundlern des 19. Jahrhunderts erstellt wurden, fast nie vorzufinden. Aber auch wenn die Mythen durch abstrakte formale Oppositionen beschreibbar sind, werden sie doch in konkreten sozialen Situationen lebendig und durch Individuen aus Fleisch und Blut weitergegeben und wirksam.

Sie wirken allerdings auch unabhängig vom Bewußtsein, das die Individuen davon haben. Hier drängt sich unweigerlich die definitionsgemäß unvollkommene Analogie zur Sprache auf. Man ist versucht, die individuellen Varianten eines Mythos den einzelnen Sprechakten zu vergleichen und die lappländischen oder sibirischen Schamanen, die baltischen Werwölfe, die *Armiers* aus dem Ariège-Gebiet in den Pyrenäen, die friaulischen Benandanti, dalmatischen *Kresniki*, rumänischen *Călușari*, ungarischen *Táltos* und kaukasischen *Burkudzäutä* einer vielfältigen, in Zeit und Raum verstreuten Bevölkerung, die verschiedene mythische Sprachen spricht, aber durch enge Verwandschaftsbande zusammengehalten wird. Um die Bedeutung ihrer Mythen und Riten auf einer überindividuellen Ebene zu rekonstruieren, muß man dem von Benveniste in der Sprachwissenschaft vorgezeichneten Weg folgen: »Es geht darum, durch den Vergleich und mittels einer diachronen Analyse eine Bedeutung sichtbar zu machen, wo wir zu Beginn lediglich über eine Bezeichnung verfügen. Die Zeitdimension wird so zu einer erklärenden Dimension«[89]. Jenseits des synchronisch rekonstruierbaren, an lokale Bedingungen geknüpften Gebrauchs *(désignation)*, kommt dank des »retrospektiven Komparatismus« eine Bedeutung zum Vorschein, die Benveniste »primär« nennt *(signification première)* – im rein relativen Sinne eines »ältesten Erreichbaren«[90]. Im Fall der hier betrachteten Phänomene bildet die Reise des Lebenden in die Welt der Toten den primären Kern.

21. Mit diesem mythischen Kern sind auch volkstümliche Themen wie der nächtliche Flug oder die Tierverwandlungen verbunden. Aus ihrer Verschmelzung mit dem Bild der feindlichen Sekte, das nach und nach auf die Aussätzigen, die Juden, die Hexen und Hexer projiziert wurde, ging eine kulturelle Kompromißgestalt hervor: der Sabbat. Die Verbreitung des Sabbat außerhalb des westlichen Alpenbogens, wo er sich zum ersten Mal herauskristallisiert hatte, setzte in den ersten Jahrzehnten des 15. Jahrhunderts ein. Dank der Predigertätigkeit des heiligen Bernardino von Siena wurde eine bis dahin für randständig gehaltene Sekte sogar im Herzen der Christenheit, in Rom, entdeckt. Ähnliche Entdeckungen sollten sich mehr als zwei Jahrhunderte hindurch in ganz Europa wiederholen. Lokale und überlokale Umstände erklären von Mal zu Mal die Zuspitzung der Hexenjagd; freilich trug das bis auf oberflächliche Abwandlungen unveränderliche Stereotyp vom Sabbat stark zu ihrer Verschärfung bei.

Mit Ausgang der Verfolgung löste sich der Sabbat auf. Als reales Ereignis verleugnet, abgedrängt in eine nicht mehr bedrohliche Vergangenheit, nährte er die Phantasie von Malern, Dichtern, Philologen. Aber die uralten Mythen, die für eine verhältnismäßig kurze Zeit (drei Jahrhunderte) in jenes zusammengesetzte Stereotyp Eingang gefunden hatten, haben sein Verschwinden überdauert. Sie sind noch wirksam. Die unzugängliche Erfahrung, die die Menschheit Jahrtausende lang symbolisch in Mythen, Märchen, Riten, Ekstasen zum Ausdruck gebracht hat, bleibt einer der verborgenen Mittelpunkte unserer Kultur, unserer Art, auf der Welt zu sein. Auch der Versuch, die Vergangenheit kennenzulernen, ist eine Reise in die Welt der Toten[91].

Anmerkung

Die erste Idee zu dieser Forschung geht auf das Jahr 1964 oder 1965 zurück; der Beginn der eigentlichen Arbeit auf das Jahr 1975. Von da an ging sie diskontinuierlich voran, mit langen Pausen und Abweichungen. Einige provisorische Ergebnisse stellte ich bei folgenden Gelegenheiten vor: in Seminaren unter der Leitung von Jacques Le Goff (an der École Pratique des Hautes Études), Jean-Pierre Vernant (am Centre de Recherches Comparées sur les Sociétés Anciennes) und Keith Thomas (an der Universität Oxford); im Rahmen zweier Ringvorlesungen an der Van Leer Foundation in Jerusalem (auf Einladung von Yehuda Elkana) und am Collège de France (auf Einladung von André Chastel und Emmanuel Le Roy Ladurie); an der Universität Genf (auf Einladung von Bronislaw Baczko); in Edinburgh im Rahmen einer Antiquary Lecture vor dem Fachbereich Geschichte der Universität Princeton; sowie im Laufe meiner Seminare mit Studenten aus Yale (1983) und Bologna (1975–76, 1979–80, 1986–87). Aus diesen Begegnungen und Diskussionen habe ich viel gelernt. Doch ohne die verschiedentlich am Centre de Recherches Historiques (Paris), im Herbst 1983 am Whitney Humanities Center der Universität Yale, im Winter 1986 am Institute for Advanced Study (Princeton) und im Frühling desselben Jahres am Getty Center for the History of Art and Humanities (Santa Monica) verbrachten Aufenthalte wäre das vorliegende Buch nie geschrieben worden.

Ich habe lange Diskussionen über diese Untersuchung geführt, zunächst mit Stefano Levi Della Torre und Jean Lévi, dann mit Simona Cerutti und Giovanni Levi: Ihre Kritik und ihre Anregungen waren mir wertvoll. Salvatore Settis ermöglichte es mir, den Text noch zu verbessern, als er bereits in Satz gegangen war. In den Anmerkungen danke ich jenen, die mir im Lauf all dieser Jahre mit Rat und Hinweisen behilflich waren. Hier erwähne ich im besonderen, in Zuneigung und Dankbarkeit, Italo Calvino und Arnaldo Momigliano.

Notiz

Diese deutsche Ausgabe enthält im Vergleich zur italienischen Originalausgabe einige Ergänzungen und zahlreiche Berichtigungen: auf einen Großteil davon hat mich die Übersetzerin Martina Kempter aufmerksam gemacht, der ich für ihre wachsame und sachkundige Mitarbeit herzlich danken möchte.

[1] Vgl. J. Hansen, *Quellen und Untersuchungen zur Geschichte des Hexenwahns und der Hexenverfolgung im Mittelalter*, Bonn 1901, Index (unter dem Stichwort »Hexensabbat«). Zu »Sabbat« vgl. P.-F. Fournier, *Etymologie de sabbat »réunion rituelle de sorciers«*, in: »Bibliothèque de l'École des Chartes« CXXXIX (1981), S. 247–49 (Hinweis von Alfredo Stussi), der einen Zusammenhang mit dem Ruhetag der Juden vermutet, welcher wiederum einen Zusammenhang mit *ensabatés*, d. h. Waldensern, habe aufleben lassen. (Hierzu ist hinzuzuziehen: S. J. Honnorat, *Vocabulaire français-provençal*, Digne 1846–47, Stichwort »Sabatatz, ensabatz«). Die im weiteren (Teil I, Kap. II) vorgeschlagene Rekonstruktion läßt daran denken, daß sich beide Elemente wechselseitig verstärkt haben könnten. Eine der ersten dämonologischen Schriften, in denen der Terminus im Plural *(sabbatha)* vorkommt, ist der mehrfach nachgedruckte und ins Französische, Deutsche, Englische übersetzte Dialog von L. Daneau *(De veneficiis, quos vulgo sortiarios vocant...,* Francofurti ad Moenum 1581, S. 242). Der gleichzeitig auch auf Versammlungen von Ketzern bezogene Ausdruck »synagoga« ist in der Sprache von Richtern und Inquisitoren bis ins vorgerückte 16. Jahrhundert sehr verbreitet (vgl. z. B. E. W. Monter, *Witchcraft in France and Switzerland*, Ithaca and London 1976, S. 56–57). Im deutschsprachigen Raum findet man »Hexentanz«: vgl. H. C. E. Midelfort, *Witch-Hunting in Southwestern Germany. 1562–1584*, Stanford (Cal.) 1972, S. 248, Anm. 92. »Striaz«, italienisiert zu »striazzo« oder »stregozzo« (letzteres ist der Titel einer Radierung von Agostino Veneziano), ist in den modenesischen Prozessen gebräuchlich. Zu »barlott« siehe das sehr genaue, doch in seinen Schlußfolgerungen fragwürdige (siehe im weiteren, S. 84) gleichnamige Stichwort in: *Vocabolario dei dialetti della Svizzera italiana*, II, S. 205–209. »Akelarre« ist ein baskischer Ausdruck, von »akerra«, Bock (die Gestalt, die der Dämon bei den nächtlichen Zusammenkünften annahm): vgl. J. Caro Baroja, *Brujeria Vasca* (»Estudios Vascos«, V), San Sebastián 1980, S. 79. In einigen baskischen Gegenden ist er den Angeklagten allerdings nicht bekannt: vgl. G. Henningsen, *The Witches' Advocate. Basque Witchcraft and the Spanish Inquisition*, Reno (Nev.) 1980, S. 128.

[2] Siehe z. B. die Passagen von M. Del Rio, die ich in *Die Benandanti. Feldkulte und Hexenwesen im 16. und 17. Jahrhundert*, dt. Übers., Frankfurt a. M. 1980, S. 216, Anm. 2 u. S. 223, Anm. 3 zitiere.

[3] Vgl. A. Macfarlane, *Witchcraft in Tudor and Stuart England*, London 1970, S. 58 u. 139.

[4] Vgl. K. Thomas, *The Relevance of Social Anthropology to the Historical Study of English Witchcraft*, in: *Witchcraft*, hg. v. M. Douglas, London 1970, S. 47.

[5] Vgl. A. Momigliano, *Linee per una valutazione della storiografia del quindicennio 1961–1975*, in: »Rivista storica italiana«, LXXXIX (1977), S. 596.

[6] Vgl. H. R. Trevor-Roper, *Religion, the Reformation and Social Change*, London 1967, S. 102, 105 u. 116; ders., *The European Witch-Craze of the 16th and 17th Centuries*, London 1969[2], S. 9 (Die dt. Übers. bietet eine neu durchgesehene und ergänzte Fassung des betreffenden Aufsatzes: vgl. »Der europäische Hexenwahn des 16. und 17. Jahrhunderts«, in: *Religion, Reformation und sozialer Umbruch*, Frankfurt/Berlin/Wien 1970, S. 95–179, hier: S. 10–11, 106, 109 u. 118. Übersetzung geringfügig abgeändert. A. d. Ü.).

[7] *Ebd.*

[8] Vgl. L. Stone, *Magic, Religion and Reason*, in: *The Past and the Present*, London 1981, insbes. S. 165–67.

[9] Vgl. A. Macfarlane, *Witchcraft*, cit., S. 11.

[10] *Ebd.*, S. 10.

[11] *Ebd.*, S. 139.

[12] *Ebd.*, S. 26–27 u. 58. Zur anthropologischen Vergleichung vgl. S. 11–12 u. 211 ff.

[13] Vgl. J. Obelkevich, *»Past and Present«. Marxisme et histoire en Grande Bretagne depuis la guerre*, in: »Le débat«, 17. Dez. 1981, S. 101–102.

[14] Vgl. Thomas, *Religion and the Decline of Magic*, London 1971, S. 469.

[15] Vgl. *ebd.*, S. 518.

[16] Vgl. H. Geertz, *An Anthropology of Religion and Magic*, in: »The Journal of Interdisciplinary History«, VI (1975), S. 71–89.

[17] Vgl. E. P. Thompson, *Anthropology and the Discipline of Historical Context*, in: »Midland History«, I, 3 (1972), S. 51–3.

[18] Vgl. K. Thomas, *An Anthropology of Religion and Magic. II*, in: »The Journal of Interdisciplinary History«, VI (1975), S. 91–109, insbes. S. 106.

[19] *Ebd.,* S. 108.

[20] Vgl. S. Clark, *Inversion. Misrule and the Meaning of Witchcraft*, in: »Past and Present«, 87 (Mai 1980), S. 98–127.

[21] Vgl. Thomas, *An Anthropology*, cit., S. 103–104.

[22] Vgl. Kieckhefer, *European Witch-Trials. Their Foundations in Popular and Learned Culture, 1300–1500*, Berkeley (Cal.) 1976, S. 8 u. 27 ff.

[23] Der Terminus »diabolism« erscheint wenig glücklich, da der Teufel, wie man sehen wird, eines derjenigen Elemente ist, die von den Richtern einer Schicht bereits existierender Glaubensanschauungen aufgezwungen wurden.

[24] *Ebd.,* S. 39–40.

[25] *Ebd.,* S. 21–22.

[26] Daß die Juden im mittelalterlichen Teil von Cohns Rekonstruktion fehlen (außer einem Hinweis in der Einführung zu J. Trachtenberg, *The Devil and the Jews*, New York 1943; eine weitere Andeutung findet sich auf S. 261, Anm.) ist sonderbar, zumal er in einem vorausgehenden Buch die Linie, die ich zu zeichnen versuche, einen Augenblick lang gekreuzt hatte: vgl. *Die Protokolle der Weisen von Zion. Der Mythos von der jüdischen Weltverschwörung*, dt. Übers., Köln/Berlin 1969, S. 229. Vielleicht wurde Cohn durch seine Polemik mit J. B. Russell dazu verleitet, den Zusammenhang Ketzer – Hexen (den ich für sekundär halte) in den Vordergrund zu stellen. Russell hatte selbst noch die hochgradig stereotypen Quellen aus den gelehrten Kontroversen als objektive Beschreibungen einer angeblichen, im Lauf der Jahrhunderte erfolgenden Verwandlung der Ketzer in Hexer gelesen; Cohn verwarf diese Interpretation zu Recht, blieb aber derselben Reihe von Zeugnissen verhaftet (vgl. J. B. Russell, *Witchcraft in the Middle Ages*, Ithaca (N.Y.) 1972, S. 86 ff., insbes. S. 93, 140–42 etc.; Cohn, *Europe's*, cit., S. 121–23).

[27] *Ebd.,* S. 228.

[28] *Ebd.,* S. 220 ff.

[29] *Ebd.,* S. 107 ff.

[30] *Ebd.,* S. 107–8.

[31] Vgl. z. B. *ebd.,* S. 108 ff.; Henningsen, *The Witches' Advocate*, cit., S. 70 ff.; C. Larner, *Witchcraft and Religion. The Politics of Popular Belief*, Oxford 1985, S. 47–48.

[32] Vgl. oben, S. 10, und Thomas, *Religion*, cit., S. 514–17.

[33] Vgl. *Die Benandanti*, cit., S. 12–14; siehe auch Henningsen, der innerhalb der Anhängerschar der phantastischen Theorien Murrays einige »seriösere« Gelehrte unterscheidet, darunter auch den hier verantwortlich Zeichnenden. Zu den Einwänden, die N. Cohn gegen mich vorbrachte, vgl. im weiteren, Anm. 39. Der mir vorgeschlagenen Bewertung von Murrays Studien stimmt E. Le Roy Ladurie, *La sorcière de Jasmin*, Paris 1983, S. 13 ff. hingegen zu.

[34] Vgl. die erschöpfende Beweisführung bei Cohn, *Europe's*, cit., S. 111–15.

[35] Vgl. M. Murray, *The Witch-Cult in Western Europe*, Oxford 1962², S. 12.

[36] Vgl. *Die Benandanti*, cit., S. 12 f.

[37] *Ebd.,* S. 162–169.

[38] Vgl. J. B. Russell, *Witchcraft*, cit., S. 41–42; H. C. E. Midelfort, *Were There Really Witches?* in: *Transition and Revolution. Problemes and Issues of European Renaissance and Reformation History*, hg. v. R. M. Kingdon, Minneapolis (Minn.) 1974, S. 204. Ebenfalls von Midelfort vgl. *Witch-Hunting*, cit., S. 1 u. S. 231, Anm. 2. (Im Lauf eines Gesprächs teilte mir Midelfort mit, daß er seine Meinung über diesen Punkt geändert habe.)

[39] Vgl. Cohn, *Europe's*, cit., S. 223–24 (auf S. 123–24 hingegen richtet sich die Kritik im Widerspruch dazu nur an Russell, der meinen Standpunkt mißverstanden habe).

[40] Von einem allgemeinen Gesichtspunkt aus habe ich diesen Ansatz zu rechtfertigen versucht in *Spie. Radici di un paradigma indiziario*, in: *Miti emblemi spie*, Turin 1986, S. 158–209 (dt. Übers.: *Spurensicherung. Der Jäger entziffert die Fährte, Sherlock Holmes nimmt die Lupe, Freud liest Morelli – die Wissenschaft auf der Suche nach sich selbst*, in: *Spurensicherungen. Über verborgene Geschichte, Kunst und soziales Gedächtnis*, Berlin 1983, S. 65–96). Aber siehe auch E. P. Thompson, *Plebeische Kultur und moralische Ökonomie*, dt. Übers., Frankfurt/Berlin/Wien 1980, S. 298 u. 306–7.

[41] *Die Benandanti*, cit., S. 15.

[42] Dem ersten, wenn auch in abgeschwächter Form, glaube auch ich erlegen zu sein: die ekstatischen Spezialisierungen vernachlässigt zu haben, die männliche und weibliche Benandanti voneinander unterschieden, schien mir rückblickend ein Fall von *sex-blindness* (vgl. die Diskussion im Anhang zu *Les batailles nocturnes*, Lagrasse 1980, S. 231).

[43] Vgl. C. Larner, *Enemies of God. The Witch-Hunt in Scotland*, London 1981; dies., *Witchcraft and Religion*, cit. (es handelt sich um eine Studien von beachtlichem Wert; zu präzisieren ist, daß sich der Untertitel der zweiten, postum erschienenen – *The Politics of Popular Belief* – fast ausschließlich auf die Glaubensvorstellungen *über* die Hexen, nicht die *der* Hexen bezieht).

[44] Vgl. L. Muraro, *La signora del gioco*, Mailand 1976 (siehe hierzu im weiteren, S. 102).

[45] Auch ein Historiker und Volkskundler wie G. Henningsen beschränkt sich darauf, nachdem er der üblichen Widerlegung der These von Murray viele Seiten gewidmet hat (*The Witches' Advocat*, cit., S. 69–94), die Notwendigkeit eines Vergleichs zwischen baskischem Volksbrauch beiderseits der Pyrenäen und zeitgenössischen dämonologischen Traktaten zum Ausdruck zu bringen, um die Übereinstimmung der Geständnisse der Angeklagten gründlich zu erklären. Im Schlußwort zum Buch (S. 390) werden diese Geständnisse einer Epidemie stereotyper Träume zugeschrieben – eine Wendung, die das Problem des Sabbat in seiner ganzen unerforschten Komplexität neu aufgibt. (Aber siehe jetzt, in einer ganz anderen Perspektive, den auf S. 145, Anm. 1 erwähnten wertvollen Aufsatz von Henningsen). Die Erfordernis, die Frage des europäischen Hexenwesens in einer religionsgeschichtlichen Perspektive anzugehen, formuliert J. L. Pearl, *Folklore and Witchcraft in the Sixteenth and Seventeenth Century*, in: »Studies in Religion«, 5 (1975–76), S. 386 in Anknüpfung an den Aufsatz von M. Eliade, *Some Observations on European Witchcraft*, in: »History of Religions«, 14 (1975), S. 149–72 (dt. Übers. in: *Das Okkulte und die moderne Welt*, Salzburg 1978, S. 74 ff.). Als einen hervorragenden Beitrag in

dieser Richtung vgl. M. Bertolotti, *Le ossa e la pelle dei buoi. Un mito popolare tra agiografia e stregoneria*, in: »Quaderni storici«, 41 (Mai–August 1979), S. 470–99 (siehe hierzu auch im weiteren, S. 150, Anm. 77). Viel Material, das unter einem anderen Blickwinkel als dem hier eingenommenen analysiert wird, bei H. P. Duerr, *Traumzeit*, Frankfurt a. M. 1978.

[46] Vgl. Midelfort, *Witch-Hunting*, cit., S. 1; Monter, *Witchcraft*, cit., S. 145. Auf der »Universalität« des Hexenglaubens im volkstümlichen Rahmen hat auch Trevor-Roper insistiert (siehe oben, S. 9).

[47] Vgl. C. Ginzburg, *Présomptions sur le sabbat*, in: »Annales E. S. C.«, 39 (1984), S. 341 (dt. Übers.: *Nächtliche Zusammenkünfte. Die lange Geschichte des Hexensabbat*, in: »Freibeuter« 25 (1985), S. 20. Es handelt sich um eine Vorwegnahme einiger Ergebnisse dieser Untersuchung.) Die implizite Bezugnahme auf Freud hat rein analogischen Wert.

[48] Vgl. die vorzügliche Einleitung von J. Le Goff zur neuen Ausgabe von *Les Rois thaumaturges* (Paris 1981).

[49] Vgl. J. R. von Bieberstein, *Die These von der Verschwörung*, Bern 1976, und die einleitenden Ausführungen bei L. Poliakov, *La causalité diabolique. Essai sur l'origine des persécutions*, Paris 1980 (ein in vielerlei Hinsicht strittiges Buch). Erhellend ist der Erfolg der *Protokolle der Weisen von Zion*, dem N. Cohn auf den Grund geht (*Die Protokolle*, cit.). Siehe im allgemeinen *Changing Conceptions of Conspiracy*, hg. v. C. F. Graumann u. S. Moscovici, New York 1987.

[50] Von einem größtenteils übereinstimmenden Gesichtspunkt aus sieht J. Le Goff in den *Rois thaumatges* von Bloch das Modell einer erneuerten politikgeschichtlichen Anthropologie (Einl., cit., S. XXXVIII). Siehe auch die Bemerkungen von F. Hartog, *Marshall Sahlins et l'anthropologie de l'histoire*, in: »Annales E. S. C.«, 38 (1983) S. 1256–63. Die in *Changing Conceptions*, cit., versammelten Aufsätze sind der Entmystifizierung der Verschwörungsidee gewidmet: ein notwendiges, aber nur einen Teilaspekt abdeckendes und in gewisser Hinsicht auch bereits überwundenes Ziel.

[51] Vgl. Larner, *Enemies of God*, cit., S. 7 (doch die Beispiele ließen sich mehren).

[52] Der Begriff »dialogisch« wird hier in der von M. Bachtin eingeführten Bedeutung gebraucht.

[53] Vgl. *Die Benandanti*, cit., S. 50 ff., wo »litauisch« und »Litauen« in »livländisch« und »Livland« zu verbessern sind.

[54] Vgl. *ebd.*, S. 15, 53–54; Eliade, *Some Observations*, cit., bes. S. 153–158, wo auch eine Ähnlichkeit zwischen Benandanti und rumänischen *Călușari* (zu diesen sehe im weiteren, S. 191 ff.) zu bedenken gegeben wird. Die Annäherung von Benandanti und Schamanen wurde kritisiert von M. Augé, *Génie du paganisme*, Paris 1982, S. 253, der vielmehr eine Analogie zwischen Benandanti und ashantischen Hexern vorschlägt. Gleich darauf gibt er jedoch zu, daß diese »von einem strukturellen Gesichtspunkt aus« den Schamanen vergleichbar sind. Wie man sehen wird, ist der Zusammenhang zwischen Benandanti und Schamanen ein struktureller (oder, wenn man will, ein morphologischer) und ein historischer zugleich.

[55] Vgl. Thomas, *Religion*, cit., S. X. Die Grenzen der bei Macfarlane praktizierten Vergleichung wurden bereits erwähnt.

[56] In bezug auf die »wilde Jagd« wird diese Möglich-

keit von Kieckhefer, *European*, cit., S. 161, Anm. 45 in Abrede gestellt; aber siehe im weiteren, S. 101 ff.

[57] Hierzu vgl. J. Le Goff, *Pour un autre Moyen-Âge*, Paris 1978, S. 314, Anm. 12 (Die dt. Übers. *Für ein anderes Mittelalter*, Frankfurt/Berlin/Wien 1984 bietet lediglich eine Auswahl der in der frz. Ausgabe versammelten Aufsätze. Zitiert wird daher nach dem Original. A. d. Ü.).

[58] Vgl. L. Wittgenstein, *Bemerkungen über Frazers »The Golden Bough«*, in: R. Wiggershaus (Hrsg.), *Sprachanalyse und Soziologie*, Frankfurt a. M. 1975, S. 45. Neben diese Überlegungen sollten die durch Goethes morphologische Schriften angeregten Forschungen gestellt werden, die Ende der 20er Jahre in verschiedenen Disziplinen und kulturellen Bereichen auftauchen: vgl. vom Verf., *Datazione assoluta e datazione relativa: sul metodo di Roberto Longhi*, in: »Paragone«, 386 (April 1982), S. 9 (wo ich auch auf die *Morphologie des Märchens* von V. Propp und auf *Einfache Formen* von A. Jolles hinweise), und vor allem J. Schulte, *Coro e legge. Il »metodo morfologico« in Goethe e Wittgenstein*, in: »Intersezioni«, II (1982), S. 99–124.

[59] Vgl. L. Wittgenstein, *Bemerkungen*, cit., S. 45 f.

[60] Vgl. A. Momigliano, *Storicismo rivisitato*, in: *Sui fondamenti della storia antica*, Turin 1984, S. 459–460: »Wir erforschen die Veränderung, weil wir veränderlich sind. Dies gibt uns eine direkte Erfahrung der Veränderung: das, was wir Gedächtnis nennen …« (und siehe die ganze Seite).

[61] Im selben Sinne vgl. C. Lévi-Strauss, *Mythologica I. Das Rohe und das Gekochte*, dt. Übers., Frankfurt a. M. 1971, S. 20–22.

[62] *Morphologie des Märchens* (1928; dt. Übers. Frankfurt a. M. 1975) und *Die historischen Wurzeln von Zaubermärchen* (1946; ital. Übers. unter dem Titel *Le radici storiche dei racconti di fate*, Turin 1949, 1972²) sind Teile ein- und desselben Projektes: vgl. Ginzburg, *Présomptions*, cit., S. 347–48. Mit ähnlichen Problemen setzte sich unabhängig, in einer anderen Disziplin, A. Leroi-Gourhan, *Documents pour l'art comparé de l'Eurasie septentrionale*, Paris 1943 (vgl. z. B. S. 90) auseinander; es handelt sich um Untersuchungen, die bereits in den Jahren 1937–42 veröffentlicht wurden.

[63] Vgl. das Vorwort zu *Miti*, cit.

[64] Was diesen Begriff anbelangt, verweise ich auf den sehr wichtigen Aufsatz von R. Needham, *Polythetic Classification*, in: »Man«, N. F. 10 (1975), S. 349–69.

[65] Vgl. M. Detienne, *Dionysos mis à mort*, Paris 1977, S. 72–73; J.-P. Vernant, *Religion grecque, religions antiques* (Inauguralvorlesung am Collège de France von 1975), Paris 1976, S. 29. Und siehe auch vom selben Autor die Einsprüche gegen G. S. Kirk (die sich jedoch wohl eher auf die Positionen W. Burkerts beziehen lassen) in: *Il mito greco…*, hg. v. B. Gentili u. G. Paione, Rom 1977, S. 400. Die Auseinandersetzung mit Burkert wird eingehender wiederaufgenommen in M. Detienne u. J.-P. Vernant, *La cuisine du sacrifice en pays grec*, Paris 1979, *passim*.

[66] R. Jakobson hat in einer sehr schönen Auslassung (*Autoritratto di un linguista*, ital. Übers., Bologna 1987, S. 32) einen Satz von Braque zitiert: »Ich glaube nicht an die Dinge, ich glaube an ihre Beziehungen.« In einem ähnlichen Sinn hat Lévi-Strauss von der »kopernikanischen Revolution« gesprochen, welche die strukturale Linguistik in den Wissenschaften vom Menschen auslö-

ste (vgl. *Le regard éloigné,* Paris 1983, S. 12; dt. Übers.: *Der Blick aus der Ferne,* München 1985, S. 11).

67 Zur Interpretation des Mythos, wie sie Jung vertritt, siehe die kritischen Bemerkungen von J.-P. Vernant, *Mythos und Gesellschaft im alten Griechenland,* dt. Übers., Frankfurt a. M. 1987, S. 220–22. M. Eliade hat sich vom Jungschen Archetypenbegriff erst im Vorwort zur englischen Übersetzung seines *Le mythe de l'éternel retour (Cosmos and History,* New York 1959, S. VIII bis IX) losgesagt. Zuvor hatte er ausgiebig davon Gebrauch gemacht: vgl. z. B. *Traité d'histoire des religions,* Paris 1949 (dt. Übers.: *Die Religionen und das Heilige,* Frankfurt a. M. 1986, S. 59, 61, 428, 443 etc.). Siehe auch die kritischen Bemerkungen von E. De Martino im Vorwort zur ital. Ausg. *Trattato di storia delle religioni,* Turin 1954, S. IX.

68 Vgl. Vernant, *Religion grecque,* cit., S. 29; Detienne, *Dionysos,* cit., S. 13: »Eine solche Interpretation sollte nicht nur kohärent und ökonomisch sein, sondern außerdem auch einen heuristischen Wert besitzen, Beziehungen zwischen zunächst einander fremden Elementen sichtbar machen oder explizit bezeugen, aber anderswo, an anderen Stellen *innerhalb desselben Denksystems und innerhalb derselben Kultur* eingeschriebenen Informationen einen neuen Zuschnitt geben« (Hervorhebung von mir).

69 Vgl. Vernant, *Mythos und Gesellschaft,* cit., S. 217 f.; Detienne, *Dionysos,* cit., S. 13, der von »systematischer Deduktion« spricht.

70 Vgl. Vernant, *Mythos und Gesellschaft,* cit., S. 242. Die vorsichtig in Aussicht gestellte Lösung (»Die Antwort bestünde zweifellos darin, aufzuzeigen, daß man in der historischen Untersuchung genausowenig wie in der synchronischen Analyse auf isolierte Elemente stößt, sondern immer auf Strukturen, die mehr oder weniger stark mit anderen verbunden sind...«) konvergiert mit den Positionen von R. Jakobson, die auch die vorliegende Untersuchung angeregt haben.

71 Vgl. den Aufsatz *La formation de la pensée positive dans la Grèce archaïque* (1957) in: J.-P. Vernant, *Mythe et pensée chez les Grecs,* II, Paris 1971, insbes. S. 107 ff.

72 Die Dumézilsche Inspiration ist besonders offensichtlich im Aufsatz *Le mythe hésiodique des races. Essai d'analyse structurale* (vgl. *Mythe et pensée,* cit., I, insbes. S. 36–37). Für eine zusammenfassende Würdigung des Beitrags von Dumézil vgl. Vernant, *Der Mythos* (in: *Mythos und Gesellschaft,* cit., S. 227–29) und Detienne, *Dionysos,* cit., S. 21–22. In seiner Einleitung zur ital. Ausgabe von *Mythe et pensée (Mito e pensiero,* Turin 1970) unterstreicht B. Bravo (S. XVI), daß Vernants Haltung »stets implizit und manchmal explizit ›komparatistisch‹ ist«. Zu diesem Punkt siehe nun *Religion grecque,* cit.

73 Vgl. Detienne, *Dionysos,* cit., S. 21.

74 J. Starobinski hat in suggestiver Weise zu bedenken gegeben, ob Saussures Entscheidung zugunsten der Synchrone nicht durch »die Schwierigkeiten, denen er bei der Erforschung der langen Diachronie der Legende und der kurzen der anagrammatischen Komposition begegnete«, ausgelöst wurde (*Wörter unter Wörtern. Die Anagramme von Ferdinand de Saussure,* dt. Übers., Frankfurt/Berlin/Wien 1980, S. 6).

75 Vgl. G. Mounin, *Lévi-Strauss' Use of Linguistics,* in: *The Unconscious as Culture,* hg. v. I. Rossi, New York 1974, S. 31–52; C. Calame, *Philologie et anthropologie structurale. A propos d'un livre récent d'Angelo Brelich,* in: »Quaderni Urbinati«, 11 (1971), S. 7–47.

76 Vgl. M. Detienne, *Dionysos,* cit., S. 25.

77 C. Lévi-Strauss ist anderer Ansicht (*Das Rohe und das Gekochte,* cit., S. 18–20). Es ist richtig, daß er an anderer Stelle (*Anthropologie structurale,* Paris 1958, S. 242; dt. Übers.: *Strukturale Anthropologie,* Frankfurt a. M. 1967) vertreten hat, daß alle Versionen eines Mythos zum Mythos gehören: aber damit erledigt sich allenfalls das Problem der Authentizität, nicht jenes der Vollständigkeit.

78 Siehe im weiteren, Teil III, Kap. II.

79 In einem Aufsatz von 1975 polemisierte M. I. Finley im Namen der Diachronie einzig mit Anthropologen (*Anthropology and the Classics,* in: *The Use and Abuse of History,* London 1975, S. 102–20, insbes. S. 110 f.). Daß sich die Beziehungen zwischen Geschichte und Anthropologie verdichtet haben, hat die Lage kompliziert: Neben Historikern, die die Überlegenheit eines synchronischen Ansatzes vertreten, treffen wir auf Anthropologen, die für ihre eigenen Untersuchungen den Nutzen einer diachronischen Perspektive geltend machen (vgl. B. S. Cohn, *Toward a Rapproachment,* in: *The New History. The 1980s and Beyond,* hg. v. T. K. Rabb u. R. J. Rothberg, Princeton (N.J.) 1982, S. 227–252). Zur Vereinbarkeit von historischer und synchronischer Perspektive vgl. G. C. Lepschy, *Mutamenti di prospettiva nella linguistica,* Bologna 1981, S. 10–11.

80 Vgl. Ivanov, Lotman u. a., *Tesi sullo studio semiotico della cultura,* ital. Übers., Parma 1980, S. 50–51 (und siehe S. 51–52: »eine umfassende typologische Herangehensweise beseitigt die Absolutheit des Gegensatzes zwischen Synchrone und Diachronie«).

81 Vgl. z. B. R. Jakobson, *Le langage commun des linguistes et des anthropologues* (1953), in: *Essais de linguistique générale,* Paris 1963, S. 35–36; ders., *Magia della parola,* ital. Übers., hg. v. K. Pomorska, Bari 1980, S. 56–57. Die Wiederaufnahme von Kategorien Jakobsons durch Lotman hebt D. S. Avalle in dem von ihm herausgegebenen Sammelband *La cultura nella tradizione russa del XIX e XX secolo,* Turin 1982, S. 11–12 hervor.

82 Vgl. Jakobson, *Magia,* cit., S. 13–14, mit einem Hinweis auf die Studien von P. G. Bogatyrëv über die ukrainische Folklore. Der unmittelbar folgende Satz – »Und schließlich erfuhr die romantische Konzeption der Folklore als kollektive Schöpfung eine einzigartige Rehabilitierung« – spielt auf den Aufsatz an, den Jakobson zusammen mit Bogatyrëv geschrieben hatte: *Die Folklore als eine besondere Form des Schaffens* (1929), in: *Poetik. Ausgewählte Aufsätze 1921–1971,* hg. v. E. Holenstein u. T. Schelbert, Frankfurt a. M. 1979, S. 140–57.

83 Vgl. J.-C. Schmitt, *Les traditions folkloriques dans la culture médiévale. Quelques réflexions de méthode,* in: »Archives de sciences sociales des religions«, 52 (1981), S. 5–20, insbes. S. 7–10, zu M. Bertolotti, *Le ossa e la pelle dei buoi* (s. o. Anm. 45), der wegen seiner diachronen Exzesse kritisiert wird.

84 Vgl. C. Lévi-Strauss, *Histoire et ethnologie* (1949), in: *Anthropologie structurale,* cit., S. 3–33 (das Marx-Zitat und der Hinweis auf *Le problème de l'incroyance* von L. Febvre finden sich auf S. 31).

85 Vgl. ders., *Das Feld der Anthropologie* (1959), in: *Strukturale Anthropologie II,* dt. Übers., Frankfurt a. M. 1975, S. 31 ff.; ders., *De Chrétien de Troyes à Richard Wagner* (1975), in: *Le regard éloigné,* cit., S. 301 ff.; ders., *Le Graal en Amérique* (1973–74), in: *Paroles données,* Paris 1984, S. 129 ff. (dt. Übers.: *Eingelöste Versprechen,* München

1985, S. 138 ff.); ders., *Hérodote en mer de Chine*, in: *Poikilia. Études offertes à Jean-Pierre Vernant*, Paris 1987, S. 25–32.

[86] Ders., *Histoire et ethnologie*, in: »Annales E. S. C.«, 38 (1983), S. 1217–31 (dt. Übers. in: *Vom Umschreiben der Geschichte*, hg. v. U. Raulff, Berlin 1986, S. 68–87, hier: S. 82). Für einen Überblick über die laufenden Diskussionen zur Kladistik vgl. D. L. Hull, *Cladistic Theory: Hypotheses that Blur and Grow*, in: *Cladistics: Perspectives on the Reconstruction of Evolutionary History*, hg. v. T. Duncan u. T. F. Stuessy, New York 1984, S. 5–23 (mit Bibliographie).

[87] Über diesen Punkt hat mir Richard Trexler im Verlauf eines weit zurückliegenden Gesprächs (Herbst 1982) Klarheit verschafft: ich möchte ihm hier danken.

[88] Vgl. M. Detienne, *Dionysos*, cit., S. 28.

[89] Vgl. E. Benveniste, *Le vocabulaire des institutions indoeuropéennes*, Paris 1969, I, S. 12. Die Herausgeberin der italienischen Ausgabe (*Il vocabolario delle istituzioni indoeuropee*, Turin 1976), M. Liborio, betont die implizite Polemik dieses Satzes gegen den »Saussureschen Manichäismus« (S. XIII–XIV). Dieser Abschnitt ergänzt den anderen, ebenfalls dem Vorwort zum *Vocabulaire* entnommenen (»Die Diachronie wird dann als Abfolge von Synchronien in ihrer eigenen Legitimität wiederhergestellt.«), den J.-P. Vernant zitiert und auf einen außersprachlichen Bereich ausgedehnt hat (*Nascita di immagini*, ital. Übers., Mailand 1982, S. 110, Anm. 1).

[90] Vgl. E. Benveniste, *Le vocabulaire*, cit., I, S. 45.

[91] Vgl. E. Le Roy Ladurie, *Montaillou, village occitan de 1294 à 1314*, Paris 1975, S. 601. (Die dt. Übers.: *Montaillou. Ein Dorf vor dem Inquisitor*, Frankfurt/Berlin/Wien 1983 bietet eine bearbeitete, d. h. gekürzte Fassung. A. d. Ü.); und siehe auch A. Prosperi, *Premessa* zu *I vivi e i morti*, in: »Quaderni storici«, 50 (August 1982), S. 391–410.

Hexenkünste, Holzschnitt, 1511

ἀλλ' εἰ χεῖρας ἔχον βόες ‹ἵπποπτ'› ἠὲ λέοντες
(»Doch wenn die Ochsen (die Pferde und) die Löwen Hände hätten...«)
XENOPHANES, Fragment 15

»um sie kein Ort, noch weniger eine Zeit«
GOETHE, *Faust II*, Müttermythe

LEPRAKRANKE, JUDEN, MUSLIME

Im Jahre 1321, so ist in der Chronik des Klosters St. Étienne von Condom zu lesen, fiel im Februar sehr viel Schnee. Die Aussätzigen wurden vernichtet. Ehe die Fastenzeit halb vorüber war, fiel noch einmal viel Schnee; danach gab es starke Regenfälle[1].

Der Vernichtung der Leprakranken widmet der Chronist dieselbe distanzierte Aufmerksamkeit wie den normalen Witterungsverhältnissen. Andere Chroniken derselben Zeit berichten mit größerer Emotion von diesem Ereignis. Die Aussätzigen, heißt es in einer, »wurden in fast ganz Frankreich verbrannt, weil sie Gift zubereitet hatten, die ganze Bevölkerung zu ermorden«[2]. Eine andere, die Chronik des Klosters der hl. Katharina *de monte Rotomagi*, berichtete: »Im ganzen Königreich Frankreich wurden die Aussätzigen gefangengenommen und vom Papst verurteilt. Viele kamen auf den Scheiterhaufen; die Überlebenden wurden in ihren Behausungen eingesperrt. Einige gestanden, daß sie sich verschworen hatten, um alle Gesunden, Adlige wie gemeines Volk, umzubringen und die Herrschaft über die ganze Welt zu erlangen (*ut delerent omnes sanos christianos, tam nobiles quam ignobiles, et ut haberent dominium mundi*)«[3]. Noch ausführlicher ist der Bericht des Dominikaners und Inquisitors Bernard Gui. Die Aussätzigen, »Kranke an Leib und Seele«, hätten vergiftete Pulver in Quellen, Brunnen und Flüsse gestreut, um den Aussatz auf die Gesunden zu übertragen und ihnen Krankheit oder Tod zu bringen. Es scheine unglaublich, so Gui, doch hätten sie nach der Herrschaft über Städte und Ländereien getrachtet; sie hätten bereits Macht und Würden von Herzögen und Baronen untereinander aufgeteilt. Viele hätten nach ihrer Festnahme gestanden, an geheimen Versammlungen oder Kapiteln teilgenommen zu haben, die ihre Obersten in zwei aufeinanderfolgenden Jahren abgehalten hätten, um die Verschwörung auszuhecken. Doch Gott habe sich der Seinigen erbarmt: in vielen Städten und Dörfern seien die Schuldigen ausfindig gemacht und verbrannt worden. Andernorts habe die von Entsetzen gepackte Bevölkerung, ohne ein rechtsgültiges Urteil abzuwarten, die Häuser der Aussätzigen verriegelt und mitsamt ihren Bewohnern in Brand gesteckt. Später habe man jedoch beschlossen, weniger überstürzt vorzugehen, und von da an seien die für unschuldig befundenen überlebenden Aussätzigen nach weisem Ratschluß an Orten eingesperrt worden, wo sie bis an ihr Ende bleiben sollten, ohne je wieder herauszukommen. Damit sie aber niemals mehr Schaden anrichten und sich nicht mehr fortpflanzen könnten, habe man Frauen und Männer streng voneinander getrennt[4].

Sowohl der Massenmord an den Leprakranken als auch ihre Internierung waren vom französischen König Philipp V. dem Langen in einem Edikt genehmigt worden, das er am 21. Juni 1321 in Poitiers erlassen hatte. Da die Leprakranken – nicht nur im Königreich Frankreich, sondern in sämtlichen Reichen der Christenheit – die Gesunden durch Vergiftung der Gewässer, Quellen und Brunnen zu ermorden versucht hatten, hatte Philipp die geständigen Täter festnehmen und verbrennen lassen. Einige blieben jedoch unbestraft, weswegen nun folgende Maßnahmen gegen sie verfügt wurden: Alle überlebenden Aussätzigen, die ihr Vergehen gestanden hatten, sollten verbrannt werden. All jene, die nicht gestehen wollten, sollten gefoltert und, wenn sie die Wahrheit bekannt hätten, verbrannt werden. Die aussätzigen Frauen, welche das Vergehen freiwillig oder unter Folter gestanden hatten, sollten verbrannt werden, es sei denn, sie wären schwanger. Schwangere Frauen sollten bis zur Geburt und zum Abstillen der Kinder getrennt gehalten, daraufhin verbrannt werden. Die Aussätzigen, die sich trotz allem weigerten, ihre Beteiligung am Verbrechen einzugestehen, sollten in ihren Heimatorten abgesondert werden, Männer und Frauen streng getrennt. Dasselbe Los sollte ihre Kinder treffen, falls fürderhin welche geboren würden. Alle über Vierzehnjährigen, die das Verbrechen gestanden hatten, sollten verbrannt werden. Da die Aussätzigen zudem ein Majestäts- und Staatsverbrechen begangen hatten, sollten alle ihre Güter bis auf weiteres konfisziert werden: den Ordensbrüdern und -schwestern und all jenen, die aus jenen Gütern Einkünfte bezögen, sei das Lebensnotwendige zukommen zu lassen. Jedwedes gerichtliche Vorgehen gegen die Aussätzigen sei der Krone anheimgestellt.

Diese Maßnahmen wurden durch zwei wenig später, am 16. bzw. 18. August desselben Jahres erlassene Edikte zum Teil abgeändert. Im ersten verfügte Philipp V. angesichts der Proteste von Prälaten, Baronen, Adligen und Gemeinden, die ihr Recht auf Verwaltung der ihrer Aufsicht unterstehenden Leprosorien geltend machten, die Konfiszierung auszusetzen. Im zweiten erteilte er Bischöfen und Richtern niederer Gerichte die Befugnis, über die Leprakranken Gericht zu halten, wodurch die Frage, ob ein Majestätsverbrechen vorliege oder nicht – die Meinungen darüber waren geteilt –, offen gelassen wurde. Dieser Verzicht auf die Vorrechte der Krone wurde ausdrücklich mit der Notwendigkeit begründet, die Schuldigen baldmöglichst zu bestrafen. Die Prozesse wurden also fortgesetzt, die Absonderung der Leprakranken ebenfalls. Ein Jahr darauf bestätigte der Nachfolger Philipps V., Karl der Schöne, sie müßten auch weiterhin interniert (»renfermés«) bleiben[5].

Erstmals in der Geschichte Europas wurde ein solch massives Internierungsprogramm beschlossen. In den nachfolgenden Jahrhunderten sollten andere Personen an die Stelle der Leprakranken treten: Wahnsinnige, Arme, Kriminelle, Juden[6]. Aber die Leprakranken standen am Anfang. Trotz der Furcht vor Ansteckung, die zur Ausbildung komplexer Absonderungsrituale Anlaß gab *(De leproso amovendo)*, hatten sie bislang in hospizartigen, fast immer von Ordensleuten verwalteten und nach außen weitgehend offenen Einrichtungen gelebt, in die man freiwillig ging. In Frankreich wurden sie von nun an auf Lebenszeit in geschlossenen Häusern interniert[7].

2. Gelegenheit zu dieser dramatischen Wende hatte, wie zu sehen war, die rechtzeitige Aufdeckung der Verschwörung geboten. Von dieser aber findet sich in anderen Chroniken eine anderslautende Version.

Ein anonymer Chronist, der in eben jenen Jahren schrieb (sein Bericht schließt im Jahr 1328), gibt das übliche Gerücht – ihm angeblich unbekannter Herkunft – wieder, die Aussätzigen hätten versucht, Quellen und Brunnen zu vergiften. Er fügt weitere Einzelheiten über die von ihnen geplante Machtverteilung hinzu (einer sollte König von Frankreich, ein anderer König von England, wieder ein anderer Herzog von Blois werden); aber er führt auch ein neues Element ein. »Es hieß«, schreibt er, »die Juden seien bei diesem Verbrechen die Spießgesellen der Aussätzigen gewesen *(consentans aux méseaux)*, und deswegen wurden viele von ihnen zusammen mit den Aussätzigen verbrannt. Das niedere Volk hielt selbst Gericht, ohne erst einen Vogt oder Amtmann zu rufen. Sie sperrten die Leute mitsamt ihrem Vieh und Hausrat in ihre Behausungen und steckten diese in Brand.«

Hier werden Juden und Leprakranke gleichermaßen als für die Verschwörung verantwortlich dargestellt. Aber dieses Gerücht steht fast allein[8]: einige Chronisten legen nämlich eine dritte Version der Fakten vor, die komplexer als die bisher erwähnten ist. Es handelt sich bei ihnen um die anonymen Fortsetzer der Chroniken von Guillaume de Nangis und von Girard de Frachet; um Johann von St. Viktor; um den Verfasser der Chronik von Saint-Denis; um Jean d'Outremeuse und schließlich um den Verfasser der *Genealogia comitum Flandriae*[9]. Außer dem letztgenannten verweisen alle ausdrücklich auf ein Geständnis, das Jean Larchevêque, Herr von Parthenay, Philipp V. hatte zukommen lassen. Darin hatte einer der Oberen der Leprakranken erklärt, von einem Juden mit Geld bestochen worden zu sein: der hätte ihm Gift ausgehändigt, um es in Quellen und Brunnen zu streuen. Die Zutaten seien Menschenblut, Harn, drei nicht näher bestimmte Kräuter und geweihte Hostie gewesen – alles getrocknet, zu Pulver zerstoßen und in Säckchen gefüllt, mit Gewichten daran, damit sie leichter bis auf den Grund sänken. Noch mehr Geld sei versprochen worden, um weitere Aussätzige in diese Machenschaften hineinzuziehen. Doch über diese Verschwörung, über ihre Beschaffenheit, gab es verschiedene Gerüchte. Das am weitesten verbreitete und glaubwürdigste *(verior)* war unseren Chronisten zufolge jenes, welches den König von Granada dafür verantwortlich machte. Außerstande, die Christen mit Gewalt zu besiegen, habe dieser beschlossen, sich ihrer mit List zu entledigen. Er habe sich deshalb an die Juden gewandt und ihnen eine riesige Geldsumme geboten, damit sie einen verbrecherischen Plan schmiedeten, der die Christenheit vernichten sollte. Die Juden hätten eingewilligt, hätten jedoch erklärt, sie könnten nicht selbst handeln, da sie allzu verdächtig seien; besser sei es, die Aussätzigen mit der Ausführung des Planes zu betrauen: da diese ständigen Umgang mit den Christen pflegten, könnten sie die Wasserstellen ohne Schwierigkeiten vergiften. Die Juden hätten daraufhin einige Aussätzigenführer versammelt und sie mit Hilfe des Teufels verleitet, dem Glauben abzuschwören, eine geweihte Hostie zu zerstoßen und sie in das todbringende Gift zu mischen. Danach wären von den Führern der Leprakranken vier Konzilien einberufen worden, an denen Vertreter aller Leprosorien (außer zweier in England) teilgenommen hätten. Angestiftet von den ihrerseits vom Teufel gelenkten Juden, hätten sie an die Versammlung folgende Ansprache gerichtet: Die Christen behandeln euch wie erbärmliches, nichtswürdiges Gesindel; man sollte sie alle sterben lassen oder mit Aussatz schlagen; wenn alle gleich (*uniformes*) wären, verachtete keiner den anderen. Dieser verbrecherische Plan sei mit großem Beifall aufgenommen und, zusammen mit der Versprechung von Königreichen, Fürstentümern und Grafschaften, die im Anschluß an den Tod oder die Ansteckung der Gesunden vakant würden, den Aussätzigen der verschiedenen Provinzen mitgeteilt worden. Die Juden, so schreibt Jean d'Outremeuse, hätten sich das Land bestimmter Fürsten vorbehalten; die Aussätzigen, so heißt es beim Fortsetzer der Chronik von Guillaume de Nangis, hätten sich bereits die Titel zugelegt, die sie zum Greifen nah glaubten (ein in Tours gegen Ende Juni Verbrannter habe sich als Abt des größten Klosters bezeichnet). Aber die Verschwörung war aufgedeckt, die schuldigen Aussätzigen verbrannt, die übrigen nach den Vorschriften des königlichen Edikts interniert worden. In manchen Gebieten Frankreichs, vor allem in Aquitanien, waren die Juden unterschiedslos auf den Scheiterhaufen gekommen. In Chinon, in der Nähe von Tours, hatte man eine große Grube ausgehoben; man hatte hundertsechzig Juden, Männer und Frauen, hineingeworfen und darin verbrannt. Viele, so schreibt der Chronist, warfen sich singend in die Grube, als gingen sie zur Hochzeit. Eine Witwe ließ ihre Kinder ins Feuer werfen, damit sie nicht getauft oder von den Adligen, die der Szene beiwohnten, fortgebracht würden. In der Nähe von Vitry-le-François beschlossen vierzig Juden, die man in den Kerker geworfen hatte, sich gegenseitig zu erwürgen, um nicht den Christen in die Hände zu fallen; der letzte Überlebende, ein Jüngling, versuchte mit einem Bündel zu fliehen, in dem sich das gesamte Geld, das er den Toten abgenommen hatte, befand, doch er brach sich ein Bein, wurde gefangen und ebenfalls getötet. In Paris wurden die schuldigen Juden verbrannt, die übrigen auf ewig verbannt; die Vermögendsten mußten ihre Reichtümer, die sich auf eine Summe von hundertfünfzigtausend *livres* beliefen, dem Fiskus übertragen[10]. In Flandern wurden die Aussätzigen (und vielleicht auch die Juden) zuerst eingekerkert, dann aber – »zum Leidwesen vieler«, wie der Chronist anmerkt – wieder freigelassen[11].

3. Wir haben also drei Versionen: die Leprakranken, angestiftet von den Juden, die ihrerseits vom muslimischen König von Granada angestiftet sind; oder die Leprakranken und die Juden, oder aber die Leprakranken allein. Weshalb diese Uneinigkeit zwischen den Chroniken? Um diese Frage beantworten zu können, ist es nötig, Chronologie und Geographie der Aufdeckung des Komplotts Revue passieren zu lassen. Die ganze Angelegenheit dürfte dadurch an Klarheit gewinnen.

Die ersten Gerüchte über eine Vergiftung des Wassers, denen Anklagen, Festnahmen und Verbrennungen auf dem Fuße folgten, waren im Périgord am Karfreitag (16. April) des Jahres 1321 aufgekommen[12]. Rasch hatten sie sich über ganz Aquitanien verbreitet. Über dieses Gebiet waren im Jahr zuvor von Paris kommende Scharen sogenannter Pastorellen (*pastoureaux*) hereingebrochen: Gruppen von etwa fünfzehnjährigen Hirtenjungen und -mädchen, die, barfuß und ärmlich gekleidet, mit gehißtem Kreuzbanner marschierten. Sie sagten, sie wollten sich nach dem Heiligen Land einschiffen. Sie hatten keine Führer, keine Waffen, kein Geld. Viele nahmen sie wohlwollend auf und stillten aus Liebe zu Gott ihren Hunger. Als sie nach Aquitanien kamen, unternahmen die Pastorellen erste Versuche, gewaltsam Juden zu taufen, »um die Gunst des Volkes zu gewinnen«, wie Bernard Gui schreibt. Wer sich dem widersetzte, wurde ausgeraubt oder ermordet. Die Obrigkeiten wurden allmählich unruhig. In Carcassonne beispielsweise griffen sie ein, um die Juden als »Diener des Königs« zu schützen. Viele jedoch – so schreibt Johann von St. Viktor – billigten die Gewalttaten der Pastorellen und erklärten, »man dürfe sich den Gläubigen nicht im Namen von Ungläubigen in den Weg stellen«[13].

Eben aus Carcassonne hatten die Konsuln des Seneschallenamts wahrscheinlich gegen Ende des Jahres 1320 (jedenfalls vor Februar 1321) ein Protestschreiben an den König gesandt. Mißbräuche und Ausschreitungen verschiedener Art störten das Leben der ihnen unterstehenden Städte. Unter Verletzung der Vorrechte der örtlichen Gerichte zwängen die königlichen Beamten die an Streitfällen beteiligten Parteien, sich zu den Verhandlungen nach Paris zu begeben, und verursachten dadurch großen Schaden und Kosten; außerdem beschuldigten sie die Händler zu Unrecht des Wuchers und ließen sie beträchtliche Strafen zahlen. Die Juden, die sich nicht etwa mit Wucherleihen begnügten, prostituierten und vergewaltigten die Frauen armer Christen, die ihr Pfand nicht bezahlen könnten; sie trieben Spott mit der geweihten Hostie, die sie aus den Händen von Aussätzigen oder anderen Christen bekämen; Gott und den Glauben verachtend, begingen sie Schandtaten jeder Art. Die Konsuln baten darum, die Juden aus dem Reich zu vertreiben, damit die gläubigen Christen nicht für diese ruchlosen Sünden bestraft würden. Außerdem denunzierten sie die abscheulichen Vorhaben der Aussätzigen, die sich rüsteten, die Krankheit, mit der sie behaftet waren, »durch Gift, todbringende und zauberkräftige Mittel« zu verbreiten. Um die Ausbreitung der Seuche zu verhindern, schlugen die Konsuln dem König vor, die Leprakranken in eigens dazu bestimmten Gebäuden unterzubringen, Männer und Frauen getrennt voneinander. Sie erklärten sich bereit, für den Unterhalt der Internierten zu sorgen, indem sie Einkünfte, Almosen und gegenwärtig oder künftig für sie bestimmte fromme Stiftungen verwalteten. Auf diese Weise, schlossen sie, würden sich die Aussätzigen endlich nicht mehr vermehren[14].

4. Sich endgültig vom Kreditmonopol, das die Juden innehatten, zu befreien; die reichen Einkünfte, in deren Genuß die Leprosorien kamen, zu verwalten – die Absichten, die die Konsuln von Carcassonne verfolgten, brachte das Protestschreiben an den König in brutaler Deutlichkeit zum Ausdruck. Erst einige Monate zuvor hatten dieselben Konsuln die jüdischen Gemeinden vor den Plün-

derungen und Metzeleien, die die Pastorellenbanden verübten, in Schutz zu nehmen versucht. Möglicherweise hatte es sich nicht um eine Geste uneigennütziger Menschlichkeit gehandelt. Hinter dem Katalog der dem König von Frankreich übermittelten Beschwerden erkennt man die hellsichtige Entschlossenheit einer aggressiven Kaufmannsschicht, die eine mittlerweile als unerträglich empfundene Konkurrenz – die der Juden – aus dem Weg zu räumen wünscht. Möglicherweise trugen die (übrigens erfolglos gebliebenen) Pläne zu einer Zentralisierung der Verwaltung, die Philipp V. gerade in diesen Monaten in die Praxis umzusetzen versuchte, zur Zuspitzung dieser Spannungen bei. Der Versuch der Zentrale, die lokalen Identitäten zu schwächen, nährte in der Peripherie die Feindseligkeit gegenüber weniger geschützten Gruppen[15].

Die Unterstützung eventueller antijüdischer Maßnahmen durch die Bevölkerung Aquitaniens lag nahe. Wir haben gesehen, mit welcher Sympathie sie die »ungeordnete, bäurische Menge« der Pastorellen aufgenommen hatte[16]. Die schreckliche Hungersnot der Jahre 1315-18 hatte die Feindseligkeit gegen die jüdischen Geldverleiher gewiß verstärkt[17]. Die Spannungen, welche die sich durchsetzende Geldwirtschaft auf allen sozialen Ebenen auslöste, tendierten auch anderswo dazu, sich in Haßausbrüchen gegen die Juden zu entladen[18]. In mehreren Teilen Europas wurden die Juden beschuldigt, Brunnen zu vergiften, Ritualmorde zu begehen, geweihte Hostien zu schänden[19].

Diese letzte Beschuldigung kehrt, wie wir gesehen haben, auch in den Protesten der Konsuln von Carcassonne und der umliegenden Städte wieder. Als Komplizen werden den Juden darin allerdings die Leprakranken beigesellt – und gleich darauf als Vergifter hingestellt. Diese Verknüpfung ist reich an symbolischen Implikationen und läßt sich deshalb nicht auf den erklärten Wunsch der Behörden reduzieren, sich der für die Leprakranken bestimmten frommen Stiftungen zu bemächtigen.

5. Die Verknüpfung von Juden und Leprakranken ist alt. Schon im ersten Jahrhundert nach Christus polemisierte der jüdische Geschichtsschreiber Flavius Josephus in seiner apologetischen Schrift *Contra Apionem* gegen den Ägypter Maneton, dem zufolge sich unter den Vorfahren der Juden auch eine Gruppe aus Ägypten vertriebener Leprakranker befand. In die verlorene, allem Anschein nach verwickelte und widersprüchliche Erzählung des sogenannten Maneton waren zweifellos judenfeindliche Traditionen vermutlich ägyptischer Provenienz eingeflossen. Die Verbreitung von *Contra Apionem* im Mittelalter brachte diese schmachvolle Legende zusammen mit anderen, von Josephus ebenfalls widerlegten Unterstellungen (Anbetung des Esels, Ritualmord) im Abendland in Umlauf: Sie sollten zu einem mehr oder weniger hartnäckigen Teil der antisemitischen Propaganda werden[20].

Der von dieser Tradition auf die gelehrte Kultur ausgeübte Einfluß war gewiß beträchtlich. Für die einfachen Leute aber war die in die gleiche Richtung zielende Tendenz, die zwischen dem 13. und dem 14. Jahrhundert aus Juden und Leprakranken zwei an die Ränder der Gesellschaft gedrängte Gruppen gemacht hatte, weitaus wichtiger. Das Laterankonzil vom Jahr 1215 hatte den Juden vorgeschrieben, einen in der Regel gelben, roten oder grünen Kreis auf den Kleidern zu tragen. Auch die Leprakranken mußten spezielle Kleider tragen: eine graue oder – seltener – schwarze Kutte, eine scharlachrote Mütze und Kapuze, manchmal eine Holzklapper *(cliquette)*[21]. Diese Erkennungszeichen wurden auch auf die (in der Bretagne den Juden angenäherten) *cagots* oder »weißen Aussätzigen« übertragen, die im allgemeinen Bewußtsein lediglich die fehlenden Ohrläppchen und der stinkende Atem von den Gesunden unterschieden: Das Konzil von Nogaret (1290) verfügte, daß sie ein rotes Unterscheidungszeichen auf der Brust oder einer Schulter tragen sollten[22]. Daß Juden und Leprakranken nach Beschluß des Konzils von Marciac (1330) Abzeichen zwangsverordnet wurden, damit sie sofort zu erkennen seien, zeigt, bis zu welchem Punkt beide in derselben schmachvollen Weise gebrandmarkt wurden. »Hüte dich vor der Freundschaft eines Irren, eines Juden oder eines Aussätzigen«, war in einer Inschrift auf dem Tor zum Pariser Friedhof Saints Innocents zu lesen[23].

Das auf die Kleider genähte Mal brachte eine tiefe, vor allem physische Fremdheit zum Ausdruck. Die Leprakranken »verbreiten Pesthauch«, die Juden stinken. Die Leprakranken verbreiten Ansteckung, die Juden verseuchen die Speisen[24]. Und doch war die Ablehnung, die beide auslösten und die sie auf Distanz hielt, in einer komplexeren, widersprüchlicheren Haltung verankert. Die Marginalisierungstendenz betraf gerade diese Gruppen, weil ihre Stellung zwiespältig war, weil sie eine Schwellenexistenz führten[25]. Die Leprakranken flößen Schrecken ein, weil die als leibliches Zeichen der Sünde verstandene Krankheit ihre Züge entstellt, ihnen beinahe ihr menschliches Aussehen nimmt; aber die Liebe, die ihnen Franz von Assisi oder Ludwig IX. der Heilige entgegenbringen, wird als hehres Zeichen von Heiligkeit dargestellt[26]. Die Juden sind das Volk der Gottesmörder, dem Gott sich gleichwohl offenbaren wollte; ihre heilige Schrift ist unauflöslich mit jener der Christen verbunden.

All dies wies Leprakranken und Juden einen Platz zugleich innerhalb und außerhalb der christlichen Gesellschaft zu. Aber zwischen dem ausgehenden 13. und dem beginnenden 14. Jahrhundert wurde die Mariginalität zum Ausgeschlossensein. In ganz Europa entstanden nach und nach die Ghettos, die zu Anfang von den jüdischen Gemeinden selbst gewollt waren, um sich vor feindlichen Überfällen zu schützen[27]. Im Jahr 1321 schließlich wurden, in beeindruckender Parallelität, auch die Aussätzigen interniert.

6. Im nachhinein erscheint die Verknüpfung von Leprakranken und Juden im Bild der Verschwörung nahezu unvermeidlich. Gleichwohl brauchte es seine Zeit, bis sie sich herauskristallisiert hatte. Es ist richtig, daß die Aussätzigen im Protestschreiben der Konsuln des Seneschallamts von Carcassonne zusammen mit anderen, nicht näher spezifizierten Christen beschuldigt wurden, den Juden Hostien zu geben, damit diese sie schändeten; aber von einer Beteiligung der Juden am Vorhaben der Leprakranken, ihre Krankheit mit Giften und Zaubermitteln zu verbreiten, war keine Rede. Dies Schweigen ist um so überraschender, als die Beschuldigung des Wasservergiftens bereits seit eineinhalb Jahrhunderten mehrfach, von Osten nach Westen sich fortsetzend, eben gegen die Juden vorgebracht worden war[28]. Selbst das Datum der Aufdeckung der Verschwörung – die Karwoche, in der traditionsgemäß Blutbäder unter den Juden angerichtet

wurden – schien dazu einzuladen, die Juden als Urheber der Machination zu beschuldigen. Stattdessen richteten sich die Wut der Bevölkerung und die obrigkeitliche Repression gegen andere.

Am 16. April 1321 ließ der Bürgermeister von Périgueux die ehedem in den Leprosorien der Gegend aufgenommenen Kranken an einem Ort zusammenkommen, wobei Männer und Frauen getrennt wurden. Die ersten Gerüchte über die Vergiftung von Brunnen und Quellen waren – von wem ausgestreut, wissen wir nicht – offenbar bereits im Umlauf. Die Leprakranken wurden verhört, mit Sicherheit gefoltert. Die Prozesse endeten mit einer allgemeinen Verbrennung (am 27. April). Vertreter der Stadt Périgueux zogen am 3. Mai nach Tours, um dem König über das Vorgefallene Bericht zu erstatten[29]. Doch unterdessen, seit Ostern, war auch in Isle-sur-Tarn eine Untersuchung gegen die Vergifter eingeleitet worden. Eine Gruppe von Bürgern aus Toulouse, Montauban und Albi führte die Verhöre. Leprakranke und *cagots* aus den Leprosorien von Isle-sur-Tarn, Castelnau de Montmirail, Gaillac, Montauban und noch anderer Gemeinden wurden angeklagt, Gifte und Zaubermittel (»fachilas«) ausgestreut zu haben, wurden verhört und gefoltert[30]. Der Ausgang der Prozesse ist uns in diesem Fall nicht bekannt. Aus dem Register von Caen hingegen wissen wir, daß die Leprakranken der Diözesen Toulouse, Albi, Rodez, Cahors, Agen, Périgueux und Limoges sowie verschiedener anderer Gegenden Frankreichs zwischen Mai und Juni allesamt auf den Scheiterhaufen kamen, »bis auf einige wenige Frauen und harmlose Kinder«[31]. Dies ist gewiß eine stereotype und emphatische, aber dennoch vielleicht nicht allzuweit von der Wahrheit entfernte Erklärung, hält man sich an einen Fall wie jenen von Uzerche in der Diözese Limoges. Hier endeten die am 13. Mai aufgenommenen Prozesse mit dem Tod von vierundvierzig Personen, Männern und Frauen – drei Viertel der ortsansässigen Leprakranken. Die Mütter, so schreibt ein Chronist, rissen die Säuglinge aus den Wiegen und nahmen sie mit auf den Scheiterhaufen, wo sie sie mit ihren Körpern vor den Flammen schützten[32].

Die Nachricht von der unmittelbar bevorstehenden Verschwörung der Aussätzigen hatte sich von Carcassonne aus verbreitet. Überall wurden Schuldige entdeckt und verbrannt. Ihre Geständnisse gaben der Verfolgung neue Nahrung. Die Nachricht brannte auf ihrem Weg nach Norden wie eine Lunte und gelangte bis zum König.

7. Aber nicht nur die weltlichen Behörden rührten sich. Jacques Fournier, Bischof von Pamiers (später Papst Benedikt XII.) betraut seinen Vertreter Marc Rivel mit der Aufgabe, Erkundigungen über die von den okzitanisch sprachigen Leprakranken verbreiteten Gifte und schädlichen Pulver (»super pocionibus sive factilliis«) einzuziehen. Pamiers liegt in allernächster Nähe zum Epizentrum der Initiative, Carcassonne, von wo aus die Konsuln des Seneschallenamts als erste im Zusammenhang mit »venenis et potionibus pestiferis et sortilegiis«, mit denen die Leprakranken zur Verbreitung des Übels rüsteten, Alarm gegeben hatten. In Pamiers erscheint am 4. Juni als Angeklagter vor Rivel der Kleriker Guillaume Agassa, Verantwortlicher (»comendator«) für das nahe Leprosorium von Lestang. Der vollständig überlieferte Prozeß gegen ihn gibt einen Eindruck

davon, welcher Art die Hunderte von nicht mehr erhaltenen oder noch nicht aufgefundenen Prozesse waren, die in jenem Sommer des Jahres 1321 in ganz Frankreich gegen die Aussätzigen geführt wurden[33].

Agassa zeigt sich sogleich reumütig; er erklärt, seinen Teil dazu beitragen zu wollen, daß die Schuldigen bestraft würden, und beginnt sein Geständnis abzulegen. Im Jahr zuvor, am 25. November 1320, hatten sich zwei Aussätzige, Guillaume Normanh und Fertand Spanhol, mit ihm in Toulouse darauf geeinigt, sich Gift geben zu lassen. Nach Lestang zurückgekehrt, hatten sie ihm erklärt, das Gift in die Brunnen, Quellen und Wasserläufe von Pamiers gestreut zu haben, um die Lepra oder den Tod zu verbreiten. Anderswo, so war ihm gesagt worden, hatten die Aussätzigen dasselbe getan.

Eine Woche vergeht; der Prozeß wird wieder aufgenommen. Diesmal sind die Geständnisse viel detaillierter. »Freiwillig, nicht aufgrund von Bedrohung durch die Folter« (so die Worte des Notars), erzählt Agassa, daß vor einem Jahr ein unbekannter junger Mann mit einem Brief des Vorstehers eines anderen Leprosoriums, jenes an der Porte Arnaud-Bernard von Toulouse, bei ihm vorstellig wurde. Dieser lud Agassa ein, am kommenden Sonntag nach Toulouse zu kommen, um über Dinge zu sprechen, die ihm Vorteile und Ehren eintragen würden. Am vereinbarten Tag hatten sich rund vierzig Personen zusammengefunden, Aussätzige wie Verantwortliche für die Leprosorien von Toulouse und Umgebung. Alle hatten ähnliche Briefe wie den Agassa überbrachten erhalten. Derjenige, der die Versammlung einberufen hatte (sein Name war Agassa unbekannt), hatte gesagt: »Seht, wie die gesunden Christen uns Kranke verachten, wie sie uns abseits halten, uns verhöhnen, uns hassen, uns verfluchen.« Die Vorsteher der Leprosorien der ganzen Christenheit, so war er fortgefahren, müßten die Kranken dazu bringen, den gesunden Christen Gift, Zaubermittel und unheilvolle Pulver zu verabreichen, um ihnen allen den Tod zu bringen oder die Lepra zu übertragen. Auf diesem Weg erlangten die Kranken und ihre Vorsteher die Herrschaft und Verwaltung über die Ländereien der Gesunden, ja gingen diese gar in ihren Besitz über. Um all dies zu erreichen, müßten sie den König von Granada als ihren Schutzherrn und Verteidiger anerkennen – eine Rolle, die zu übernehmen dieser sich nach einem Treffen mit einigen Aussätzigenführern bereit gefunden hätte. Nach Beendigung der Ansprache war mit Hilfe gewisser Ärzte das Gift zubereitet worden, das ins Wasser der Brunnen, Quellen und Flüsse der ganzen Christenheit gestreut werden sollte. Jeder, der bei dieser Zusammenkunft anwesend war, hatte ein Leder- oder Tuchsäckchen mit dem Gift erhalten, das in der jeweiligen Gegend verteilt werden sollte. Zwei Tage lang, am Sonntag und Montag, hatten sie sich beraten. Am Ende hatten sich alle einverstanden erklärt und geschworen, die ihnen aufgetragene Sendung zu erfüllen. Dann wurde die Versammlung aufgehoben.

An dieser Stelle zählt Agassa, der im ersten Verhör geleugnet hatte, selbst Gift verteilt zu haben, die Orte auf, an denen er Pulver ausstreute; minuziös beschreibt er die Art und Weise, in der er das Säckchen an Steinen befestigte, damit das Wasser es nicht forttrüge, er nennt die Namen weiterer Komplizen, die mit ihm zusammen an dem Treffen teilnahmen. Einige Tage später wird er erneut dem Richter vorgeführt. Auch Jacques Fournier, der Bischof von

Pamiers, ist anwesend. Mit seinem Erscheinen als Inquisitor hört der Prozeß auf, ein gewöhnlicher Strafprozeß wie bisher zu sein. Agassa erklärt, das erste Geständnis »unmittelbar, nachdem er gefoltert worden war« (in den vorherigen Akten fehlt jeglicher Hinweis dieser Art), abgelegt und es dann wiederholt zu haben, ohne gefoltert worden zu sein. Er bestätigt die Wahrheit seiner bisher gemachten Aussagen. Im Verlauf eines erneuten Verhörs wiederholt er dann seinen Bericht über die Versammlung in Toulouse und fügt eine Menge weiterer Details hinzu. In der Zwischenzeit ist ihm der Name dessen eingefallen – Jourdain –, der sie einberufen hat. In der Ansprache, die jener gehalten haben soll, kommt neben dem König von Granada nun auch der Sultan von Babylon vor. Ihre Versprechungen sind mittlerweile exakter geworden: Jedes Oberhaupt eines Leprosoriums sollte Herr über den jeweiligen Ort werden. Als Gegenleistung dafür hatten die sarazenischen Herrscher eine im ersten Geständnis nicht erwähnte Bedingung gestellt, die allein schon gerechtfertigt hätte, das Verfahren einem Inquisitionstribunal zu übertragen. Die Vorsteher der Leprosorien sollten »dem Glauben Christi und seinem Gesetz abschwören und Pulver in einem Tiegel erhalten, das geweihte Hostie, vermischt mit Schlangen, Kröten, Echsen, Smaragdeidechsen, Fledermäusen, menschlichen Exkrementen, und anderes enthielt« und in Bordeaux auf Weisung des Königs von Granada und des Sultans von Babylon zubereitet worden war. Falls sich jemand geweigert hätte, dem Glauben Christi abzuschwören, wäre er von »einem säbelbewehrten, großen dunklen Mann in Rüstung und mit Helm«, der der Versammlung vorsaß, geköpft worden. Jourdain hatte gesagt, daß bei der alsbald stattfindenden nächsten Versammlung außer sämtlichen Oberhäuptern aller Leprosorien der Christenheit auch der König von Granada und der Sultan von Babylon Ansprachen halten würden. In ihrer Gegenwart müßte ein jeder die Hostie und das Kreuz bespucken und treten: diese Verpflichtung war der Vorsteher des Leprosoriums von Bordeaux, der die Kontakte zu den Sarazenen aufrecht erhielt, eingegangen, um ihre Unterstützung zu erlangen. Einige der bei der Versammlung anwesenden Sarazenen hatten sich verpflichtet, ihren jeweiligen Herrschern über alles Bericht zu erstatten. Jourdain hatte gesagt, der König von Granada und der Sultan von Babylon trachteten danach, sich sämtliche Herrschaftsgebiete der Christen anzueignen, sobald diese erst getötet oder mit Lepra behaftet wären.

Eingehend beschreibt Agassa das Gift, den Tiegel, der es enthielt, die Methode, die angewandt wurde, es in Quellen und Brunnen zu streuen, die Orte, an denen sie es verteilt hatten. Diesmal behauptet er, allein gehandelt zu haben. Er entlastet die im ersten Verhör erwähnten Guillaume Normanh und Fertand Spanhol: er sagt aus, sie fälschlicherweise beschuldigt zu haben. In derselben Weise entlastet er das »bereits verbrannte« Oberhaupt des Leprosoriums von Savardun und jene der Leprosorien von Unzent und Pujols, die er als Teilnehmer an der Versammlung von Toulouse erwähnt hatte und nun als unschuldig bezeichnet. In einer Antwort auf eine Frage der Richter sagt er von sich, er habe dem Glauben Christi und seinem Gesetz abgeschworen, da er dachte, »sie taugten nichts«. Bei dieser Meinung war er drei Monate lang geblieben.

Am 20. Mai bestätigt Agassa vor Bischof Fournier und einigen Dominikanerbrüdern, die Wahrheit gesagt zu haben. Er erklärt generell seine Reue über die begangenen Verbrechen und seine Bereitschaft, die Strafen, die man ihm auferlegen würde, auf sich zu nehmen. Wie in einem Inquisitionsprozeß üblich, schwört er nur den Verbrechen gegen den Glauben ab: der Apostasie, der Beleidigung der Hostie und des Kreuzes, jeder Ketzerei und jedem Fluch. Die Vergiftung des Wassers wird nicht mehr erwähnt. Ein Jahr später, am 8. Juli 1322, wird er zusammen mit einer Gruppe von Männern und Frauen, Anhängern der ketzerischen Lehren der Beginen, zu lebenslänglicher Einmauerung in ihrer strengsten Form (»in muro stricto in vinculis seu conpedibus«) verurteilt[34].

8. Es steht außer Frage, daß Folter und Drohungen in diesem Prozeß ein ausschlaggebendes Gewicht hatten. Noch vor Beginn der Verhöre wurde Agassa gefoltert[35]. Die ersten Ergebnisse sind jedoch enttäuschend. Agassa denunziert ein paar Komplizen, umreißt das Komplott in groben Zügen, beweist aber nicht gerade viel Phantasie. Dann, offensichtlich auf Druck der Richter, kommen nach und nach neue Details ans Licht: die Versammlung der Leprakranken, die Versprechungen des Königs von Granada und des Sultans von Babylon. Beim dritten Verhör schließlich vervollständigt sich das Bild. Agassa gibt zu, unter dem drohenden Blick des säbelbewaffneten Schwarzen dem Glauben abgeschworen, das Kreuz getreten, die geweihte Hostie geschändet zu haben. Um ihn dazu zu bringen, diese Geständnisse abzulegen, hatten sich die Richter möglicherweise dafür verbürgt, ihm das Leben zu retten. Daher zieht Agassa vor Ende des Prozesses die anfänglichen Eingeständnisse zurück, durch die unschuldige Personen oder zumindest ihr Gedächtnis (einer davon war bereits auf dem Scheiterhaufen umgekommen) in die Sache hineingezogen wurden.

Im Verlauf des Prozesses wird Agassas Version also nach und nach mit jener, von der die Richter von vornherein ausgehen, in Übereinstimmung gebracht. Wenn wir sie mit den Versionen vergleichen, die die zeitgenössischen Chroniken in Umlauf brachten, sehen wir, daß sie einen Kompromiß zwischen der einfachsten, die das Komplott einzig den Leprakranken zuschrieb, und der komplexesten darstellt, nach welcher die Leprakranken von den Juden, die ihrerseits vom König von Granada angestiftet waren, zur Tat getrieben wurden. In Agassas Geständnissen finden wir den König von Granada in Begleitung des Sultans von Babylon; wir finden die Leprakranken; es fehlen, noch einmal, die Juden.

Auf der praktischen Ebene war ihre Präsenz oder Absenz in den verschiedenen Versionen von der Verschwörung entscheidend. Wie die Leprakranken konnten die Juden der Bevölkerung als Schuldige vorgehalten, verurteilt und verbrannt oder aber ohne Gerichtsverhandlung massakriert werden. Die sarazenischen Könige – fern, ja unerreichbar – waren eine vor allem auf symbolischer Ebene wirksame Zugabe. In diesem Zusammenhang läßt sich festhalten, daß unter den Richtern, die am 8. Juli 1322 das Urteil gegen Agassa verkündeten, auch der Inquisitor Bernard Gui war. Es ist wahrscheinlich, daß er bei dieser Gelegenheit Einsicht in die Prozeßakten genommen hat. Wir wissen nicht, ob er zu diesem Zeitpunkt die Erzählung über das Komplott von 1321, mit der seine *Flores chronicarum* in einem Teil der handschriftlichen Überlieferung enden, bereits abgefaßt hatte. Jedenfalls war es ihm weder damals noch später ein Bedürfnis, einen Hinweis auf die von Agassa erwähnten sarazenischen Könige einzuflechten, obgleich er einige wesentliche Punkte aus dessen Geständnissen übernimmt: die geheimen Versammlungen der Aussätzigenführer im Laufe von zwei Jahren, die vorsorgliche Aufteilung der Herrschaft über Städte und Ländereien, die Vergiftung der Wasserstellen. Genau wie bei Agassa fiel auch bei Bernard Gui kein Wort über eine Beteiligung der Juden[36].

9. Auch in dem erbarmungslosen königlichen Edikt, das am 21. Juni von Poitiers aus erlassen wurde, wurden als Verantwortliche für die Verschwörung einzig die Leprakranken angegeben. Auf den ersten Blick ist dies überraschend, da seit dem 11. Juni in Tours Aufstände, gefolgt von Festnahmen, gegen die Juden ausgebrochen waren, die man für Komplizen der leprakranken Vergifter hielt[37]. Nicht weit von Tours, in Chinon, fand, vielleicht in eben diesen Tagen, das in den Chroniken erwähnte Massaker an den hundertsechzig Juden statt, die verbrannt und dann gemeinsam in einer Grube verscharrt wurden. Mit vermutlich ähnlichen Methoden, wie sie in Agassas Fall angewandt wurden, hatten sich die Behörden beeilt, Beweise für die Schuld der Juden zu erlangen. Wie gesagt, soll sie durch das Geständnis eines Führers der Leprakranken, den man auf den Gütern von Jean Larchevêque, des Herrn von Parthenay, festgenommen und abgeurteilt hatte, offenbar geworden sein[38]. Dieser schickte das ordnungsgemäß versiegelte Zeugnis an den König, der sich gerade im nahegelegenen Poitiers aufhielt. Dort wurde am 14. Juni eine Versammlung von Städtevertretern aus Süd- und Mittelfrankreich zu Beratungen über ein umfassendes Programm von Verwaltungsreformen abgehalten. Die Versammlung dauerte offenbar neun Tage. Am 19. Juni, so informiert uns eine Pariser Chronik, wurde der König von der Verantwortlichkeit der Juden in Kenntnis gesetzt[39]. Wenn diese Nachricht exakt ist, weshalb beschuldigte der König im zwei Tage später erlassenen Edikt dann nur die Leprakranken?

Die Erklärung für dieses Schweigen ist aller Wahrscheinlichkeit nach in einem erst kurze Zeit zurückliegenden Ereignis zu suchen. Am 14. oder 15. Juni waren die jüdischen Gemeinden des Königreichs Frankreich dazu verurteilt worden, für begangene Wuchervergehen eine enorme Geldstrafe zu bezahlen: 150 000 *livres tournois,* in Anteilen je nach Finanzkraft der einzelnen Gemeinden[40]. Angesichts des – von oben gebührend gesteuerten – Wutausbruchs im Volk hatten die Vertreter der Gemeinden das Schlimmste fernzuhalten versucht, indem sie den Geldforderungen Philipps V. nachgaben[41]. Es handelt sich hier um eine hypothetische Rekonstruktion, da für diesen Handel, wie abzusehen, keine direkten Quellenbelege vorhanden sind: es gibt jedoch eine indirekte Spur.

10. Bei ihr handelt es sich um ein langes Sendschreiben von Philipp von Valois, Herzog von Anjou (später als Philipp VI. König von Frankreich) an Papst Johannes XXII. Nachdem dieser es in Avignon – das damals zum Grundbesitz der Anjou gehörte – den im Konsistorium versammelten Kardinälen verlesen hatte, fügte er es in einen Hirtenbrief ein, der die Christen zum Kreuzzug mahnte[42]. Auf diese Weise ist das Sendschreiben bis zu uns gelangt.

Philipp von Valois nun hatte folgendes geschrieben: Am Freitag nach dem Fest des hl. Johannes des Täufers (am 26. Juni) hatte es in den Grafschaften

Anjou und Touraine eine Sonnenfinsternis gegeben[43]. Die Sonne hatte tagsüber vier Stunden lang flammend und blutrot ausgesehen; in der Nacht hatte man den Mond voller Flecken und schwarz wie ein Büßergewand gesehen. Diese konkreten Anhaltspunkte (der Verweis auf die *Apokalypse*, 6, 12–13 war im Text implizit) hatten für das baldige Weltende gesprochen. Es hatte Erdbeben gegeben, brennende Kugeln waren vom Himmel gestürzt und hatten im Fallen die Strohdächer der Häuser entzündet, ein schrecklicher Drachen war in den Lüften erschienen und hatte mit seinem Pesthauch viele Menschen getötet. Tags darauf fingen die Leute an, die Juden wegen ihrer Übeltaten gegen die Christen zu überfallen. Als man das Haus eines Juden mit Namen Bananias durchstöberte, fand man in einer abgelegenen Kammer in einem Schrein, in dem dieser Geld und Geheimnisse verwahrte, eine Schafshaut, die innen und außen mit hebräischen Schriftzeichen beschrieben und versiegelt war. Das Band des Siegels war aus purpurner Seide. Das Siegel aus lauterem Gold, schwer wie 19 florentinische Fiorini, war ein kunstvoll getriebenes Kruzifix, auf dem oben auf einer ans Kreuz gelehnten Leiter ein greulicher Jude oder Sarazene abgebildet war, der gerade das holde Antlitz des Heilands mit Kot beschmutzte. Dies hatte die Aufmerksamkeit auf die Schrift gelenkt: Zwei getaufte Juden hatten den Inhalt wiedergegeben. Bananias wurde zu diesem Zeitpunkt zusammen mit sechs weiteren Glaubensbrüdern, die die hebräische Schrift gut genug lesen konnten, verhaftet und gefoltert. Die Deutung, die sie von dem Schriftstück gaben, war mehr oder minder dieselbe (»satis sufficienter unum et idem dicebant, vel quasi similia loquebantur«). Drei christliche Theologen übersetzten es mit höchstmöglicher Sorgfalt vom Hebräischen ins Lateinische. Diese Übersetzung gab Philipp von Anjou in voller Länge wieder.

Es handelte sich um einen Brief an den allerherrlichsten und allermächtigsten Amicedich, König von einunddreißig Reichen (Jericho, Jerusalem, Hebron etc.), an Zabin, den Sultan von Azor, an Seine Magnifizienz Jodab von Abdon und Semeren sowie an ihre Unterkönige und Helfer. Ihnen allen erklärte Bananias mit dem gesamten Volk Israel voller Ehrerbietung Unterwerfung und Gehorsam. Mehrmals seit dem Jahr 6294 nach Erschaffung der Welt habe Seine Majestät, der König von Jerusalem, die Güte besessen, durch seinen Mittler, den Unterkönig von Granada, mit dem jüdischen Volk einen immerwährenden Pakt zu schließen, indem er ihm eine Botschaft übersandt habe. Darin sei berichtet worden, daß Henoch und Elias den Sarazenen auf dem Berge Tabor erschienen seien, um sie das jüdische Gesetz zu lehren; in einem Graben im Tale Sinai habe man die verlorene Bundeslade des alten Testamentes wiedergefunden, Knappen und Ritter hätten sie unter großem Jubel in die Stadt Ay überführt. In der Lade habe man das von Gott in die Wüste gesandte Manna noch unversehrt gefunden, ebenso die Stäbe von Moses und Aaron und die von Gottes eigener Hand beschriebenen Gesetzestafeln. Angesichts dieses Wunders hätten alle Sarazenen erklärt, sie wollten sich beschneiden lassen und sich somit zum Glauben an den Gott der Juden bekehren. Diesen aber wollten sie Jerusalem, Jericho und Ay, den Sitz der Bundeslade, zurückgeben. Als Gegenleistung jedoch müßten die Juden den Sarazenen das Königreich Frankreich und die glanzvolle Stadt Paris ausliefern. »Als wir dieses Ansinnen des Unterkönigs von Granada vernommen hatten«, fuhr Bananias fort, »ersannen wir Juden einen ausgeklügelten Plan: in Brunnen, Quellen, Zisternen und Flüsse schütteten wir aus bitteren Kräutern und dem Blut giftiger Kriechtiere bereitetes Pulver, um die Christen auszurotten. Bei dieser Unternehmung ließen wir uns von den Aussätzigen helfen, die wir mit gewaltigen Geldsummen bestochen hatten. Aber die armen, unglückseligen Aussätzigen benahmen sich naiv (»se simplices habuerunt«): zuerst beschuldigten sie uns Juden, dann, von anderen Christen betrogen, gestanden sie alles. Über die Vernichtung der Aussätzigen und die Vergiftung der Christen frohlocken wir, denn die Teilungen der Reiche führen zu ihrem Untergang. Was die Qualen betrifft, denen wir durch die Beschuldigungen der Aussätzigen ausgesetzt sind, so tragen wir sie aus Liebe zu Gott, der sie uns in Zukunft hundertfach vergelten wird, mit Geduld. Gewiß wären wir ausgerottet worden, hätten unsere großen Reichtümer die Christen nicht so gierig gemacht, daß sie von uns ein Lösegeld verlangten, wie ihr vom Unterkönig von Granada wissen werdet (»et procul dubio credimus depopulati fuisse, nisi grandis noster thesaurus corda eorum in avaritia obdurasset: unde aurum et argentum nostrum et vestrum nos redemit, prout valetis scire ista omnia per praedictum subregem vestrum de Granada«). Nun schickt uns Gold und Silber; das Gift hatte noch nicht ganz die gewünschte Wirkung, aber wir hoffen, es beim nächsten Mal, wenn erst ein wenig Zeit verstrichen ist, besser zu machen. Dann werdet ihr das Meer überqueren, im Hafen von Granada anlegen, eure Herrschaft auf die Länder der Christen ausdehnen und den Thron von Paris einnehmen können; und uns wird das Land der Väter gehören, das uns Gott verheißen hat, und alle zusammen werden wir unter einem Gesetz und einem Gott leben. Und es wird, nach Salomos und Davids Worten, kein Leid mehr geben und keine Knechtschaft bis in alle Ewigkeit. Und für die Christen wird die Weissagung des Hosea eintreffen: ›Ihr Herz ist geteilt, und daher werden sie zugrunde gehen‹« (*Hosea*, 10). Bananias wies abschließend darauf hin, das Dokument werde, damit es in den Orient gelange, Sadoch, dem großen Priester der Juden, und Leo, dem Gesetzeskundigen, anvertraut, die es mündlich besser erläutern könnten.

11. Nach dem jüdischen Kalender zählte man damals das Jahr 5081. War das Datum im Brief des Bananias – das Jahr 6294 nach Erschaffung der Welt – durch einen Flüchtigkeitsfehler bedingt? Oder handelte es sich um einen beabsichtigten Fehler, den die zwangsweise zur Ausfertigung des Briefes herangezogenen Juden einschleusten, um das Dokument für ihre Glaubensbrüder als Fälschung kenntlich zu machen[44]? Wir werden es nie erfahren. Philipp von Anjou händigte den Brief des Bananias dem Papst aus und teilte ihm seine (dann nicht ausgeführte) Absicht mit, zum Kreuzzug aufzubrechen[45]. Ihm und all seinen künftigen Begleitern erteilte Johannes XXII. die übliche Absolution. Zu diesem Zeitpunkt war seine frühere laue Einstellung gegenüber dem Kreuzzug angesichts des muslimischen Vormarsches, durch den Zypern und Armenien gefährdet waren, gewichen[46]. Daher wahrscheinlich die Entscheidung, für ein Dokument, das bewies, daß die Muslime mit Hilfe der Juden sogar nach dem französischen Thron trachteten, nicht nur einzustehen, sondern es auch zu verbreiten. Gegenüber den jüdischen Gemeinden hatte Johannes XXII. noch in jüngster Vergan-

genheit Wohlwollen bewiesen, indem er sie gegen die Pastorellenbanden in Schutz genommen hatte, doch der von Philipp von Valois überbrachte Beweis für ihre Komplizenschaft mit den Leprakranken muß ihm unwiderleglich erschienen sein. Wie schwer bei alledem die Dankbarkeit wog, die der Papst Philipp schuldete, da dieser ein Jahr zuvor einen glücklosen Feldzug nach Italien gegen die Ghibellinen angeführt hatte, läßt sich schwerlich sagen[47]. Fest steht, daß Johannes XXII. in einer plötzlichen (und bislang ungeklärten) Kehrtwende im Jahre 1322 die Juden aus seinen Herrschaftsgebieten vertrieb[48].

Die Herkunft einer so komplexen und ausgefeilten Fälschung, wie sie der Bananiasbrief darstellt, ist uns unbekannt. Es handelt sich um ein Dokument, das ganz andere Besorgnisse widerspiegelt als jene, die sich in den Geständnissen entziffern lassen, die man in dem einen Monat zuvor in Pamiers begonnenen Prozeß Agassa abpreßte. Daß die zur Erklärung des Komplotts angeführte Kette (Leprakranke – Juden – Unterkönig von Granada – König von Jerusalem etc.) nach hinten länger und länger wurde, sollte die Aufmerksamkeit auf die nächstliegenden Zwischenglieder lenken. Die Schuld der Leprakranken wurde bereits als abgegolten angesehen, als überholt durch die Folge der Ereignisse. Man versuchte, einer neuen Verfolgungswelle gegen die Juden Nahrung zu geben und wandte sich angesichts der zögernden Haltung des Königs an den Papst. Die mangelnde Entschlußkraft des Königs wurde im Hinweis des Bananias (oder besser des unter diesem Namen Schreibenden) auf die Gier der Christen indirekt getadelt – jener Christen, die es vorgezogen hatten, von den Juden Lösegeld zu nehmen, anstatt ihnen den Garaus zu machen.

12. In dieselben Tage fällt wahrscheinlich die Anfertigung weiterer Beweise für die Beteiligung der Juden am Komplott: zweier Briefe auf Pergament, geschrieben von einer Hand, mit Siegel versehen, beide in französischer Sprache mit lateinischem Anhang[49]. Der erste Brief stammt vom König von Granada und ist an »Samson, Sohn des Helias, Jude« gerichtet; der zweite, vom König von Tunesien, »an meine Brüder und ihre Söhne«. Der König von Granada erklärte, die Nachricht erhalten zu haben, daß Samson die Leprakranken mit dem übersandten Geld bezahlt habe; er mahnte, sie gut zu bezahlen, da gut hundertfünfzehn von ihnen geschworen hätten, zu tun, wie sie geheißen. Er befahl, das bereits verschickte Gift sei zu nehmen und in Zisternen, Brunnen und Quellen auszulegen. Sollte das Pulver nicht ausreichen, so werde er noch mehr davon schicken. »Wir haben versprochen, euch das Gelobte Land zurückzugeben«, schrieb er, »und darüber werden wir euch auf dem laufenden halten«. Er schicke »noch etwas anderes, was ihr ins Wasser schütten sollt, von dem der König trinkt und sich bedient«. Man solle keine Kosten scheuen – darauf bestand er – zumal sich so viele bereitgefunden hätten, den Auftrag auszuführen: aber Eile tue not. Der Brief solle dem Juden Aaron gezeigt werden. Der König von Granada schloß mit einem Aufruf zur Einigkeit in dieser Angelegenheit.

Der König von Tunesien faßte sich kürzer: »Seht zu, daß ihr die bewußte Angelegenheit ordentlich erledigt, denn ich werde euch für die Ausgaben genug Gold und Silber zukommen lassen. Wenn ihr mir eure Kinder anvertrauen wollt, werde ich für sie Sorge tragen, als wären sie von meinem Fleisch. Wie ihr wißt, haben wir, die Juden und die Kranken uns erst vor kurzem, am Pfingsttag, ins Einvernehmen gesetzt. Seht zu, die Christen so rasch wie möglich zu vergiften, ohne Kosten zu scheuen. Wie ihr wißt, waren beim heiligen Schwur fünfundsiebzig Juden und Kranke anwesend. Wir grüßen euch und eure Brüder, denn wir sind Brüder im selben Gesetz. Wir grüßen die Kleinen und die Großen«.

Beiden Briefen war, wie gesagt, eine lateinische Erklärung beigefügt, datiert zu Mâcon, am 2. Juli 1321, in welcher der Arzt Pierre *de Aura* in Anwesenheit des Amtmannes des Ortes François *de Aveneriis*, des Richters Pierre Majorel und verschiedener Kleriker und Notare beschwor, die Texte treulich vom Arabischen ins Französische übersetzt zu haben. Es folgten die Unterschriften der Notare nebst Notarsstempeln, die für die Echtheit der Urkunde garantierten.

Das beglaubigte Original dieser doppelten Fälschung befindet sich nicht in Mâcon, sondern in Paris: Mitte des 18. Jahrhunderts war es im Trésor des Chartes aufbewahrt, heute rangiert es unter den Raritäten der Archives Nationales[50]. Es ist sehr wahrscheinlich, daß Paris auch ihr ursprünglicher Bestimmungsort war: Die bedrohliche Aufforderung des Königs von Granada an den Juden Samson, er möge eine nicht näher bestimmte Substanz dem Wasser beimischen, »von dem der König trinkt und sich bedient«, sollte diesem unbedingt in die Hände fallen. Von mehreren Seiten also wurde auf Philipp V. Druck ausgeübt, Stellung zu beziehen und die Beteiligung der Juden am Komplott öffentlich zu denunzieren.

13. Zu guter Letzt kam es zu dieser Denunzitation. Philipp V. sandte an Seneschallen und Amtmänner einen Brief, in welchem er nachdrücklich erklärte, er habe »alle Juden unseres Reiches« wegen der von ihnen begangenen greulichen Verbrechen gefangennehmen lassen, insbesondere wegen ihrer »Beteiligung und Mitschuld an den Zusammmenkünften und Verschwörungen, welche die Leprakranken seit nunmehr langer Zeit ausgerichtet haben, um Volk und Untertanen unseres Reiches zu töten«. Zu diesem Behufe hätten die Juden das obengenannte Gift besorgt und auch erkleckliche Summen Geldes verteilt. Man müsse sie, Männer wie Frauen, daher unverzüglich verhören, um die Verantwortlichen für die Übeltat zu entdecken und ihnen ihre gerechte Strafe zuteil werden zu lassen. Gefoltert werden sollten nur die Hauptverdächtigen und die von anderen Juden oder von Leprakranken Angezeigten; wer sich für unschuldig erkläre, sei zu verschonen. Hingegen seien die Güter, welche die Juden versteckt hielten, unbedingt amtlich einzufordern, und man solle sich keinesfalls hintergehen lassen, wie dies den früheren Königen Frankreichs geschehen sei: Mit den zum Tode Verurteilten würden daher vier redliche Bürger (»bourgeois prudhommes«) in Verbindung treten, die mit allen erdenklichen Mitteln versuchen sollten, der obengenannten Güter habhaft zu werden[51].

Der Brief war auf den 26. Juli in Paris datiert; am 6. August wurde er dem Seneschallen von Carcassonne überbracht – demselben, der vor einigen Monaten, zusammen mit seinen Kollegen aus den umliegenden Städten, mit der Botschaft an den König den Funken entzündet hatte, der das Komplott auffliegen lassen sollte. So schloß sich der Kreis. Weitere Abschriften des königlichen Briefes wurden unter anderem an den Seneschallen des Poitou und von Limoges, an jenen von Toulouse, an die Amtmänner der Normandie, von Amiens, Orléans, Tours, Mâcon und an den Vogt von Paris gesandt.

14. Die Summe von 150.000 *livres tournois*, die Philipp V. den Juden Mitte Juni als Preis für sein Schweigen abgepreßt hatte, war nur dazu imstande gewesen, die Verfolgung einige Wochen aufzuschieben. Bestenfalls hatte sie bewirkt, daß in dem königlichen Schreiben die Aufforderung an die Behörden erging, nicht unterschiedslos die Folter anzuwenden – eine tragische Posse, die sich noch viele Male wiederholen sollte (auch in uns nahen Zeiten). Die Prozesse gegen die ihre Komplizenschaft mit den Leprakranken bekennenden Juden hielten, von Verbrennungen gefolgt, parallel zur Einziehung der enormen Geldstrafe (die dann auf 100.000 *livres* herabgesetzt wurde) noch zwei Jahre lang an. Im Frühjahr oder Sommer 1323 (jedenfalls vor dem 27. August) vertrieb Karl IV., der Nachfolger Philipps V., die Juden aus dem Königreich Frankreich[52].

15. Den Ausschluß der Leprakranken und die Vertreibung der Juden hatten die Seneschallen von Carcassone und der umliegenden Städte in ihrer Botschaft an Philipp V. zwischen Ende des Jahres 1320 und Beginn des Jahres 1321 verlangt. Wenig mehr als zwei Jahre später waren beide Ziele erreicht, dank dem Einschreiten des Königs, Philipps von Valois (des künftigen französischen Königs), dem des Jacques Fournier (des künftigen Papstes), des Jean Larchevêque, Herrn von Parthenay, der Inquisitoren, Richter, Notare, lokalen politischen Behörden – und natürlich der anonymen Menschenmengen, die »ohne erst Vogt oder Amtmann abzuwarten«, wie ein Chronist schreibt, Aussätzige und Juden niedermetzelten. Jeder hatte sein Teil getan: einer hatte die falschen Beweise für die Verschwörung ausgefertigt, ein anderer verbreitet; einer hatte aufgestachelt, ein anderer war aufgestachelt worden; einer hatte geurteilt, ein anderer gefoltert und wieder ein anderer getötet (gemäß den Ritualen, wie sie in den Gesetzen oder außerhalb ihrer vorgesehen waren). Angesichts der Übereinstimmung zwischen Ausgangs- und Endpunkt dieser dicht gedrängten Reihe von Ereignissen scheint der Schluß unausweichlich, daß in Frankreich zwischen Frühjahr und Sommer 1321 nicht ein, sondern zwei Komplotte stattfanden. Die Welle der Gewalt gegen Leprakranke, die das erste auslöste, griff auf den Süden und Südwesten über, mit einem Ableger im Osten, in der Gegend von Lausanne[53]. Von dem nur kurz darauf durch das Komplott gegen die Juden ausgelösten Gewaltansturm waren hingegen vor allem der Norden und Nordosten betroffen[54]. Es ist aber wahrscheinlich, daß an manchen Orten die einen wie die anderen unterschiedslos der Verfolgung ausgesetzt waren[55].

Wir wollen durch die Rede vom Komplott ein komplexes Kausalgeflecht nicht ungebührlich vereinfachen. Es ist durchaus möglich, daß die ersten Beschuldigungen spontan auftraten, von unten herkamen. Die Geschwindigkeit, mit der die Repression um sich griff – und dies in einer Zeit, in der die Nachrichten zu Fuß, auf dem Rücken von Maultieren, bestenfalls zu Pferd reisten –, auf der einen Seite und die geographische Verzweigung vom mutmaßlichen Epizentrum Carcassonne aus auf der anderen (vgl. Karte 1) zeigen jedoch das Eingreifen bewußter und aufeinander abgestimmter Handlungen, die darauf abgestellt

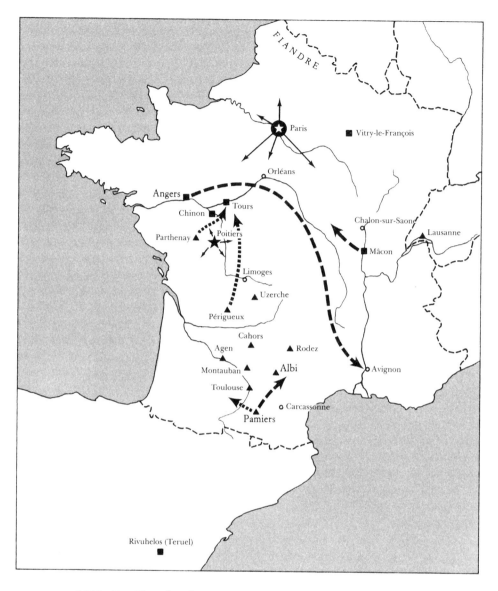

1321: Das Komplott der Leprakranken und Juden

▲ Ort, an dem die Leprakranken für das Komplott verantwortlich gemacht werden.

■ Ort, an dem die Juden für das Komplott verantwortlich gemacht werden.

★ Edikt Philipps V. gegen die Leprakranken (Poitiers, 21. Juni 1321).

✪ Edikt Philipps V. gegen die Juden (Paris, 26. Juli 1321).

▪▪▪▶ Versuche, die Repression auf die Leprakranken zu lenken.

━━▶ Versuche, die Repression auf die Juden zu lenken.

sind, eine Reihe von bereits vorhandenen Spannungen in eine von vornherein festgelegte Richtung zu dirigieren[56]. Das, und nur das, meint »Komplott«. Die Existenz eines einzigen, aus einer oder mehreren Personen bestehenden zentralen Koordinationszentrums anzunehmen, wäre offensichtlich absurd und würde jedenfalls durch das späte und umstrittene Auftreten der Anklage gegen die Juden dementiert. Ebenso absurd wäre die Annahme, daß alle Akteure in dieser Angelegenheit (außer den Opfern) in böser Absicht gehandelt hätten. Tatsächlich ist die böse Absicht in diesem Kontext irrelevant – und überdies nicht nachweisbar. Der Einsatz von Folter in Prozessen, um eine bereits vorgefertigte Version der Fakten zu erpressen, oder die Verfertigung von Fälschungen zu mehr oder weniger frommen Zwecken sind – damals wie heute – Operationen, die man auch in allerbester Absicht vollbringen kann, in der Überzeugung nämlich, eine Wahrheit zu bezeugen, für die unglücklicherweise die Beweise fehlen. Diejenigen, die Beweise für die angebliche Verschwörung – von den Säckchen voller giftiger Kräuter bis zu den falschen Geständnissen und den apokryphen Briefen – in Auftrag gaben, sich dafür einsetzten oder sie ausfertigten, können auch von der Schuld der Leprakranken und Juden überzeugt gewesen sein. Daß der Großteil der Bevölkerung es war, scheint mehr als wahrscheinlich. Was die Obrigkeiten (den König von Frankreich, den Papst usw.) betrifft, so werden wir nie erfahren, inwieweit sie an die Unschuld derer, die sie verfolgten, glaubten. Doch ihr Einschreiten war entscheidend. Die ganze Angelegenheit als dunklen Anfall der kollektiven Mentalität, der alle Gesellschaftsschichten mitriß, zu beschreiben, ist eine Mystifikation. Hinter der scheinbaren Einhelligkeit der Verhaltensweisen läßt sich ein Feld von Kräften unterschiedlicher Intensität erkennen, die bald konvergieren, bald in Konflikt geraten[57].

16. Zumindest in einem Fall – außerhalb der Grenzen des Königreichs Frankreich, jenseits der Pyrenäen – wissen wir, daß die gegen die vermeintlichen Vergifter gerichtete Anklage auf direkten Widerstand stieß. Am 29. Juli wurde in Rivuhelos, unweit von Teruel, ein Mann entdeckt, der giftiges Pulver in die Brunnen schüttete. Man folterte ihn, »um die Wahrheit zu erfahren«. Der Gefolterte – er hieß Diego Perez – gestand zuerst, er habe die giftigen Pulver und Kräuter von einem Bretonen erhalten; dann korrigierte er seine früheren Angaben und beschuldigte zwei reiche Juden, Simuel Fatos und Yaco Alfayti, die im nahen Dorf Serrion wohnten. Die Richter und Alkalden von Teruel ließen sie sogleich festnehmen, wodurch sie den Vogt auf den Plan riefen, der weniger als einen Monat später an den König von Aragon einen Bericht über die ganze Angelegenheit sandte. Die Unbegründetheit der Beschuldigungen Perez' befürchtend, hatte der Vogt seinen Anspruch auf Auslieferung von Fatos und Alfayti geltend gemacht, auf der Grundlage eines Rechtes, welches das Vorgehen gegen Juden ihm oder dem König vorbehielt. Der Rat der Stadt hatte sich zur Wehr gesetzt: Simuel Fatos war wiederholt gefoltert worden, hatte aber nichts gestanden. (Was Alfayti zustieß, ist nicht bekannt.) Da Perez an seiner Version festhielt, war ein als Priester verkleideter Mann zu ihm geschickt worden, der so getan hatte, als wolle er ihm die Beichte abnehmen. Perez war in die Falle gegangen und hatte zugegeben, daß der Jude unschuldig war: Wenn er ihn

weiterhin beschuldigt hatte, so nur »aus Furcht vor den großen Qualen, die er erfahren hatte« und weil ihm als Gegenleistung die Flucht zugesichert worden war. Vergeblich hatte der Vogt versucht, Fatos in seine Obhut zu bekommen: »Es gab Stadträte, die den Juden unbedingt umbringen wollten, auch wenn es weder Geständnisse noch Beweise gegen ihn gab«. Die Richter hatten Diego Perez zum Tode verurteilt; Simuel Fatos hingegen war der Menge ausgeliefert worden, die ihn brutal ermordet, in Stücke gehackt und verbrannt hatte. Und dennoch, so wiederholte der Vogt, war der Jude »zu Unrecht gestorben«[58].

17. Die Obrigkeiten und Richter dringen darauf, daß die Schuld auf jene fällt, die für die Rolle des Sündenbocks schon bereitstehen; der Angeklagte, durch die Folter geängstigt, gibt nach; die blindwütige Menge tobt sich an vermeintlich Schuldigen aus: all dies scheint vorhersehbar, liegt fast auf der Hand – wenngleich es in diesem Fall dank der Divergenzen zwischen den öffentlichen Gewalten von Teruel mit außergewöhnlichem Detailreichtum belegt ist. Der vom Vogt geleistete Widerstand macht kontrastiv die allgemeine Bereitschaft deutlich, Gerüchten über eine Verschwörung von Vergiftern sogleich Gehör zu schenken. Wie zu sehen war, ging das in Frankreich nicht anders vor sich. Die Version der Behörden vermochte sich deshalb zu verbreiten und Fuß zu fassen, weil in sämtlichen Bevölkerungsschichten die Bereitschaft vorhanden war, die Schuld der Leprakranken und Juden anzuerkennen, wenn nicht vorauszusetzen.

Dergleichen Beschuldigungen waren nicht neu. Seit dem vorausgehenden Jahrhundert finden wir sie in Chroniken formuliert. Vinzenz von Beauvais schrieb den Kinderkreuzzug des Jahres 1212 einem teuflischen Plan des Alten vom Berge zu, des Oberhaupts der mysteriösen Assassinensekte, der zwei gefangengesetzten Klerikern die Freiheit unter der Bedingung zusagte, daß sie ihm alle Kinder Frankreichs brächten[59]. Der Chronik von Saint-Denis zufolge war der Kreuzzug der Pastorellen im Jahre 1251 das Ergebnis eines Paktes zwischen dem Sultan von Babylon und einem ungarischen Zaubermeister. Nachdem sich dieser verpflichtet hatte, dem Sultan kraft seiner Zauberkünste sämtliche Kinder Frankreichs, ein jedes um den Preis von vier byzantinischen Goldmünzen, zu bringen, hatte er sich in die Picardie begeben, wo er dem Teufel opferte, indem er ein Pulver in die Luft warf: Alle Pastorellen ließen ihre Tiere auf den Weiden zurück und folgten ihm nach. Bei einem weiteren Anführer desselben Kreuzzugs – so fügte Matthaeus Paris hinzu – hatte man giftige Pulver und Briefe des Sultans in arabischer oder chaldäischer Schrift gefunden, in denen gewaltige Geldsummen versprochen wurden für den Fall, daß die Unternehmung von Erfolg gekrönt sei[60]. Vielleicht hatte der eine oder andere den Pastorellenkreuzzug des Jahres 1320 in der gleichen Weise interpretiert; fest steht, daß ein Jahr darauf dasselbe Schema nicht nur in Chroniken, sondern in den gefälschten Briefen und den unter Folter abgenötigten Geständnissen wiederkehrte.

In all diesen Erzählungen läßt sich die Furcht vor der unbekannten, bedrohlichen Welt erkennen, die sich jenseits der Grenzen der christlichen Welt erstreckte[61]. Jedes beunruhigende oder unverständliche Vorkommnis wurde irgendwelchen Intrigen der Ungläubigen zugeschrieben. Als Urheber finden wir fast immer eine muslimische Herrscher- oder Führergestalt, die eventuell auf

Weisung des Teufels handelt: den Alten vom Berge (Vinzenz von Beauvais), den Sultan von Babylon (M. Paris, Chronik von Saint-Denis, Prozeß gegen Agassa), den König von Jerusalem (Brief des Bananias), die Könige von Tunesien und Granada (Prozeß gegen Agassa, apokryphe Briefe von Mâcon, Fortsetzer von Guillaume de Nangis und seine Imitatoren). Diese Persönlichkeiten setzen sich direkt oder indirekt mit einzelnen Personen oder Gruppen, die unter geographischem oder ethnisch-religiösem Gesichtspunkt marginal sind (der ungarische Zaubermeister, die Juden), ins Einvernehmen, indem sie ihnen für die Ausführung des Komplotts Geld versprechen. In die Tat umgesetzt wird das Komplott von anderen Gruppen, die aufgrund ihres Alters (Kinder), ihrer sozialen Inferiorität (Leprakranke) oder aus beiden Gründen (Pastorellen) leichte Beute für falsche Versprechungen wie die von Reichtum und Macht sind. Diese kausale Kette kann lang oder kurz sein – in Teruel beispielsweise macht die Suche nach den Verantwortlichen bei den Juden halt (in der ersten Fassung handelte es sich um einen Bretonen). Einige Glieder können ausgelassen werden (in Agassas Geständnis schließen die muslimischen Könige einen Pakt mit den Leprakranken, ohne die Juden zu berücksichtigen). Andere können sich verdoppeln (im Bananiasbrief besticht der König von Jerusalem die Juden vermittelt durch den König von Granada). Im allgemeinen aber ergeben sich aus der hier beschriebenen Kette allmähliche Übergänge, die vom äußeren Feind zum inneren Feind, seinem Komplizen, sozusagen seiner Emanation führen – eine Figur, der für lange Zeit Erfolg beschieden sein sollte[62]. Und wenn der erste definitionsgemäß ungreifbar war, so war der zweite doch in Reichweite und konnte gelyncht, gefangengesetzt, gefoltert, verbrannt werden.

Eine Reihe aufsehenerregender Fälle, die in Frankreich in den ersten Jahrzehnten des 14. Jahrhunderts ans Licht kamen, trugen zur Ausbreitung dieser Furcht vor Verschwörungen bei. Unter den zahlreichen Vorwürfen, die man gegen den Templerorden in Umlauf brachte, war auch jener, sie hätten geheime Abkommen mit den Sarazenen geschlossen[63]. Guichard, Bischof von Troyes, Hugues Géraud, Bischof von Cahors, wurden in den Jahren 1308 und 1317 vor Gericht gestellt, weil man ihnen anlastete, sie hätten Königin Johanna von Navarra bzw. Papst Johannes XXII. mit magischen Mitteln umzubringen versucht[64]. Dies sind Fälle, die auf einer niedrigeren Stufe den vier Jahre später den Leprakranken und Juden angelastete Verschwörung vorwegzunehmen scheinen. In ihr gelangten dann die gewaltigen Potenzen sozialer Reinigung, die das Komplottschema in sich trägt – jedes vermeintliche Komplott neigt dazu, ein wirkliches entgegengesetzter Stoßrichtung hervorzubringen –, zu voller Entfaltung. Angesichts der Angst vor physischer und metaphorischer Ansteckung reichten Ghettos und diffamierende Erkennungszeichen auf den Kleidern nicht mehr aus[65].

18. Die erste gegen die Leprakranken gerichtete Verfolgungswelle hatte im Sommer des Jahres 1321 ihren Höhepunkt erreicht. Am 27. August wurden fünfzehn Männer und Frauen, die sich vor den Verbrennungen hatten retten können, denen drei Viertel aller Leprakranken von Uzerche in der Diözese Limoges zum Opfer gefallen waren, mit einem glühenden Eisen am Hals

gebrandmarkt, damit man sie im Falle ihrer Flucht erkennen könne, und in ein dem Leprosorium gehörendes Gebäude in Gewahrsam gebracht. Sie sollten dort lebenslänglich interniert bleiben, wurden jedoch nach einem Monat unvermittelt freigelassen[66]. Wie sich diese Nachricht mit jenen in Einklang bringen läßt, die von einer anhaltenden Internierung der Leprakranken in den nachfolgenden Jahren sprechen, ist nicht klar. Dennoch weist sie darauf hin, daß die zu Anfang des Sommers formulierten Vorwürfe als nicht mehr gültig erachtet wurden. Die zweite Verfolgungswelle, die die Juden einholte, dauerte, wie wir sahen, hingegen länger, doch nach und nach wurde den Andeutungen einer Vergiftung des Wassers, die in die Register der Schatzkammer eingingen, eine Vorsichtsklausel hinzugesetzt: »wie es heißt« *(ut dicitur)*[67]. Offenbar waren nicht einmal mehr die Behörden dazu bereit, die offizielle Komplottversion vorbehaltlos zu unterschreiben.

Es ist unwahrscheinlich, daß die Anklagen gegen die Juden formell zurückgenommen wurden; jedenfalls verhinderte es ihre Vertreibung aus Frankreich nicht. Bei den Leprakranken kam es anders. Wir wissen nicht, ob die Unschuld der Leprakranken bereits im Jahr 1325 offiziell anerkannt war: In diesem Jahr verglich die visionäre Begine Prous Boneta, die in Carcassonne als Ketzerin verurteilt wurde, die von Papst Johannes XXII. auf den Scheiterhaufen geschickten Leprakranken und Begarden mit den Kindern, die Herodes hatte ermorden lassen[68]. Irgendwann jedoch war dies der Fall, wie aus einer am 31. Oktober 1338 von Papst Benedikt XII. an den Erzbischof von Toulouse gesandten Bulle hervorgeht. Die Leprakranken der Region hatten sich an den Papst gewandt, damit er ihre Versuche unterstütze, wieder in den Besitz der von der geistlichen Gewalt konfiszierten weltlichen Güter (Grundrenten, Häuser, Felder, Weinberge, liturgisches Gerät) zu gelangen. Der Papst trat für ihre Anliegen ein und forderte den Erzbischof auf, dies ebenfalls zu tun, indem er ihn darauf aufmerksam machte, daß die Leprakranken auch nach richterlichem Urteil für »harmlos und unschuldig« an den ihnen angelasteten Verbrechen befunden worden seien, so daß ihnen die (dann offenbar doch nicht geleistete) Rückerstattung der beschlagnahmten Güter formell zustehe[69]. Der Papst, der dies schrieb, war derselbe Jacques Fournier, der vor weniger als zwanzig Jahren als Bischof und Inquisitor der Diözese Pamiers dem Verhör beigewohnt hatte, in dessen Verlauf Agassa willfährig das von den versammelten Leprakranken gegen die Christenheit geschmiedete Komplott geschildert hatte.

So setzte man einen Schlußpunkt: Die toten und die lebenden Leprakranken wurden von ihren Verfolgern rückwirkend freigesprochen. Für die Juden hingegen sollte alles wieder von vorn beginnen.

[1] Dom M. Bouquet, *Recueil des historiens de la Gaule...*, neue Ausg., Paris 1877–1904, XXIII, S. 413. (Eine Anmerkung der Herausgeber auf S. 491 weist darauf hin, daß dieser Abschnitt zusammen mit anderen im Jahr 1336 abgefaßt wurde: der zeitliche Abstand zu den Ereignissen erklärt die irrtümliche Datierung des Massenmordes an den Aussätzigen auf den Winter statt auf Frühling-Sommer des Jahres 1321.)

[2] *Ebd.*, S. 483 (vgl. auch Ordericus Vitalis, *Historiae ecclesiasticae libri tredecim*, hg. v. A. Le Prevost, V, Parisiis 1855, S. 169–70).

[3] Bouquet, *Recueil*, cit., XXIII, S. 409–10 (verfaßt im Jahre 1345: vgl. S. 397).

[4] Vgl. E. Baluze, *Vitae paparum Avenionensium*, hg. v. G. Mollat, I, Paris 1916, S. 163–64. Ähnliche Versionen wie diese geben Petrus de Herentals und Amalricus Auger (*ebd.*, S. 179–80, 193–94). Wie aus der handschriftlichen Überlieferung hervorgeht, wurde der zitierte Abschnitt aus der Chronik des Bernard Gui unmittelbar nach den erzählten Ereignissen abgefaßt: vgl. L. Delisle, *Notice sur les manuscrits de Bernard Gui*, Paris 1879, S. 188 u. 207 ff.

[5] Vgl. H. Duplès-Augier. *Ordonnance de Philippe Le Long contre les lépreux*, in: »Bibliothèque de l'École des Chartes«, 4ᵉ s., III (1857), S. 6–7 des Auszugs; *Ordonnance des rois de France...*, XI, Paris 1769, S. 481–82.

[6] Zu den Wahnsinnigen und Kriminellen siehe natürlich M. Foucault, *Folie et déraison. Histoire de la folie à l'âge classique*, Paris 1961 (geringfügig gekürzte dt. Übers.: *Wahnsinn und Gesellschaft*, Frankfurt a. M. 1973), und ders., *Surveiller et punir*, Paris 1975 (dt. Übers.: *Überwachen und Strafen*, Frankfurt a. M. 1977). Merkwürdig ist, daß im ersten Buch auf die Leprakranken hingewiesen wird, nicht aber auf die Vorfälle, die zu ihrer Internierung führten.

[7] Die neueste Studie zu diesen Vorfällen ist die trotz unvollständiger dokumentarischer Grundlage sehr nützliche von M. Barber, *The Plot to Overthrow Christendom in 1321*, in: »History«, Bd. 66, Nr. 216 (Febr. 1981), S. 1–17: seine Schlußfolgerungen unterscheiden sich von den meinigen (vgl. weiter unten, Anm. 57). Das von B. Blumenkranz, *À propos des Juifs en France sous Charles le Bel*, in: »Archives juives«, 6 (1969–70), S. 36 versprochene *Dossier* ist, soweit ich weiß, nie erschienen. Ältere Forschungen zu diesem Thema werden im weiteren an gegebener Stelle erwähnt. Ein Hinweis auf eine Analogie zwischen der »Verschwörung« des Jahres 1321 und der Verfolgung des Hexenwesens findet sich bei G. Miccoli, *La storia religiosa*, in: *Storia d'Italia*, II, 1, Turin 1974, S. 820. Siehe jetzt auch F. Bériac, *Histoire des lépreux au Moyen-Âge*, Paris 1988, S. 140–48 (der meinen Aufsatz *Présomptions*, cit. nicht kennt).

[8] Bouquet, *Recueil*, cit., XXI, S. 152. Vgl. auch *Chronique parisienne anonyme de 1316 à 1339...*, hg. v. A. Hellot, in: »Mémoires de la société de l'histoire de Paris...«, XI (1884), S. 57–59. Ein am Rand stehender Zusatz zur dritten Fortsetzung der *Gestorum abbatum Monasterii Sancti Trudonis... libri* (MGH, Scriptorum, X, Hannoverae 1852, S. 416), eingeleitet von den Worten »sequenti anno«, spricht von Leprakranken »a Judaeis corrupti«, die als Giftmörder in Frankreich und Hannover verbrannt wurden. Der Herausgeber hat den Abschnitt, wahrscheinlich durch ein Versehen, auf das Jahr 1319 bezogen. Der Hinweis auf Hannover bleibt mir in jedem Fall dunkel.

[9] Vgl. entsprechend Bouquet, *Recueil*, cit., XX, S. 628 ff.; XXI, S. 55–57; Baluze, *Vitae*, cit., I, S. 132–134; Bouquet, *Recueil*, cit., XX, S. 704–05; Jean de Preis dit d'Outremeuse, *Ly Myreur des Histors*, hg. v. S. Bormans, VI, Brüssel 1880, S. 264–65; *Genealogia comitum Flandriae*, in: Martène-Durand, *Thesaurus novus anecdotorum*, III, Lutetiae Parisiorum 1717, Sp. 414. Siehe auch, im selben Sinne, Bibliothèque Nationale, *ms fr.* 10132, Bl. 403v.

[10] In dieser Darstellung folge ich fast ausschließlich dem Fortsetzer des Guillaume de Nangis, von dem die Chronik von Saint-Denis, Johann von St. Viktor und der Fortsetzer der Chronik des Gérard de Frachet mehr oder minder eng abhängen; vgl. auch die Einleitung von H. Géraud und G. de Nangis, *Chronique latine*, Paris 1843, I, S. XVI ff. Über die Ereignisse in Chinon vgl. auch H. Gross, *Gallia Judaica*, Paris 1897, S. 577–78 u. 584–85.

[11] Vgl. *Genealogia*, cit.

[12] Vgl. G. Lavergne, *La persécution et la spoliation des lépreux à Périgord en 1321*, in: *Recueil de travaux offerts à M. Clovis Brunel...*, II, Paris 1955, S. 107–113.

[13] Vgl. Baluze, *Vitae*, cit., I, S. 161–63 (B. Gui); *ebd.*, S. 128–30 (Johann von St. Viktor). Vgl. allgemein M. Barber, *The Pastoureaux of 1320*, in: »Journal of Ecclesiastical History«, 32 (1981), S. 143–66. Zu einigen Problemen ist immer noch nützlich P. Alphandéry, *Les croisades des enfants*, in: »Revue de l'histoire de religions«, 73 (1916), S. 259–82. Auf idyllische Weise apologetisch hingegen die Ausführungen zu den beiden »Kreuzzügen« der Pastorellen bei P. Alphandéry-A. Dupront, *La Chrétienté et l'esprit de Croisade*, II, Paris 1959, die mir aufgrund ihres Stils dem zweiten der beiden Verfasser zuzuschreiben zu sein scheinen. Ein wichtiges Zeugnis – die Aussage des Juden Baruch vor der Inquisition von Pamiers – wurde mehrmals übersetzt und kommentiert; der Text ist zu finden in J. Duvernoy, *Le registre d'Inquisition de Jacques Fournier*, I, Paris 1965, S. 177–90 (und zuletzt bei A. Pales-Gobilliard, *L'Inquisition et les Juifs: le cas de Jacques Fournier*, in: »Cahiers de Fanjeaux, 12 (1977), S. 97–114.

[14] Dieser Text, der Barber (*The Plot*, cit.) entgangen ist, findet sich in C. Compayré, *Études historiques et documents inédits sur l'Albigeois, le Castrais et l'ancien diocèse de Lavaur*, Albi 1841, S. 255–57. Auf seine Bedeutung hat zum ersten Mal A. Molinier hingewiesen (vgl. C. Devic et Dom J. Vaissète, *Histoire générale de Languedoc...*, IX, Toulouse 1885, S. 410, Anm. 6). Analysiert hat ihn in jüngerer Zeit V. R. Rivière-Chalan, *La marque infâme des lépreux et des christians sous l'Ancien Régime*, Paris 1978, S. 51 ff. (trotz seiner Lücken ein wertvolles Buch), der auf der Grundlage neuen Materials die von Compayré vorgeschlagene konjekturale Datierung präzisiert hat. Das Dokument befindet sich, wie mir der Direktor der *Archives Départementales du Tarn* in einem Schreiben vom 2. 2. 1983 freundlicherweise mitteilt, nicht mehr in den Gemeindearchiven von Albi und gilt zur Zeit als unauffindbar.

[15] Siehe auch weiter unten, Anm. 39. Vgl. allgemein R. I. Moore, *The Formation of a Persecuting Society. Power and Defiance in Western Europe. 950–1250*, Oxford 1987, wo auch auf die Vorfälle des Jahres 1321 hingewiesen wird (S. 60 u. 64). Nützliche Denkanstöße bei E. Gellner, *Nations and Nationalism, Oxford 1983*.

[16] »Incomposita et agrestis illa multitudo« (Paulinus Venetus O. F. M., in: Baluze, *Vitae*, cit., I, S. 171).

17 Als Beispiel für die Reaktionen der Zeitgenossen vgl. Johann von St. Viktor in: Baluze, *Vitae*, cit., I, S. 112–15, 117–18 u. 123. Immer noch nützlich H. S. Lucas, *The Great European Famine of 1315–1317*, in: »Speculum«, V (1930), S. 343–77; siehe ferner J. Kershaw, *The Great Famine and Agrarian Crisis in England 1315–1322*, in: »Past and Present«, 59 (Mai 1973), S. 3–50, wo jedoch auf der Grundlage von M.-J. Larenaudie, *Les famines en Languedoc aux XIVe et XVe siècles*, in: »Annales du Midi«, LXIV (1952), S. 37, betont wird, daß die Dokumente dieses Jahres in bezug auf das Languedoc nicht von Hungersnot sprechen. In dieser hat G. Bois das Symptom einer tiefen Krise des Feudalsystems gesehen: vgl. *Crise du féodalisme*, Paris 1976, S. 246 ff.

18 Vgl. L. K. Little, *Religious Poverty and the Profit Economy in Medieval Europe*, London 1978.

19 Vgl. Trachtenberg, *The Devil*, cit., S. 97 ff. und das allgemeine Bild, das G. I. Langmuir gezeichnet hat: *Qu'est-ce que ›les Juifs‹ signifiaient pour la société médiévale?*, in: *Ni juif ni grec. Entretiens sur le racisme*, hg. v. L. Poliakov, Paris – La Haye 1978, S. 178–90. Speziell zur Beschuldigung des Ritualmordes siehe ebenfalls von Langmuir den vorzüglichen Aufsatz *The Knight's Tale of Young Hugh of Lincoln*, in: »Speculum«, XLVII (1972), S. 459–82.

20 Vgl. Flavius Josephus, *Gegen Apion*, I, 26 ff.; vgl. hierzu A. Momigliano in: *Quinto contributo alla storia degli studi classici e del mondo antico*, I, Rom 1975, S. 765-84, sowie *Hochkulturen im Hellenismus. Die Begegnung der Griechen mit Kelten, Römern, Juden und Persern*, dt. Übers., München 1979, S. 96-97. Siehe auch J. Yoyotte, *L'Égypte ancienne et les origines de l'antijudaïsme*, in: »Revue de l'histoire de religions«, 163 (1963), S. 133-43; L. Troiani, *Commento storico al »Contro Apione« di Giuseppe*, Pisa 1977, S. 46-48. Zur Rezeption des Flavius Josephus vgl. H. Schreckenberg, *Bibliographie zu Flavius Josephus*, Leiden 1968 u. 1979; ders., *Die Flavius-Josephus-Tradition in Antike und Mittelalter*, Leiden 1972; ders., *Rezeptionsgeschichtliche und textkritische Untersuchungen zu Flavius Josephus*, Leiden 1977.

21 Vgl. U. Robert, *Les signes d'infâmie au Moyen Âge*, Paris 1889, S. 11, 90-91 u. 148.

22 Vgl. *ebd.*, S. 174; C. Malet, *Histoire de la lèpre et son influence sur la littérature et les arts*, Thèse an der medizinischen Fakultät Paris vom Jahr 1967 (BN: 4°. Th. Paris. 4430, masch.schrftl.), S. 168-69. Zu den *cagots* vgl. F. Michel, *Histoire des races maudites de la France et de l'Espagne*, Paris 1847, 2 Bde; V. de Rochas, *Les parias de France et de l'Espagne. Cagots et Bohémiens*, Paris 1876; H.M. Fay, *Histoire de la lèpre en France. Lépreux et Cagots du Sud-Ouest*, Paris 1910.

23 Vgl. Robert, *Les signes*, cit.; S. 91; Malet, *Histoire*, cit., S. 158-59.

24 Vgl. M. Kriegel, *Un trait de psychologie sociale*, in: »Annales ESC«, 31 (1976), S. 326-30; J. Shatzmiller, *Recherches sur la communauté juive de Manosque au Moyen Âge (1241-1329)*, Paris-La Haye 1973, S. 131 ff.; Little, *Religious Poverty*, cit., S. 52-53.

25 Vgl. M. Douglas, *Purity and Danger: An Analysis of Concepts of Pollution and Taboo*, London 1969² (dt. Übers.: *Reinheit und Gefährdung. Eine Studie zu den Vorstellungen von Verunreinigung und Tabu*, Frankfurt 1988), und generell die anthropologische Literatur (von V. Turner bis E. Leach), die ihren Ausgang von dem hochberühmten Buch von A. Van Gennep, *Les rites de passage*, Paris 1909 (dt. Übers.: *Übergangsriten*, Frankfurt/New York/Paris 1986) nimmt – welches seinerseits von dem grundlegenden Aufsatz von R. Hertz über die kollektive Todesvorstellung *(Contribution à une étude sur la représentation collective de la mort* [1905-06]*)*, in: *Mélanges de Sociologie religieuse et folklore*, Paris 1928, S. 1-98) abhängt: vgl. *Saccheggi rituali*, hg. v. C. Ginzburg, in: »Quaderni storici«, N.F., 65 (August 1987), S. 626 (dt. Übers.: *Rituelle Plünderungen*, in: »Freibeuter«, 37 u. 38 (1988), hier: 38, S. 26).

26 Vgl. J.-C. Schmitt *L'histoire des marginaux*, in: *La nouvelle histoire*, hg. v. J. Le Goff, Paris 1978, S. 355.

27 Vgl. M. Kriegel, *Les Juifs à la fin du Moyen Âge dans l'Europe méditerranéenne*, Paris 1979, S. 20 ff. Suggestive Hinweise bei A. Boureau, *L'inceste de Judas. Essai sur la génèse de la haine antisémite au XIIe siècle*, in: *L'amour de la haine*, in: »Nouvelle Revue de Psychanalyse«, XXXIII (Frühjahr 1986), S. 25-41. Allgemein vgl. Moore, *The Formation*, cit.

28 Vgl. Trachtenberg, *The Devil*, cit., S. 101 u. 238, Anm. 14, wo eine solche Anklage im 12. Jahrhundert (Troppau in Böhmen, 1163), zwei im 13. Jahrhundert (Breslau 1226 und Wien 1267) und drei im 14. Jahrhundert (1308 in der Waadt, 1316 in der Region Eulenburg, 1319 in Franken) vor den Ereignissen des Jahres 1321 verzeichnet sind.

29 Vgl. Lavergne, *La persécution*, cit.; E.A.R. Brown, *Subsidy and Reform in 1321: the Accounts of Najac and the Policies of Philip V*, in: »Traditio«, XXVII (1971), S. 402, Anm. 9.

30 Vgl. Rivière-Chalan, *La marque*, cit., S. 47 ff.

31 Zitiert bei L. Guibert, *Les lépreux et les léproseries de Limoges*, in: »Bulletin de la société archéologique et historique du Limousin«, LV (1905), S. 35, Anm. 3. Dieselbe Bemerkung taucht wiederholt im Gemeinderegister von Cahors auf: vgl. E. Albe, *Les lépreux en Quercy*, Paris 1908 (Auszug aus »Le Moyen Âge«), S. 14. Zu Rodez konnte ich dank der Freundlichkeit der Verfasserin S.F. Roberts deren sorfältige, noch unveröffentliche Studie einsehen *(The Leper Scare of 1321 and the Growth of Consular Power)*.

32 Vgl. G. de Manteyer, *La suite de la chronique d'Uzerche (1320-1373)*, in: *Mélanges Paul Fabre*, Paris 1902, S. 403-15 (herangezogen auch bei Guibert, *Les lépreux*, cit., S. 36 ff.). Man beachte, daß de Manteyer auf S. 410 von der »exécution judiciaire« von 60 Leprakranken spricht, Eingesperrte (15) und Verbrennungsopfer (44) also etwas summarisch gleichsetzt.

33 Das Dokument wurde von J.-M. Vidal entdeckt und analysiert: vgl. *La poursuite des lépreux en 1321 d'après des documents nouveaux*, in: »Annales de Saint-Louis-des-Français«, IV (1900), S. 419-478 (eine erste Fassung mit erheblichen Abweichungen in *Mélanges de littérature et d'histoire religieuses publiées à l'occasion du jubilée épiscopal de Msr. de Cabrières...*, I, Paris 1899, S. 483-518). Der vollständige Text in Duvernoy, *Le registre d'Inquisition*, cit., II, S. 135-47. Ich danke Raffaella Comaschi, die mich während eines Seminars in Bologna (1975-76) als erste auf die Bedeutung dieses Dokuments hinwies.

34 Vgl. den *Liber sententiarum Inquisitionis Tholosanae*, publiziert im Anhang (mit gesonderter Numerierung) zu P. à Limborch, *Historia Inquisitionis*, Amstelodami 1692, S. 295-97. Unter einer Gruppe von Personen, bei denen nach etlichen Jahren die Einmauerung aufgehoben wurde, figurierte (S. 294) ein »Bartholomeus Amil-

hati presbyter de Ladros dyocesis Urgelensis« – wahrscheinlich ein Leprosorienvorsteher wie Agassa (»ladres« bedeutet Leprakranke).

35 Zum Einsatz der Folter in den Inquisitionsprozessen dieser Zeit vgl. J.-L. Biget, *Un procès d'Inquisition à Albi,* in: »Cahiers de Fanjeaux«, 6 (1971), S. 288-91, wo auch die Vorschriften erwähnt werden, die in der *Practica* von Bernard Gui (eines der Richter, die das Urteil gegen Agassa verkündeten) enthalten sind: siehe oben, S. 49

36 Dieses Schweigen wird zu Recht betont bei Barber, *The Plot,* cit., S. 10.

37 Vgl. L. Lazard, *Les Juifs de Touraine,* in: »Revue des études juives«, XVI (1888), S. 210-34.

38 Später (am Ende des Jahres 1322 oder zu Beginn des Jahres 1323) wurde er vom Inquisitor von Tours idolatrischer Praktiken angeklagt und nach Paris überführt; dort wurde er auf eine Intervention des Papstes Johannes XXII. hin freigesprochen: vgl. J.-M. Vidal, *Le messire de Parthenay et l'Inquisition (1323-1325),* in: »Bulletin historique et philologique«, 1913, S. 414-34; N. Valois, *Jacques Duèse, pape sous le nom de Jean XXII,* in: »Histoire littéraire de la France«, XXXIV (1915), S. 426.

39 Vgl. C. H. Taylor, *French Assemblies and Subsidy in 1321,* in: »Speculum«, XLIII (1968), S. 217-44; Brown, *Subsidy and Reform,* cit., S. 399-400. Der anonyme Pariser Chronist schloß nach seiner Beschreibung der Verschwörung, für die er die von den Juden angestachelten Leprakranken verantwortlich machte: »Et la verité sceue et ainssi descouverte et à Philippe le roy de France et de Navarre rapportée en la deliberacion de son grant conseil, le vendredi devant la feste de la Nativité de Jehan-Baptiste, furent tous les Juifz par le royaulme de France pris et emprisonnez, et leurs bien saisis et inventories« (*Chronique parisienne anonyme,* cit., S. 59). Der Halbsatz »le vendredi etc.« bezieht sich offenbar auf den vorangehenden Satz, d. h. auf den Zeitpunkt, zu dem die Nachricht dem König überbracht wurde, und nicht (wie Brown, *Subsidy and Reform,* cit., S. 426 irrtümlich annimmt) auf die Festnahme der Juden, die erst einen Monat später beschlossen wurde.

40 Ich folge hier der Interpretation von Lazard, *Les juifs,* cit., S. 220.

41 P. Lehugeur hatte in seiner *Histoire de Philippe le Long* (I, Paris 1897, S. 425) eine in mancher Hinsicht analoge Interpretation formuliert, obwohl er das von Langlois publizierte Dokument (siehe unten, Anm. 51), das die nachfolgende Kehrtwende des Königs gegenüber den Juden bezeugt, nicht kannte.

42 Vgl. G.D. Mansi, *Sacrorum Conciliorum nova, et amplissima collectio,* XXV, Sp. 569-72. Obwohl an so naheliegender Stelle publiziert, wurde das Dokument (meines Wissens) nur zweimal ausdrücklich erwähnt: vom antisemitischen Polemiker L. Rupert (*L'Église et la synagogue,* Paris 1859, S. 172 ff.), der seinen Inhalt nicht im geringsten anzweifelte, und von H. Chrétien (*Le prétendu complot des Juifs et des lépreux en 1321,* Châteauroux 1887, S. 17), der den darin wiedergegebenen Bananiasbrief von vornherein als Fälschung ansah. Ohne Quellenangabe wird dieser kurz erwähnt bei J. Trachtenberg (*The Devil,* cit., S. 101), der ihn jedoch mit dem nicht erhaltenen, dem König vom Herrn von Parthenay übersandten Prozeß verwechselt. Die Hypothese, das gesamte Dokument (einschließlich des Briefs von Philipp von Anjou also, ja vielleicht auch noch der günstigen Reaktion des Papstes darauf) sei das Ergebnis einer späteren Fälschung,

scheint mir aus inneren wie äußeren Gründen ohne weiteres auszuschließen. Auf der einen Seite sind die (nicht nur chronologischen) Bezüge zu den zeitgenössischen Ereignissen überaus genau; auf der anderen Seite erklärt das Dokument, wie man sehen wird, den plötzlichen Sinneswandel des Papstes gegenüber den Juden. Über die Beziehungen der Anjou zu Avignon vgl. L. Bardinet, *Condition civile des Juifs du Comtat Venaissin pendant le séjour des papes à Avignon,* in »Revue historique«, Bd.12 (1880), S. 11.

43 Vgl. T. von Oppolzer, *Canon of Eclypses,* New York 1962 (Nachdr. der Ausg. von 1886): Am 26. Juni 1321 war die Sonnenfinsternis – schwankend zwischen der ringförmigen und der totalen Erscheinungsform – in ganz Frankreich sichtbar.

44 Bekanntlich verlegte sich Bucharin während der Moskauer Prozesse der 30er Jahre auf einen solchen Kniff, um zu verstehen zu geben, daß sein angebliches Geständnis in Wahrheit ein Lügengebäude war.

45 Der Plan eines Orientfeldzugs, den Philipp noch im Juli 1322 befürwortete, wurde etliche Jahre später, nämlich 1329, wieder aufgenommen: vgl. A. de B(oislisle), *Projet de croisade du premier duc de Bourbon (1316–1333),* in: »Annuaire-Bulletin de la société de l'histoire de France«, 1872, S. 236 Anm.; J. Viard, *Les projets de croisade de Philippe VI de Valois,* in: »Bibliothèque de l'École des Chartes«, 97 (1936), S. 305–16.

46 Vgl. G. Duerrholder, *Die Kreuzzugspolitik unter Papst Johann XXII (1316–1334),* Straßburg 1913, S. 27 ff.; Valois, *Jacques Duèse,* cit., S. 498 ff.; Taylor, *French Assemblies,* cit., S. 220 ff. Nicht bekannt ist uns, wann genau der Papst den Brief verbreiten ließ – möglicherweise Anfang Juli, als sich die Kardinäle in Avignon versammelten, um über den Kreuzzug zu verhandeln. (Das von Duerrholder mit 5. Juli angegebene Datum ist jedoch willkürlich von dem eines Briefes des Papstes an den König von Frankreich zu selben Frage hergeleitet.)

47 Vgl. J. Viard, *Philippe de Valois avant son avènement au trône,* in: »Bibliothèque de l'École des Chartes«, 91 (1930), S. 315 ff.

48 Vgl. Bardinet, *Condition civile,* cit., S. 16–17; A. Prudhomme, *Les Juifs en Dauphiné aux XIVᵉ et XVᵉ siècles,* in: »Bulletin de l'Académie Delphinale«, 3. F., 17 (1881–82), S. 141; J. Loeb, *Notes sur l'histoire des Juifs. IV: Deux livres de commerce du commencement du XIVᵉ siècle,* in: »Revue des études juives«, 10 (1885), S. 239; ders., *Les Juifs de Carpentras sous le gouvernement pontifical,* ebd., 12 (1886), S. 47–49; ders., *Les expulsions des Juifs en France au XIVᵉ siècle,* in: *Jubelschrift zum siebzigsten Geburtstage des Prof. Dr. H. Graetz,* Breslau 1887, S. 49–50; R. Moulinas, *Les Juifs du pape en France. Les communautés d'Avignon et du Comtat Venaissin aux 17ᵉ et 18ᵉ siècles,* Paris 1981, S. 24. Baron erwähnt die Vertreibung merkwürdigerweise nicht, fragt sich aber, weshalb Johannes XXII. angesichts der Beschuldigung einer Verschwörung mit den Leprakranken schweigt, nachdem er gegen die Pastorellen zugunsten der Juden eingeschritten war (vgl. S. W. Baron, *A Social and Religious History of the Jews,* X, New York 1965², S. 221). Wie zu sehen war, schwieg Johannes XXII. keineswegs. Ebenfalls unbekannt ist seine Intervention S. Grayzel, *References to the Jews in the Correspondence of John XXII,* in: »Hebrew Union College Annual«, Bd. XXIII, Teil II (1950–51), S. 60 ff., der den Zeitpunkt der Vertreibung der Juden aus Avignon früher ansetzt, indem er als Terminus *ante quem* den

Februar 1321 vorschlägt, sie also noch vor der Aufdekkung der angeblichen Verschwörung der Leprakranken stattfinden läßt. Diese Datierung (die bereits Valois, *Jacques Duèse*, cit., S. 421 ff. vorgeschlagen hatte) basiert jedoch auf der Fehlinterpretation eines Dokumentes. Das päpstliche Schreiben, in welchem, datierend vom 22. Februar 1321, die Stiftung einer Kapelle in *castro Bidaride* angekündigt wird, und zwar »in loco sinagoga ubi extitit hactenus Judeorum«, kann nicht (wie Grayzel meint) die Vertreibung implizieren, denn die Kapelle wird auf Grundstücken errichtet, die bei eigens aufgeführten Juden *erworben* wurden (»a quibusdam de prefatis Judeis specialiter emi fecimus et acquiri«: Geheimes Vatikanisches Archiv, *Reg. Vat.* 71, Bl. 56v–57 r, Nr. 159; vgl. auch G. Mollat, *Jean XXII (1316–1334). Lettres communes*, III, Paris 1906, S. 363).

49 Vgl. *Musée des Archives Nationales*, Paris 1872, S. 182. Nachfolgend wurden sie dreimal publiziert, immer als noch nicht edierte: bei Chrétien, *Le prétendu complot*, cit., S. 15–16; bei Vidal, *La poursuite*, cit., S. 459–61 (dies ist die sorgfältigste Edition; man beachte, daß Vidal in der ersten Fassung des Aufsatzes, die in den *Mélanges Cabrières*, cit., erschienen ist, dazu neigte, die Echtheit beider Briefe anzuerkennen); bei Rivière-Chalan, *La marque*, cit., S. 41–42. Barber (*The Plot*, cit., S. 9) bringt ihre Ausfertigung irrtümlicherweise mit dem Prozeß gegen Agassa und dem Wunsch, die Schuld der Muslime (anstatt der Juden) zu beweisen, in Verbindung.

50 Vgl. H. Sauval, *Histoire et recherches des antiquités de la ville de Paris*, II, Paris 1724, S. 517–18, der sich darüber empörte, daß solche Fälschungen, anstatt zerstört zu werden, aufbewahrt wurden; *Musée des Archives*, cit., S. 182.

51 Vgl. C.-V. Langlois, *Registres perdus des Archives de la Chambre des Comptes de Paris*, in: »Notices et extraits des manuscrits de la Bibliothèque Nationale . . .«, XL (1917), S. 252–56. Dieses Dokument, das M. Barber (*The Plot*, cit.) entgangen ist, wurde von R. Anchel, *Les Juifs de France*, Paris 1946, S. 86 ff. herangezogen, dem vor allem daran liegt, zu beweisen, daß Philipp V. auf die Gerüchte über die Verschwörung von Leprakranken und Juden mit Skepsis reagierte.

52 Vgl. Langlois, *Registres*, cit., S. 264–65 u. 277–78; Blumenkranz, *À propos des Juifs*, cit., S. 38, der auf der Grundlage neuer Dokumente das traditionell auf 1321 veranschlagte Datum der Vertreibung später ansetzt. Einigen Gelehrten zufolge (darunter auch S. W. Baron) kam es erst im Jahr 1348 zur Vertreibung der Juden aus Frankreich: eine schwerlich akzeptable These (siehe gleichwohl R. Kohn, *Les Juifs de la France du Nord à travers les archives du Parlement de Paris (1359?–1394)*, in: »Revue des études juives«, 141, 1982, S. 17).

53 Vgl. N. Morard, *À propos d'une charte inédite de l'évêque Pierre d'Oron: lépreux brûlés à Lausanne en 1321*, in: »Zeitschrift f. schweizerische Kirchengeschichte«, 75 (1981), S. 231–38: ein Dokument vom 3. Sept. 1321 beklagte, daß die Verbrennung der leprakranken Vergifter zur Aussetzung von Almosen und Abgaben zugunsten der unschuldigen Leprakranken geführt hätte.

54 Auf die Inexistenz des Ritualmordvorwurfs in Südfrankreich, wo die Juden stärker ins soziale Leben integriert waren, weist G. I. Langmuir, *L'absence d'accusation de meurtre rituel à l'Ouest du Rhône*, in: »Cahiers de Fanjeaux«, 12 (1977), S. 235–49, insbes. S. 247 nachdrücklich hin.

55 Im Artois liegen Nachrichten von Verurteilungen der Leprakranken als Vergifter vor (vgl. A. Bourgeois, *Lépreux et maladreries du Pas-de-Calais (X^e–XVIIIe siècles)*, Arras 1972, S. 68, 256 u. 258), in Metz (vgl. C. Buvignier, *Les maladreries de la cité de Verdun*, o. O. 1882, S. 15) und, jenseits der Grenzen des Königreichs Frankreich, in Flandern (vgl. oben, S. 42). Auf eine Verfolgung der Juden aus demselben Grunde in Burgund, der Provence und in Carcassonne weist die bereits erwähnte Pariser Chronik hin (*Chronique*, cit., S. 59). Solche Nachrichten sollten im Rahmen einer analytischen Erforschung all dieser Vorfälle, die bislang leider noch fehlt, in ihrer Gesamtheit berücksichtigt werden. Ein Zeugnis über die in den Monaten der Verfolgung verbreitete Klima bietet das Bekenntnis eines Mönchs, Gaufridus de Dimegneyo, der im Jahr 1331 beim Zisterzienserkloster in Chalon-sur-Saône mit der Bitte vorstellig wurde, von einer Sünde losgesprochen zu werden, die er vor zehn Jahren begangen habe, als Leprakranke und Juden von der weltlichen Justiz »wegen ihrer Schuld, wie die allgemeine Meinung lautete«, zur Verbrennung verurteilt worden seien. Gaufridus hatte in die Schenke seines Vaters einen Mann mit einem Sack voller Sämereien kommen sehen und hatte ihn als Vergifter angezeigt. Der Mann hatte unter Folter gesagt, er sei ein Dieb und führe ein Schlafmittel mit sich, und deshalb war er gehängt worden (vgl. Grayzel, *References*, cit., S. 79–80).

56 In Rodez beispielsweise, wie aus der angeführten Forschungsarbeit von S. F. Roberts (vgl. oben, Anm. 31) hervorgeht, mischte sich das grundherrliche Gericht in den Konflikt zwischen Bischof und Konsul um die Verwaltung der Leprosorien ein und gab den Konsuln recht. Zur Verbreitung der Nachrichten vgl. B. Guenée, *Espace et État dans la France du Bas Moyen-Âge*, in: »Annales E.S.C«, 31 (1968), S. 744–58 (mit Bibliographie): in Ausnahmefällen konnte der König seine Kuriere mit einer Geschwindigkeit von 150 km pro Tag reisen lassen; im Schnitt jedoch bewältigten sie weit geringere Distanzen (50–75 km).

57 Diese Schlußfolgerung ist alles andere als selbstverständlich, wie sich bei einer Übersicht über die bisherige Folge von Interpretationen zeigt. Für einen Juristen wie Sauval (*Histoire*, cit.) waren die Dokumente, die Juden und Leprakranke beschuldigten, kurzerhand eine grobe Fälschung; derselben Meinung, was die Leprakranken anging, war B. de Montfaucon (*Les monuments de la monarchie françoise*, II, Paris 1730, S. 227–28). Über ein Jahrhundert später stellte das gesamte *Dossier* für L. Rupert einen unstreitigen Beweis für die ewige Perfidie der Juden dar, während die Leprakranken in den Hintergrund rückten (*L'Église*, cit.). Michelet, auf dessen Ausführungen die unausbleibliche Erwähnung dieser Vorfälle selbst in allgemein gehaltenen Geschichtswerken zurückzuführen ist, hatte die Rache des Königs von Granada hingegen für absurd und die Verschwörung der Juden für unwahrscheinlich gehalten, sich aber nicht zur völligen Entlastung der Leprakranken entschließen können: »im Gemüt jener erbärmlich Einsamen mögen sehr wohl schuldhafte Wahngedanken Gestalt angenommen haben . . .« (J. Michelet, *Histoire de France (livres V–IX)*, hg. v. P. Viallaneix, Paris 1975, S. 155–57). Einige Jahrzehnte später gewannen die Vorfälle des Jahres 1321 plötzliche Aktualität. Der Arzt H. Chrétien (möglicherweise ein Pseudonym) wies in der Einleitung zu seinem Bändchen *Le prétendu complot des*

Juifs et des lépreux en 1321, cit. auf den neuerlichen Kreuzzug hin, zu dem man in Frankreich »seit einigen Jahren« – man schrieb das Jahr 1887, die Dreyfus-Affäre hatte bereits ihren Anfang genommen – gegen die Juden aufrief, wie auch auf Feinde, die »mit Ungeduld die Wiederholung der greulichen Szenen der Bartholomäusnacht zu erwarten scheinen«. Um die Jahrhundertwende, in denselben Jahren, in denen die *Protokolle der Weisen von Zion* hergestellt wurden (vgl. Cohn, *Die Protokolle,* cit., S. 75 ff.; P. Nora, *1898. Le thème du complot et la définition de l'identité juive,* in: *Pour Léon Poliakov: le racisme, mythes et sciences,* hg. v. M. Olender, Brüssel 1981, S. 157 ff.), brachte J.-M. Vidal die gesamte Frage wieder zum Vorschein und gelangte dabei zu dem Schluß, die Geständnisse des Agassa, die er selbst entdeckt hatte, seien allzu detailliert und allzu offensichtlich auf Aufrichtigkeit angelegt, so daß man sie trotz der Folter für »offenherzig, aufrichtig, wahrheitsgetreu« halten müsse. Vidal hielt zwar die Briefe der Könige von Granada und Tunesien für Fälschungen (auch wenn er sie anfangs, wie gesagt, anders eingeschätzt hatte): ihre Ausfertigung jedoch den Behörden von Mâcon zuzuschreiben, schien ihm eine moralisch absurde Annahme zu sein, weil daraus folgte, daß »die respektablen Persönlichkeiten, die der Übersetzung beiwohnten, nichts anderes als gemeine Fälscher waren«. Daher mußte man folgerichtig annehmen, daß es die Vorsteher der Leprakranken waren, die die Dokumente fälschten, um ihre eigenen Gefolgsleute davon zu überzeugen, daß das Komplott gegen die Obrigkeiten von außen unterstützt würde. Vidal kam zu dem Schluß, daß der fraglos »exzessive« Mord an Leprakranken und Juden durch ein tatsächliches (wenngleich wirkungsloses), möglicherweise im Keim ersticktes Komplott von Leprakranken ausgelöst worden war: die Beteiligung der sarazenischen Könige und der Juden sei hingegen »schwer zu beweisen«. Obwohl er ein päpstliches Dokument entdeckt hatte, aus dem hervorging (vgl. weiter unten, Anm. 69), daß einige Zeit nach der Verfolgung die Unschuld der Leprakranken durch die Obrigkeiten selbst anerkannt worden war, änderte Vidal seine Meinung weder damals noch später (vgl. Vidal, *La poursuite,* cit.; ders., *Le Tribunal d'Inquisition de Pamiers,* Toulouse 1906, S. 34 u. 127). Anmerken läßt sich hier, daß Vidal bei einem älteren Fall, in den rein zufällig ein anderer Agassa (Bernard) verwickelt war, anerkannte, daß das Komplott, das der Inquisitor von Carcassonne einer Gruppe von Angeklagten anlastete, in Wirklichkeit von diesem selbst geschmiedet worden war. Die Angeklagten waren beschuldigt worden, sie hätten versucht, die Archive des Kirchengerichts zu zerstören (*Un inquisiteur jugé par ses »victimes«: Jean Galand et les Carcassonnais (1285–1286),* Paris 1903). Vidal, der sich auf eine nachfolgend von Jacques Fournier wegen Unregelmäßigkeiten des Prozesses erstattete Anzeige stützte, zögerte in diesem Fall nicht zuzugeben, welch ausschlaggebende Bedeutung die Folter dafür hatte, den Angeklagten falsche Geständnisse abzupressen – auch wenn er am Ende gegen die Evidenz der Fakten den guten Glauben des Inquisitors von Carcassonne zu retten versuchte. Aber die zeitgenössischen Resonanzen der angeblichen Verschwörung des Jahres 1321 waren so stark, daß sie die philologische Vorsicht Vidals mit sich fortrissen: wie sollte man die vor sechs Jahrhunderten waltenden politischen Behörden in einem Augenblick der Fälschung

bezichtigen, in dem hohe Staatsbeamte des französischen Generalstabs beschuldigt wurden, M. Esterhazy in Schutz zu nehmen, den Verfasser der falschen Beweise, die den jüdischen Hauptmann Dreyfus anklagten? (Außer den gelehrten Aufsätzen, die bei L. Blazy, *Monseigneur J.-M. Vidal (1872–1940),* Castillon-en-Couserans 1941, S. 10–17 aufgeführt sind, schrieb Vidal auch eine Erzählung von autobiographischem Charakter, *À Moscou durant le premier triennat soviétique (1917–1920),* Paris 1933, die jedoch auf das Jahr 1921 zurückgeht und seine Persönlichkeit wie seine politischen Anschauungen erhellt.) Auf die unmittelbaren politischen Implikationen des Aufsatzes von Vidal reagierte mit Härte C. Molinier, der – gegen eine günstige Rezension von P. Dognon polemisierend – Vidals Schlußfolgerungen »absurd« und die Veröffentlichung der Briefe der Sarazenenkönige »wenigstens überflüssig« nannte. Was die Brunnenvergiftungslegende angehe, so seien ihre (natürlich antisemitischen) Implikationen zu aktuell, als daß man sie mit solcher Leichtigkeit aufrufen dürfe: »die leiseste Erschütterung«, so schrieb Molinier mit Worten, die rückblickend prophetisch erscheinen, »kann sie wieder aufleben lassen und ihr einen Anschein von Wahrheit verleihen« (vgl. »Annales du Midi«, XIII (1901), S. 405–07; die Rezension von P. Dognon, ebd., S. 260–61; man beachte, daß Albe, *Les lépreux,* cit., S. 16–17, die Schlußfolgerungen Vidals wieder aufnahm, dabei die Leprakranken entlastete und auf der mutmaßlichen Schuld von Juden und Sarazenen beharrte). Aber die Beurteilung der Fakten des Jahres 1321 ist auch heute noch Gegenstand von Diskussionen. Als J. Duvernoy 1965 erstmals die Akten des Prozesses gegen Agassa publizierte, stellte er die rhetorische Frage, ob Vidal jene Geständnisse wohl wirklich für bare Münze genommen habe: ihr stereotyper Charakter sei, stellte er fest, ein offensichtlicher Beweis dafür, daß die Richter sie erpreßt hätten. Eine durchaus angebrachte Überlegung, auf die Duvernoy jedoch eine offensichtlich unbegründete Hypothese folgen ließ: daß nämlich der Inquisitor Jacques Fournier Agassa absichtlich eine Reihe von unwahrscheinlichen Eingeständnissen abgepreßt hätte, um ihm das Leben zu retten, da er ihn, hätte er ihn freigelassen, faktisch der gegen die Leprakranken wütenden Menge ausgeliefert und außerdem die Vorschriften des Edikts von Philipp V. mißachtet hätte (*Le registre,* cit., II, S. 135, Anm.). Das Edikt wurde aber erst *nach* den Vernehmungen Agassas erlassen; und was die Besorgtheit des Inquisitors um den Angeklagten betrifft, so scheint sie offen gestanden wenig glaubhaft (Le Roy Ladurie, *Montaillou,* cit., S. 17 u. 583, Anm. 1, geht mit Selbstverständlichkeit davon aus, daß Fournier in diesem Fall auf Anstiftung durch königliche Beamte handelte). Für M. Barber schließlich war die Verschwörung von 1321 ein kollektives Phänomen, das, vom König abwärts, die gesamte soziale Hierarchie betraf (*The Plot,* cit., S. 11): der explizite Verzicht auf eine – für unmöglich erachtete – detaillierte Überprüfung der Verbreitung der Anklagen (vgl. S. 6, Anm. 24) hat zur Folge, daß die Hypothese eines Komplotts der Obrigkeiten erst gar nicht in Betracht gezogen wird. Diese Hypothese ist nicht neu (siehe z. B. den Titel des zu vernachlässigenden Aufsatzes von Vincent, *Le complot de 1320* [Datum nach alter Konvention] *contre les lépreux et ses répercussions en Poitou,* in: »Bulletin de la société des antiquaires de l'Ouest«, 3. F., VII, 1927, S. 325–344), scheint mir jedoch noch nie in ihrer ganzen Komplexität veranschaulicht worden zu sein. Bei ihrer Formulierung hielt ich mir als Forschungsmodell aus den in der Einleitung genannten Gründen mehr noch als das von Barber erwähnte *La Grande Peur* von Lefebvre (S. 12, Anm. 40) Marc Blochs *Les Rois thaumaturges* vor Augen.

⁵⁸ Vgl. F. Baer, *Die Juden im christlichen Spanien*, I, Berlin 1929, S. 224 ff.; siehe auch Baron, *A Social and Religious History*, cit., XI, New York 1967, S. 160.

⁵⁹ Vgl. Alphandéry, *Les croisades*, cit., S. 269.

⁶⁰ Vgl. Bouquet, *Recueil*, cit., XXI, S. 115–116; M. Paris, *Chronica majora*, hg. v. H. R. Luard, V, London 1880, S. 252.

⁶¹ Man kann die Bemerkungen von Le Goff, *Pour un autre Moyen-Âge*, cit., S. 280 ff. zum Bild der auf dem Indischen Ozean schwimmenden Welt hier übertragen.

⁶² Zu all diesem siehe auch Barber, *The Plot*, cit., S. 17.

⁶³ Vgl. M. Barber, *The Trial of the Templars*, Cambridge 1978, S. 182, der auf *Les Grandes Chroniques de la France*, 8, hg. v. J. Viard, Paris 1934, S. 274–76 verweist.

⁶⁴ Zum ersten Fall vgl. Barber, *The Trial*, cit., S. 179. Zum zweiten (der mit Verbrennung endete) vgl. Valois, *Jacques Duèse*, cit., S. 408 ff., wo Zweifel an der Schuld des Angeklagten laut werden, und E. Albe, *Autour de Jean XXII. Hugues Géraud évêque de Cahors. L'affaire des Poisons et des Envoûtements en 1317*, Cahors 1904, der hingegen von ihr überzeugt ist. Zu den Positionen von Albe (dessen Kritikvermögen eher schwach ausgebildet war: vgl. oben, Anm. 57) auch G. Mollat, *Les papes d'Avignon (1305–1378)*, Paris 1950⁹, S. 42–44. Da es sich um eine Verschwörung handelt, die einer kleinen Gruppe angelastet wird, sind die Beschuldigungen, wenngleich nicht zu erhärten, weniger absurd als jene gegen Juden und Leprakranke: doch angesichts der stereotypen Vorhersehbarkeit der (durch Folter erpreßten) Geständnisse kommt man nicht umhin, die Haltung von N. Valois zu teilen.

⁶⁵ Vgl. R. I. Moore, *Heresy as Disease*, in: *The Concept of Heresy in the Middle Ages (11ᵗʰ–13ᵗʰ C.)*, Löwen 1976, S. 1–11, insbes. S. 6 ff. (Ich danke J.-C. Schmitt, der mich auf diesen Titel aufmerksam gemacht hat.) In Grenzen nützlich ist S. N. Brody, *The Disease of the Soul. Leprosy in Medieval Literature*, Ithaca (N.Y.) 1974.

⁶⁶ Vgl. de Manteyer, *La suite*, cit., S. 413.

⁶⁷ Vgl. Blumenkranz, *À propos des Juifs*, cit., S. 37.

⁶⁸ Vgl. W. H. May, *The Confession of Prous Boneta Heretic and Heresiarch*, in: *Essays in Medieval Life and Thought Presented in Honor of Austin Patterson Evans*, New York 1955, S. 242; zu Prous Boneta (die in ihrem Geständnis Johannes XXII. bald mit Herodes, bald mit dem Teufel identifizierte) vgl. auch R. Manselli, *Spirituali e Beghini in Provenza*, Rom 1959, S. 239–49. Auf die Verurteilung der Leprakranken durch Johannes XXII. weist auch die Chronik des Klosters der hl. Katharina *de monte Rotomagi* kurz hin (siehe oben, S. 39).

⁶⁹ Vgl. Vidal, *La poursuite*, cit., S. 473–78 (Der Anhang fehlt in der früheren Version, erschienen in den *Mélanges Cabrières*, cit.).

JUDEN, KETZER, HEXEN

Ende September des Jahres 1347 landeten zwölf aus Konstantinopel kommende genuesische Galeeren in Messina. Zwischen den in ihren Laderäumen angehäuften Waren befanden sich Ratten, Träger des Pestbazillus. Nach fast sechs Jahrhunderten kehrte die Seuche in das Abendland zurück. Von Sizilien aus verbreitete sich die Epidemie rasch fast über den ganzen Kontinent[1]. Wenige Ereignisse erschütterten die europäischen Gesellschaften in ihren Grundfesten wie dieses.

Daß man damals mancherorts die Juden für die Seuche verantwortlich zu machen suchte, ist bekannt. Ebenso bekannt ist die Analogie zwischen diesen Vorwürfen und jenen, die Leprakranke und Juden weniger als dreißig Jahre zuvor zu gewärtigen hatten[2]. Doch auch hier bringt erst eine analytische Rekonstruktion der Geographie und Chronologie der Verfolgung die Verflechtung von Anstößen von unten und Eingriffen von oben zum Vorschein, die zur Identifizierung der Juden als den an der Pest Schuldigen führte.

2. Zum ersten Ausbruch von Feindseligkeiten gegen die Juden kam es nach alter Sitte zu Beginn der Karwoche: In der Nacht vom 13. auf den 14. April 1348, den Palmsonntag, wurde das Ghetto von Toulon gestürmt, die Häuser geplündert, ungefähr vierzig Personen, Männer, Frauen und Kinder, im Schlaf ermordet. Damals wütete die Pest bereits in der Stadt. Drei Jahre später begnadigte man die für diesen Massenmord Verantwortlichen: Aufgrund der Entvölkerung infolge der Seuche galt die vorherrschende Sorge der Behörden der Erhaltung der Arbeitskräfte, so daß die anhängigen Gerichtsverfahren ausgesetzt wurden[3].

Die Vorkommnisse in Toulon blieben kein Einzelfall. Im nahegelegenen Hyères und späterhin in mehreren Ortschaften der Provence – Riez, Digne, Manosque, Forcalquier – kam es von April bis Mai zu einer Reihe von bald mehr, bald weniger blutigen Plünderungen und Überfällen auf die jüdischen Gemeinden. Die Welle der Gewalt erreichte ihren Höhepunkt am 16. Mai in La Baume, wo alle Juden getötet wurden, mit einer einzigen Ausnahme: Dayas Quinoni hatte sich zufällig in Avignon aufgehalten[4]. In denselben Tagen (am 17. Mai) ließ in Barcelona ein banaler Streit die Bestattung eines Pestopfers in ein Massaker an den Juden ausarten. Ähnliche Vorfälle ereigneten sich in den folgenden Monaten in weiteren Städten Kataloniens[5].

Diesseits wie jenseits der Pyrenäen finden wir solche Erscheinungen: plötzliche Ausbrüche des Volkszorns, auf die eine Verurteilung durch die Obrigkeiten folgt, angefangen bei den Herrschern (Königin Johanna in der Provence, Peter III. in Katalonien) bis hin zu ihren örtlichen Vertretern[6]. Die Pest bildet offensichtlich den Hintergrund für diese Welle von Judenverfolgungen: in den Ortschaften, die wir aufgezählt haben, wird die Verbreitung der Seuche allerdings nicht den Juden angelastet.

3. Andernorts jedoch hatte sich die Furcht vor einer Verschwörung bereits mit ihren absehbaren Folgen bemerkbar gemacht. Wahrscheinlich schon im März, als die Pest bereits in die Provence vorgedrungen, Katalonien aber noch unangetastet geblieben war[7], hatten die Behörden von Gerona bei ihren Kollegen von Narbonne schriftlich um Informationen nachgesucht: Breitete sich die Krankheit aus, weil jemand giftige Pulver und Zaubermittel ausstreute, oder gab es andere Gründe? Der Brief, der diese Fragen enthielt, ist verloren; wir haben jedoch die Antwort, die André Benezeit, Stellvertreter des Vicomte Aymeric, Herrn von Narbonne, am 17. April abschickte: Seit der Fastenzeit hatte die Pest in Narbonne, Carcassonne, Grasse und den umliegenden Ortschaften gewütet und ungefähr ein Viertel ihrer Einwohner hingerafft. In Narbonne und an anderen Orten hatte man Arme und Bettler unterschiedlicher Herkunft festgenommen, da sie Pulver bei sich trugen, das sie in Wasserstellen, Speisen, Häuser und Kirchen streuten, um den Tod zu verbreiten. Einige hatten freiwillig gestanden, einige unter Folter. Sie hatten erklärt, das Pulver zusammen mit Geld von Personen erhalten zu haben, deren Namen sie nicht kannten: Dies hatte den Verdacht erweckt, die Anstifter seien Feinde des Königreiches Frankreich. In Narbonne hatte man vier geständige Schuldige mit glühenden Zangen gezwickt, gevierteilt, verstümmelt und schließlich verbrannt. In Carcassonne waren fünf davon hingerichtet worden, in Grasse zwei; viele waren festgenommen worden. Einige Gelehrte – so hieß es weiter im Brief – seien der Ansicht, die Pest habe natürliche Ursachen, nämlich die derzeitige Konjunktion der beiden regierenden Planeten[8]; sie jedoch glaubten, daß Planeten und Pulver gleichermaßen die Pest verursacht hätten. Der Brief schloß mit dem Hinweis, daß die Krankheit ansteckend sei: Diener, Gesinde und Verwandte der Opfer stürben in der Regel binnen drei oder vier Tagen[9].

Diese Schlußfolgerung mag heute paradox erscheinen: Wir würden erwarten, daß die Erkenntnis, es handle sich bei der Pest um eine ansteckende Krankheit, nahelegen müßte, die Verantwortung nicht etwa den Sternen oder menschlichen Akteuren zuzuschreiben. In Wirklichkeit waren die drei Interpretationen, wie auch aus anderen Zeugnissen zeitgenössischer Ärzte oder Chronisten hervorgeht, perfekt miteinander zu vereinbaren, indem man zwischen Ursache und Verbreitung der Krankheit unterschied. Erstere wurde bei den Sternen, der

Verunreinigung von Luft oder Wasser oder bei beidem gesucht, letztere auf körperlichen Kontakt zurückgeführt[10]. Anzuerkennen, daß vergiftetes Wasser zu den Ursachen der Pest zählte, hieß aber unweigerlich, die im Jahr 1321 verbreiteten Gerüchte wieder in Erinnerung zu rufen. Die Verschwörungsthese trat wiederum genau in Carcassonne und den umliegenden Städten auf den Plan, von wo aus dreißig Jahre zuvor die ersten, nebulösen Vorwürfe gegen Leprakranke und Juden ihren Ausgang genommen hatten. Das Schema war das altbekannte: Personen, die sozial suspekten Gruppen angehörten, gestanden, von äußeren Feinden mit Geld bestochen worden zu sein, damit sie giftige Pulver zum Zwecke der Ansteckung ausstreuten. Die Identität der Personen war nun jedoch eine andere. Die Leprakranken waren von der Bühne verschwunden (im übrigen war die Lepra bereits im Rückgang begriffen, und dies nicht nur in Frankreich[11]); an die Stelle der muslimischen Könige waren ungenannte – im Zusammenhang des damaligen (später als Hundertjährigen bezeichneten) Krieges aber wohl englische – Feinde getreten; die Stelle der Juden nahmen nun andere Randgruppen – Arme und Bettler – ein.

Diese Version des Komplotts breitete sich unverzüglich nach Osten aus. Am 27. April, also zehn Tage nach der Nachricht von André Benezeit aus Narbonne, berichtete ein Anonymus aus Avignon, wo die Pest seit Januar aufgetreten war, bei einigen Elenden (»homines … miseri«) sei Pulver gefunden worden. Man habe sie angeklagt, dieses in die Wasserstellen gestreut zu haben, und sie zum Tode verurteilt. Weitere Verbrennungen fänden derzeit statt. Ob die Anklagen berechtigt oder unberechtigt seien, so kommentierte der Anonymus, wisse Gott allein[12]. Der Zweifel ist bezeichnend. Im Jahr 1321 waren keine Epidemien aufgetreten (die einzigen dahingehenden Zeugnisse sind aus allzu großem zeitlichen Abstand, als daß sie Berücksichtigung finden könnten[13]): Die Furcht vor Ansteckung mit Lepra hatte ausgereicht, die von den Behörden pflichtschuldigst gelenkte Verfolgung in Gang zu setzen. Im Jahr 1348 grassierte die Pest, die Menschen starben wie Fliegen. Verantwortliche Personen ausfindig machen zu können, nährte die Illusion, man könne auch etwas gegen die Ausbreitung der Seuche unternehmen. Die Realität dieser Krankheit war allerdings schwerlich dazu angetan, sie mit Hilfe vorgängiger Schemata zu bewältigen. Verschwörungstheorien gedeihen besser auf dem Boden der Imagination.

4. Wie in einer chemischen Reaktion trafen die verstreuten Elemente, die in dieser ersten Phase zutage getreten waren – die Massaker blindwütiger Haufen an den provençalischen jüdischen Gemeinden, die von den Obrigkeiten von Narbonne und Carcassonne lancierte und in Avignon aufgegriffene These eines Bettlerkomplotts – aufeinander und entzündeten sich. Hierzu kam es noch weiter östlich, in der Dauphiné, wahrscheinlich in der zweiten Junihälfte. Wir wissen, daß Anfang Juli zwei Richter und ein Notar, versehen mit speziellen Briefen des Dauphin, in Vizille, unweit von Grenoble, gegen eine Gruppe von Juden – sieben Männer und eine Frau – ermittelten, die öffentlich beschuldigt wurden (»publice diffamati«), giftige Pulver in Quellen, Brunnen und Speisen gestreut zu haben[14]. Wir wissen nicht, zu welchem Ergebnis diese Ermittlungen gelangten, können es uns aber leicht vorstellen. An verschiedenen Orten der Dauphiné wurden weitere

Juden infolge der üblichen Anklagen, zu denen in zumindest einem Fall auch die (ebenfalls regelmäßig wiederkehrende) des Ritualmordes hinzukam, auf den Scheiterhaufen geschickt[15].

Das Zusammentreffen von Spannungen in der Bevölkerung und dem Eingreifen der politischen Autoritäten war, wie im Jahr 1321, entscheidend. Von diesem Moment an läßt sich verfolgen, wie die Verfolgung der Juden als mutmaßlicher Vergifter blitzschnell, als sei sie ansteckend, um sich greift und der Pestansteckung, wahrscheinlich in der Absicht, ihr vorzubeugen oder sie aufzuhalten, bald folgt, bald vorausgeht[16]. Die gewiß mit Hilfe von Folter erlangten Geständnisse der Juden aus der Dauphiné dienten als Modell: Eine Abschrift der Prozeßakten wurde im Auftrag von Amadeus VI. von Savoyen von einem Notar zum Preis eines Goldflorins erworben, nachdem eine Volksmenge in Chambéry über die Juden hergefallen war, um sie zu massakrieren[17]. Am 10. August ordneten Amadeus VI. und Ludwig, Herr der Waadt, in den jeweiligen Herrschaftsgebieten eine Ermittlung gegen die Juden an, die die öffentliche Meinung zu Vergiftern erklärte[18].

Aber bereits am 6. Juli hatte Papst Clemens VI. von Avignon aus eine Bulle erlassen, welche die These von der Verschwörung eilends in aller Deutlichkeit verurteilte. Zuviele Juden und Christen waren schuldlos zu Tode gebracht worden: Die Pest, erklärte der Papst, sei nicht Frucht menschlichen Handelns, sondern durch Sternkonstellationen oder göttliche Rache bedingt. Die Bulle blieb ohne jede Wirkung, denn nur wenige Monate später, am 16. Oktober, verbreitete Clemens VI. eine weitere, noch strengere, die allein darauf abzielte, die Unschuld der von gottlosen und unbesonnenen Christen getöteten Juden zu erklären. Angesichts der immer dichter werdenden Vorwürfe gegen die Juden, sie hätten durch Ausstreuen von Gift die Pest verbreitet, erinnerte Clemens VI. zum einen daran, daß auch Juden an der Pest starben, zum anderen, daß sich die Seuche auch in Gegenden verbreitet hatte, wo es von Juden keine Spur gab[19].

5. In der Dauphiné und in Savoyen aber, von wo die Verfolgungswelle ausgegangen war, hatte sich eine große Zahl von Juden zusammengefunden, die in den Jahren 1322–23 aus Frankreich vertrieben worden waren[20]. Es ist wahrscheinlich, daß bei den Gewalttaten der Bevölkerung[21] die feindliche Einstellung gegenüber einer relativ jungen Immigration die traditionelle Judenfeindlichkeit noch verschärfte. Die Obrigkeiten hatten, wie wir sahen, jene Gewalttaten abgesegnet, indem sie ihnen eine legale Rechtfertigung und einen Beweis geliefert hatten: die Geständnisse der Schuldigen.

In zumindest einem Fall sind sie uns erhalten geblieben. Es handelt sich nicht um die vollständigen Akten eines Prozesses, wie bei dem oben analysierten gegen Guillaume Agassa, sondern um eine auf Betreiben des Kastellans von Chillon ausgefertigte Zusammenfassung der Geständnisse, die von einer Gruppe von Juden – elf Männern und einer Frau – zwischen Mitte September und Anfang Oktober 1348 abgelegt worden waren. Alle Angeklagten wohnten in Villeneuve oder in anderen Orten an den Ufern oder in der Nähe des Genfer Sees; alle waren gefoltert worden; alle hatten schließlich, nach mehr oder weniger lang anhaltendem Widerstand, ihre Schuld eingestanden und die Verschwörung, an der sie beteiligt gewesen waren, bis in alle Einzelheiten geschildert. Wiederum kam die Anregung zum Komplott aus der Ferne: Der Chirurg Balavigny, wohnhaft in Thonon, hatte das Gift von einem Juden aus Toledo erhalten, zusammen mit schriftlichen, im Namen der Meister des jüdischen Gesetzes erteilten Anweisungen. Ähnliche Schreiben waren an andere Juden aus Evian, Montreux, Vevey und St. Moritz ergangen. Der Seidenhändler Agimet hatte den Auftrag erhalten, in Venedig, wohin ihn Geschäfte geführt hatten, in Kalabrien und Apulien Gift auszustreuen. Die Angeklagten beschrieben die Gifte (schwarzes oder rotes Pulver), die sie enthaltenden Umhüllungen (Leder- oder Tuchsäckchen, Papiertrichter), die aufgewandte Dosis (ein Ei, eine Nuß), die Orte, an denen sie ausgestreut wurden. Mamson aus Villeneuve erklärte, alle Juden seien seit sieben Jahren an diesem verbrecherischen Unterfangen beteiligt. Im Begleitschreiben zu den Geständnissen, die an die Obrigkeiten in Straßburg gesandt wurden, teilte der Kastellan von Chillon jedoch mit, daß man auch einige Christen entdeckt und aus denselben Gründen bestraft habe[22].

Von diesem Augenblick an deckt sich die Verbreitung der Vorwürfe gegen die Juden und der damit einhergehenden Geständnisse mit der Geschichte der Verbreitung der Pest (vgl. Karte 2). In Dutzenden von Städten am Rhein (von Basel bis Straßburg und Mainz) oder in Mittel- und Ostdeutschland (von Frankfurt bis Erfurt und Breslau) kam es zu Verbrennungen und Massakern an Juden[23]. In Straßburg löste der von einem Teil der Obrigkeiten geleistete Widerstand gegen die Verfolgung heftige Auseinandersetzungen aus. Vergeblich hielt der Bürgermeister Chonrad von Winterthur die straßburgischen Stadtherren schriftlich dazu an, sie sollten sich »mit Vernunft und Mäßigung« verhalten und den Gerüchten im Volk keinen Glauben schenken. Zweitausend Juden wurden umgebracht[24].

6. Sowohl 1321 als auch 1348 hatten sich die Verschwörungsgerüchte von Carcassonne und den umliegenden Städten aus verbreitet. In beiden Fällen war das eigentliche Ziel der Verfolgung – die Juden – erst in einer zweiten Phase ausgemacht worden und an die Stelle des ersten (1321 die Leprakranken, 1348 die Armen und Bettler) getreten. Die Änderung der Zielrichtung war mit einer geographischen Verlagerung der Verfolgung zusammengefallen, nach Norden und Osten im Jahr 1321, nach Osten im Jahr 1348. Die Ähnlichkeiten zwischen beiden Wellen der Gewalt sind offenkundig, doch dahinter verbergen sich Unterschiede, die nicht zu vernachlässigen sind. Im Jahr 1321 hatten die politischen und religiösen Autoritäten, wenn auch teilweise im Konflikt miteinander, die latenten feindlichen Stimmungen der Bevölkerung in präzise Richtungen gelenkt: zuerst gegen die Leprakranken, dann gegen die Juden. 1348–49 nahmen die Machthaber gegenüber dem angeblichen Komplott sehr verschiedene Haltungen ein: Einige widersetzten sich, einige gaben dem Druck der Menge nach, einige kamen diesem vielleicht zuvor. Doch der Druck von unten hatte diesmal ein sehr viel größeres Gewicht. Es hat den Anschein, als hätte sich die Verschwörungsobsession innerhalb einer Zeitspanne von dreißig Jahren, im Abstand von einer Generation, in der volkstümlichen Mentalität niedergeschlagen. Das Aufflammen der Pest brachte sie ans Licht[25].

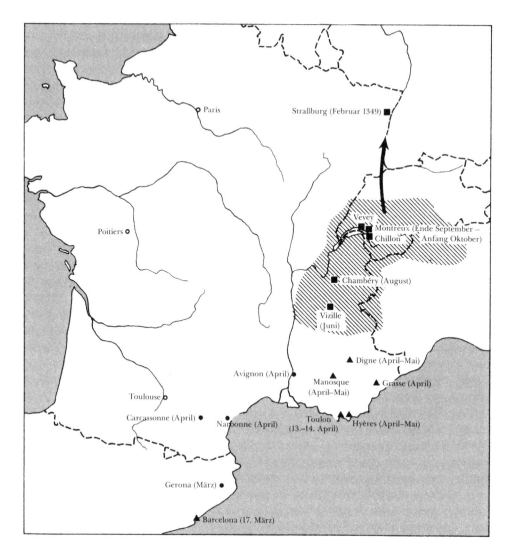

1348: Die Identifizierung der angeblich für die Pest Verantwortlichen

- ● Ort, an dem nicht-jüdische Personen beschuldigt werden, die Pest zu verbreiten.

- ▲ Ort, an dem Erhebungen gegen Juden stattfinden.

- ■ Ort, an dem die Juden beschuldigt werden, die Pest zu verbreiten.

- ▨ Gegend, in der die ersten auf dem Sabbat beruhenden Prozesse stattfinden.

- ➜ Versuche, die Verfolgung der angeblichen Pestverbreiter voranzutreiben.

Genau von den westlichen Alpen, wo sich zum ersten Mal Vorwürfe, die Pest verbreitet zu haben, massiv gegen die Juden richteten, ging ungefähr ein halbes Jahrhundert später eine neue Verfolgungswelle aus. Doch diesmal kam der Part der Opfer, nachdem er vorübergehend den Juden zuteil geworden war, anderen zu.

7. Im Juni 1409, auf dem Höhepunkt des Schismas, das die Kirche des Abendlandes spaltete, entschied ein in Pisa versammeltes Konzil den Streit zwischen den beiden konkurrierenden Päpsten, indem es einen dritten wählte, den Franziskaner Pietro Filargis, Erzbischof von Mailand, der den Namen Alexander V. annahm. Am 4. September sandte der neue Papst aus Pisa eine Bulle an den Franziskaner Ponce Fougeyron, der das Amt des Generalinquisitors in einem sehr großen Gebiet versah, welches die Diözesen Genf, Aosta und Tarentaise, die Dauphiné, das Comtat Venaissin sowie die Stadt und Diözese Avignon umfaßte. Die Bulle, die offensichtlich auf durch den Inquisitor übermittelten Informationen fußte, beklagte, in den oben genannten Gegenden hätten einige Christen zusammen mit den arglistigen Juden insgeheim neue Sekten und verbotene Riten gegen den christlichen Glauben eingeführt und verbreitet (»nonnulli Christiani et perfidi Iudaei, infra eosdem terminos constituti, novas sectas et prohibitos ritus, eidem fidei repugnantes, inveniunt, quos saltem in occulto dogmatizant, docent, praedicant et affirmant«). Außerdem gebe es in denselben Gegenden, hieß es in der Bulle weiter, viele Christen und Juden, die Hexerei, Wahrsagerei, Dämonenbeschwörungen, magische Verwünschungen, Aberglauben, böse und verbotene Künste praktizierten und dadurch viele unschuldige Christen verführten und ins Verderben stürzten; konvertierte Juden, die mehr oder weniger unverhohlen in den alten Irrglauben zurückfielen und überdies versuchten, den *Talmud* und andere Bücher ihres Gesetzes unter den Christen zu verbreiten; schließlich Christen und Juden, die der Ansicht seien, auf Wucher auszuleihen sei keine Sünde. Gegenüber den Christen und Juden, die sich dieser Irrtümer schuldig machten, gelte es wachsam zu sein, schloß der Papst. Einen Monat später erhielt Ponce Fougeyron dreihundert Goldflorinen, die es ihm ermöglichen sollten, seiner Inquisitorentätigkeit angemessener nachzugehen[26].

In dieser abwechslungsreichen Aufzählung figurieren bekannte und weniger bekannte Anklagepunkte: Glaubensvorstellungen und Praktiken magischer Art, unterschwellige Propagandaversuche zugunsten des Judentums, Versuche, die Zinsleihe zu rechtfertigen. Ein dichtes Gewebe kulturellen und sozialen Austauschs zwischen verschiedenen Religionsgemeinschaften wird sichtbar, und zwar in einer Gegend, in der ein Großteil der aus Frankreich und aus Avignon vertriebenen Juden zusammengekommen war. Dieser allzu großen Annäherung mit möglichen synkretistischen Abweichungen versuchte der Papst Einhalt zu gebieten. Doch das zu Beginn der Bulle (und daher mit besonderem Nachdruck) verurteilte Phänomen hatte ganz offensichtlich andere Charakteristika. Die nicht näher bestimmten Geheimsekten wurden einerseits als »neu«, andererseits als der christlichen Religion fremd bezeichnet. Wie hat man diese dunkle Andeutung zu verstehen?

8. Unter den Inkunabeln der dämonologischen Literatur befindet sich ein bislang eher erwähnter als analysierter Text: der *Formicarius*[27]. Der deutsche Dominikaner Johannes Nider schrieb ihn zwischen 1435 und 1437 in Basel, wo er sich zum Konzil eingefunden hatte; er scheint sogar während der Arbeitspausen einzelne Teile daraus den versammelten Vätern vorgetragen zu haben[28]. Das Werk ist in Dialogform gehalten: Auf die beharrlichen Fragen eines »Trägen« antwortet ein Theologe, indem er, in der Tradition der mittelalterlichen Bestiarien, eine minuziöse Parallele zwischen den Tugenden und Lastern der Menschen und den Verhaltensweisen der Ameisen zieht. Das gesamte fünfte Buch ist den abergläubischen Vorstellungen, der Magie und Hexerei gewidmet. Bei seiner Abfassung bediente sich Nider nicht nur der Empfehlungen der Theologen seines Ordens, sondern auch der Informationen, die er im Laufe ausführlicher und zahlreicher Gespräche von zwei Gewährsmännern erhalten hatte: dem Richter Peter von Greyerz, Kastellan von Blankenburg im Berner Simmental, und dem dominikanischen Inquisitor von Evian, dem Reformator des Konvents von Lyon[29]. Beide hatten zahlreiche Prozesse gegen Hexen und Hexer geführt und deren nicht wenige auf den Scheiterhaufen gebracht. Diese stets gewissenhaft angegebenen mündlichen Quellen verleihen dem von Nider gezeichneten Bild eine ungewöhnliche Frische. Neben die von Gregor dem Großen oder Vinzenz von Beauvais übernommenen Schilderungen von Malefizien treten präzise, geographisch und zeitlich genau zu ortende, da der konkreten Erfahrung der beiden Richter entstammende Zeugnisse.

Wie zu erwarten, hält sich Nider ausgiebig bei der Verbreitung der sozusagen traditionellen Malefizien auf: derjenigen Zauberkünste, die Krankheit oder Tod bringen oder Liebe bewirken sollen. Aber in seinen Ausführungen tritt auch das noch unbekannte Bild einer Sekte von Hexen und Hexern zutage, das sich von dem der Einzelgestalten von Zauberinnen und Zaubereren, wie es in der mittelalterlichen Buß- oder Predigtliteratur gezeichnet wird, deutlich unterscheidet. Es ist ein noch in Ausarbeitung begriffenes Bild: Nider verzeichnet seine teils unklaren und widersprüchlichen Elemente in loser Ordnung.

Vom Inquisitor von Evian und vom Richter Peter von Greyerz hat er vernommen, daß es im Berner Land »Zauberer« beiden Geschlechts gibt, die, eher Wölfen denn Menschen gleich, Kinder verschlingen. Im besonderen hat er vom Inquisitor erfahren, daß in der Gegend von Lausanne einige dieser Hexen ihre eigenen Kinder gekocht und gegessen hatten. Sie hatten sich versammelt und einen Dämon angerufen, der in Menschengestalt erschien. Wer zu seinem Jünger werden wollte, mußte schwören, dem christlichen Glauben zu widersagen, die geweihte Hostie nicht mehr zu verehren und insgeheim bei jeder Gelegenheit das Kreuz zu treten. Kurz zuvor hatte Peter von Greyerz einige Hexer, die dreizehn Kinder verschlungen hatten, vor Gericht gestellt und auf den Scheiterhaufen gebracht: Von einem dieser »Verwandtenmörder« hatte er erfahren, daß sie Kinder in Wiegen und Betten an der Seite ihrer Eltern zu überfallen pflegten, vorausgesetzt, sie waren noch nicht getauft oder nicht durch Gebete oder Kruzifixe beschützt. (Die Angriffe richteten sich demnach auch gegen die Kinder Fremder.) Die Leichen der mit magischen Zeremonien getöteten Kinder wurden aus den Gräbern hervorgezogen, in denen man sie bestattet hatte: die Hexer brachten sie im Topf zum Kochen, bis das Fleisch auseinanderfiel und sich von den Knochen löste. Der festere Teil war als Salbe für magische Praktiken und Verwandlungen vorgesehen (»nostris voluntatibus et artibus et transmutationibus«); der flüssigere Teil wurde in eine Flasche oder einen Schlauch umgegossen und unter einigen Zeremonien denjenigen zu trinken gegeben, die Sektenmeister werden wollten. Dieses letzte Detail hatte ein junger, reumütiger Hexer dem Richter Peter von Greyerz anvertraut, kurz bevor er auf dem Scheiterhaufen starb. Die Aufnahmezeremonie für neue Adepten fand sonntags in der Kirche statt, ehe das Weihwasser geweiht wurde. Vor den Meistern schwor der künftige Jünger, Christus, dem Glauben, der Taufe und der katholischen Kirche ab; daraufhin huldigte er dem »kleinen Meister«, wie die Sektenmitglieder den Dämon nannten; zuletzt trank er besagte Flüssigkeit[30].

Einige grundlegende Elemente des künftigen Sabbatstereotyps sind bereits vorhanden: die Teufelshuldigung, die Absage an Christus und den Glauben, die Profanierung des Kreuzes, die Zaubersalbe, die verschlungenen Kinder. Andere, nicht minder wichtige Elemente fehlen hingegen oder sind nur ansatzweise angelegt: Die Verwandlungen werden nur eben angedeutet, ohne zu präzisieren, ob es sich um Tierverwandlungen handelt; der magische Flug wird überhaupt nicht erwähnt; die nächtlichen Zusammenkünfte mit ihren Beigaben an Banketten und Sexualorgien ebensowenig. Doch der entscheidende Schritt hin zum Sabbat war mit der Herausbildung der Vorstellung einer bedrohlichen Sekte von Hexern und Hexen getan.

9. Dem Richter Peter von Greyerz zufolge – läßt Nider wissen – wurden diese Malefizien im Berner Raum und den anliegenden Gegenden seit ungefähr sechzig Jahren von vielen praktiziert. Eingeführt hatte sie ein gewisser Scavius, der sich bei seinen Gesellen damit brüstete, er könne sich in eine Maus verwandeln (hier hätten wir nun eine deutlichere Spur des Themas der Tierverwandlungen)[31]. Nider schrieb den *Formicarius* in den Jahren 1435–37: Der Hinweis von Peter von Greyerz bezieht sich demnach auf einen Zeitpunkt um 1375. Ein so präziser Zeitbezug, so möchte man meinen, basiert eher auf einer Untersuchung von Prozeßakten als auf mündlichen Überlieferungen[32]. Zu Anfang des 16. Jahrhunderts gelangte der Inquisitor Bernardo Rategno, nachdem er die damals im Archiv der Inquisition zu Como aufbewahrten Prozeßakten eingesehen hatte, in seinem *Tractatus de strigibus* zu dem Schluß, die Hexensekte habe hundertfünfzig Jahre zuvor Fuß gefaßt[33]. Die Übereinstimmung zwischen den beiden chronologischen Angaben ist bezeichnend. Man darf daraus schließen, daß das Bild vom neuen Hexenwesen, das Gruppen von Männern und Frauen statt Einzelpersonen praktizierten, auf beiden Abhängen der westlichen Alpen ungefähr zur selben Zeit aufkam: wenig später als in der Mitte des 14. Jahrhunderts.

Man ist stark versucht, dieses Phänomen mit den »novas sectas et prohibitos ritus« in Verbindung zu bringen, die der Inquisitor Ponce Fougeyron zu Beginn des 15. Jahrhunderts in den westlichen Alpen ausmachte[34]. Wir hätten dann eine dokumentarische Serie vor uns, die unter chronologischem, geographischem und thematischem Gesichtspunkt von beachtlicher Dichte wäre. Chronologisch: Beschuldigungen von Leprakranken und Juden (1321); Beschuldigungen von

Juden (1348); Herausbildung einer Sekte von Hexen und Hexern um 1375; Beschuldigungen von Juden und Christen, »neue Sekten und verbotene Riten« wider den christlichen Glauben – wir wissen nicht, seit wann – ins Leben gerufen zu haben (1408); bei Nider verzeichnete Zeugnisse über eine Sekte von Hexen und Hexern, in die man durch präzise Initiationszeremonien eintritt (1435). Geographisch: die Verfolgung, die sich im Jahr 1321 in Südwest- bzw. Nordwestfrankreich gegen Leprakranke und Juden gerichtet hatte, konzentriert sich im Jahr 1348 auf die Juden und verlagert sich in Richtung Dauphiné, nach Savoyen, zum Genfer See – gerade dorthin, wo das Aufkommen neuer Sekten, in denen sich Juden und Christen vermischen, gemeldet wird und die Verfolgung der neuen Sekte von Hexen und Hexern einsetzt. Thematisch: Bei sich veränderndem Ziel (Leprakranke – Juden; Juden; Juden – Hexen) ist das gemeinsame Element dieser Verfolgungswellen die obsessive Vorstellung einer gegen die Gesellschaft angezettelten Verschwörung.

10. Es handelt sich, soviel ist klar, um eine teils auf Vermutungen basierende Rekonstruktion: Eines der Zwischenglieder der Reihe, jenes der Verschmelzung von Juden und Hexen in den westlichen Alpen (Dauphiné, Savoyen, Wallis), ist nicht direkt bezeugt, da die ersten Prozesse gegen die Hexensekte verloren sind. Wir können es anhand des in der Bulle Alexanders V. enthaltenen Hinweises oder noch späterer Dokumente nur hypothetisch ansetzen. In einem 1466 gegen eine Gruppe von Juden aus Chambéry durchgeführten Ermittlungsverfahren kommt zur traditionellen Beschuldigung, zu rituellen Zwecken Christen (Erwachsene, vor allem aber Kinder) zu ermorden, jene hinzu, Magie und Zauber zu praktizieren. In diesen Dokumenten ist vom Sabbat nicht die Rede, auch wenn es einen dunklen Hinweis auf einen mysteriösen Ritus gibt, den ein Zeuge kurz beobachtet haben will: In einem verriegelten Zimmer hätten ein Jude und zwei Jüdinnen ein Mädchen auf einen brennenden Strohhaufen gesetzt, und zwar in der Gegenwart eines nicht näher bestimmten »Ungeheuers« und zweier Kröten[35]. Sehr vage Anhaltspunkte, wie man sieht, die in Ermangelung präziserer Zeugnisse wohl auch vage werden bleiben müssen. Vielleicht werden wir nie erfahren, wie der Übergang von den 1348 durch Folter den Juden abgepreßten Geständnissen zu jenen erfolgte, die man – der Chronologie Niders im *Formicarius* zufolge – wenige Jahre später, wahrscheinlich mit ähnlichen Mitteln, Hexen und Hexern abrang. Doch selbst wenn uns die Einzelheiten dieser Phase entgehen, scheint die Gesamtbedeutung der dokumentarischen Reihe klar. Von einer relativ begrenzten sozialen Gruppe (Leprakranke) geht man zu einer weiter gefaßten, wenn auch ethisch und religiös begrenzten Gruppe (die Juden) über und gelangt schließlich zu einer potentiell unbegrenzten Sekte (Hexer und Hexen). Ähnlich wie die Leprakranken und Juden stehen Hexer und Hexen an den Rändern der Gemeinschaft; ihre Konspiration ist wiederum von einem äußeren Feind inspiriert, dem Feind schlechthin: vom Teufel. Für den Teufelspakt sollten Inquisitoren und Laienrichter am Körper von Hexern und Hexen einen physischen Beweis suchen: jenes Stigma, welches Leprakranke und Juden hingegen auf ihren Kleidern trugen.

Im nachhinein gesehen, scheint diese Abfolge von Ereignissen von einer

unerbittlichen Kohärenz diktiert zu sein. Doch nicht minder kohärente Entwicklungen blieben aus oder erstickten noch im Keim. In Straßburg befand sich im
Jahr 1348 unter den Christen, die zusammen mit Juden die Anklage zu gewärtigen hatten, Pest verbreitende Gifte ausgestreut zu haben, auch eine Begine[36]. Die
Beginen nun – Frauen, die in Gemeinschaft lebten, eine zwiespältige Stellung
zwischen Laientum und Priestertum, zwischen Handwerk und Bettelei einnah-
men und der Häresie verdächtigt wurden – erfüllten alle Voraussetzungen, um in
diese Geschichte, die in weniger als einem Jahrhundert den Bogen von der
Verfolgung der Leprakranken zur Verfolgung der Hexen spannte, mit hineingezogen zu werden. Doch auf den Straßburger Fall folgte nichts mehr. Als die im
Sabbatstereotyp verankerten Prozesse begannen, war das Beginentum bereits im
Abnehmen begriffen. Hexen und Beginen blieben deutlich unterschiedene
soziale Realitäten[37].

11. Wir haben gesehen, daß in den Beschreibungen, die Nider 1435–37 zusam-
mentrug, Tierverwandlungen nur eben angedeutet wurden, Hexenflug und
nächtliche Zusammenkünfte aber erst gar nicht vorkamen. In denselben Jahren
hingegen hatten diese Bestandteile in der Dauphiné und im Wallis bereits Eingang in das Bild von der Hexensekte gefunden: dies geht aus einem 1438 von
einem Luzerner Chronisten, Jüstinger von Königshofen, abgefaßten Bericht
hervor, der fast wörtlich die zehn Jahre zuvor von Johann Fründ geschriebene
Chronik aufgriff[38]. Die Prozesse, die in den Tälern von Henniviers und Hérens
begonnen hatten, waren in Sion fortgeführt worden und hatten schließlich mit
der Verbrennung von mehr als hundert Personen, Männern wie Frauen, geen-
det. Unter Folter hatten die Angeklagten am Ende gestanden, zu einer teuflischen Sekte oder *Gesellschaft* gehört zu haben. Der Dämon erschien ihnen in
Gestalt eines schwarzen Tieres – manchmal als Bär, manchmal als Schafbock[39].
Nachdem sie Gott, dem Glauben, der Taufe und der Kirche abgeschworen
hatten, lernten die Mitglieder der Sekte, wie man über Erwachsene und Kinder
mit magischen Mitteln Tod und Krankheiten verhängt. Einige behaupteten, sie
könnten sich zeitweilig in Wölfe verwandeln, um Vieh zu reißen; andere, sie
könnten sich unsichtbar machen, indem sie spezielle, vom Teufel angezeigte
Kräuter zu sich nähmen. Zu den Treffen flogen sie auf Stöcken und Besen: dann
machten sie in Kellern halt, tranken den besten Wein und schissen in die Fässer.
Zur Sekte, die seit fünfzig Jahren bestand (eine Angabe, die uns wiederum in die
Zeit um 1375 zurückführt), zählten den Angeklagten zufolge bereits siebenhun-
dert Adepten. Noch ein Jahr, sagten sie, und sie würden Herren und Herrscher
über das Land werden, mit einem eigenen König.

Zu diesem Zeitpunkt war das Stereotyp bereits vollständig; ungefähr zweihundertfünfzig Jahre lang sollte es sich nicht mehr ändern. Dieselben Elemente
tauchen in zwei kurzen, um 1435 in Savoyen abgefaßten Traktaten auf: in jenem
des Rechtsgelehrten Claude Tholosan, der sich auf mehr als hundert in den
Tälern um Briançon geführte Hexenprozesse stützt, sowie den anonymen *Errores
Gazariorum*[40]. Dieselben Elemente – das letzte freilich nicht: Von dem außerordentlichen politischen Verschwörungsplan, den die Mitglieder der Hexensekte
aus dem Wallis gestanden hatten, gibt es in der Dauphiné und auch in den unzähli-

gen Hexenprozessen, die in den nachfolgenden Jahrhunderten von einem bis zum anderen Ende Europas geführt wurden, keine Spur mehr. Es handelt sich um ein außergewöhnliches Zeugnis, das im Licht der von uns rekonstruierten dokumentarischen Serie jedoch nicht unverständlich bleibt. Man wird sich daran erinnern, daß die Leprakranken im Jahr 1321 bekannt hatten, bereits am Vorabend der gegen die Gesellschaft der Gesunden angezettelten Verschwörung Grafen- und Baronswürden untereinander aufgeteilt zu haben[41].

12. Das Bild vom Komplott hatte sich also im Lauf von wenig mehr als einem Jahrhundert in den westlichen Alpen festgesetzt, indem es mehrmals hintereinander Gestalt angenommen hatte. Unterdessen hatte sich, wie wir gesehen haben, die Gruppe der Aggressoren, zumindest potentiell, erweitert. Parallel dazu war die Bandbreite ihrer Aggressionen gegen die Gemeinschaft größer geworden: Die Angeklagten aus dem Wallis hatten gestanden, Blindheit, Wahnsinn, Fehlgeburten, sexuelle Impotenz zu verursachen, Kinder zu fressen, Kühen die Milch zu nehmen, Ernten zu vernichten. Das Bild von der Sekte hatte sich nach und nach spezifiziert: Der Glaubensabfall, zu dem Agassas Erzählungen zufolge bereits die Leprakranken genötigt worden waren, hatte sich um neue, makabre Details bereichert; der Teufel, der geheime Inspirator der Verschwörungen von Leprakranken und Juden, war, in furchterregenden Tiergestalten, in den Vordergrund gerückt. Die verhängnisvolle Allgegenwart des Komplotts, die zunächst im Fluß vergifteten Wassers zum Ausdruck gekommen war, hatte in der Flugreise von Hexen und Hexern zum Sabbat schließlich eine symbolische Übersetzung erfahren.

Etwas jedoch hatte sich zwischenzeitlich verändert. In den Jahren 1321 und 1348 hatten die Angeklagten, durch Folter entsprechend dazu getrieben, genau das ausgesagt, was die Richter von ihnen erwarteten. Die Geständnisse des Aussätzigen Agassa oder jene rund dreißig Jahre späteren des jüdischen Arztes Balavigny waren die im wesentlichen von äußeren Daten unberührte Projektion eines Bildes, welches die Repräsentanten der weltlichen und kirchlichen Obrigkeiten vorschlugen. In den Prozessen gegen die Adepten der Hexensekte ist die Beziehung zwischen Richtern und Angeklagten weitaus komplexer.

13. Bevor wir sie analysieren, ist es nötig, einen kleinen Exkurs zu machen. Es ist behauptet worden, der Sabbat sei die Endstufe eines feindlichen Stereotyps, welches im Laufe von eineinhalb Jahrtausenden nacheinander auf Juden, Christen, mittelalterliche Ketzer und Hexen projiziert worden sei[42]. Es handelt sich dabei um eine Interpretation, die der hier skizzierten Deutung zum Teil entspricht, zu einem anderen Teil allerdings deutlich von ihr abweicht.

Man weiß, daß die Christen bereits sehr früh und mit größerer Intensität dann im zweiten Jahrhundert unserer Zeitrechnung grauenvoller Verbrechen beschuldigt wurden: Tierkulte, Menschenfresserei, Inzeste[43]. Von denjenigen, die in ihre Sekte eintraten (so die landläufige Meinung), verlangten sie, daß sie ein Kind verschlängen; wenn sie dann dessen Fleisch verzehrt oder Blut getrunken hatten, löschten sie die Lichter und hielten eine inzestuöse Orgie ab. In seiner zweiten, kurz nach dem Jahr 150 geschriebenen *Apologie* wies der bekehrte

Grieche Justinus diese verleumderischen Gerüchte zurück, die er der feindlichen Einstellung der Juden gegenüber der neuen Religion zuschrieb. Übrigens waren die Juden selbst in Alexandria im ersten Jahrhundert v. Chr. als Verehrer eines Eselskopfes und Urheber von Ritualmorden sowie sich daran anschließender kannibalischer Akte hingestellt worden[44]. Diese letzte Anschuldigung war an sich nicht neu: wir finden sie bereits auf Catilina und seine Anhänger gemünzt. Zu ihrer Verstärkung sollten im Fall der Christen weitere Elemente hinzukommen, darunter in erster Linie ein mehr oder minder absichtsvolles Mißverständnis der Eucharistie: Der Vorwurf ritueller Menschenfresserei an Kindern oder Knaben war vielleicht eine Verzerrung von *Joh. 6, 53* (»Wenn ihr das Fleisch des Menschensohnes nicht eßt und sein Blut nicht trinkt, habt ihr das Leben nicht in euch«)[45]. Möglicherweise gingen in die Ausarbeitung dieses aggressiven Stereotyps auch Nachklänge von damals in einigen Sekten tatsächlich praktizierten Ritualen mit ein. Eine eindrucksvolle Schilderung von Initiationsanthropophagie mit anschließender Sexualorgie ist im Fragment eines in Ägypten spielenden griechischen Romans *(Phoinikika)* enthalten: aber es ist nicht erwiesen, ob sich der Text, geschrieben von einem gewissen Lollianos wahrscheinlich im 2. Jahrhundert n. Chr., auf eine Szene aus dem wirklichen Leben bezieht[46]. Jedenfalls bemühten sich die christlichen Schriftsteller fünfzig Jahre lang, von Minutius Felix bis zu Tertullian, die von den Heiden ausgestreuten verbrecherischen Gerüchte zu widerlegen. Von Lyon bis Karthago reagierten die Märtyrer mit Verachtung auf die Greueltaten, die man ihnen vorwarf. In der Mitte des 5. Jahrhunderts erinnerte Salvian in seinem *De gubernatione Dei* an all dies wie an eine Schmach aus längst vergangener Zeit[47].

Was die Christen betraf, so hatte Salvian zweifellos recht. Doch nun schleuderten die Christen selbst, vom heiligen Augustinus angefangen, die alten Vorwürfe ritueller Anthropophagie gegen Kataphrygier, Markioniten, Karpokratianer, Borborianer und andere in Afrika und Kleinasien verbreitete häretische Sekten[48]. Die Ziele der Vorwürfe änderten sich, nicht deren Inhalt. In einer um das Jahr 720 gehaltenen Predigt schrieb Johannes IV. von Ojun, das Oberhaupt der armenischen Kirche, die Paulizianer, die Anhänger des Paulus von Samosata, versammelten sich in der Dunkelheit, um mit ihren Müttern Inzest zu begehen; sie praktizierten Idolatrie, und mit Schaum vor dem Mund knieten sie sich nieder, den Teufel anzubeten; sie mischten eine Hostie mit Kinderblut und äßen sie, wobei sie die Schweine, die ihre eigenen Jungen fressen, an Gefräßigkeit überträfen; die Leiber Verstorbener legten sie auf die Dächer und riefen die Sonne und Dämonen der Lüfte an; sie pflegten ein Neugeborenes von Hand zu Hand zu reichen und demjenigen, in dessen Händen das Opfer sein Leben aushauche, die höchste Würde der Sekte zukommen zu lassen. Geläufige Elemente wie Idolatrie, Inzest, Anthropophagie mischten sich hier mit verzerrten Nachklängen vielleicht wirklich praktizierter Riten[49].

Nach dem Jahr 1000 tauchte das feindliche Stereotyp wieder im Westen auf. Zuerst – der Interpretation zufolge, die wir gerade diskutieren – wurde es auf die im Jahr 1022 in Orléans verbrannten Ketzer gemünzt, dann nach und nach auf die Katharer, Waldenser und Fraticellen. Ähnliche Riten wurden in einem Traktat *De operatione daemonum*, den man lange Zeit für das Werk des byzantinischen

Schriftstellers Michael Psellos hielt (tatsächlich wurde er zwei Jahrhunderte nach dessen Zeit, um 1250, wenn nicht noch später, geschrieben), auch den Bogomilen aus Thrakien zugeschrieben[50]. Doch nur im Westen erfuhr das Stereotyp eine Neuformulierung: im Bild von der nächtlichen Zeremonie, bei der menschenfressende Hexen und Hexer sich zügellosen Sexualorgien hingaben, Kinder verschlangen und dem Teufel in Tiergestalt huldigten[51].

14. Diese Rekonstruktion wird um so brüchiger, je mehr sie sich dem Phänomen nähert, das sie zu erklären versucht: dem Sabbat. Die Kontinuität zwischen antihäretischen Stereotypen und gegen Hexen gerichteten Stereotypen ist nur ein zweitrangiges Element eines sehr viel komplexeren Phänomens. Dies ergibt sich auch aus dem unterschiedlichen Erfolg der Vorwürfe sexueller Promiskuität und der auf Ritualmord und Anthropophagie lautenden Beschuldigungen. Während die ersten sich monoton gegen Häretiker jeder Art richteten, wurden die zweiten zunächst modifiziert und dann etliche Jahrhunderte lang völlig vergessen.

Adémar von Chabannes zufolge waren die Kanoniker, die 1022 in Orléans als »Manichäer« verbrannt wurden, von einem Bauern hintergangen worden, der vorgab, über außerordentliche, wahrscheinlich magische Kräfte zu verfügen. Dieser trug die Asche eines toten Kindes bei sich: wer ein wenig davon aß, gehörte sofort zur Sekte[52]. In dieser, sich offensichtlich auf Gerüchte stützenden Erzählung wurden weder Orgien noch Ritualmorde erwähnt, auch wenn Adémar dunkel auf Greueltaten hinwies, die besser unerwähnt blieben. Der Vergleich zwischen den menschenfresserischen Riten der Sekte und der Eucharistie, wie er im Verb implizit gezogen wird, das Adémar benutzt, um das Einnehmen des makabren Pulvers zu bezeichnen (»communicare«), war eine Neuauflage ähnlicher, viele Jahrhunderte zuvor im antihäretischen Schrifttum formulierter Beschuldigungen[53]. Um das Jahr 1090 kam der Benediktinermönch Paulus von Saint-Père in Chartres auf dieselben Themen zurück. Den Bericht eines Augenzeugen kommentierend, behauptete er, wenn die Ketzer von Orléans, wie die Heiden der Antike, die aus ihren inzestuösen Verbindungen hervorgegangenen Kinder in die Flammen geworfen hätten, sammelten sie deren Asche auf und verwahrten sie sorgsam, wie die Christen die eucharistischen Gestalten. Die Kraft dieser Asche sei so groß, daß, wer davon koste, die Sekte nicht mehr verlassen könne[54]. Das alte Stereotyp trat wieder in Erscheinung, freilich mit einer nicht zu vernachlässigenden Variante: Der Ritualmord folgte auf die Orgie, anstatt ihr vorauszugehen, und beseitigte deren sündige Früchte[55]. Da die kannibalischen Riten ausschließlich innerhalb der Sekte vollzogen wurden, nahmen die Ketzer vor allem das Gepräge einer abgesonderten Gruppe an, welche die Gesellschaft symbolisch, indirekt angriff – indem sie die Naturgesetze selbst verleugnete. Einige Jahre später gab Guibert de Nogent ähnliche Beschuldigungen in bezug auf die dualistischen Ketzer wieder, die im Jahr 1114 in Soissons vor Gericht kamen, und fügte ein weiteres Detail hinzu, das ihm – wer weiß, auf welchen Pfaden – aus der Predigt des Johannes von Ojun überkommen war: Die Sektenmitglieder setzten sich um das Feuer herum und würfen einander durch die Flammen hindurch eines der aus der Orgie hervorgegangenen Kinder solange zu, bis dieses sterbe[56]. Nach diesem Datum jedoch wurde der Ritualmordvorwurf Jahrhunderte lang ausschließlich gegen die Juden gerichtet. In der wütenden Polemik gegen die häretischen Gruppen taucht er so gut wie nie auf[57]. Dreihundertfünfzig Jahre muß man warten, um in einem der Geständnisse, die den im Jahr 1466 in Rom vor Gericht gestellten Fraticellen aus den Marken abgepreßt wurden, die Schilderung eines neun Monate nach der inzestuösen Orgie begangenen Kindsmordes wiederzufinden. In anderen, vielleicht zusätzlich ausgeschmückten Versionen, die unmittelbar danach in Umlauf waren, kam noch einmal ein Element zum Vorschein, das in der Predigt des Johannes von Ojun gegen die Paulizianer Erwähnung gefunden hatte: Oberhaupt der Sekte werde der, in dessen Händen das durch die Flammen geworfene Kind sterbe[58]. Aber dieses neuerliche Auftauchen erfolgt später als die Herausbildung des Sabbat und vermag diesen folglich nicht zu erklären. Seit fast einem Jahrhundert wurden bereits Prozesse gegen die Sekte der anthropophagen Hexen und Hexer geführt: die ihnen zur Last gelegte Anthropophagie richtete sich vor allem nach außen, nicht nur gegen die Kinder der Sektenmitglieder.

In dieser Verfolgung das letzte Glied einer Kette von Anklagen zu sehen, die sich über eineinhalb Jahrtausende hinzogen, bedeutet, die offensichtliche Diskontinuität in Abrede zu stellen, die das Bild von der Hexensekte hier einführt. Die ausgesprochen aggressiven Charakteristika, die Inquisitoren und weltliche Richter dieser zuschrieben, verschmolzen alte Züge mit neuen, an einen absolut spezifischen – chronologischen, geographischen, kulturellen – Kontext gebundenen Elementen. All dies impliziert ein komplexes Interaktionsphänomen, das sich nicht auf eine reine Projektion uralter, geläufiger Obsessionen auf die Angeklagten reduzieren läßt.

15. Bisher haben wir uns nur bei einem dieser Elemente aufgehalten: beim Bild vom Komplott. Wir haben seine Spur von Frankreich bis in die westlichen Alpen verfolgt. Eben dort führten die Inquisitoren in der zweiten Hälfte des 14. Jahrhunderts eine regelrechte Offensive gegen feste Ketzergruppen. Der Name, mit dem sie bezeichnet wurden – »Waldenser«–, wies sie als späte Nachfolger der zwei Jahrhunderte zuvor von Petrus Waldus (oder Valdés) angeführten Predigerbewegung aus. Doch das uns fragmentarisch überlieferte Belegmaterial vermittelt ein anderes, vielfältigeres und widersprüchlicheres Bild.

Es handelt sich dabei um Inquisitionsprozesse, die um das Jahr 1380 gegen Handwerker und Kleinhändler (Schneider, Schuster, Gastwirte), einige Bauern und etliche Frauen, Bewohner der italienischen Westalpentäler oder des Voralpengebiets, geführt wurden[59]. Die Geständnisse dieser Personen zeugen vor allem von Glaubensvorstellungen und Einstellungen, wie sie unter heterodoxen Gruppen seit langer Zeit verbreitet und nun durch das Schisma spaltete, noch verstärkt worden waren: Polemik gegen die korrupte kirchliche Ablehnung der Sakramente und Heiligenverehrung, Verleugnung des Fegefeuers. Sodann belegen sie im eigentlichen Sinn katharische Positionen, die vor allem in der Gegend von Chieri häufig anzutreffen waren, wo eines der leitenden Mitglieder der Gemeinschaft aus »Sclavonia« stammte; einige Sektenmitglieder waren sogar nach Bosnien gereist, um mit den Bogomilen Kontakt aufzunehmen[60].

Mehr denn je waren die Alpen in dieser Zeit eher etwas Verbindendes als Trennendes. Menschen und Ideen zirkulierten auf den Straßen, die über den Großen und Kleinen Sankt Bernhard, den Mont Genèvre und Mont Cenis Piemont und die Lombardei mit dem Wallis, Savoyen, der Dauphiné und der Provence verbanden[61]. Dieser Austausch, der auch regelrechten Wanderpredigergestalten wie dem ehemaligen Tertiarier der Franziskaner Antonio Galosna oder Giovanni Bech aus Chieri überantwortet war (beide starben als Ketzer auf dem Scheiterhaufen), brachte bei Auflösung der alten Sekteneinteilungen verschiedene Erfahrungen miteinander in Berührung. Bech beispielsweise hatte sich zunächst in Florenz der Gruppe der Apostoliker angeschlossen, sich dann wieder von ihnen losgemacht, um nach Perugia und Rom zu gehen, war nach Chieri zurückgekehrt, hatte vergeblich die Bogomilen Serbiens zu erreichen versucht und war schließlich in die Dauphiné gezogen, wo er sich der Gruppe der »Armen von Lyon« anschloß. Diese Episoden eines häretischen Synkretismus, Ergebnis einer Unruhe, in der sich heterogene Doktrinen vermischten, können nicht in Zweifel gezogen werden[62]. Keinen Glauben kann man hingegen den Eingeständnissen sexueller Promiskuität schenken, die die Geständnisse der piemontesischen »Waldenser« durchziehen. Es ist ganz offensichtlich unmöglich, die Glaubwürdigkeit von Behauptungen wie jener zu überprüfen, die Antonio Galosna und andere aufstellten: ihnen zufolge löschten die Sektenmitglieder, wenn sie gegessen und getrunken hatten, die Lichter, um unter dem Motto »wer hat, der halte fest« eine Orgie zu beginnen. Aber der stereotype Charakter der Beschreibung und ihre Übereinstimmung mit den vorgängigen (und belegbaren) Erwartungen der Richter legen den Einsatz körperlicher oder psychologischer Druckmittel von deren Seite nahe[63].

Ebenso gerechtfertigt scheint die umgekehrte Hypothese: Je mehr sich ein Detail von den Stereotypen entfernt, desto wahrscheinlicher ist es, daß darin eine von Projektionen der Richter unberührte kulturelle Schicht zum Vorschein kommt[64]. Doch bei den hier zur Diskussion stehenden Zeugnissen ist es nicht immer leicht, diese Schicht zu ermitteln. Zwei Beispiele mögen genügen: Antonio Galosna erzählte, er habe 1365, vor zweiundzwanzig Jahren, in Andezeno bei Chieri zusammen mit anderen Sektenmitgliedern an einer Orgie teilgenommen. Vor der Orgie hatte eine gewisse Billia la Castagna allen Teilnehmern eine widerlich aussehende Flüssigkeit gereicht: Wer einmal davon trank, vermochte die Sekte nicht mehr zu verlassen. Es hieß, der Trank sei mit dem Kot einer dicken Kröte zubereitet worden, die Billia unter ihrem Bett halte und mit Fleisch, Brot und Käse füttere. Eine andere Frau, Alasia de Garzo, war beschuldigt worden, dem Trank auch Asche verbrannter Haare und Schamhaare beigefügt zu haben. Das Oberhaupt der Ketzergemeinden im Lanzotal, Martino da Presbitero, sagte, er halte in seinem Haus eine schwarze Katze, »dick wie ein Lamm«, »den besten Freund, den er auf der Welt habe«[65]. Hinter diesen vermeintlich bizarren oder unbedeutenden Details werden alte Gemeinplätze der antiketzerischen Propaganda sichtbar. Von den im Jahr 1022 in Orléans verbrannten »Manichäern« hatte es, wie man sich erinnern wird, geheißen, indem sie die Asche eines toten Kindes zu sich nähmen, träten sie unwiderruflich in die Sekte ein; den Katharern (deren Namen man von »cattus«, d. h. Katze, ableitete) unterstellte man, den

Teufel in Gestalt einer Katze anzubeten oder in Gegenwart einer riesenhaften Katze orgiastische Zeremonien zu zelebrieren[66]. Doch in den Worten von Antonio Galosna oder Martino da Presbitero erscheinen diese Stereotypen gefiltert und verändert durch eine andere, eine volkstümliche Kultur.

Der Inquisitor Antonio da Settimo begnügte sich damit, diese Mischung von Glaubensvorstellungen festzuhalten und bezeichnete die Angeklagten als »Waldenser«. Unsere Kenntnisse, wenngleich indirekter und fragmentarischer als die seinigen, sind jedoch ganz unvermeidlich weiterreichend in Raum und Zeit. Wir wissen, daß in jenen Jahren die Verfolgung der Hexensekte in der Gegend um Bern und um Como bereits begonnen hatte oder gerade einsetzte. Wir wissen, daß ein halbes Jahrhundert später der Richter Peter von Greyerz die Beschreibung des Ritus, dem die neuen Adepten unterzogen wurden, zur Kenntnis nahm (um sie dann Nider mitzuteilen): Wenn sie eine aus dem Fleisch zerkochter Kinder zubereitete Flüssigkeit getrunken hätten, erhielten sie Kenntnis von den Geheimnissen der Sekte. Wir wissen, daß die Katze als diabolisches Tier auf Dauer in die Geständnisse der Hexen aufgenommen werden sollte. Die Geständnisse der »Waldenser« aus den Tälern von Piemont erscheinen uns daher als ein Moment der auf den Sabbat zusteuernden Interaktion zwischen inquisitorialen Stereotypen und volkstümlicher Kultur.

16. In einer solchermaßen im Fluß befindlichen Situation brach sich die Wahrnehmung der neuen Hexensekte langsam Bahn, auch bei jenen – den Inquisitoren –, die aktiv dazu beitrugen, daß sie feste Gestalt gewann. Außergewöhnlich wegen seiner Frühzeitigkeit ist ein in den letzten Jahren des 14. Jahrhunderts abgefaßter Passus aus den *Errores haereticorum Waldensium,* die in einer einzigen Handschrift der Bibliothek von München erhalten sind[67]. Diese Datierung stützt sich auf einen gleich zu Beginn des Textes stehenden Hinweis, wonach ein »Bruder Peter« innerhalb nur eines Jahres die Bekehrung von sechshundert Waldensern ins Werk setzte: aller Wahrscheinlichkeit nach der Cölestinerbruder Peter Zwicker, zwischen 1392 und 1394 Verfolger der ketzerischen »Luziferaner« in der Mark Brandenburg und Pommern, danach, von 1395 bis 1398 (mit weitaus größerer Grausamkeit) der Waldenser in der Steiermark[68]. Der anonyme Verfasser zählte neben den Irrtümern der Waldenser auch jene einer anderen namenlosen Sekte auf: dualistische Vorstellungen (»sie beten Luzifer an und halten ihn für den zu Unrecht aus dem Himmel vertriebenen und zur Herrschaft bestimmten Bruder Gottes«), Ablehnung der Sakramente und der Jungfräulichkeit Mariens, rituelle Opferung der eigenen Kinder (»pueros eorum ei – i. e. Lucifero – immolant«), sexuelle Orgien. Letztere wurden an unterirdischen Orten veranstaltet, gemeinhin *Buskeller* genannt – eine Bezeichnung, die der Anonymus nicht zu verstehen erklärte. Es handelt sich um einen schweizerischen Dialektausdruck, der wörtlich »voller Keller« bedeutet[69]. Der Verfasser der *Errores,* die wahrscheinlich unweit der Steiermark, wo die Verfolgung der Waldenser im Gang war, niedergeschrieben wurden, hatte demnach nicht nur verzerrte, sondern auch indirekte Informationen über die Sekte ohne Namen. Zum Großteil handelte es sich um eine Neuauflage der Themen, die in den Geständnissen der »Waldenser« aus Piemont zutage getreten waren: allgemeine Heterodoxie,

Dualismus katharischen Ursprungs, sexuelle Promiskuität. Die Präsenz zweier weiterer Elemente aber läßt vermuten, daß mit der noch namenlosen, in den westlichen Alpen verbreiteten Sekte die neue Hexensekte gemeint ist. Die seit langem aus der antihäretischen Propaganda verschwundene Beschuldigung, zu rituellen Zwecken die eigenen Kinder zu töten, nimmt die in Niders *Formicarius* gesammelten Gerüchte über die Hexer als »Verwandtenmörder« vorweg. Der dunkle Ausdruck *Buskeller* ist wahrscheinlich eine boshafte Anspielung auf die makabre Aufnahmezeremonie, bei der aus einer Flasche oder einem Schlauch Pulver oder Flüssigkeit aus dem Fleisch getöteter Kinder geschluckt werden mußte. Einige Jahre später sollte auf italienischer Seite aus dem Schlauch ein Faß *(barile)* werden, und aus jenen vom »vollen Keller« »jene vom *barlotto*« oder *barilotto*[70].

Gewöhnlich bevorzugte man zur Bezeichnung der neuen Sekte jedoch alte Namen. Unterscheidungen wie die, welche der anonyme Verfasser der *Errores* zwischen Waldensern und Ketzern der »anderen verwerflichen Sekte« traf, blieben eine Seltenheit; neuen Bezeichnungen wie *Scobaces* (Besenreiter) war wenig Erfolg beschieden[71]. Im Laufe weniger Jahrzehnte wurden »Waldenser«, »Katharer« oder, generischer, »Ketzer« zu Synonymen für »Teilnehmer an Teufelszusammenkünften«. Es ist möglich, die Spuren dieser fortschreitenden terminologischen Angleichung zu verfolgen: von den vor dem Jahr 1437 in Savoyen abgefaßten *Errores Gazariorum* (Irrglauben der Katharer) über das 1453 gefällte Urteil gegen den Theologen Guillaume Adeline, der sich der Zugehörigkeit zur »secte des Vaudois« für schuldig bekannte, die sich nachts in den Bergen bei Clairvaux versammelte, bis hin zu einem im Jahr 1498 in Fribourg abgehaltenen Prozeß, aus dem hervorgeht, daß Beschimpfungen wie *»herejoz, vaudey«* zur Bezeichnung all jener gebräuchlich waren, die im Verdacht standen, sich zur *chète*, d. h. zum Sabbat zu begeben[72]. Die von den Inquisitoren ins Spiel gebrachte Gleichsetzung hatte sich so weit verbreitet, daß sie in den normalen Sprachgebrauch überging. Doch wie wir gesehen haben, war es nicht von ungefähr zu ihr gekommen. In der zweiten Hälfte des 14. Jahrhunderts hatte sich bei den »Waldensern« in Piemont effektiv eine Durchdringung heterodoxer, dualistischer und volkstümlicher Motive abgezeichnet[73].

17. Dieser Umstand gibt Anlaß, vorsichtig noch einmal die heute gemeinhin zurückgewiesene Möglichkeit zu bedenken zu geben, daß zur Herausbildung der Sabbatvorstellung auch eine an den katharischen Dualismus gebundene Glaubensströmung beigetragen haben könnte[74]. Antonio Galosna eröffnete dem Inquisitor, Lorenzo Lormea, der ihn in die waldensische Sekte eingewiesen hatte, habe gepredigt, Gottvater habe nur den Himmel geschaffen; die Erde sei vom Drachen erschaffen worden; der Drache sei auf Erden mächtiger als Gott. Ein anderer Sektengenosse hatte zu Galosna gesagt, man müsse den Drachen anbeten[75]. Es handelte sich natürlich um den Drachen der *Apokalypse* (12, 9): »draco ille magnus, serpens antiquus, qui vocatur Diabolus et Satanas« (der große Drache, die alte Schlange, die Teufel oder Satan heißt). Die Bedeutung der Folter und psychologischen Druckmittel in den heute nicht mehr erhaltenen Prozessen, die zum ersten Mal Beweise für die Existenz einer Hexensekte lieferten, dürfte groß gewesen sein. Aber das Vorhandensein dualistischer Glaubensvorstellungen in

den westlichen Alpen war möglicherweise nicht ganz unbeteiligt daran, daß die Inquisitoren die Beschuldigung einer Verehrung des Teufels in Tiergestalt ausformulierten und daß die Angeklagten diese Beschuldigung verinnerlichten.

18. Abschließend läßt sich festhalten, daß das uralte, auf Inzest, Anthropophagie, Verehrung einer Tiergottheit basierende Bild nicht erklärt, weshalb der Sabbat genau zu jener Zeit, in jenem Gebiet und mit jenen – teils nicht auf das Stereotyp reduzierbaren – Charakteristika aufgetreten ist. Die hier vorgeschlagene Folge – Leprakranke, Juden, Hexen – erlaubt hingegen eine Antwort auf die erste Frage (weshalb gerade damals?): Das Auftreten des Sabbat setzt die Krise der europäischen Gesellschaft im 14. Jahrhundert sowie die Hungersnöte, die Pest und, damit einhergehend, die Absonderung oder den Ausschluß von Randgruppen voraus. Dieselbe Folge gibt eine Antwort auf die zweite Frage (weshalb gerade dort?): Das Gebiet, in dem es zu den ersten auf dem Sabbat basierenden Prozessen kam, deckt sich mit jenem, in dem Beweise für das angebliche jüdische Komplott des Jahres 1348 konstruiert wurden, welches wiederum das angebliche Komplott von Leprakranken und Juden im Jahr 1321 zum Vorbild hatte.

In den Dialekten der Dauphiné und Savoyens vorkommende Ausdrücke wie *gafa,* »Hexe« (in der Gegend von Briançon) – ein Wort, das etymologisch mit dem spanischen *gafo,* »Leprakranker«, zusammenhängt – oder wie *snagoga,* »nächtlicher Tanz nicht näher bestimmter mythischer Wesen«, hergeleitet von *synagogue* in der Bedeutung von »Ketzerzusammenkunft« (in Vaux-en-Bugey), rekapitulieren zum Teil die komplexe Geschichte, die wir rekonstruiert haben[76]. Neben diese Ausdrücke gehört die bereits erwähnte Angleichung der *vaudois* an die Hexer. Im Lauf der zweiten Hälfte des 14. Jahrhunderts trafen die bereits von Verschwörungsfurcht beherrschten Inquisitoren bei Gruppen von in den westlichen Alpen angesiedelten »waldensischen« Ketzern auf Glaubensvorstellungen, in denen antiklerikale Themen, Fragmente dualistischer Lehren katharischen Ursprungs und Elemente des Volksglaubens miteinander vermischt waren. Die Interaktion zwischen den Erwartungen der Richter und den Einstellungen der Angeklagten liefert eine erste Antwort auf die Frage nach den spezifischen Merkmalen, die das Bild vom Sabbat annahm (weshalb gerade so?). Man wird sich daran erinnern, daß bereits die Übertragung des Prozesses gegen Guillaume Agassa an Jacques Fournier, den Inquisitor von Pamiers, im Jahr 1321 in der Beschreibung der Verschwörung der Leprakranken zwei Vergehen ans Licht hatte kommen lassen, die traditionell ketzerischen Sekten zur Last gelegt wurden: den Glaubensabfall und die Profanierung des Kreuzes[77]. Jahrzehntelange Inquisitorentätigkeit in den westlichen Alpen machte die Übereinstimmung von Ketzern und Adepten der Hexensekte komplett: Die Anbetung des Teufels in Tiergestalt, Sexualorgien und Kindstötungen wurden zu dauerhaften Bestandteilen des Sabbatstereotyps.

Bei dieser Aufzählung von Ingredienzien fehlt etwas: die Tierverwandlungen und der Flug zu den nächtlichen Zusammenkünften. Mit diesen Elementen, die erst später hinzukamen, erreichte das heterogene Gemisch seinen Schmelzpunkt. Sie stammten jedoch aus einer sehr viel tiefer liegenden und weiter zurückreichenden kulturellen Schicht als jene, die wir bis jetzt analysiert haben.

[1] Vgl. J.-N. Biraben, *Les hommes et la peste en France et dans les pays européens et méditerranées*, Paris-La Haye 1975, S. 54 (siehe auch die überaus umfangreiche Bibliographie, die nicht ohne Ungenauigkeiten ist, am Ende des 2. Bandes). Allgemein siehe den schönen Aufsatz von E. Le Roy Ladurie, *Un concept: l'unification microbienne du monde (XIVe-XVIIe siècles)*, in: *Le territoire de l'historien*, II, Paris 1978, S. 37-97.

[2] Vgl. Biraben, *Les hommes*, cit., I, S. 57 ff., sowie S.W. Baron, *A Social and Religious History*, cit., XI, S. 160 ff.; L. Poliakov, *Geschichte des Antisemitismus*, II, dt. Übers., Worms 1978, S. 11. Die am ausgeprägtesten analytische – wenn auch in ihren Schlußfolgerungen fragwürdige – Studie bleibt jene von E. Wickersheimer, *Les accusations d'empoisonnement portées pendant la première moitié du XIVe siècle contre les lépreux et les Juifs: leur relations avec les épidémies de peste*, Antwerpen 1923 (Mitteilung an den vierten internationalen Kongreß für Medizingeschichte in Brüssel 1923). Zu Wickersheimer siehe im weiteren, Anm. 16 u. 19.

[3] Vgl. A. Crémieux, *Les Juifs de Toulon au Moyen-Âge et le massacre du 13 avril 1348*, in: »Revue des études juives«, 89 (1930), S. 33-72, u. 90 (1931), S. 43-64; siehe hierzu J. Shatzmiller, *Les Juifs de Provence pendant la Peste Noire*, ebd., 133 (1974), S. 457 ff.

[4] Zu all dem siehe den schönen Aufsatz von Shatzmiller, *Les Juifs de Provence*, cit.

[5] Vgl. A. Lopes de Meneses, *Una consequencia de la Peste Negra en Cataluña: el pogrom de 1348*, in: «Sefarad«, 19 (1959), S. 92-131, 322-364, insbes. S. 99 ff.

[6] Vgl. zu Katalonien *ebd.*, S. 322 ff.; zur Provence: Shatzmiller, *Les Juifs de Provence*, cit., S. 460.

[7] Vgl. Biraben, *Les hommes*, cit., I, S. 74-75.

[8] Jupiter und Mars: vgl. S. Guerchberg, *La controverse sur les prétendus semeurs de la 'Peste Noire' d'après les traités de peste de l'époque*, in: »Revue des études juives«, 108 (1948), S. 10.

[9] Vgl. J. Villanueva, *Viaje literario a las iglesias de España*, Bd. XIV, Madrid 1850, S. 270-71.

[10] Zu all dem siehe den gelehrten Artikel von Guerchberg, *La controverse*, cit.

[11] Die Motive bleiben dunkel: siehe die bei Malet, *Histoire de la lèpre*, cit., S. 155 ff. diskutierten Hypothesen.

[12] Vgl. *Breve chronicon clerici anonymi*, in: *Recueil des chroniques de Flandre*, hg.v. J.-J. de Smet, III, Brüssel 1856, S. 17-18.

[13] Vgl. S. Usque, *Consolaçam as tribulaçoens de Israel*, III, hg.v. M. dos Remedios, Coimbra 1908 (*Subsídios para o estudo da Historia da Litteratura Portuguesa*, X), S. XIXv-XXv (Das Werk wurde zum ersten Mal 1553 in Ferrara gedruckt; von seinem Verfasser, der wahrscheinlich von Ende des 15. bis Anfang des 16. Jahrhunderts lebte, weiß man so gut wie nichts.)

[14] Vgl. Prudhomme, *Les Juifs en Dauphiné*, cit., S. 216-17.

[15] Vgl. [J.-P. Valbonnais], *Histoire du Dauphiné...*, II, Genf 1721, S. 584-85.

[16] E. Wickersheimer (*Les accusations*, cit.) hat, den Spuren der Studie von R. Hoeniger (*Der schwarze Tod in Deutschland*, Berlin 1882, vor allem S. 40 ff.) folgend, auf dem Umstand beharrt, daß die gegen die Juden gerichteten Vergiftungsbeschuldigungen im Jahr 1348 die Pest generell nicht erwähnen; der Zusammenhang zwischen beiden Phänomenen sei erst im Lauf des folgen-

den Jahres hergestellt worden. Diese These hat S. Guerchberg (*La controverse*, cit., S. 4, Anm. 3) zu Recht zurückgewiescn, verschob ihre eigene Argumentation jedoch auf einen späteren Aufsatz, der meines Wissens nie publiziert worden ist. Die hier vorgelegte Rekonstruktion versucht die Wurzeln dessen zu analysieren, was Wickersheimer allzu vereinfachend »Verwechslung« zwischen Juden als Vergiftern und Juden als Verbreitern der Pest nennt (*Les accusations*, cit., S. 3).

[17] Vgl. C.A.M. Costa de Beauregard, *Notes et documents sur la condition des Juifs en Savoie dans les siècles du Moyen-Âge*, in: »Mémoires de l'Académie Royale de Savoie«, 2.F., II (1854), S. 101.

[18] Vgl. A. Nordmann, *Documents relatifs à l'histoire des Juifs à Genève, dans le Pays de Vaud et en Savoie*, in: »Revue des études juives«, 83 (1927), S. 71.

[19] Vgl. O. Raynaldus, *Annales ecclesiastici*, VI, Lucae 1750, S. 476. Nach Wickersheimer (*Les accusations*, cit., S. 3) mißverstand der Papst, durch die bereits seit einiger Zeit in Avignon wütende Pest in Schrecken versetzt, angeblich die gegen die jüdischen Vergifter gerichteten Vorwürfe und deutete sie als Beschuldigungen, die Pest hervorgerufen oder verbreitet zu haben; dieses Mißverständnis soll den Grund für die bereits erwähnte antijüdische Legende gelegt haben. Diese zweifache Hypothese scheint mir allzu verwickelt und wenig überzeugend. Sehr viel plausibler ist es, anzunehmen, daß der Zusammenhang zwischen Juden und Pest, der, wie man sah, in jenen Monaten langsam zutage trat, in den (heute nicht mehr erhaltenen oder auffindbaren) Prozessen aus der Dauphiné formuliert wurde und daß die in sehr präzisen Begriffen abgefaßte Bulle Papst Clemens' VI. eine Reaktion auf jene Beschuldigungen darstellte.

[20] Vgl. Prudhomme, *Les Juifs*, cit., S. 141.

[21] Vgl. Costa de Beauregard, *Notes*, cit., S. 101-4.

[22] Vgl. J. Twinges von Königshoven, *Die älteste Teutsche so wol Allgemeine als insonderheit Elsassische und Strassburgische Chronicke...*, Straßburg 1698, S. 1029-48. Eine kurze Erwähnung dieser Prozesse bei W.-F. de Mulinen, *Persécution des Juifs au bord du Léman au XIVe siècle*, in: »Revue historique vaudoise«, 7 (1899), S. 33-36; A. Steinberg, *Studien zur Geschichte der Juden während des Mittelalters*, Zürich 1903, S. 127 ff. Außer acht gelassen werden sie hingegen in dem sehr detaillierten Aufsatz von A. Haverkamp, *Die Judenverfolgungen zur Zeit des Schwarzen Todes im Gesellschaftsgefüge deutscher Städte*, in: *Zur Geschichte der Juden im Deutschland des späten Mittelalters und der frühen Neuzeit*, hg.v. A. Haverkamp, Stuttgart 1981, S. 27-94 (eine zusammenfassende Chronologie auf S. 35-38). Es sei erwähnt, daß Guillaume de Machaut bei seiner Verurteilung der von den Juden angezettelten infamen Verschwörung behauptete, auch viele Christen hätten damit zu tun gehabt. (*Le Jugement du Roy de Navarre*, in: *Œuvres*, hg.v. E. Hoepfner, I, Paris 1908, S. 144-45, mit einem belanglosen Kommentar jetzt wieder abgedruckt bei R. Girard, *Le bouce émissaire*, Neuaufl., Paris 1985, S. 8-9).

[23] Vgl. Haverkamp, *Die Judenverfolgungen*, cit.; F. Graus, *Die Judenpogrome im 14. Jahrhundert: der schwarze Tod*, in: *Die Juden als Minderheit in der Geschichte*, hg.v. B. Martin u. E. Schulin, München 1981, S. 68-84.

[24] Vgl. Twinges von Königshoven, *Die älteste*, cit., S. 1021 ff. u. 1052-53; *Urkundenbuch der Stadt Straßburg*, V, hg.v. H. Witte u. G. Wolfram, Straßburg 1896, S. 162-

79; M. Ephraim, *Histoire des Juifs d'Alsace et particulièrement de Strasbourg...*, in: »Revue des études juives«, 77 (1923), S. 149 ff.

25 Die Juden werden vor Ankunft der Pest ermordet, wie F. Graus (*Judenpogrome*, cit., S. 75) in Anknüpfung an eine Beobachtung von R. Hoeninger (*Der schwarze Tod...*, cit.) bemerkt.

26 Vgl. L. Wadding, *Annales Minorum*, IX, Romae 1734, S. 327-29. Die Bulle Alexanders V. ist angeführt und zusammengefaßt bei J.-B. Bertrand, *Notes sur les procès d'hérésie et de sorcellerie en Valais*, in: »Annales Valaisannes«, III (August 1921), S. 153-54. In bezug auf eine spätere Kampagne (1426), die Ponce Fougeyron gegen den *Talmud* und weitere jüdische Bücher führte, vgl. I. Loeb, *Un épisode de l'histoire des Juifs en Savoie*, in: »Revue des études juives«, 10 (1885), S. 31.

27 Ich habe eine unpaginierte Ausgabe ohne typographische Anmerkungen benutzt (Bibliothèque Nationale: Rés. D. 463). Besserer Zugänglichkeit wegen sind die Zitate aus dem fünften Buch dem *Malleorum quorundam maleficarum...*, *tomi duo*, I, Francofurti ad Moenum 1582, entnommen, wo Niders Text die Seiten 694 bis 806 einnimmt. Zum *Formicarius* siehe jetzt: A. Borst, *Anfänge des Hexenwahns in den Alpen*, in: *Barbaren, Ketzer und Artisten*, München 1988, S. 262-86 (das mir der Verfasser freundlicherweise zukommen ließ).

28 Vgl. allgemein K. Schieler, *Magister Johannes Nider aus dem Orden der Prediger-Brüder. Ein Beitrag zur Kirchengeschichte des fünfzehnten Jahrhunderts*, Mainz 1885. Zur Datierung des *Formicarius* vgl. *ebd.*, S. 379, Anm. 5; Hansen, *Quellen*, cit., S. 89.

29 Vgl. J. Nider in *Malleorum*, cit., I, S. 714-15.

30 *Ebd.*, S. 716-18.

31 *Ebd.*, S. 722.

32 Die von J. Hansen (*Quellen*, cit., S. 91, Anm.2) gesammelten Lebensdaten sind folgende: Mitglied des Berner Rates von 1385 bis 1392, Kastellan von Blankenburg von 1392 bis 1406 (mit halbjähriger Unterbrechung im Jahr 1397) und danach wiederum Berner Ratsmitglied. Das Todesdatum ist nicht bekannt.

33 Der um 1508 geschriebene *Tractatus* wurde vom Rechtsgelehrten Francesco Pegna zusammen mit einem anderen Werk Rategnos nachgedruckt: vgl. Bernardo da Como, *Lucerna inquisitorum haereticae pravitatis*, Venetiis 1596. N. Cohn zufolge wird die von Rategno dargelegte Chronologie »durch weitere, italienische oder französische Dokumente nicht bestätigt« (*Europe's...*, cit., S. 145). Aber die Übereinstimmung mit Niders Angaben, die J. Hansen im einzelnen genau hervorhob (*Quellen*, cit., S. 282), erlaubt es, das Problem des Verlusts oder der Unzugänglichkeit der ältesten Hexenprozesse zu umgehen.

34 Eine Anspielung auf das Hexenwesen hat bereits P. Paravy, *À propos de la genèse médiévale des chasses aux sorcières: le traité de Claude Tholosan (vers 1436)*, in: »Mélanges de l'École Française de Rome. Temps Modernes«, 91 (1979), S. 339, vermutet, der sich bei der Bedeutung der Präsenz der Juden in diesem Kontext allerdings nicht aufhält. Die Bedeutung des Absatzes aus der Bulle war hingegen mißverstanden worden von J. Chevalier, *Mémoire historique sur les hérésies en Dauphiné...*, Valence 1890, S. 29-30.

35 Vgl. Costa de Beauregard, *Notes et documents*, cit., S. 106-7 u. 119-22.

36 Vgl. Haverkamp, *Die Judenverfolgungen*, cit.

37 Vgl. J.-C. Schmitt, *Mort d'une hérésie*, Paris-La Haye 1978, S. 195 ff.

38 Vgl. T. von Liebenau, *Von den Hexen, so in Wallis verbrannt wurdent in den Tagen, do Christofel von Silinen herr und richter was*, in: »Anzeiger für schweizerische Geschichte«, N.F. IX (1902-1905), S. 135-138; hierzu siehe Bertrand, *Notes*, cit., S. 173-76.

39 Auch in den 1457 im Livinental abgehaltenen Prozessen wird der Teufel »Ber« genannt oder erscheint in Gestalt eines Bären (daneben in der einer Katze, eines Schafbockes etc.): vgl. P. Rocco da Bedano, *Documenti leventinesi del Quattrocento. Processi alle Streghe*, in: »Archivio storico ticinese«, 76 (1978), S. 284, 291 u. 295 (den Hinweis verdanke ich Giovanni Kral).

40 Die Schrift von Claude Tholosan wurde entdeckt, ediert und angemessen interpretiert von Paravy, *À propos de la genèse*, cit., S. 354-379. Auf S. 334 f. wird mit überzeugenden Argumenten eine Datierung der *Errores Gazariorum* auf *vor* 1437 vorgeschlagen (während Hansen ein Entstehungsdatum um 1450 angenommen hatte).

41 Vgl. oben, S. 39

42 Vgl. Cohn, *Europe's Inner Demons*, cit. (hierzu siehe oben, S. 13-14

43 Zu diesem Thema sind auch zwei Studien zu berücksichtigen, die Cohn entgangen sind: W. Speyer, *Zu den Vorwürfen der Heiden gegen die Christen*, in: »Jahrbuch für Antike und Christentum«, 6 (1963), S. 129-36; A. Heinrichs, *Pagan Ritual and the Alleged Crimes of the Early Christians*, in: *Kyriakon, Festschrift Johannes Quasten*, hg.v. P. Granfield u. J.A. Jungmann, I, Münster 1973², S. 18–35 (wichtig).

44 Vgl. E. Bickermann, *Ritualmord und Eselskult. Ein Beitrag zur Geschichte antiker Publizistik*, in: »Monatschrift für Geschichte und Wissenschaft des Judentums«, 71 (1927), S. 171-87 u. 255-64; Heinrichs, *Pagan Ritual*, cit.

45 Vgl. F.J. Dölger, *Sacramentum infanticidii*, in: »Antike und Christentum«, IV (1934), S. 188-228, insbes. S. 223-24.

46 Vorsichtig anderer Ansicht ist hingegen Heinrichs (*Pagan Ritual*, cit.), der das Papyrusfragment auch mit einem umfassenden Kommentar veröffentlicht hat (*Die Phoinikika des Lollianos. Fragmente eines neuen griechischen Romans*, Bonn 1972). Siehe jedoch T. Szepessy, *Zur Interpretation eines neu entdeckten griechischen Romans*, in: »Acta Antiqua Academiae Scientiarum Hungaricae«, XXVI (1978), S. 29-36; G.N. Sandy, *Notes on Lollianus' »Phoenicica«*, in: »American Journal of Philology«, 100 (1979), S. 367-76.

47 Zu all dem siehe J.-P. Waltzing, *Le crime rituel reproché aux chrétiens du IIᵉ siècle*, in: »Bulletin de l'Académie Royale de Belgique«, 1925, S. 205-39, u. vor allem Dölger, *Sacramentum infanticidii*, cit.

48 Vgl. *ebd.*, S. 218 (wo eine Stelle aus dem 26. Kap. von *De haeresibus* des hl. Augustinus zitiert wird); Speyer, *Zu den Vorwürfen*, cit.

49 Vgl. *Domini Johannis Philosophi Ozniensis Armeniorum Catholici Opera*, hg.v. J.-B. Aucher, Venetiis 1834, S. 85 ff. (armenischer Text neben lateinischer Übersetzung), und die Analyse bei N. Garsoïan, *The Paulician Heresy*, Den Haag–Paris 1967, S. 94-95.

50 Vgl. P. Gautier, *Le 'De Daemonibus' du Pseudo-Psellos*, in: »Revue des études byzantines«, 38 (1980), S. 105-94 (zur Datierung vgl. S. 131; die Ausführungen zu den Orgien stehen auf S. 140-41). Im Text ist von »Euchi-

ten« die Rede, einer seit Jahrhunderten untergegangenen Ketzersekte: den Bezug auf die Bogomilen hat Puech vorgeschlagen, in H.-C. Puech u. A. Vaillant, *Le traité contre les Bogomiles de Cosmas le Prêtre*, Paris 1945, S. 326-27, gefolgt von Cohn, *Europe's*, cit., S. 18 (der natürlich noch an der alten Zuschreibung an Psellos festhält). Diesen Bezug hatte bereits Boissonade erahnt (M. Psellus, *De operatione daemonum*, cum notis Gulmini curante Jo. Fr. Boissonade, Norimbergae 1838, S. 181).

51   Vgl. Cohn, *Europe's*, cit., S. 20-21 u. 266, Anm.10. Die Themen des nächtlichen Flugs und der Tierverwandlungen der Hexen fehlen in den zwischen 800 und 1000 geschriebenen byzantinischen Heiligenviten, wie D. de F. Abrahamse, *Magic and Sorcery in the Hagiography of the Middle Byzantine Period*, in: »Byzantinische Forschungen«, VIII (1982), S. 3-17 bemerkt; aber auch im Westen setzten sie sich erst viel später durch.

52   Vgl. Adémar de Chabannes, *Chronique*, hg.v. J. Chavanon, Paris 1897, S. 184-85. Zu den Vorfällen in Orléans vgl. vor allem R.H. Bautier, *L'hérésie d'Orléans et le mouvement intellectuel du début du XIᵉ siècle*, in: *Actes du 95ᵉ congrès national des Sociétés Savantes. Reims 1970. Section de Philologie et d'Histoire jusqu'à 1610*, I, Paris 1975, S. 63-88; siehe auch M. Lambert, *Ketzerei im Mittelalter*, dt. Übers., München 1981, S. 49 f. u. 497-501 (mit Diskussion der Quellen).

53   Wahrscheinliche Quelle ist eine Stelle bei Augustinus, *De haeresibus*, in: Migne, *Patrologia latina*, XLVI, Sp. 30, über die ketzerischen Kataphrygier. Ähnliche Beschuldigungen zirkulierten auch in Kleinasien: neben der bereits erwähnten Predigt des Johannes von Ojun, siehe über den (den Paulizianern unterstellten) Brauch, zu rituellen Zwecken die Nabelschnüre Neugeborener einzuäschern und den Speisen beizumischen, C. Astruc etc., *Les sources greques pour l'histoire des Pauliciens de l'Asie Mineure*, Auszug aus »Travaux et mémoires du Centre de Recherche d'histoire et civilisation byzantines«, 4 (1970), S. 188-89, 92-93, 130-31, 200-01 u. 204-05 (Texte hg.v. J. Gouillard; herzlichen Dank an Evelyne Patlagean, die mich auf sie hingewiesen hat). Es sei bemerkt, daß in einem Kirchenbann, der sich auf die Zeit zwischen dem 9. und Mitte des 10.Jahrhunderts datieren läßt (S. 200, 204), behauptet wird, die Orgien fänden unter Ausnutzung des Feiertages am 1.Januar statt.

54   Vgl. Paul de Saint-Père de Chartres, in: *Cartulaire de l'Abbaye de Saint-Père de Chartres*, hg. v. B. E. C. Guérard, Paris 1840, 2 Bde, S. 109–115. Lambert (*Ketzerei*, cit., S. 49, Anm. 11) nimmt an, der ganze Exkurs sei das Ergebnis einer Interpolation. Ein Hinweis auf die Pulver taucht jedoch in der abschließenden Beschreibung der Verbrennung der Ketzer auf (*Cartulaire*, cit., S. 115).

55   Epiphanios von Salamina hatte die borborianischen und koddianischen Ketzer beschuldigt, nicht Kinder, sondern Föten mit passenden Zutaten zu verspeisen: *Adversus haereses*, in: Migne, *Patrologia Graeca*, XLI, Sp. 337 ff.

56   Vgl. Guibert de Nogent, *Histoire de sa vie* (1053–1124), hg. v. G. Bourgin, Paris 1907, S. 212–13.

57   Ein schwaches Echo findet sich in einer von Döllinger publizierten Handschrift aus dem 14. Jahrhundert (*Beiträge zur Sektengeschichte des Mittelalters*, II, München 1890, S. 295); die Manichäer »de semine virginis vel de sanguine pueri conficiunt cum farina panem«. Siehe auch im weiteren, S. 83–84.

58   Vgl. F. Ehrle, *Die Spiritualen, ihr Verhältnis zum Franziskanerorden und zu den Fraticellen*, in: »Archiv für Literatur- und Kirchengeschichte des Mittelalters«, IV (1888), S. 117, Verhör des Francesco Maiolati: »interrogatus de pulveribus respondit, quod de illis natis in sacrificio capiunt infantulum et facto igne in medio, faciunt circulum et puerulum ducunt de manu ad manum taliter, quod dessiccatur, et postea faciunt pulveres« (vgl. auch S. 123 ff.; siehe auch Cohn, *Europe's*..., op. cit., S. 42 ff., der auf S. 49 u. 53 Anm. auf die Übereinstimmungen zwischen den Texten von Guibert de Nogent und Johannes von Ojun aufmerksam macht). Außerdem F. Biondo, *Italia illustrata*, Veronae 1482, Bl. Er-v: »...sive vero ex hiusmodi coitu conceperit mulier, infans genitus ad conventiculum illud in spelunca delatus per singulorum manus traditum tamdiu totiensque baiulandus quousque animam exhalaverit. Isque in cuius manibus infans exspiraverit maximus pontifex divino ut aiunt spiritu creatus habetur...«, woraus sich offensichtlich F. Panfilo, *Picenum*, Macerata 1575, S. 49 herleitet.

59   Siehe das schöne Buch von G. G. Merlo, *Eretici e inquisitori nella società piemontese del Trecento*, Turin 1977.

60   *Ebd.*, S. 93.

61   *Ebd.*, S. 75 ff. Siehe auch allgemeiner, wenngleich auf eine unmittelbar vorausgehende Zeit bezogen, G. Sergi, *Potere e territorio lungo la strada di Francia*, Neapel 1981.

62   Vgl. G. G. Merlo, *Eretici*, cit., S. 93 f.; siehe auch G. Gonnet, *Casi di sincretismo ereticale in Piemonte nei secoli XIV e XV*, in: »Bollettino della Società di Studi Valdesi«, 108 (1960), S. 3–36. Es ist mir nicht klar, weshalb M. Lambert Bechs Erzählungen für unglaubwürdig hält und diesen als »Verbalexhibitionisten« bezeichnet (*Ketzerei*, cit., S. 238, Anm. 48).

63   Vgl. G. Amati, *Processus contra Valdenses in Lombardia Superiori, anno 1387*, in: »Archivio storico italiano«, S. III, Bd. II, Teil 1 (1865), S. 12 (und siehe *ebd.*, S. 16–40). Merlo (*Eretici*, cit., S. 72) vermutet hier das verzerrte Echo zweier Stellen aus der *Apokalypse* (2, 25: »Id quod habetis, tenete dum veniam«; 3, 11: »Ecce venio cito: tene quod habes, ut nemo accipiat coronam tuam«), die dazu auffordern, im Glauben an das bevorstehende Ende der Zeiten standhaft zu sein. Zur Frage der Glaubhaftigkeit vgl. Merlo, *Eretici*, cit., S. 71 ff., und Russell, *Witchcraft*, cit., S. 221. Die Hypothese von G. Audisio (vgl. *Les vaudois du Luberon. Une minorité en Provence (1460–1560)*, Gap 1984, S. 261–64), die Waldenser hätten eine ehemals auf dem Lande verbreitete Tradition sexueller Promiskuität bewahrt, trägt weder dem stereotypen Charakter der Geständnisse noch ihren angeblichen rituellen Implikationen Rechnung.

64   Siehe auch oben, Einleitung, S. 17.

65   Vgl. Amati, *Processus*, cit., Bd. II, Teil 1, S. 12–13; Merlo, *Eretici*, cit., S. 68–70 (siehe auch im weiteren, S. 300–301).

66   Vgl. Cohn, *Europe's*, cit., S. 22.

67   Vgl. von Döllinger, *Beiträge*, cit., II, S. 335 ff. (es handelt sich um den Cod. Bavar, Monac. 329, f. 215 ff.).

68   Vgl. D. Kurze, *Zur Ketzergeschichte der Mark Brandenburg und Pommerns vornehmlich im 14. Jahrhundert*, in: »Jahrbuch für die Geschichte Mittel- und Ostdeutschlands«, 16–17 (1968), S. 50–94, insbes. S. 58 ff., der die Stelle über die »andere Sekte« in den (geographisch nicht spezifizierten) Umkreis der durch ketzerischen

Synkretismus gekennzeichneten Phänomene einreiht, die nach und nach dem Sabbat angeglichen wurden. Zur Biographie des Peter Zwicker vgl. *ebd.*, S. 71–72.

⁶⁹ Vgl. F. Staub – L. Tobler, *Schweizerisches Idiotikon*, IV, 1901, 1744–45, Stichwort *Bus* (»Hülle und Fülle«, vor allem aufs Trinken bezogen), mit einem Hinweis auf Grimm, *Deutsches Wörterbuch*, I, 1198 (*bausbacke, pausback, pfausback:* »mit dicken, aufgeblähten Backen«). Die alte, im 18. Jahrhundert entwickelte Etymologie, die Kurze hypothetisch wieder aufgreift (*Kuss-Keller* von »küssen«) kommt mir entschieden unglaubhaft vor (vgl. *Zur Ketzergeschichte*, cit., S. 65, Anm. 50; auf S. 63–65 weitere Angaben zur Geschichte der »Putzkeller« in Pommern).

⁷⁰ Vgl. das Stichwort »barlott« in: *Vocabolario dei dialetti della Svizzera italiana*, cit., II, S. 205 ff. Siehe auch im weiteren, S. 291–301.

⁷¹ Vgl. Hansen, *Quellen*, cit., S. 240.

⁷² Die *Errores Gazariorum* wurden veröffentlicht von J. Hansen in *ebd.*, S. 118–122 (zur Datierung siehe oben, Anm. 40); das Urteil gegen Adeline bei J. Friedrich, *La Vauderye (Valdesia). Ein Beitrag zur Geschichte der Valdesier*, in: »Sitzungsberichte der Akademie der Wissenschaften zu München«, phil. und hist. Classe, I (1898), S. 199–200 (aber es gilt den ganzen Aufsatz, *ebd.*, S. 163 ff., anzuschauen). Zu den Prozessen von Fribourg vgl. M. Reymond, *Cas de sorcellerie en pays fribourgeois au quinzième siècle*, in: »Schweizerisches Archiv für Volkskunde«, XIII (1909), S. 81–94, insbes. S. 92. Zur Verbreitung der Bezeichnung *vaudey* als Synonym für Teilnehmer am Sabbat, vgl. vom selben Verf., *La sorcellerie au pays de Vaud au XVᵉ siècle*, ebd., XII (1908), S. 1–14. Noch im Jahr 1574 ist von »quelques sorciers et vaudois« die Rede, die die Unfruchtbarkeit der Felder verursachten (*Arrest memorable de la cour du Parlement de Dole contre Gilles Garnier, Lyonnois, pour avoir en forme de Loup-garou devoré plusieurs enfans…*, à Angers 1598, Nachdr. d. Ausg. v. Sens 1574, S. 14; ich danke Natalie Davis, die mich auf dieses Bändchen hingewiesen hat).

⁷³ Dieser Punkt wird auch bei Merlo, *Eretici*, cit., S. 70 hervorgehoben.

⁷⁴ Früher wurde diese Hypothese anhand einiger 1335 in Toulouse geführter Prozesse aufgestellt (auch von mir, vgl. *Die Benandanti*, cit., S. 48–49). Wie Cohn glänzend gezeigt hat (*Europe's…*, op. cit.), sind diese in Wahrheit eine Fälschung von der Hand Lamothe-Langons, des Polygraphen aus dem 19. Jahrhundert, der sie herausgab. Aber es ist offenbar schwierig, die Spuren von katharischen Glaubensanschauungen, wie sie in den Prozessen gegen die piemontesischen »Waldenser« aus der zweiten Hälfte des 14. Jahrhunderts anzutreffen sind, einer Forcierung durch die Inquisitoren zuzuschreiben, wie Cohn dies tut. Im Licht dieser Dokumente, die Lamothe-Langon nicht kannte, erscheinen die inexistenten Prozesse von Toulouse als merkwürdig eindringliche »kritische Fälschung«.

⁷⁵ Vgl. Amati, *Processus*, cit., Bd. II, Teil 1;, S. 15, 23 u. 25.

⁷⁶ Zu »gafa« vgl. J.-A. Chabrand u. A. de Rochas d'Aiglun, *Patois des Alpes Cottiennes (Briançonnais et Vallées Vaudoises) et en particulier du Queyras*, Grenoble/Paris 1877, S. 137, und J. Corominas, *Diccionario crítico etimológico castellano e hispánico* (unter dem Stichwort »gafo«). Zu »snagoga« vgl. A. Duraffour, *Lexique patois-français du parler de Vaux-en-Bugey (Ain)*, Grenoble 1941, S. 285; siehe auch P. Brachat, *Dictionnaire du patois savoyard tel qu'il est parlé dans le canton d'Albertville*, Albertville 1883, S. 129 (»sandegôga«, in der Bedeutung von »Tanz von Poltergeistern, lautstarkes Fest«).

⁷⁷ Vgl. oben, S. 48.

Teufelsbuhlschaft und Hexenritt, Holzschnitt, um 1520

IM GEFOLGE DER GÖTTIN

Bei der Rückkehr von den nächtlichen Zusammenkünften – erzählten die 1428 wegen Hexenwesens vor Gericht gestellten Bergbewohner aus dem Wallis – machten wir in den Kellern halt und tranken den besten Wein; dann schissen wir in die Fässer[1]. Hundertfünfzig Jahre später, im Jahr 1575, berichtete am entgegengesetzten Ende des Alpenbogens der friaulische Adlige Troiano de Attimis dem Inquisitor Fra Giulio d'Assisi und dem Generalvikar Jacopo Maracco, er habe den öffentlichen Ausrufer Battista Moduco auf dem Marktplatz von Cividale sagen hören, »daß er Benandante sei und des Nachts, insonderheit an Donnerstagen, mit den anderen geht und sie sich zu gewissen Orten begeben, um zu hochzeiten, zu tanzen, zu essen und zu trinken; und wann die Malandanti zurückkehren, gehen sie in die Keller, trinken und harnen dann in die Fässer; und wenn dann nicht die Benandanti kämen, würde der Wein kippen; und andere dergleichen Scherze ...«[2]. Kehren wir zweihundertfünfzig Jahre zurück. Im Jahr 1319 erzählte ein Küster aus einem kleinen Dorf in den Pyrenäen, Arnaud Gelis genannt Botheler, dem Bischof und Inquisitor von Pamiers, Jacques Fournier, er besitze die Gabe, die Toten zu sehen und mit ihnen zu sprechen. »Auch wenn die Seelen der Verstorbenen nichts essen«, hatte er erklärt, »so trinken sie doch guten Wein und wärmen sich am Feuer, wenn sie ein Haus mit viel Brennholz finden; aber der Wein wird nicht weniger, wenn die Toten davon trinken«[3].

Drei Zeugnisse, versprengt in Zeit und Raum. Gibt es eine Verbindung zwischen ihnen?

2. Um das Jahr 906 legte Regino von Prüm eine Sammlung von Anweisungen für Bischöfe und ihre Vertreter an (De synodalibus causis et disciplinis ecclesiasticis libri duo). In einer Liste abergläubischer Vorstellungen und Praktiken, die in den Pfarreien ausgemerzt werden sollten, taucht ein Passus auf, der wahrscheinlich aus einer älteren fränkischen Gesetzessammlung stammt: »Illud etiam non est

omittendum, quod quaedam sceleratae mulieres, retro post Satanam conversae (1 *Tim.* 5, 15), daemonum illusionibus et phantasmatibus seductae, credunt se et profitentur nocturnis horis cum Diana paganorum dea et innumera multitudine mulierum equitare super quasdam bestias, et multa terrarum spatia intempestae noctis silentio pertransire, eiusque iussionibus velut dominae obedire, et certis noctibus ad eius servitium evocari« (»Es darf nicht übergangen werden, daß es gewisse verbrecherische Frauen gibt, die Satan gefolgt sind (1 *Tim.* 5, 15) und, durch Blendwerk und Vorspiegelungen der Dämonen verführt, glauben und bekennen, des Nachts zusammen mit der heidnischen Göttin Diana und einer unzählbaren Menge von Frauen auf gewissen Tieren zu reiten, in der Stille der dunklen Nacht große Entfernungen zurückzulegen, die Weisungen der Göttin zu befolgen, als wäre sie ihre Herrin, und in bestimmten Nächten zu ihrem Dienst gerufen zu werden«)[4].

Hundert Jahre später nahm der Bischof Burchard von Worms in seinem *Decretum* diesen Kanon mit geringfügigen Änderungen wieder auf, wobei er ihn irrtümlicherweise dem Konzil von Ankyra (314) zuschrieb und dem Namen Dianas den der Herodias hinzusetzte (»cum Diana paganorum dea vel Herodiade«). Nach dem ihm vorangestellten Titel – *Ut episcopi de parochiis suis sortilegos et maleficos expellant*, »Daß die Bischöfe Hexer und Zauberer aus ihren Pfarreien vertreiben sollen« – gemeinhin als *Canon Episcopi* bezeichnet, fand der zitierte Absatz in der kirchenrechtlichen Literatur weite Verbreitung[5].

Es handelte sich dabei nicht um den einzigen Text dieser Art. Im neunzehnten Buch des *Decretum* mit dem Titel *Corrector* finden wir eine Reihe von Absätzen, die explizit oder implizit auf die Ausführungen über die Dianajüngerinnen in der Version Reginos verweisen oder mit denselben Glaubensvorstellungen zusammenhängen[6]. Einige Frauen behaupteten, in bestimmten Nächten gezwungen zu sein, eine Schar von in Frauen verwandelten Dämonen zu begleiten, die beim törichten Volk Holda heiße (XIX, 60). Andere sagten, sie gingen in stiller Nacht durch die geschlossenen Türen aus dem Haus, wo sie ihre Männer schlafend zurückließen: wenn sie dann zusammen mit anderen, im selben Irrtum befangenen Frauen unendlich weite Strecken zurückgelegt hätten, töteten, kochten und verschlängen sie getaufte Menschen, denen sie einen Anschein von Leben wiedergäben, indem sie sie mit Stroh oder Holz ausstopften (XIX, 158). Wieder andere glaubten, durch die geschlossenen Türen fortzugehen und zusammen mit anderen Teufelsjüngerinnen in die Wolken zu fliegen, wo sie kämpften, sich Wunden zuzögen und selbst Wunden schlügen (XIX, 159)[7]. Diesen Abschnitten des *Corrector* ist ein Kanon anzufügen, den Burchard irrtümlicherweise dem Konzil von Agde im Jahre 508 zuschrieb: Die Teilnehmerinnen am nächtlichen Ausritt gäben an, Zaubermittel zubereiten zu können, die den Haß von Menschen in Liebe verwandeln könnten und umgekehrt[8]. All diese Texte beziehen sich auf – manchmal als »verbrecherisch« bezeichnete – Frauen. In allen kehren unverändert oder mit geringfügigen Abweichungen Ausdrücke aus dem *Canon Episcopi* wieder: »retro post Satanam conversae« (XIX, 158), »certis noctibus equitare super quasdam bestias« (X, 29; XIX, 60); »terrarum spatia ... pertransire« (XIX, 159), »noctis silentio« (XIX, 159). Diese formalen Parallelen unterstreichen eine außer Zweifel stehende inhaltliche Einheit. Die Zielscheibe bilden dabei nicht vereinzelte abergläubische Anschauungen, sondern eine imaginäre Gesellschaft, der die Jüngerinnen der Göttin anzugehören glauben (»et in eorum consortio [credidisti] annoveratam esse«, XIX, 60) und der sie weitere Anhängerinnen zu gewinnen suchen. Durch dieses tägliche Bekehrungswerk erliegen schließlich viele Frauen aus Fleisch und Bein derselben Täuschung (X, 29). Sie geben vor, sich nicht aus freiem Entschluß, sondern aufgrund höherer Gewalt (»necessario et ex praecepto«, XIX, 60) aufzumachen. Flüge, Kämpfe und Morde, auf die kannibalische Handlungen oder die Auferstehung der Opfer folgen, sind die imaginären Riten, welche die Göttin ihren Anhängerinnen in bestimmten Nächten abverlangt.

In den Augen Reginos und Burchards waren dies allesamt teuflische Vorspiegelungen. Die Strafen, die solchen Täuschungen erlegene Frauen zu gewärtigen hatten, waren vergleichsweise mild: vierzig Tage, ein Jahr, zwei Jahre Bußzeit. Die strengste Bestrafung (Ausweisung aus der Pfarrei) traf diejenigen, die sich der Fähigkeit rühmten, Liebe oder Haß verursachen zu können; möglicherweise weil hier Rituale, und seien sie auch unwirksam, statt reiner Glaubensüberzeugungen vorlagen. In den ersten Jahrzehnten des 15. Jahrhunderts nahmen Theologen und Inquisitoren jedoch eine völlig andere Haltung zu den Geständnissen von Anhängern der Hexensekte ein: der Sabbat war nun ein reales Ereignis – ein mit Verbrennung zu ahndendes Verbrechen. Man verspürte das Bedürfnis, sich mit dem *Canon Episcopi* auseinanderzusetzen, der bereits in der Mitte des 12. Jahrhunderts in die große kirchenrechtliche Sammlung Gratians Eingang gefunden hatte. Einige bestritten, daß die Anhängerinnen der Diana und die modernen Hexen gleichzusetzen seien; andere hingegen vertraten unter Berufung auf die Autorität des Kanons die Ansicht, der Sabbat sei pure, möglicherweise vom Teufel eingegebene Illusion[9].

3. Wir wollen diese Diskussion für einen Augenblick beiseite lassen (auch wenn wir auf das Problem der Realität des Sabbat am Ende werden zurückkommen müssen). Hier mag die Feststellung genügen, daß die von den Dämonologen empfohlene Rückbesinnung auf den *Canon Episcopi* alles andere als absurd erscheint. Die in jenem Text (und in den anderen mit ihm in Zusammenhang stehenden Texten) beschriebenen Glaubensvorstellungen weisen in der Tat begrenzte, doch offensichtliche Analogien zum Bild von Sabbat auf, wie es sich viele Jahrhunderte später herausbildete: es genügt, an den nächtlichen Flug oder an den rituellen Kannibalismus zu denken. Aber diese Analogien als Beweis für eine Kontinuität von Glaubensvorstellungen nehmen zu wollen, wäre offensichtlich verfrüht. Die kirchenrechtlichen Sammlungen warten mit stereotypisierten, durch Blicke von außen gefilterte Beschreibungen auf. Die Einstellungen jener namenlosen Frauen von den möglichen Verzerrungen durch die Kleriker zu sondern, ist nicht leicht. Viele Elemente erscheinen uns rätselhaft, der Name der Göttin, welche die Schar der »verbrecherischen« Frauen anführte, ungewiß.

In den Akten eines im Jahr 1280 in Conserans im Ariège-Gebiet gehaltenen Diözesankonzils wird sie Bensozia genannt (möglicherweise eine korrumpierte Form von *Bona Socia*)[10]. Das Konzil von Trier im Jahr 1310 hingegen stellte Diana Herodiana zur Seite[11]. Die Liste der Varianten ist lang. Wir finden Gestalten aus dem Volksbrauch (Bensozia, Perchta oder Holda, wobei die letzte Bezeichnung im *Corrector* auf den gesamten Zug der Frauen bezogen wird[12]), aus der heidnischen Mythologie (Diana), aus der biblischen Tradition (Herodias)[13]. Das Vorhandensein dieser Varianten weist darauf hin, daß zu verschiedenen Zeiten und an verschiedenen Orten ähnliche oder zumindest als ähnlich empfundene Traditionen aufgespürt wurden. Dies könnte die große Verbreitung dieser Glaubensanschauungen bestätigen; es bleibt jedoch Zweifel bestehen, ob nicht Kanonisten und Bischöfe (wie späterhin die Inquisitoren) die ihnen begegnenden Glaubensvorstellungen in vorgefertigte Schemata preßten. Der Hinweis auf die »heidnische Göttin« Diana beispielsweise legt sogleich die Vermutung nahe, daß hier eine *interpretatio romana* vorliegt, eine auf der Kenntnis antiker Religion beruhende verzerrende Sichtweise[14].

4. Dieser Zweifel ist mehr als berechtigt. Im Jahr 1390 legte der mailändische Inquisitor Fra Beltramino da Cernuscullo in seinen Akten nieder, eine Frau mit Namen Sibillia (vielleicht ein Beiname[15]) habe seinem Vorgänger gestanden, sich in regelmäßigen Abständen zum »Spiel der Diana, die sie Herodias nennen *(quam appellant Herodiadem)*«, zu begeben. Im selben Jahr fügte Fra Beltramino in seinen Urteilsspruch gegen einen andere Frau, Pierina, die sich reumütig zu denselben Vergehen bekannte, einen Hinweis auf das »Spiel der Diana, die ihr Herodias nennt *(quam appellatis...)*« ein[16]. In Wahrheit sprechen Sibillia und Pierina in den Prozeßakten, die uns erhalten geblieben sind, lediglich von »Madona Horiente«; sie mit Diana gleichzusetzen, war Sibillia wahrscheinlich vom ersten Inquisitor suggeriert und Pierina vom zweiten dann kurzerhand in den Mund gelegt worden – samt dem erklärenden Zusatz *(quam appellant Herodiadem)*, der auf den Text des *Canon Episcopi* verwies. Gerade die Akten dieser beiden Prozesse (oder vielmehr, was davon übrig ist) bringen nun aber ein komplizierteres Bild zum Vorschein.

Sibillia, Frau des Lombardo de Fraguliati aus Vicomercato, und Pierina, Frau des Pietro de Bripio, erschienen im Jahr 1384 einzeln vor dem Dominikaner Fra Ruggero da Casale, dem Inquisitor der oberen Lombardei. Wir wissen nicht, ob sich die beiden Frauen kannten. Nachdem Fra Ruggero sie vernommen hatte, erbat er sich angesichts der besonders von Sibillia eingestandenen »ungeheuerlichen Verbrechen« den Beistand des Erzbischofs von Mailand, Antonio da Saluzzo, und zweier weiterer Inquisitoren. Beide wurden daraufhin als Ketzerinnen (Sibillia als »notorische Ketzerin«) zu verschiedenen Strafen verurteilt. Im Jahre 1390 stellte sie ein neuer Inquisitor, Fra Beltramino da Cernuscullo, ebenfalls ein Dominikaner, erneut vor Gericht und verurteilte sie, da sie rückfällig (»relapsae«) geworden waren, zum Tode. Von diesen vier Prozessen sind einzig die beiden Urteile von 1390 erhalten: Das gegen Sibillia gibt jedoch auch das sechs Jahre zuvor verkündete Urteil wieder; das gegen Pierina zitiert nur einige Stellen aus dem vorangegangenen Prozeß. Es handelt sich also um dokumentarische Bruchstücke, die zu umfassenderen Aktenbündeln gehörten.

Die von Sibillia gestandenen Verbrechen waren die folgenden: Von Jugend an war sie jede Woche donnerstags nachts mit Oriente und ihrer »Gesellschaft« gegangen. Sie hatte Oriente ihre Ehrerbietung bezeigt, wobei sie nicht glaubte, daß dies Sünde sei. Im nachfolgenden Prozeß präzisierte sie, daß sie zum Zeichen ihres Respekts ihr Haupt senkte und dabei sagte: »Es möge euch wohl ergehen, Madona Horiente«, worauf Oriente antwortete: »Willkommen, meine Töchter *(Bene veniatis, filie mee)*«. Sibillia hatte geglaubt, zur Gesellschaft kämen Tiere aller Art, mindestens zwei einer jeden, außer den Eseln, da sie das Kreuz trügen; wenn nur eines davon gefehlt hätte, wäre die ganze Welt untergegangen. Oriente antwortete auf Fragen der Mitglieder der Gesellschaft und lehrte dadurch künftige und verborgene Dinge. Ihr, Sibillia, habe sie immer die Wahrheit gesagt, und dies habe ihr erlaubt, ihrerseits die Fragen vieler Personen zu beantworten, ihnen Nachrichten und Lehren weiterzugeben. Dem Beichtvater hatte sie von alledem nichts gesagt. Während des Prozesses von 1390 präzisierte sie, in den letzten sechs Jahren sei sie nur zweimal zur Gesellschaft gegangen: beim zweiten Mal sei ihr versehentlich ein Stein in ein gewisses Wasser gefallen, von dem sie sich gerade entfernt habe; deshalb habe sie nicht mehr hingehen können. Auf eine Frage des Inquisitors antwortete sie, in Anwesenheit Orientes fiele der Namen Gottes nie.

Die überlieferten Auszüge aus Pierinas Geständnissen stimmen im wesentlichen mit denen Sibillias überein, fügen aber weitere Einzelheiten hinzu. Pierina ging jeden Donnerstag nachts zur Gesellschaft, seitdem sie sechzehn Jahre alt war. Oriente antwortete auf ihren Gruß mit den Worten: »Es möge euch wohl ergehen, gute Leute *(Bene stetis, bona gens)*«. Außer den Eseln waren auch die Füchse aus der Gesellschaft ausgeschlossen; Gehängte und Geköpfte gingen hin, schämten sich aber und wagten es nicht, den Kopf zu heben. Oriente, so Pierina, zieht mit ihrer Gesellschaft durch die Häuser, besonders durch die der Reichen[17]. Dort essen und trinken sie; wenn sie saubere und aufgeräumte Häuser vorfinden, freuen sich alle, und Oriente segnet diese Häuser. Die Mitglieder der Gesellschaft belehrt Oriente über die Wirkkraft der Kräuter *(virtutes herbarum)* und Arzneien zur Heilung von Krankheiten, darüber, wie man gestohlene Dinge wiederfindet und wie man Verwünschungen löst. Über all dies müssen sie jedoch Stillschweigen bewahren. Pierina glaubte, Oriente sei Herrin der »Gesellschaft« wie Christus Herr der Welt. Auch Oriente vermochte im übrigen, toten Lebewesen (nicht jedoch Menschen) ihr Leben wiederzugeben. Ihre Anhängerinnen töteten nämlich bisweilen Ochsen und aßen deren Fleisch auf; dann sammelten sie die Knochen und legten sie in die Häute der geschlachteten Tiere. Oriente schlug dann mit dem Knauf ihres Stabs auf die Häute, worauf die Ochsen sogleich auferstanden: allerdings waren sie dann nicht mehr imstande zu arbeiten.

5. Für den *Canon Episcopi* waren die Anhängerinnen Dianas, wie gesagt, Opfer von Träumen und teuflischen Vorspiegelungen. Angeleitet durch diesen Text hatte der Inquisitor Fra Ruggero da Casale Sibillia verurteilt, weil sie geglaubt hatte, »zum Spiel der Diana, die sie Herodias nennen« – das heißt zur Gesellschaft Orientes – gegangen zu sein (»credidisti... quod... ivisti«). Sein Nachfolger, der Inquisitor Fra Beltramino da Cernuscullo schrieb, daß Pierina, wie aus dem sechs Jahre zuvor abgehaltenen Prozeß hervorginge, »beim Spiel der Diana, die ihr Herodias nennt«, gewesen sei (»fuisti«). Die implizite Aufgabe der Position des *Canon Episcopi* fiel mit einer Veränderung in den Geständnissen der Angeklagten zusammen. In diesen wurde nun neben dem Bild der Gesellschaft Orientes jenes

vom Sabbat sichtbar, das sich seit einigen Jahrzehnten auch ganz in der Nähe, in der Diözese Como, herauszukristallisieren begonnen hatte[18]. Pierina gestand – vielleicht unter Folter –, sie habe sich einem Geist namens Lucifello hingegeben, ihm ein wenig von ihrem Blut geschenkt, damit er einen Pakt aufsetze, und sich von ihm zum »Spiel« führen lassen. Wie Sibillia hatte sie zunächst beteuert, es sei keine Sünde, der Gesellschaft der Oriente anzugehören. Nun flehte sie den Inquisitor an, ihre Seele zu retten.

6. Frauen (1), die glauben und sagen (2), sie folgten nachts (3) der Diana (4) auf dem Rücken von Tieren (5), legten große Entfernungen zurück (6), gehorchten den Weisungen der Göttin wie einer Herrin (7), seien ihr in bestimmten Nächten zu Diensten (8): all diese Elemente kehren in Sibillias und Pierinas Geständnissen wieder, mit Ausnahme von zweien (4 u. 5). Der Name der Göttin ist ein anderer, und die Tiere, soweit vorhanden (fast alle gehen zur Gesellschaft der Oriente), werden nicht als Reittiere benutzt. Aber diese Abweichung, die die Erzählungen der Frauen in einzelnen Punkten vom Text des *Canon Episcopi* trennt, ist unter dem Gesichtspunkt der Interpretation sehr viel wertvoller als eine absolute Über-einstimmung, da sie die Möglichkeit einer Zwangsanpassung an ein schon existentes Schema ausschließt. Der Priester Giovanni de Matociis, Kirchenpfleger der Kirche von Verona, hatte demnach recht, wenn er in einem Absatz seiner *Historiae Imperiales* (1313) behauptete, »viele Laien« glaubten an eine nächtliche Gesellschaft, die von einer Göttin geführt werde: von Diana oder Herodias[19]. In Norditalien waren die von Regino von Prüm schematisch aufgezeichneten Glaubensüberzeugungen nach mehr als vierhundert Jahren noch durchaus lebendig.

An diesem Punkt erscheinen auch die Versuche von Priestern, Kanonisten und Inquisitoren, die vielen Namen der nächtlichen Göttin zu übersetzen, in einem anderen Licht. Zwang auszuüben und sich um eine Interpretation zu bemühen waren zwei Seiten derselben Medaille. Diana und Herodias lieferten den Klerikern einen Leitfaden, der ihnen half, sich im Labyrinth der lokalen Glaubensformen zurechtzufinden. Auf diese Weise ist ein schwaches, abgeändertes Echo jener Frauenstimmen bis zu uns gelangt.

7. Der kulturelle Abstand zwischen Richter und Angeklagten war vielleicht in keinem Fall so groß wie in einem Prozeß, der im Jahre 1457 in Brixen geführt wurde. Die Akten des Prozesses sind verloren; wir können ihn rekonstruieren dank der lateinischen Version einer von Bischof Nikolaus von Kues in der Fastenzeit desselben Jahres gehaltenen Predigt[20]. Thema dieser (vom Autor bei ihrer Übersetzung gewiß überarbeiteten) Predigt waren die Worte des Versuchers Satan an Christus: »Wenn du dich vor mir niederwirfst und mich anbetest, wird dir alles gehören« (nach *Lukas*, 4, 7). Cusanus illustrierte sie den Gläubigen mit einem Fall, der sich unlängst zugetragen hatte. Ihm waren drei alte Frauen aus dem Fassatal vorgeführt worden: zwei davon hätten gestanden, zur »Gesell-schaft der Diana« zu gehören. Dies war jedoch eine Interpretation des Bischofs. Die beiden Alten hatten lediglich von einer »guten Herrin« *(bona domina)* gespro-chen. Doch deren Identifizierung bildete für Cusanus den Ausgangspunkt für eine dichte Reihe von Verweisen, die eine Rekonstruktion des komplexen kultu-

rellen Schemas erlauben, mit dessen Hilfe die Erzählungen der beiden alten Frauen wahrgenommen wurden. Den Hinweis auf Diana – die in Ephesos verehrte Gottheit, die in der *Apostelgeschichte* (19, 27 ff.) erwähnt wird – legte selbstredend der *Canon Episcopi* nahe, wobei ihn Cusanus in einer Version zitierte, derzufolge die Anhängerinnen der Göttin »diese verehren, als sei sie Fortuna *(quasi Fortunam)*, und in der Volkssprache *Hulden* von Hulda genannt werden«[21]. Es folgte eine Anspielung auf den nach Informationen Peters von Bern verfaßten Traktat – gemeint ist der *Formicarius* von Nider –, in dem von Satan als einem »kleinen Meister« die Rede ist; schließlich ein (wahrscheinlich in der *Legenda Aurea* des Jacopo da Varagine gelesener) Passus aus der Vita des heiligen Germanus, der von bestimmten Geistern handelt: von sogenannten »guten Frauen, die nachts umgehen«, deren teuflische Natur der Heilige aufgedeckt hatte.

In einer kurzen Zwischenbemerkung nannte Cusanus den Namen, den der Dämon im Fassatal trug. »Jene Diana, die sie für Fortuna halten«, hätten die beiden alten Frauen »in italienischer Sprache Richella, das heißt Mutter des Reichtums und der glücklichen Fügung«, genannt. Und Richella, so fuhr er mit unerschöpflicher Gelehrsamkeit fort, sei nichts anderes als eine Übersetzung von Abundia oder Satia (eine bei Wilhelm von Auvergne und Vinzenz von Beauvais erwähnte Gestalt). »Von der ihr bezeigten Ehre und den törichten Zeremonien dieser Sekte« wollte Cusanus lieber nicht sprechen. Doch am Ende der Predigt konnte er nicht mehr an sich halten. Er erzählte, er habe die beiden Frauen vernommen und sei zu dem Schluß gekommen, sie seien halb verrückt (»semideliras«); sie kennten nicht einmal das *Credo* richtig. Sie hätten erzählt, die Gute Herrin, also Richella, sei nachts auf einem Wagen zu ihnen gekommen. Wie eine gut gekleidete Frau hätte sie ausgesehen; ihr Gesicht hätten sie jedoch nicht erblickt (wir werden im weiteren sehen, weshalb). Sie hätte sie berührt, und von jenem Augenblick an seien sie gezwungen gewesen, ihr zu folgen. Nachdem sie ihr Gehorsam versprochen, hätten sie dem christlichen Glauben entsagt. Daraufhin seien sie an einen Ort voller tanzender und feiernder Menschen gelangt: einige mit Tierfellen bedeckte Männer hätten Menschen und Kinder, die nicht ordnungsgemäß getauft gewesen seien, verschlungen. An diesen Ort seien sie einige Jahre lang während der Quatember gegangen, bis sie endlich ein richtiges Kreuzzeichen gemacht hätten; daraufhin hätten sie damit aufgehört.

Für Cusanus waren dies allesamt Torheiten, Spintisiererien, vom Teufel eingegebene Phantasien. Er versuchte die beiden Frauen davon zu überzeugen, sie hätten geträumt; doch vergeblich. Daher verurteilte er sie zu einer öffentlichen Buße und zu Kerkerhaft. Er werde demnächst entscheiden, wie man sich solchen Leuten gegenüber zu verhalten habe. In der Predigt erklärte er die Gründe für seine tolerante Haltung. Wer an die Wirksamkeit von Malefizien glaube, befördere die Idee, daß der Teufel mächtiger sei als Gott; die Verfolgung breite sich aus, und der Teufel erreiche seinen Zweck, denn man laufe Gefahr, irgendeine hirnlose, völlig harmlose Alte als Hexe hinzumorden. Daher müsse man behutsam, nicht gewaltsam vorgehen, um das Übel im Bemühen, es auszumerzen, nicht etwa zu vergrößern.

Diese Mahnung zur Toleranz wurde von einer bitteren rhetorischen Frage eingeführt. Werden Christus und die Heiligen – fragte Cusanus die hier versammelten Gläubigen – etwa nur verehrt und gefeiert, um mehr irdische Güter, größere Ernten, mehr Vieh zu bekommen? Aus keiner anderen Regung heraus – so gab er zu verstehen – hatten sich die beiden alten Frauen aus dem Fassatal, statt an Christus und die Heiligen, an Richella gewandt. Mit unreinem Herzen zu Gott zu beten, bedeutete für Cusanus bereits, dem Teufel zu opfern.

Doch die Gelehrsamkeit, Verstehensabsicht und christliche Barmherzigkeit von Cusanus konnten den Abgrund, der ihn von den beiden alten Frauen trennte, nicht überbrücken. Deren dunkle Religion mußte ihm zutiefst unverständlich bleiben.

8. Der soeben dargelegte Fall stellt uns vor ein Problem, das in Forschungen dieser Art regelmäßig wiederkehrt. Trotz der gefühlsmäßigen Solidarität mit den Opfern der Verfolgung neigen wir unter intellektuellem Gesichtspunkt dazu, uns mit den Inquisitoren und Bischöfen zu identifizieren – auch wenn diese nicht Nikolaus von Kues heißen. Der von uns verfolgte Zweck ist zum Teil ein anderer, aber unsere Fragen stimmen weitgehend mit denen überein, die auch sie sich stellten. Anders als sie, können wir diese Fragen den Angeklagten nicht direkt stellen. Anstatt die Zeugnisse hervorzubringen, finden wir sie als gegeben vor. Wir sind gezwungen, mit Aufzeichnungen zu arbeiten, in denen Feldforschungen von vor Jahrhunderten verstorbenen Ethnographen dokumentiert sind[22].

Natürlich darf man diesen Vergleich nicht wörtlich nehmen. Von Suggestion oder Folter zweckdienlich gelenkt, bekannten die Angeklagten sehr oft eine Wahrheit, die zu suchen die Richter sich gar nicht befleißigten, da sie bereits in ihrem Besitz waren. Die erzwungene Übereinstimmung zwischen den Antworten der einen und den Fragen oder Erwartungen der anderen macht einen Großteil dieser Zeugnisse monoton und vorhersehbar. Nur in Ausnahmefällen stoßen wir auf eine Divergenz zwischen Fragen und Antworten, die eine von den Stereotypen der Richter im wesentlichen unberührte kulturelle Schicht zum Vorschein bringt. Der Mangel an Kommunikation zwischen den Gesprächspartnern verstärkt dann, aus einem nur scheinbaren Paradox heraus, den dialogischen Charakter wie auch den ethnographischen Reichtum der Zeugnisse[23]. Die Prozesse gegen die Anhängerinnen der nächtlichen Göttin wahren eine Mittelstellung zwischen diesen beiden extremen Möglichkeiten. Die verfängliche Nähe des heutigen Interpreten zu den Urhebern der Repression offenbart hier ihre widersprüchlichen Implikationen. Die Erkenntniskategorien der Richter haben die Zeugnisse unmerklich entstellt; aber ohne diese Kategorien kommen wir nicht aus. Wir versuchen, Oriente oder Richella von den mehr oder weniger abweichenden Übersetzungen, welche die mailändischen Inquisitoren oder Cusanus vorschlugen, zu unterscheiden; doch wie sie (oder auch dank ihrer) sind wir der Auffassung, daß der Vergleich mit Diana oder Habonde auf einer erhellenden Analogie beruht. Unsere Interpretationen sind zum Teil Resultat des Wissens und der Erfahrung jener Männer. Weder ihr Wissen noch ihre Erfahrung waren, wie wir wissen, unschuldig.

9. In den diabolischen Einlagerungen, die am Ende der Ausführungen der beiden alten Frauen aus dem Fassatal sichtbar werden, klang der ein halbes

Jahrhundert zuvor geschlossene Pakt der Oriente-Anhängerin Pierina mit Lucifello an. Ein erzwungenes allmähliches Abgleiten der alten Glaubensvorstellungen in das Sabbatstereotyp läßt sich zwischen Mitte des 15. und Beginn des 16. Jahrhunderts an beiden Enden der Alpen und in der Poebene feststellen. Im Canavese, im Fleimsertal, in Ferrara und der Gegend von Modena nahmen die »donna del bon zogo« (Frau des guten Spiels), die »weise Sibylle« und andere analoge Frauengestalten nach und nach dämonische Züge an[24]. Auch in der Gegend von Como überlagerte der Sabbat eine Schicht vergleichbarer Glaubensvorstellungen: Die nächtlichen Zusammenkünfte wurden dort, wie der Inquisitor Bernardo da Como festhielt, »Spiel der guten Gesellschaft« *(ludum bonae societatis)* genannt[25].

Zu einem vergleichbaren Vorgang kam es sehr viel später in einer ganz anderen Gegend Europas: in Schottland zwischen dem ausgehenden 16. und dem ausgehenden 17. Jahrhundert. Etliche als Hexen vor Gericht gestellte Frauen erzählten, im Geiste die Feen – die »guten Leute«, die »guten Nachbarn« – und ihre Königin, manchmal in Begleitung eines Königs, aufgesucht zu haben. »Ich war in den Dawnie-hills«, sagte eine dieser Frauen, Isabel Gowdie, aus, »und die Feenkönigin gab mir Fleisch – mehr als ich zu essen vermochte. Die Feenkönigin ist prächtig gekleidet, mit glänzenden Stoffen, weißen und schwarzen Gewändern... und der Feenkönig ist ein schöner Mann, kräftig gebaut, mit einem breiten Gesicht...«. Die Auslassungspünktchen zeigen hier die Momente an, in denen der Notar, gewiß auf Anweisung der Richter (der Pastor und der Sheriff von Auldern, eines Dorfes an den Ufern des Moray Firth), es für überflüssig hielt, diese Hirngespinste aufzuzeichnen. Man schrieb das Jahr 1662. Wir werden nie erfahren, wie diese Geschichte weiterging. Die Richter wollten von Hexen, vom Teufel hören; und Isabel Gowdie stellte sie zufrieden, ohne sich lange bitten zu lassen, wodurch sie die momentan unterbrochene Kommunikation wieder in Gang brachte[26].

Manchmal (aber seltener) kommt diese Mischung aus alten und neuen Glaubensvorstellungen auch in Prozessen gegen Männer zum Vorschein. Im Jahr 1597 erzählte Andrew Man den Richtern von Aberdeen, er habe der Elfenkönigin und dem Teufel gehuldigt, der ihm an einem Sommertag bei der Ernte in Gestalt eines Hirsches, aus dem Schnee hervorkommend, erschienen sei. Er habe sich Christsonday genannt. Andrew Man küßte ihm den Hintern. Er dachte, er sei ein Engel, ein Patensohn Gottes, und daß er »alle Gewalt unter Gott hätte«. Die Elfenkönigin sei dem Teufel untergeordnet, aber »in der Kunst bewandert *(has a grip of all the craft)*«. Die Elfen hätten wohlgedeckte Tische, machten Musik und tanzten. Es seien Schatten, aber mit der Gestalt und den Gewändern von Menschen. Ihre Königin sei wunderschön; mit ihr habe er, Andrew Man, sich fleischlich vereinigt[27].

Die Richter von Aberdeen hielten diese Erzählungen für »reine Hexereien und Teufelswerk *(plane witchcraft und devilrie)*«. Wir erkennen darin eine komplexere Überlagerung verschiedener Schichten. Die dünne diabolische Kruste, die sie umschließt, läßt sich unschwer mit der europäischen Verbreitung der dämonologischen Traktate erklären; ihnen lagen die Stereotypen zugrunde, die sich zwischen Ende des 14. und der ersten Hälfte des 15. Jahrhunderts in den westlichen Alpen herausgebildet hatten. Wahrscheinlich waren es die Richter von Aberdeen, die im Lauf der (uns leider nicht erhaltenen) Verhöre dem Angeklagten Einzelheiten wie die Teufelshuldigung durch Fragen und Folterungen entlockten. Aber die christlichen Elemente, die im Widerspruch zueinander in den Bekenntnissen von Andrew Man ans Licht kommen (der Teufel Christsonday, Engel und Patensohn Gottes), können nicht auf verbreitete Texte zurückgeführt werden. In den Geständnissen einiger Benandanti aus Friaul oder eines alten Werwolfs aus Livland begegnen wir analogen Aussagen: wir kämpfen, so sagten sie, »für den Glauben Christi«, wir sind »Hunde Gottes«. Diese übereinstimmenden Aussagen lassen sich schwerlich als defensive, im Lauf der Prozesse aus dem Stegreif ersonnene Ausflüchte werten. Weit eher handelte es sich um eine tiefere, unbewußte Reaktion: über eine ältere Glaubensschicht, die einem sie in diabolische Richtung abdrängenden Frontalangriff ausgesetzt war, wurde ein christlicher Schleier gebreitet[28]. Im Fall von Andrew Man handelte es sich um Glaubensvorstellungen, die um die »guten Nachbarn« – die Elfen und Feen – kreisten. Über jene Schattenwelt, wo man tafelt, musiziert und tanzt, herrscht die Elfenkönigin, der nunmehr – wie der »donna del bon zogo« in den Prozessen von Trient aus dem beginnenden 16. Jahrhundert – eine untergeordnete Position im Vergleich zum Teufel zukommt.

10. Auch Jeanne d'Arc hatten die Richter von Rouen gefragt (am 18. März 1430), ob sie etwas über jene wisse, die »mit den Feen durch die Lüfte ziehen«. Sie wehrte die Einflüsterung ab: Sie habe nie so etwas getan, habe aber davon reden hören; sie wisse, daß sich dies an Donnerstagen zutrage und daß es sich dabei lediglich um »Zauberei *(sorcerie)*« handle[29]. Dies ist nur eines von unzähligen Zeugnissen der allmählichen, sich über Jahrhunderte hinziehenden Diabolisierung einer Glaubensschicht, von der durch Texte von Kanonisten, Inquisitoren und Richtern nur Bruchstücke bis in unsere Zeit erhalten geblieben sind. Das Leitfossil, das uns erlaubt, diese Schicht zu erkennen, bilden die Hinweise auf geheimnisvolle, vor allem von Frauen verehrte weibliche Gestalten.

Mitte des 13. Jahrhunderts zitierte Vinzenz von Beauvais in seinem *Speculum morale* den *Canon Episcopi*, wobei er Diana und Herodias »weitere Personen« hinzufügte, welche die verblendeten Frauen »gute Dinge« *(bonae res)* nennen würden. Der *Roman de la Rose* sprach von den »bonnes dames« im Gefolge der Frau Habonde[30]. Jacopo da Varagine erwähnte in der bereits genannten Vita des heiligen Germanus die »guten Frauen, die in der Nacht umgehen«[31]. Ein Kanon eines Konzils in Conserans im Ariège-Gebiet, der den *Canon Episcopi* zum Vorbild hatte, schloß, wie erwähnt, einen Hinweis auf Bensozia (»Bona Socia«) mit ein. Ebenfalls im Ariège erklärte eine Frau, die die Dienste des *Armier* Arnaud Gélis in Anspruch genommen hatte, dem Inquisitor im Verhör, die »bonnes dames« seien auf Erden reiche und mächtige Frauen gewesen, welche nun auf Wagen herumführen, die Dämonen über Berg und Tal zögen[32]. Madonna Oriente wandte sich mit der Anrede »gute Leute« *(bona gens)* an ihre Anhängerinnen. Die alten Frauen aus dem Fassatal sprachen Richella mit »Gute Herrin« an. Im Fleimsertal wurde die nächtliche Göttin »la donna del bon zogo« genannt. »Gute Leute« oder »gute Nachbarn« hießen in Schottland und Irland die Feen. Dieser Schar können wir die friaulischen *Ben*andanti (*Wohl*fahrende) hinzufügen: eine von ihnen, Maria Panzona, die zu Beginn des 17. Jahrhunderts vor das Inquisitionsgericht gestellt wurde, hatte »gesenkten Hauptes« (wie Sibillia und Pierina) der »Frau, die in Majestät auf einem Dreifuß sitzt, genannt die Äbtissin«, gehuldigt[33]. In diesem ständig wiederkehrenden Adjektiv – »gut«, *bona* – vernimmt man einen zwiespältigen, Versöhnung heischenden Unterton. Hier kommen einem Epitheta wie »gute Göttin« oder »milde« in den Sinn, wie sie auf Hekate – die eng mit Artemis verbundene Totengöttin – beziehungsweise auf eine in Novae in Niedermösien (3. Jahrhundert v. Chr.) verehrte, mit Hekate identifizierte Göttin angewandt wurden[34].

Hinter den mit den »guten« nächtlichen Göttinnen verbundenen Frauen (und den wenigen Männern) zeichnet sich ein Kult von ekstatischem Charakter ab. Die weiblichen Benandanti behaupteten, während der Quatember in Ekstase zu fallen, in derselben Zeit, zu der sich die alten Frauen aus dem Fassatal zu ihrer Göttin begaben. Die angeblichen schottischen Hexen fielen in regelmäßigen Abständen in »extaseis and transis« und verließen ihre leblosen Körper in Gestalt eines unsichtbaren Geistes oder eines Tieres (einer Krähe)[35]. Von den Gefolgsleuten der »dame Habonde« hieß es, sie verfielen in Totenstarre, bevor sie, Türen und Mauern überwindend, ihre Reisen unternähmen[36]. Bereits der *Corrector* erklärte, verriegelte Türen stellten für die nächtlichen Flüge kein Hindernis dar. Eine ekstatische Erfahrung dürfte auch dort zu vermuten sein, wo sie, wie etwa im Fall der Anhängerinnen Richellas oder Orientes, nicht explizit erwähnt wird. In die Welt der wohltätigen Frauengestalten, die freigebig Wohlstand, Reichtum, Wissen spenden, gelangt man durch einen provisorischen Tod. Ihre Welt ist die Welt der Toten[37].

Diese Identität wird durch eine Reihe von Konvergenzen bestätigt. Die bis in jüngere Zeit in einem sehr großen geographischen Gebiet feststellbare Sitte, den Toten an bestimmten Tagen Wasser bereitzustellen, damit sie ihren Durst löschen können, erinnert an den bereits von Wilhelm von Auvergne und Vinzenz von Beauvais verurteilten und verlachten Brauch, den *bonae res* oder Abundia Sühnegaben darzureichen. Wie Oriente erteilt auch Abundia den Häusern, in denen sie mit ihrer unsichtbaren Gefolgschaft getafelt hat, ihren Segen[38]. In den Geständnissen von Arnaud Gélis, dem Küster aus dem Ariège-Gebiet, der die Toten sah, sind diese Segnungen – wie bei Oriente – den ordentlich geputzten Häusern vorbehalten: »Die Toten gehen gerne an saubere Orte und kehren in saubere Häuser ein, während sie schmutzige Orte und unreinliche Häuser nicht betreten wollen«[39]. Die Bedeutung der Analogie, von der wir ausgegangen waren, wird plötzlich klar. Wir können die Hexen und Hexer aus dem Wallis sowohl den Benandanti als auch der Schar der toten Seelen aus dem Ariège-Gebiet zur Seite stellen, denn im nächtlichen Flug zu den diabolischen Zusammenkünften klang, in einer bereits bis zur Unkenntlichkeit entstellten Form, ein uraltes Thema an: die ekstatische Reise der Lebenden in die Welt der Toten. Diese bildet den in der Volkstradition liegenden Kern des Stereotyps vom Sabbat.

11. In den 1418 oder wenig früher verfaßten und in der zweiten Hälfte des 15. Jahrhunderts dann mehrfach nachgedruckten *Sermones* des Dominikanerpre-

digers Johannes Herolt figuriert eine lange Liste von abergläubischen Personen. An neunzehnter Stelle stehen in der 1474 in Köln erschienenen Ausgabe diejenigen, die glauben, daß »Diana, in der Volkssprache *Unholde* oder *die selige Frawn* genannt, in der Nacht mit ihrem Heer umgeht und sie große Distanzen zurücklegen *(cum exercitu suo de nocte ambulet per multa spacia)*«. Wenig spätere Editionen derselben Sammlung (Straßburg nach 1478 und Straßburg 1484) setzten der Liste der Synonyme zuerst *Fraw Berthe* und dann *Fraw Helt* (anstelle von *Unholde*) hinzu[40]. Es handelte sich offensichtlich um eine Variation des Textes des *Canon Episcopi*, auch wenn einige Elemente beiseite gelassen waren: die als Reittiere benutzten Tiere, der der Göttin geleistete Gehorsam und die Ausfahrt in bestimmten Nächten. Welche Bewandtnis aber hat es mit dem »Heer«?

Vom 11. Jahrhundert an sprechen eine Reihe lateinischer und volkssprachlicher literarischer Texte aus einem Großteil des europäischen Kontinents – Frankreich, Spanien, Italien, Deutschland, England, Skandinavien – von Erscheinungen des »Wütenden Heeres« (*Wütischend Heer, Mesnie furieuse, Mesnie Hellequin, exercitus antiquus*), auch »Wilde Jagd« (*Chasse sauvage, Wild Hunt, Chasse Arthur*) genannt. In ihnen wird die Schar der Toten erkannt; manchmal präziser: die Schar der zur Unzeit Gestorbenen – in der Schlacht getötete Soldaten, ungetaufte Kinder. An ihrer Spitze finden sich wechselnde mythische (Herlechinus, Wotan, Odin, Artus usw.) oder mythisierte Gestalten (Dietrich von Bern)[41]. Wie schon aus den ältesten Zeugnissen hervorgeht, wurde ein in denkbar weit auseinanderliegenden Kulturen anzutreffendes Thema – die bedrohliche Erscheinung ruheloser Toter – in christlichem und moralisierendem Sinne neu interpretiert, und zwar in enger Entsprechung zum Bild vom Purgatorium, das damals in Ausarbeitung begriffen war[42]. Die zuinnerst folkloristischen Charakteristika dieser Glaubensvorstellung scheinen jedoch in den Figuren auf, welche die »Wilde Jagd« anführen.

Herolts Hinweis auf das Heer der Diana vermengte diese Traditionen mit den vom *Canon Episcopi* verurteilten Überzeugungen. Unklar ist, ob er eine Glaubensvorstellung wiedergab, auf die er bei seiner Tätigkeit als Wanderprediger gestoßen war, oder ob er eine persönliche Interpretation einiger abergläubischer Vorstellungen vorschlug, die er auszumerzen versuchte. Gewiß, die Beispiele, in denen mythische Frauengestalten (Berchtholda, Perchta) das »Wütende Heer« anführen, sind äußerst rar und stammen alle aus späterer Zeit (hundertfünfzig Jahre oder mehr) als der Text von Herolt[43]. Unserer Ansicht nach sind die Worte »Diana mit ihrem Heer« jedoch wichtig, weil sie die »verblendeten Frauen« des *Canon Episcopi* implizit mit den Scharen der Toten identifizieren. Dies bestätigt die Interpretation des in der Volkstradition liegenden Kerns des Sabbat als einer Reise ins Jenseits[44]: aber zugleich eröffnet es auch die Möglichkeit, die Untersuchung auf die Zeugnisse über die Totenerscheinungen auszudehnen.

12. Das hier sich abzeichnende Dilemma ist nicht nur für die Untersuchung als solche folgenreich. Die Traditionen zum »Wütenden Heer« wurden interpretiert als eine zusammenhängende mythische und rituelle Konfiguration, in welcher durch den expliziten und impliziten Bezug auf die Figur Wotans eine seit alters-

her bestehende kriegerische Berufung der germanischen Männer zum Ausdruck kommen soll[45]. Die mailändischen Prozesse gegen Sibillia und Pierina wurden verstanden als Zeugnis für ein weibliches Streben nach einer selbständigen, einzig aus Frauen bestehenden, von einer mütterlichen, weisen Göttin regierten Welt[46]. Der Absatz bei Herolt scheint nahezulegen, daß diese anscheinend so unterschiedlichen Bilder – von ihm oder von anderen – als Aspekte eines einzigen mythischen Bildes aufgefaßt wurden. Ein Vergleich zwischen den beiden dokumentarischen Reihen ist daher notwendig[47].

13. Gehen wir von den literarischen Texten aus. Es handelt sich um eine heterogene Textgruppe, die die Zeitspanne vom 10. bis zum 18. Jahrhundert abdeckt: Predigten, Andachtsschriften, Gesetzessammlungen, Leitfäden für Beichtväter, dämonologische Traktate, Versdichtungen, popularisierende Dichtungen usw.[48]. Aber der aus ihnen hervorgehende Gegensatz ist klar und deutlich. Die aus Männern und Frauen zusammengesetzte Totenschar wird, wie gesagt, in der Regel von mythischen oder mythisierten männlichen Gestalten angeführt und zeigt sich fast ausschließlich Männern (Jägern, Pilgern, Wanderern) in gelegentlichen Erscheinungen, besonders häufig in der Zeit zwischen Weihnachten und Dreikönig. Der von weiblichen Gestalten geführte Zug der ekstatischen Frauen zeigt sich in regelmäßig wiederkehrenden ekstatischen Zuständen fast immer Frauen[49], und zwar zu festgelegten Zeiten.

Eine Überprüfung des nicht literarischen Belegmaterials – namentlich von Prozeßakten – kompliziert dieses Bild. Wir treffen in manchen Fällen auf Männer, die sich in Ekstase zur Elfenkönigin begeben (in der wir eine Variante der nächtlichen Göttin erkannt haben); auf Frauen, die wie die weiblichen Benandanti aus Friaul in Ekstase Totenprozessionen beiwohnen; auf Männer, die sich, wie wir sehen werden, in Ekstase an Kämpfen um die Fruchtbarkeit der Felder beteiligen. Der Zusammenhang zwischen a) Männern, Erscheinungen und Totenscharen, an deren Spitze männliche Gestalten stehen, sowie b) Frauen, Ekstasen und Umzügen im Gefolge einer weiblichen Gottheit erhält zum Teil einen Riß, ohne daß jedoch von der Rollenaufteilung nach Geschlechtern, die diese Beziehungen zum Jenseits zu regeln scheint, Abstand genommen würde. Die Erscheinungen der Toten werden fast überall als »Jagd« (caccia, chasse), »Heer« (mesnie, exercitus), »Gesellschaft« (societas), »Gefolgschaft« (familia) bezeichnet; die Treffen zwischen der Göttin und ihren Anhängerinnen, zumindest in den norditalienischen Zeugnissen, als »Gesellschaft« (societas), »Spiel« (ludus), »Spiel der guten Gesellschaft« (ludus bonae societatis)[50]. Abgesehen von einer unterschiedslos gebrauchten neutralen Bezeichnung wie »Gesellschaft« (societas), sehen wir einen Gegensatz hervortreten zwischen Tätigkeiten, die den Männern vorbehalten waren (Krieg, Jagd) und solchen, zu denen die Frauen Zugang hatten (Spiel).

Herolts Hinweis auf das Heer der Diana kann also als eine einzelnstehende Variante angesehen werden. Sie erinnert uns daran, daß Erscheinungen und Ekstasen – als verschiedene Kommunikationsweisen zwischen den Lebenden und der Welt der Toten – einem Urgrund gemeinsamer Glaubensvorstellungen entstammen. Doch der in überwiegender Mehrheit von Frauen praktizierte ekstatische Kult der nächtlichen weiblichen Gottheiten zeichnet sich als spezifisches und vergleichsweise begrenzteres Phänomen deutlich ab. Die geographische Streuung der Belege bestätigt dies.

14. Diese beziehen sich auf das Rheinland, aus dem die weiter oben erwähnten Bußbücher und Synodalbeschlüsse stammen (bis auf jene der Synode von Conserans, die in der Gegend von Toulouse stattfand); auf das kontinentale Frankreich; auf den Alpenbogen und die Poebene; auf Schottland. Dieser Liste ist Rumänien anzufügen, wo, wie wir sehen werden, semi-ekstatische Rituale praktiziert wurden, und zwar unter dem Schutz von *Doamna Zînelor*, genannt auch *Irodiada* oder *Arada* – d. h. Diana und Herodias, was einen Beleg für eine zumindest verbale Verinnerlichung der von den Klerikern suggerierten Interpretationen darstellt[51]. Es handelt sich um nur scheinbar heterogene Gebiete: gemeinsam ist ihnen, daß sie Hunderte von Jahren hindurch (in manchen Fällen seit dem 5. vorchristlichen Jahrhundert) von Kelten besiedelt waren[52]. In der von keltischen Einflüssen unberührten germanischen Welt scheint der ekstatische Kult der nächtlichen Göttin nicht vorzukommen. Demnach hätte man diesen als ein Phänomen zu erklären, das mit einem keltischen Substrat in Zusammenhang steht und mehr als ein Jahrtausend später in den mailändischen Prozessen vom Ende des 14. oder in den schottischen Prozessen aus dem späten 17. Jahrhundert wieder ans Licht kommt. Nur so erklären sich beispielsweise die verblüffenden Analogien zwischen den Angaben der Benandanti und des »Feenjungen«, der jeden Donnerstag unter den Hügel zwischen Edinburgh und Leith die Trommel schlagen ging: dort gelangten Männer und Frauen durch unsichtbare Türen in prunkvolle Gemächer, und nachdem sie bei Musik und unter Scherzen getafelt hatten, machten sie sich zum Flug in entlegene Länder – Frankreich oder Holland – auf[53].

Bisher haben wir – nicht anders als die Inquisitoren – den sogenannten *Canon Episcopi* als Dechiffrierungscode für Zeugnisse zunehmend jüngeren Datums verwendet. Wenn wir aber den Kanon selbst (ursprünglich, wie gesagt, eine fränkische Gesetzesverordnung) zu entziffern versuchen, entdecken wir, daß er den Endpunkt einer dokumentarischen Reihe bildet; einer Reihe, die nicht allein ein Substrat, sondern einen richtiggehenden, kontinuierlichen Zusammenhang mit Elementen der keltischen Religion impliziert.

Zu Beginn des 5. Jahrhunderts beschrieb Maximus von Turin in einer Predigt gegen die heidnischen Kulte einen betrunkenen Bauern, der bereit war, sich zu Ehren einer ungenannten Göttin (vielleicht Kybele) zu verstümmeln, und verglich ihn mit einem *dianaticus* oder einem Weissager. Der Terminus *dianaticus*, eingeführt mit der erklärenden Floskel »wie man gemeinhin sagt« (*sicut dicunt*), war demnach geläufig: ebenso wie sein Synonym *lunaticus* bedeutete er wahrscheinlich »von Geistern beherrscht«, »besessen«, von religiöser Raserei ergriffen[54]. Gregor von Tours erwähnt eine Dianastatue, die man in der Nähe von Trier verehrte; noch am Ende des 7. Jahrhunderts bezeigte die fränkische Bevölkerung einer Vita des heiligen Kilian zufolge ihre Feindschaft gegen die christlichen Missionare, indem sie der »großen Diana« huldigte – eine Bezugnahme des Hagiographen auf die Stelle der *Apostelgeschichte* über die große Göttin von Ephesos, die auch bei Cusanus erwähnt wird. Zweifellos hatte aber bereits die

❧ GRATIA PROPOSTA DAL ❧
REVERENDO PADRE INQVISITORE DI
FERRARA MODONA REGGIO, &c.

A tutti li fideli Chriſtiani cadduti in Hereſia, che ſono ſotto la ſua Giuriſditione.

FRATE Camillo Campeggio da Pauia dell'Ordine de Predicatori nelle Città di Ferrara di Modona, di Reggio & nelle loro Dioceſi Inquiſitore, & in tutto lo ſtato dell'Illuſtriſſimo & Eccellentiſſimo Sig. il Signor Don ALFONSO Quinto Duca di Ferrara &c. Contra gli Heretici & altri nimici della ſanta fede, dalla Apoſtolica Sede Commiſſario ſpecialmente deputato, a tutti li fideli chriſtiani in qual ſi voglia modo pertinenti alle ſudette Città, o loro dioceſi ſalute gratia, & pace, in Chriſto Gieſu noſtro Sig. e Padre. Hauendo in ſempre deſiderato che le anime ſmarrite, con la vorga di pietà ſi riduchino al mile del gran paſtore noſtro Gieſu Chriſto, perſuadendomi che molti ſonoſchmaga mente dormino ne gli errori, non curandoſi di vſcire dalle prigioni del Demonio, per la vergogna, o confuſione che pare loro di riceuere ogni volta che col mezzo de l'abiuratione o penitentia publica venghino alla riconciliatione della ſanta Chieſa. Coſa però che non doueria punto ritenergli, eſſendo l'errore o vitio de l'hereſia tanto graue, enorme, & in deſgratia à N. S. Dio, che niſuno che per alcun tempo ſta ſtato in tal peccato doueria ricuſare o temere qual ſi voglia ſorte o modo di penitentia anchora che vitupeoſa, & aſperiſſima foſſe, accoſtandomi alla pietà di queſta noſtra ſanta Madre, che accetta, & raccoglie tutti pur che di cuore tornino a penitentia, hauendo molta compaſſione alla miſera, & fracida conditione humana. Con l'authorità apoſtolica a me in queſta parte commeſſa, ho deliberato de aſſignare vn termine di gratia fra il quale ciaſcheduno che circa la Fede o Dottrina della ſanta Chieſa Romana, in qual ſi voglia modo haueſſe errato troui la via piana, e piu facile di ſaluarſi, ritornando alla concordia, & vnione della ſudetta madre. La onde per queſta hereſici a ricevere queſta gratia che io con tanta pietade e corteſia gli porgo.

SI fa dunque intendere che chi per ſuggeſtione di Sathana padre della bugia e nemico della verità, foſſe caduto in falſe opinioni, o in qual ſi voglia modo ſi foſſe accoſtato alla Dottrina di qualche Lutherano o altro heretico, o haueſſe tenuto o letto libri Lutherani, & heretici dannati, ouero allegiato in caſa heretici, o dato loro conſiglio, auito, o fauore.

Chi haueſſe altrimente creduto circa li Sacramenti o loro miniſterio di quel che tiene e crede la ſanta Romana Chieſa Catholica, ouero haueſſe vſato le coſe Sacramentali in maleficij.

Chi haueſſe inuocato, o pregato li demoni per ſapere le coſe occulte, o che hanno a venire, o datogli honore riuerenze, incenſi, profumi, o ſacrificij, ouero chi haueſſe fatto qualche altra ſorte d'incantci o ſuperſtitione, la quale manifeſtamente contenghi la deformità de l'hereſia.

Chi haueſſe rinegata la ſanta fede chriſtiana, conuertendoſi al giudaiſmo e circonciſione, o al paganeſmo, o a qualche altra ſetta o ſorte d'infidelità.

Chi haueſſe ſprezzato le leggi, ordini, decreti, ſtatuti, conſtitutioni, conſuetudini, officij, meſſe, cerimonie, cenſure, comuniche, o pene fatte, inſtituite, & aſſegnate dalla ſanta Romana chieſa con credere o dire che non leghino, o oblighino il chriſtiano ad oſſeruargli, & vbidirgli.

Chi haueſſe negata la poteſtà del ſommo Pontefice, o della ſanta Romana chieſa.

Et in ſomma chi foſſe caduto in qualche altra maniera di errori pertinenti al giudicie della ſanta Inquiſitione perche non ſia publico o notorio ma ſecreto, & che non ſia relapſo, o inquiſito, o denontiato, o altrimente inditiato appreſſo il ſanto officio in queſto dominio, o altroue, e ſe ne venghi nel termine di quindeci giorni dopo la notificatione di queſta, ben penutio ad accuſare e confeſſare ſincera, & intieramente tutti gli errori e complici ſuoi da me, ouero in mia abſentia da miei Vicarij e Luocotenenti, e da me a queſto officio ſpecialmente eletti ſarà admeſſo e ricevuto alla abiuratione e penitentia ſecreta per gratia ſingulare.

Auertendo poi ciaſcheduno di qual ſi voglia ſtato, grado, ordine, & conditione, che paſſato il detto termine delli quindeci giorni ſi procederà poi al caſtigo di quelli che ſarà no per heretici o ſoſpetti di hereſia denontiati al ſanto officio della Inquiſitione.

Aſtringendo, & obligando ogni fidel Chriſtiano ſotto pena di eſcomunicatione, che ſappi alcuno tenere, o credere, o ſparlare delle ſudette coſe, o tenghi o lega libri prohibiti in termine di quindeci giorni che le hara legato manifeſtarlo giuridicamente al ſanto officio noſtro, aſſicurandogli che tutti li denontiatori ſaranno tenuti ſecreti.

E perche il vitio della hereſia è grandiſſimo, e ſi come merita grandiſſima pena, coſi non è da imputare coſi leggiermente. Però ogni vno auertiſca a non dare falſe imputationi al proſſimo per appetito di vendetta, o per qualche altra paſſione, ma tutti ſi armino di giuſtitia, e di verità, e di zelo chriſtiano, e cerchino di dare a Chriſto, quello che è di Chriſto, & a Ceſare quello che è di Ceſare. Ponendoſi il timore di N. S. Dio inanzi a gli occhi, la ſalute del proſſimo, e la gloria di Gieſu Chriſto qual porgo vi inſtradi, e guidi tutti al ſuo ſanto Regno, in cui ſi viue ne i ſecoli delli ſecoli Amen. Data in Ferrara nel officio della ſanta Inquiſitione. Alli 2. di Genaro 1564. nell'anno Quinto del Pontificato del Santiſſimo in Chriſto Padre e Signor noſtro, il Signor Pio Papa Quarto.

Frate Camillo Campeggio Inquiſitore e Comiſſario.

Rainaldus de Hectore Santiſſimę
Inquiſitionis de mandato.

LO Illuſtriſſimo, & Eccellentiſſimo Sig. il Sig. Duca di Ferrara fa intendere ad ogn'vno come Principe veramente Chriſtiano Catholico e pio, che acciocheie le ſudette coſe ſiano oſſeruate, & adempite, promette di dare a miniſtri della Santa Inquiſitione ogni braccio, & fauore, non ſolamente nelle coſe qui eſplicate, ma in altre occaſioni ſecondo che alla giornata auerranno. Di Ferrara 2. di Genaio. M. D. LXIIII.

GIO. BATT. PIGNA.

Stampata in Ferrara per Franceſco di Roſſi da Valenza. 1564.

oben:
Aufruf des Inquisitors Fra Camillo Campeggi vom 2. Januar 1564

unten:
Ausschnitt aus obiger Abbildung. Die Frau auf dem Wagen ist die geheimnisvolle Göttin, die den nächtlichen Zusammenkünften vorsaß; die alte Frau ihr gegenüber ist eine Hexe. Die Initiale stammt höchstwahrscheinlich aus einem (heute unauffindbaren) *Piacevole dialogo* des Philosophen Vincenzo Maggi aus Brescia, Professor an der Universität Ferrara, in welchem die nächtliche Göttin als »Fantasima« (Gespenst) bezeichnet wurde.

römische Gottheit Diana die Stelle einer oder mehrerer keltischer Gottheiten eingenommen: deren Namen und Gepräge kommen nur in Ausnahmefällen zum Vorschein[55]. In einem Grab vom Ende des 4. oder Anfang des 5. Jahrhunderts n. Chr., das man in Roussas in der Dauphiné entdeckte, fand man eine rechteckige Tontafel: auf deren Oberfläche ist grob das Bild einer auf einem Tier mit langen Hörnern reitenden Figur eingeritzt, zusammen mit der Inschrift FERA COM ERA, »mit der grausamen Era« (vgl. Abb. S. 107). Era, Hera oder Haerecura gewidmete Inschriften aus derselben Zeit hat man in Istrien, der Schweiz und der Gallia Cisalpina gefunden[56]. In dieser keltischen Göttin trat der antike Kern einer Bindung ans Totenreich, den man in der gleichnamigen griechischen Hera ausgemacht hat, dauerhaft in Erscheinung[57]. Noch zu Anfang des 15. Jahrhunderts glaubten Bauern in der Pfalz, eine Gottheit mit Namen Hera, Spenderin von Überfluß, fliege während der Zwölf Tage zwischen Weihnachten und Dreikönig umher, in der zur Rückkehr der Toten bestimmten Zeit[58]. Zwischen diese chronologisch so weit voneinander entfernten Zeugnisse fügt sich die weibliche Figur auf der in Roussas gefundenen Tontafel wie ein Verbindungsglied ein. Einerseits bestätigt sie die alte Hypothese, welche die Präsenz von »Herodiana« (später in Herodias normalisiert) unter den Synonymen der nächtlichen Göttin mit einem Mißverständnis von »Hera, Diana« erklärte[59]; auf der anderen die Interpretation, welche die Glaubensvorstellung von den »verblendeten Frauen«, die nachts »auf gewissen Tieren« der »heidnischen Göttin Diana« nachreiten, auf die Totenwelt bezieht.

Die römische Schale barg also einen keltischen Kern. Im übrigen ist die Vorstellung des nächtlichen Ritts der klassischen Mythologie im wesentlichen fremd[60]. Weder die Götter noch die homerischen Helden etwa pflegen zu reiten: Pferde benutzen sie fast ausschließlich dazu, sie vor den Wagen zu spannen. Bildnisse der Diana (oder Artemis) zu Pferde sind äußerst rar[61]. Man hat angenommen, diese hätten die im Gegenteil dazu sehr zahlreichen Abbildungen einer fast immer zusammen mit Pferden dargestellten keltischen Gottheit anzuregen vermocht: der Epona. Nun stammen aber die ältesten Zeugnisse zum Ritt der Diana aus Prüm, Worms, Trier – aus einem Gebiet also, in dem man eine große Zahl von Abbildungen der zu Pferd sitzenden oder neben einem oder zwei Pferden stehenden Epona gefunden hat (vgl. Abb. S. 107). In der von Regino aus der fränkischen Gesetzessammlung übernommenen »Diana paganorum dea« wäre demzufolge wahrscheinlich eine *interpretatio romana* der Epona oder einer ihrer lokalen Entsprechungen zu sehen[62]. Wie die Era von Roussas war Epona eine Totengöttin, die häufig mit einem Füllhorn, dem Symbol des Überflusses, dargestellt wurde[63]. Wie wir gesehen haben, kehren diese beiden Elemente in den Namen und besonderen Kennzeichen von Figuren wie Abundia, Satia, Richella wieder. Das Bild der Epona, das möglicherweise jenem der Diana nachgebildet war, nährte also lokale Kulte, die dann als Diana-Kulte gedeutet wurden. Das Spiegelspiel zwischen den Interpretationen und Entwürfen der herrschenden Kultur und ihrer Rezeption durch die unterworfene Kultur wurde lange Zeit fortgesetzt. Noch Mitte des 13. Jahrhunderts bezeichnete ein Wort wie *genes* (abgeleitet von Diana) ein doppeldeutiges Wesen, eine Art Fee. Zweihundert Jahre später war *ianatica* bereits ein Synonym von Hexe[64].

Ziegel, gefunden in Roussas/Dauphiné, 4./5. Jh. n. Chr. Grob eingeritzt eine fliegende Figur, die auf einem Tier (einem Hirschen? einem Pfauen? wahrscheinlicher einem imaginären Tier) reitet. Die Wörter neben der Figur enthüllen ihre Identität: Era, »die grausame Era«. Der Kult dieser Totengöttin bestand in einigen Teilen Europas länger als ein Jahrtausend.

Die keltische Göttin Epona zu Pferde, Paris, Louvre

15. Aber Epona, die Beschützerin der Pferde und Ställe, ist nur eine der Gottheiten, welche den späterhin in die stereotypisierte Beschreibung des Dianarittes eingeflossenen Glaubensvorstellungen Nahrung gaben. Mit Epona wurden nämlich andere Gestalten aus dem rätselhaften, unter dem Ansturm des Christentums bereits in Auflösung begriffenen Pantheon der keltischen Religion in Zusammenhang gebracht[65]. Mitten im 13. Jahrhundert kommen sie an einer Stelle bei Wilhelm von Auvergne wieder zum Vorschein, die den Ausführungen zu den von Abundia angeführten »Nachtfrauen« unmittelbar vorausgeht. Es handelt sich um Geister in der Gestalt von jungen Mädchen oder von Matronen, die, weiß gekleidet, sich bald in Wäldern, bald in Ställen aufhalten, wo sie Kerzenwachs auf die sorgfältig von ihnen geflochtenen Mähnen der Pferde tropfen lassen: dieses Detail kehrt in Mercutios Beschreibung der Queen Mab – einer weiteren nächtlichen Gottheit – in *Romeo und Julia* (I, 4) wieder[66]. Diese weiß gekleideten *Matronae* sind ein spätes Echo auf die *Matrae*, *Matres* oder *Matronae*, denen zahlreiche, zumeist von Frauen in Auftrag gegebene Inschriften gewidmet sind, wie man sie am Niederrhein, in Frankreich, England und Norditalien aufgefunden hat (vgl. Abb. S. 109)[67]. In einem Fall – einer im Gebiet zwischen Novara und Vercelli aufgefundenen Inschrift – werden diese Gottheiten mit Diana in Zusammenhang gebracht[68]. Die den Epigraphen häufig beigegebenen Reliefs stellen die *Matronae* in Gestalt dreier sitzender Frauen dar (seltener sind es zwei, manchmal nur eine). Wie Epona weisen auch sie Symbole des Reichtums und der Fruchtbarkeit auf: ein Füllhorn, einen Fruchtkorb, ein Kind in Windeln. Die ekstatische Natur dieser Kulte bezeugt die Häufigkeit, mit der in den *Matres* oder *Matronae* gewidmeten Inschriften Formulierungen auftauchen, die auf einen direkten, über den Gesichtssinn (*ex visu*) oder den Gehörsinn (*ex imperio, ex iussu*) hergestellten Kontakt hindeuten[69].

Auf diese Gottheiten ist höchstwahrscheinlich der Ausdruck *modranicht* (Nacht der Mütter) zu beziehen, der Beda Venerabilis zufolge im heidnischen Britannien die – vielleicht auch Epona geweihte – Wachnacht bezeichnete, der im christlichen Kalender die Weihnacht entspricht[70]. Nun hatten die Nächte vom 24. Dezember bis zum 6. Januar im keltischen Kalender eine ähnliche Schaltfunktion wie in der germanischen Welt die *Zwölften*, die zwölf Tage, an denen, wie man glaubte, die Toten umgingen[71]. Die *Matres* waren nicht nur Beschützerinnen der Gebärenden, sondern wahrscheinlich auch, wie Epona, mit der Totenwelt verbunden: eine britannische Inschrift und einige Monumente rheinischer Herkunft aus den ersten nachchristlichen Jahrhunderten assoziieren sie mit den Parzen. Wenig nach dem Jahr 1000 identifizierte Burchard von Worms mit den heidnischen Parzen diejenigen drei Gottheiten (gewiß die *Matres*), denen die Leute in bestimmten Nächten Speisen mit drei Messern bereitstellten[72].

Die *Fatae*, denen ein in Colonia Claudia Savaria (heute Szombathely), einem von gallischen Boiern besiedelten Ort, aufgefundener Altar geweiht war, sind als eine lokale Variante der *Matres* identifiziert worden[73]. Eine lange Zeit hindurch – Jahrhunderte, ja sogar Jahrtausende – bewohnten Matronen, Feen und andere wohltätige, dem Totenreich verbundene Gottheiten unsichtbar das keltisierte Europa[74].

Basrelief mit einer Darstellung der *Matres* oder *Matronae*, Gottheiten, die in einem Großteil des keltisierten Europa verehrt wurden. Oft in Dreiergruppen dargestellt, seltener als Einzelfiguren. Die Haube, die den Kopf der Seitenfiguren schmückt, erinnert möglicherweise an einen ortsüblichen Kopfschmuck.

16. All dies wirft unverhofftes Licht auf Ausführungen des byzantinischen Geschichtsschreibers Prokopios von Kaisareia, die wahrscheinlich um das Jahr 552 oder 553 niedergeschrieben wurden. Es handelt sich um die vielleicht berühmteste Passage der *Gotenkriege*. Prokopios spricht von einer Insel, die er Brittia nennt. Plötzlich unterbricht er seine Erzählung, um einem Exkurs Raum zu geben, den er mit sorgsam gesetzten, feierlichen Worten einleitet:

»Da ich nun in meinem Bericht so weit gelangt bin, muß ich auch einer reichlich märchenhaften Geschichte Erwähnung tun: Sie machte mir zwar einen ganz und gar unglaubwürdigen Eindruck, obwohl sie immer wieder von zahllosen Leuten vorgebracht wurde, die die Vorgänge erlebt und mit eigenen Ohren davon gehört haben wollten...«. Es handelt sich um die Einwohner bestimmter, gegenüber von Brittia, an der Küste des Ozeans gelegener Fischerdörfer. Sie sind Untertanen der Franken, doch als Gegenleistung für ihre Dienste sind sie von alters her jeglicher Tributzahlung enthoben. Ihr Dienst aber besteht darin: Die Seelen der Verstorbenen gelangen schließlich allesamt auf die Insel Brittia. Die Einwohner der Küstendörfer werden abwechselnd damit beauftragt, sie überzusetzen: »Wer nun in der folgenden Nacht das Amt übernehmen und sich zu dieser Dienstleistung einfinden muß, begibt sich gleich nach dem Dunkelwerden in sein Haus und pflegt hier der Ruhe, wobei er auf den Anführer des Zuges wartet. Mitten in der Nacht merken sie plötzlich, wie an die Türen geschlagen wird, und vernehmen die Stimme eines Unsichtbaren, der sie zum Werk zusammenruft. Daraufhin erheben sie sich sofort von ihren Lagerstätten und gehen zum Gestade, von einem gewissen Zwange getrieben, aber ohne recht zu wissen, welcher Art dieser ist«. Am Ufer finden sie spezielle Boote, die leer sind. Aber wenn sie hineinsteigen, versinken die Boote fast bis zum Rand im Wasser, so als wären sie schwer beladen. Sie legen Hand an die Ruder; nach ungefähr einer Stunde (während die Reise gewöhnlich eine Nacht und einen Tag dauert) legen sie in Brittia an. Wenn sie ihre Passagiere abgeladen haben, treten sie mit leichten Booten ihre Rückfahrt an. Sie haben niemanden gesehen, nur eine Stimme gehört, die den Ruderern die soziale Stellung ihrer Fahrgäste und den Namen des Vaters, bei Frauen jenen des Ehegatten mitteilt[75].

Von welchen Informanten Prokopios von dieser lokalen Tradition erfahren hat, ist uns nicht bekannt[76]. Die Identifizierung Brittias mit Britannien scheint sehr wahrscheinlich, auch wenn alternative Hypothesen formuliert worden sind (Jütland, Helgoland). Die Fischerdörfer der Fährmänner für die toten Seelen, von denen aus man normalerweise einen Tag und eine Nacht rudern mußte, um Brittia zu erreichen, müssen an den Küsten von Armorica (der heutigen Bretagne) gelegen haben[77]. Diese Landstriche waren seit der Antike in einen legendären Nebelschleier gehüllt. Zu Beginn des 5. Jahrhunderts schrieb Claudian, daß Armorica, an den Ufern des Ozeans, als der Ort anzusehen sei, wo Odysseus das Volk der Schatten angetroffen habe: dort sähen »die Bauern... die bleichen Schatten der Toten umherschweifen«[78]. Bereits Plutarch (der vielleicht auf keltische Traditionen zurückgriff) hatte von einem Mythos erzählt, demzufolge auf einer Insel jenseits Britanniens der Gott Kronos im Schlaf liege[79]. Noch im 12. Jahrhundert glaubte der byzantinische Gelehrte Tzetzes, ausgehend von der Passage bei Prokopios, die »seligen Inseln« lägen jenseits des Ozeans[80].

Aber die Diskussionen, welche die vagen und teilweise märchenhaften geographischen Angaben bei Prokopios auslösten, haben das eigentümlichste Element der ganzen Geschichte im Dunkel gelassen: die in regelmäßigen Abständen angetretenen nächtlichen Reisen der Seelenfährmänner[81]. Aufgenommen in die Reihe der Zeugnisse, die wir hier analysieren, erscheint dieses Detail weniger außergewöhnlich. »Mitten in der Nacht merken sie plötzlich, wie an die Türen geschlagen wird, und vernehmen die Stimme eines Unsichtbaren, der sie zum Werk zusammenruft«, heißt es bei Prokopios. »Mir erschien ein gewisses unsichtbar Ding im Traum, das einem Mann ähnelte, und mich deuchte, ich schliefe, und schlief doch nicht... und mich deuchte, daß er mir sagte: ›Du mußt mit mir kommen...‹«. »Daraufhin erheben sie sich sofort von ihren Lagerstätten und gehen zum Gestade, von einem gewissen Zwange getrieben, aber ohne recht zu wissen, welcher Art dieser ist«, fährt Prokopios fort. »Wir müssen gehen...«; »und so sagte ich, wann es nötig wäre zu gehen, würde ich gehen...«.

Die zweite Stimme dieses Wechselgesangs besteht aus Aussagen zweier gegen Ende des 16. Jahrhunderts vor Gericht gestellter Benandanti aus Friaul[82]. Die anonymen Informanten des Prokopios, die beteuerten, persönlich an der Überfahrt der Seelen teilgenommen zu haben, werden vielleicht ähnliche Worte wie sie benutzt haben, um die unbekannte Macht zu beschreiben, die sie zu ihrem Tun zwang. Die im Geiste wahrgenommenen Aufgaben jener Benandanti waren, wie wir sehen werden, andere. Beide Erzählungen erwähnen keine weiblichen Göttinnen (bei Prokopios ist die Stimme, die am dunklen Strand die Namen der Toten nennt, geschlechtslos). Aber in beiden erklingt das unverkennbare, mehr oder weniger überarbeitete Echo einer ekstatischen Erfahrung. Tausend Jahre liegen zwischen diesen Zeugnissen. Man ist versucht, sie nebeneinanderzustellen und in beiden Fällen die Präsenz eines keltischen Substrats zu vermuten, das in der Bretagne wie in Friaul in Verbindung mit verschiedenen Traditionen auf lange Zeit eine volkstümliche Totenreligion am Leben erhielt[83].

17. Aus diesem mythischen Kern aber speiste sich im Lauf des Mittelalters auch eine völlig andere Tradition, keine mündliche, sondern eine – allerdings volkssprachliche – schriftliche; keine volkstümliche, sondern eine höfische; eine nicht an ekstatische, sondern an literarische Erfahrungen gebundene Tradition. Es handelt sich um die Romane des Artus-Zyklus. Wie man bemerkt hat, erscheint Artus darin bisweilen nachgerade als Totenkönig. Seine Darstellung auf einer Art von Bock (»auf einem gewissen Tier«, könnten wir frei nach dem *Canon Episcopi* sagen) im großen Fußbodenmosaik von Otranto, das aus den Jahren 1163–1165 datiert (vgl. Abb. S 112), wie auch sein Erscheinen an der Spitze der »Wilden Jagd« hundert Jahre später bezeugen die Nähe zwischen literarischen Ausarbeitungen und Vorstellungen aus dem Volksglauben, die auf einer Kommunikation mit dem Jenseits basieren[84]. In der Reise von Helden wie Erec, Perceval, Lancelot zu geheimnisvollen Burgen, die durch eine Brücke, eine Steppe oder das Meer von der Menschenwelt getrennt sind, hat man eine Reise in die Welt der Toten erkannt. Manchmal künden sogar die Ortsnamen (*Limors, Schastel le mort*) von dieser Identität[85]. Es handelt sich um Orte, an denen das Dasein dem Fluß der Zeit enthoben ist. Der Reisende muß sich vor Speisen hüten,

Ausschnitt aus dem Fußbodenmosaik der Kathedrale von Otranto, das der Priester Pantaleon von 1163–65 herstellen ließ. Die dargestellte Person ist laut Inschrift der mythische König Artus, der einigen volkstümlichen Glaubensvorstellungen zufolge die Schar der umherschweifenden toten Seelen anführte.

die man dort zu sich nimmt – Totenspeise, die einer uralten Tradition zufolge den Lebenden verwehrt ist[86]. In einigen irländischen Texten (*echtrai*, d. h. Abenteuer) hat man die literarischen Vorläufer dieser Erzählungen erkannt[87]. Aber die Analogien zur ekstatischen Tradition, von der wir hier sprechen, deuten auf einen gemeinsamen Grund keltischer Mythen hin. Artus' Schwester, *Morgain la fée*, die Fee Morgana, ist die späte (wenngleich um neue Elemente bereicherte) Reinkarnation zweier keltischer Göttinnen: der mit Epona verbundenen irländischen Morrigan und der gallischen Modron[88]. Letztere ist nichts anderes als eine der seit den ersten Jahrhunderten christlicher Zeitrechnung verehrten *Matronae*[89]. Die Verwandtschaft zwischen den Feen, denen wir in den Geständnissen schottischer Hexen aus dem 16. und 17. Jahrhundert begegnen, und den Feen, die die Artusromane bevölkern, ist sehr eng.

 All dies bestätigt die Wichtigkeit der Elemente aus dem keltischen Volksglauben, die, vermischt mit christlichen Themen, in die »Matière de Bretagne«

112

Eingang fanden[90]. Auf diese Tradition dürfte das wiederholt in den Artusromanen vorkommende Thema der Reise des Helden in die Welt der Toten zurückzuführen sein[91]. Aber der mythische Gegensatz zwischen dem Artushof und der
Außenwelt voller magischer, feindlicher Elemente war auch dazu angetan, in
atemporalen Formen eine präzise historische Situation zum Ausdruck zu bringen: das Erstarren der Ritter in einer geschlossenen Schicht angesichts einer in
raschem Wandel begriffenen Gesellschaft[92].

18. Den alten Bäuerinnen aus dem Fassatal war diese literarische Tradition
zweifellos unbekannt. Doch ein zu Beginn des 16. Jahrhunderts im Fleimsertal als
Hexer verurteilter Mann, Zuan delle Piatte, stellt uns vor den Fall einer kompli-
zierteren Hybridisierung[93]. Den Richtern gestand er, mit einem Mönch zum Berg
der Sibylle nahe Norcia, auch »el monte de Venus ubi habitat la donna Herodiades (Venusberg, wo Frau Herodias weilt)« genannt, gegangen zu sein, um in die
Gesellschaft der Hexen aufgenommen zu werden. Bei einem See angelangt, seien
die beiden einem »großen, schwarzgekleideten und schwarzen Mönch« begegnet,
der sie dazu veranlaßt habe, dem christlichen Glauben zu entsagen und sich dem
Teufel zu ergeben, ehe er sie hätte übersetzen lassen. Dann seien sie durch eine
mit einer Schlange verriegelte Tür in den Berg gegangen: hier habe sie ein Alter,
»der treue Eckhart«, ermahnt, wenn sie länger als ein Jahr an diesem Ort blieben,
kämen sie nie wieder zurück. Unter den im Berg eingeschlossenen Personen
hätten sie einen schlafenden Alten, den »Tannhäuser«, und »Frau Venus« gesehen. Mit ihr sei er, Zuan delle Piatte, zum Sabbat gegangen, wo er auch die »donna
del bon zogo« angetroffen habe. Die diabolischen Elemente, mit denen diese
Bekenntnisse durchsetzt sind, lassen sich dem Einsatz von Folter im Verlauf des
Prozesses zuschreiben: aber die Sibylle, »Frau Venus«, »der treue Eckhart« und
»der Tannhäuser« kamen von weiter her. Ungefähr hundert Jahre zuvor waren
die umbrischen Lokaltraditionen zum Berg der Sibylle, wie sie in einem erfolgrei-
chen populären Ritterroman, dem *Guerin Meschino* von Andrea da Barberino,
verarbeitet wurden, mit den deutschen Legenden um die Tannhäusergestalt
verschmolzen[94]. Doch in den Erzählungen von Zuan delle Piatte gesellten sich die
Nachwirkungen einer möglichen Lektüre des *Guerin Meschino* zu Elementen
einer mündlichen, rein volkstümlichen Kultur. Zuan erklärte, er sei »an einem
Donnerstag des Weihnachtsquatember nachts mit jener Frau [Venus] und ihrer
Gesellschaft auf schwarzen Pferden durch die Lüfte gezogen, und in fünf Stunden hätten sie die ganze Welt umrundet«[95]. Wir finden den Ritt der Diana (oder
ihrer Artverwandten) wieder, die während der Quatember angetretene ekstatische Reise der Anhängerinnen Richellas oder der friaulischen Benandanti. Ein
Jahrhundert später, im Jahr 1630, gestand ein Zauberer aus Hessen, Diel Breull,
einige Jahre lang während der Quatember im Geiste auf den Venusberg gegangen zu sein, wo ihm »fraw Holt« (Holda oder Holle, eine weitere Personifizierung
der Göttin) die Toten und ihre Pein, gespiegelt in einem Wasserbecken, gezeigt
hatte: prächtige Pferde und an bereiteter Tafel oder inmitten von Flammen
sitzende Menschen[96]. Einige Zeit zuvor, im Jahr 1614, hatte Heinrich Kornmann
seinen *Mons Veneris* in Druck gegeben, in dem er die Tannhäusersage erzählte[97].
Wie Breull stammte auch Kornmann aus Hessen: aber wie wir gesehen haben,

lassen sich diese Traditionen nicht regional eingrenzen. Und selbst wenn Breull den *Mons Veneris* gelesen hätte, reichte diese Lektüre nicht zur Erklärung der Lethargie aus, in die er in einem Moment tiefen Unglücklichseins (Frau und Kinder waren ihm gestorben) verfallen war, um sich dann auf dem Venusberg zu finden. Allerdings ist es bezeichnend, daß die wenigen Fälle, in denen das Thema der ekstatischen Reise vermischt mit Elementen aus der schriftlichen Tradition vorkommt, sich nicht auf Frauen, sondern auf Männer beziehen, die eher alphabetisiert waren. Auch in den Anfang des 14. Jahrhunderts abgelegten Geständnissen des Arnaud Gélis treten neben die Beschreibungen der Seelenscharen Äußerungen, in denen (ebenfalls mit Elementen aus dem Volksglauben durchwobene) irländische hagiographische Texte über die Reise des heiligen Patrick in den Läuterungsberg anklingen[98].

19. Daß in das von Dämonologen erstellte Bild vom Hexenwesen keltische, mit Elfen und Feen verknüpfte Traditionen Eingang fanden, ist schon vor langem erkannt (und später dann im großen und ganzen vergessen) worden[99]. Der bis hierhin rekonstruierte geographische und chronologische Kontext erlaubt es, diesen Zusammenhang zu präzisieren und auch zu komplizieren. Den mehr oder weniger jungen Elementen, die zur Herausbildung des Sabbatstereotyps in den westlichen Alpen, zwischen Dauphiné, rätoromanischer Schweiz, Lombardei und Piemont, beigetragen haben – der Präsenz von in Auflösung begriffenen ketzerischen Sekten, der Verbreitung der Verschwörungsfurcht –, können wir nun ein bei weitem älteres hinzufügen: die Sedimentierung keltischer Kultur – eine materielle (die archäologischen Fundstätten von La Tène in der Nähe des Neuenburger Sees haben dem ältesten Kern der keltischen Kultur den Namen gegeben) und metaphorische Sedimentierung. Wir sind nun imstande, in den nächtlichen Flügen, welche die zu Beginn des 15. Jahrhunderts vor Gericht gestellten Hexen und Hexer aus dem Wallis beschrieben – und die, wie gesagt, dem Inquisitorenstereotyp fremd sind –, das verzerrte Echo eines ekstatischen Kultes keltischer Tradition zu erkennen. Die Lokalisierung der ersten auf dem Bild vom Sabbat beruhenden Prozesse in Zeit und Raum erscheint uns (a posteriori) unausweichlich. Und nicht nur das: Eine verblüffende Übereinstimmung von sprachlichen und geographischen Daten hat die Hypothese nahegelegt, daß ein Großteil der im Artus-Zyklus auftretenden Personen- und Ortsnamen auf Toponyme zurückzuführen sind, wie sie sich in der Gegend um den Genfer See häuften[100]. Man möchte meinen, daß die zu verschiedenen Zeiten und auf verschiedene Weisen erfolgende Verbreitung der literarischen wie der inquisitorialen Ausarbeitung des alten keltischen Mythos der Reise in die Welt der Toten von derselben Zone und von einem ähnlichen folkloristischen Material ihren Ausgang nahm. Alle Rechnungen scheinen aufzugehen.

1 Vg. oben, S. 77

2 Vgl. *Die Benandanti,* cit., S. 21. (dt. Übers. gemäß den Texterläuterungen des Verfassers geringfügig abgeändert. A. d. Ü.).

3 Vgl. J. Duvernoy, *Le registre,* cit., I, S. 139. Siehe auch *ebd.,* S. 128–43 u. 533–52; J.-M. Vidal, *Une secte de spirites à Pamiers en 1320,* Ausz. aus: »Annales de Saint-Louis-Les-Français«, III (1899); Le Roy Ladurie, *Montaillou...,* cit., S. 592–611; M.-P. Piniès, *Figures de la sorcellerie languedocienne,* Paris 1983, S. 241 ff.

4 Vgl. *Reginonis abbatis Prumiensis libri duo de synodalibus causis et disciplinis ecclesiasticis...,* hg. v. F. W. H. Wasserschleben, Lipsiae 1840, S. 355. Von derselben Textstelle gibt es auch eine kürzere Version; vgl. J. B. Russell, *Witchcraft,* cit., S. 291 ff. Allgemein zur Bußliteratur siehe jetzt A. J. Gurjewitsch, *Mittelalterliche Volkskultur,* dt. Übers., Dresden 1986/München 1987, S. 125–166.

5 Vgl. Migne, *Patrologia latina,* CXL, Sp. 831 ff. Vgl. auch E. Friedberg, *Aus deutschen Bußbüchern,* Halle 1868, S. 67 ff.

6 Von der Zuschreibung des *Corrector* an Burchard, die P. Fournier, *Études critiques sur le décret de Burchard de Worms* und *étranger«, XXXIV (1910), S. 41–112, 289–331 u. 563–84, bes. S. 100–06 vertritt, geht man heute allgemein aus: vgl. C. Vogel, *Pratiques superstitieuses au début du XIe siècle d'après le ›Corrector sine medicus‹ de Burchard, évêque de Worms (965–1025),* in: *Mélanges offerts à E. R. Labande,* Poitiers, o. J. (1976), S. 751 ff. (Auf diesen Aufsatz hat mich Martina Kempter hingewiesen).

7 Vgl. F. W. H. Wasserschleben, *Die Bußordnungen der abendländischen Kirche,* reprogr. Nachdr. Graz 1958, S. 645 u. 660–61.

8 Vgl. Migne, *Patrologia latina,* CXL, Sp. 837 (und siehe E. Friedberg, *Aus deutschen Bußbüchern,* cit., S. 71).

9 Zu einer ersten Orientierung siehe die Materialsammlung von G. Bonomo, *Caccia alle streghe,* Palermo 1959 (Neuaufl. 1986); die Analyse ist allerdings oberflächlich.

10 Vgl. *ebd.,* S. 22–23 (wo aufgrund eines Versehens »Bensoria« steht). Eine weitere Variante ist *Bezezia* (vgl. Du Cange, *Glossarium mediae et infimae Latinitatis, sub voce* »Bensozia«). Vgl. auch A. Wesselofsky, *Alichino e Aredodesa,* in »Giornale storico della letteratura italiana« XI (1888), S. 325–43, insbes. S. 342 (die Etymologie ist allerdings nicht überzeugend). In seiner Vorbemerkung zu den von einem seiner Vorfahren, Bischof Auger (gest. 1304), redigierten Statuten der Diözese Conserans (oder Couserans) erkannte Montfaucon sofort die Verwandtschaft zwischen den um Diana kreisenden Glaubensvorstellungen und dem Sabbat: vgl. B. de Montfaucon, *Supplément au livre de l'antiquité expliquée et présentée en figures...,* I, Paris 1724, S. 111–16. Auf diese (in die Ausgabe des Jahres 1733 von Du Cange, *sub voce* »Diana« aufgenommenen) Ausführungen von Montfaucon griff Dom *** [Jacques Martin], *La religion des Gaulois,* Paris 1727, II, S. 59–67 zurück.

11 Vgl. E. Martène u. U. Durand, *Thesaurus novus anecdotorum,* IV, Lutetiae Parisiorum 1717, Sp. 257 (vgl. auch Wesselofsky, *Alichino,* cit., S. 332–33).

12 Den bibliographischen Hinweisen in *Die Benandanti,* cit., S. 228, Anm. 2 (zu 4.) ist hinzuzufügen: zu Perchta, R. Bleichsteiner, *Iranische Entsprechungen zu Frau Holle und Baba Jaga,* in »Mitra«, I (1914), Sp. 65–71; M. Bartels u. O. Ebermann, *Zur Aberglaubensliste in Vintlers Plue-*

men der Tugent, in »Zeitschrift für Volkskunde«, 23 (1913), S. 5; F. Kauffmann, *Altgermanische Religion,* in: »Archiv für Religionsgeschichte«, 20 (1920–21), S. 221–22; A. Dönner, *Tiroler Fasnacht,* Wien 1949, S. 338 ff. (besonders reich an Hinweisen); J. Hanika, *Bercht schlitzt den Bauch auf – Rest eines Initiationsritus?,* in: »Stifter – Jahrbuch«, II (1951), S. 39–53; ders., *Peruchta-Sperechta-Žber,* in: »Böhmen und Mähren«, III (1953), S. 187–202; R. Bleichsteiner, *Perchtengestalten in Mittelasien,* in: »Archiv für Völkerkunde«, VIII (1953), S. 58–75; F. Prodinger, *Beiträge zur Perchtenforschung,* in: »Mitteilungen der Gesellschaft für Salzburger Landeskunde«, 100 (1960), S. 545–63; N. Kuret, *Die Mittwinterfrau der Slovenen (Pehtra Baba und Torka),* in: *Alpes Orientales, V., Acta quinti conventus...,* Ljubljana 1969, S. 209 ff. Zu Holda, vgl. A. Franz, *Des Frater Rudolphus Buch »De Officio Cherubyn«,* in: »Theologische Quartalschrift«, III (1906), S. 411–36; J. Klapper, *Deutscher Volksglaube in Schlesien in ältester Zeit,* in: »Mitteilungen der schlesischen Gesellschaft für Volkskunde«, 17 (1915–16), S. 19 ff., bes. S. 42–52 (eine überaus nützliche Sammlung von Zeugnissen); A. H. Krappe, *Études de mythologie et de folklore germaniques,* Paris 1928, S. 101–14 (sehr fragwürdig); K. Helm, *Altgermanische Religionsgeschichte,* II, 2, Heidelberg 1953, S. 49–50; F. Raphaël, *Rites de naissance et médecine populaire dans le judaïsme rural d'Alsace,* in: »Ethnologie française«, N. F. I (1971), Nr. 3–4, S. 83–94 (Spuren von mit Holda verknüpften Glaubensvorstellungen im jüdischen Volksbrauch des Elsaß, der Niederlande etc.); Gurjewitsch, *Mittelalterliche Volkskultur,* cit., S. 134–136.

13 Vgl. Wesselofsky, *Alichino,* cit., S. 332–33 (und siehe im weiteren, S. 105–106).

14 Vgl. G. Wissowa, *Interpretatio Romana. Römische Götter im Barbarenlande,* in: »Archiv für Religionswissenschaft«, XIX (1916–1919), S. 1–49.

15 Vgl. Bonomo, *Caccia,* cit., S. 71.

16 Die Urteile sind veröffentlicht im Anhang zu L. Muraro, *La signora del gioco,* Mailand 1976, S. 240–45; vgl. insbes. S. 242–43. Der alte Aufsatz von E. Verga, *Intorno a due inediti documenti di stregheria milanese del secolo XIV,* in: »Rendiconti del R. Istituto lombardo di scienze e lettere«, F. II, 32 (1899), S. 165–88 bleibt grundlegend. Zum Erhaltungszustand der Handschrift vgl. G. Giorgetta, *Un Pestalozzi accusato di stregoneria,* in: »Clavenna«, 20 (1981), S. 66, Anm. 35 (Ich danke Ottavia Niccoli für diesen Hinweis.).

17 Ich ergänze den Text um das Wort »divitum«, das in der Transkription im Anhang zu Muraro, *La signora,* cit., S. 243 nicht entziffert ist. Hingegen korrigiere ich auf dieser Textgrundlage eine frühere falsche Lesart meinerseits (»veniatis« statt »veivatis«: vgl. hingegen *Die Benandanti,* cit., S. 240, Anm. 2, zu 1.); (In der deutschen Übers. entspräche dem die Korrektur von »Lebt wohl« in »Willkommen«; A. d. Ü.).

18 Vgl. oben, S. 75.

19 Vgl. G. Mansionario, *Historiarum imperialium liber:* »adhuc multi laycorum tali errore tenentur credentes predictam societatem de nocte ire, et Dianam paganorum deam sive Herodiadem credunt hujus societatis reginam...« (Biblioteca Vallicelliana, Rom, Ms. D. 13, Bl. 179r). Die Stelle wird in Zusammenhang mit dem Nachtwunder des heiligen Germanus zitiert bei G. Tartarotti, *Del congresso notturno delle lammie,* Rovereto 1749, S. 29; und siehe bereits vom selben Verf., *Relazione d'un*

manoscritto dell'Istoria manoscritta di Giovanni Diacono Veronese, in: A. Calogierà, *Raccolta d'opuscoli...*, 18, Venedig 1738, S. 135–93, insbes. S. 165–67, wo der Hinweis auf die Richter, die die Hexen »blindwütig« zur Enthauptung verurteilen, vielleicht die Keimzelle des späteren *Congresso notturno* enthält.

20 Die Predigt ist ohne Einleitungsteil enthalten in *Nicolai Cusae Cardinalis Opera*, II, Parisiis 1514 (reprogr. Nachdruck Frankfurt/Main 1962), Bl. CLXXv-CLXXIIr (»Ex sermone: Haec omnia tibi dabo«). Der vollständige Text ist enthalten in *Vat. lat.* 1245, Bl. 227r–229r. Zur handschriftlichen Überlieferung der Predigt und ihrer Datierung (Brixen, 6. März 1457) vgl. J. Koch, *Cusanus-Texte, I: Predigten, 7, Untersuchungen über Datierung, Form, Sprache und Quellen. Kritisches Verzeichnis sämtlicher Predigten*, Heidelberg 1942 (»Sitzungsberichte der Heidelberger Akademie der Wissenschaften«, Phil.-hist. Kl., Jahrgang 1941–42, 1. Abh.), S. 182–83, Nr. CCLXVIII. Eine Übersetzung und ein Kommentar (beide sehr unangemessen) bei C. Binz, *Zur Charakteristik des Cusanus*, in: »Archiv für Kulturgeschichte«, VII (1909), S. 145–53; kurze Andeutungen bei E. Vasteenberghe, *Le cardinal Nicolas de Cues*, Paris 1920, S. 159; H. Liermann, *Nikolaus von Cues und das deutsche Recht*, in: *Cusanus-Gedächtnisschrift*, hg. v. N. Grass, München 1970, S. 217; W. Ziegeler, *Möglichkeiten der Kritik am Hexen- und Zauberwesen im ausgehenden Mittelalter*, Köln–Wien 1973, S. 99–100. Auch G. J. Strangfeld, *Die Stellung des Nikolaus von Kues in der literarischen und geistigen Entwicklung des österreichischen Spätmittelalters*, Phil. Diss., Wien 1948, S. 230–37, befaßt sich ausschließlich mit Cusanus' Einstellung. (Diesen Text hat mir Dr. Hermann Hallauer, der zur Zeit die kritische Ausgabe der Predigten von Cusanus vorbereitet, freundlicherweise angezeigt und zukommen lassen. Er teilte mir mit, daß es ihm nicht geglückt ist, die Prozesse gegen die alten Frauen aus dem Fassatal ausfindig zu machen. Die Nachforschungen, die ich im Archiv der Kurie in Brixen anstellte, erwiesen sich als ebenso erfolglos.)

21 Zu diesem Terminus vgl. Helm, *Altgermanische Religionsgeschichte*, cit., II, 2, S. 49–50.

22 Ich entwickle hier die bei R. Rosaldo diskutierte Analogie in eine andere Richtung: vgl. *From the Door of His Tent; The Fieldworker and the Inquisitor*, in: *Writing Culture*, hg. v. J. Clifford u. G. F. Marcus, Berkeley and Los Angeles 1986, S. 77–97.

23 Zu all dem siehe auch oben, Einleitung, S. 17.

24 Vgl. Bertolotti, *Le ossa*, cit., S. 487 ff.

25 Vgl. Bernardo da Como, *Lucerna inquisitorum... et Tractatus de strigibus*, mit Anm. v. F. Pegna, Romae 1584, S. 141–42.

26 Vgl. zu diesen Prozessen J. A. Macculloch, *The Mingling of Fairy and Witch Beliefs in Sixteenth and Seventeenth Century Scotland*, in: »Folk-Lore«, XXXII (1921), S. 229–44. Zum Prozeß gegen Isabel Gowdie vgl. R. Pitcairn, *Ancient Criminal Trials in Scotland*, III, 2, Edinburgh 1833, S. 602 ff., insbes. S. 604. Der Herausgeber kommentierte: »Solche Details sind vielleicht in jeder Hinsicht die außergewöhnlichsten der Geschichte des Hexenwesens in diesem wie in andern Ländern«, und beklagte, daß die Richter sie als belanglos aus den Akten beseitigten. Der Erfolg dieser Stelle ist lehrreich. M. Murray zitierte sie anhand der Ausgabe von Pitcairn im Zusammenhang mit den Fortbewegungsmitteln, die die

Hexen gebrauchten, um zu ihren Zusammenkünften zu gelangen, die ihrer Ansicht nach ganz real waren (*The Witch-Cult*, cit., S. 105–6; vgl. auch S. 244–45). N. Cohn bemerkte (*Europe's*, cit., S. 113–14), daß sich die Stelle nicht als realistische deuten lasse: die Angeklagte habe offensichtlich Anleihen bei nicht näher bestimmten »volkstümlichen Glaubensvorstellungen« über Feen gemacht. Larner, die die Stelle anhand der Handschrift überprüfte und einige unbedeutendere Korrekturen anbrachte, aber aufgrund eines Versehens zwei verschiedene Abschnitte des Prozesses nebeneinander stellte (vgl. *Enemies of God*, cit., S. 152 und *Ancient Criminal Trials*, cit., III, 2, S. 604 u. 608), bemerkte, daß es sich, wie Cohn zu Recht gesehen habe, um »einzig Träumen, Alpträumen und kollektiven Phantasien zuschreibbare Ereignisse« handle. Ganz offensichtlich handelt es sich um absurde (Murray) oder unangemessene Interpretationen (Cohn, Larner).

27 Vgl. die in »The Miscellany of the Spalding Group«, I (1841), S. 117 ff., insbes. 119–22 veröffentlichten Akten. Die Stelle wird von M. Murray im Anhang zu ihrem *Witch-Cult*, cit., S. 242 wiedergegeben, wie auch andere Stellen aus hier diskutierten schottischen Prozessen (vgl. den Index, Stichwörter »Aberdeen«, »Auldearne«, »Orkney«).

28 Vgl. *Die Benandanti*, cit., S. 52. Die inneren Spannungen, die die Diabolisierung der »fairy folks« auslöste, gehen deutlich aus einigen schottischen, 1623 in Burg of Perth geführten Prozessen hervor: vgl. *Extracts from the Presbitery Book of Struthbogie*, Aberdeen 1843, S. X–XII.

29 *Procès de condamnation de Jeanne d'Arc...*, I, hg. v. P. Tissot u. Y. Lanhers, Paris 1960, S. 178.

30 Vgl. *Die Benandanti*, cit., S. 63 u. 66–67.

31 Vgl. Bonomo, *Caccia*, cit., S. 23.

32 Vgl. Duvernoy, *Le registre*, cit., I, S. 544 (Verhör der Mengarde, Frau des Arnaud de Pomeriis). Die mythischen Implikationen des Hinweises auf die »bonae dominae« sind E. Le Roy Ladurie entgangen (vgl. *Montaillou*, cit., S. 592 u. 603).

33 Zu Irland vgl. [J. Aubrey], *Fairy Legends and Traditions of the South of Ireland*, London 1825, S. 193 ff. Zu Schottland vgl. Pitcairn, *Ancient Criminal Trials*, cit., I, 3, S. 162 und *passim* (vgl. auch *ebd.*, III, 2, S. 604, Anm. 3, zur Zuschreibung des zuvor angeführten Werkes an Aubrey). Auf den Orkney-Inseln wurde im Jahr 1615 eine Frau, Jonet Drever, für immer verbannt, weil sie 26 Jahre hindurch (auch fleischlichen) Umgang mit »the fairy folk, callit of hir our guid nichtbouris (den Feen, die sie unsere guten Nachbarn nannte)« gepflegt hatte (*The Court Books of Orkney and Shetland 1614–1615*, hg. v. R. S. Barclay, Edinburgh 1967, S. 19). Zu den Feen vgl., neben R. Kirk, *Il regno segreto*, ital. Übers., Mailand 1980 (hg. v. M. M. Rossi, dessen Aufsatz *Il cappellano delle fate* im Anhang noch einmal abgedruckt ist), die in [W. C. Hazlitt], *Fairy Mythology of Shakespeare*, London 1875, gesammelten Texte; die Aufsätze von M. W. Latham, *The Elizabethan Fairies*, New York 1930, sowie K. M. Briggs, *The Anatomy of Puck*, London 1959. Zu Friaul vgl. *Die Benandanti*, cit., S. 79.

34 Vgl. J. Kolendo, *Dea Placida à Novae et le culte d'Hécate, la bonne déesse*, in: »Archaeologia« (Warschau), XX (1969), S. 77–83. Die Ineinssetzung der unterirdischen Hekate und »Bona dea« findet sich in Macrobius, *Saturnalia*, 1, 12, 23.

[35] Vgl. J. G. Dalyell, *The Darker Superstitions of Scotland. Illustrated from Theory and Practice*, Edinburgh 1834, S. 470, 534 ff. u. 590–91 (eine immer noch wertvolle Arbeit, da sie sich auf Orkney- und Shetland-Inseln betreffende gerichtliche Quellen stützt: vgl. S. 5, Anm.).

[36] Vgl. G. de Lorris u. J. de Meun, *Le Roman de la Rose*, hg. v. E. Langlois, IV, Paris 1922, S. 229–30, V. 18425–60.

[37] Ich entwickle hier eine bereits in *Die Benandanti*, cit., S. 83 ff. anhand von weitgehend anderem Belegmaterial formulierte Interpretation. Zu ähnlichen Schlußfolgerungen gelangt unabhängig K. M. Briggs, *The Fairies and the Realm of the Dead*, in: »Folk-Lore«, 81 (1970), S. 81–96 (früher hatte dieselbe Gelehrte einen summarischen Zusammenhang zwischen Feenglauben und Totenkult abgelehnt: vgl. *The English Fairies*, ebd., 68 (1957), S. 270–87).

[38] Vgl. *Die Benandanti*, cit., S. 63. Allgemein vgl. R. Parrot, *Le »Refrigerium« dans l'au-delà*, in: »Revue de l'histoire de religions«, CXIII (1936), S. 149 ff.; CXIV (1936), S. 69 ff. u. 158 ff.; CXV (1937), S. 53 ff.; spezieller W. Deonna, *Croyances funéraires. La soif des morts…*, ebd., CXIX (1939), S. 53–77.

[39] Vgl. Duvernoy, *Le registre*, cit., I, S. 137; »Item dixit quod mortui libenter veniunt ad loca munda et intrabant domos mundas, et nolunt venire ad loca sordida, nec intrare domos inmundas«. Die Totenkonnotationen Orientes werden von G. Scalera McClintock, *Sogno e realtà in due processi per eresia*, in: F. Lazzari u. G. Scalera McClintock, *Due arti della lontananza*, Neapel 1979, S. 69–70 gut hervorgehoben.

[40] Die Stellen sind in der Sammlung *Sermones de tempore* (Predigt 41) enthalten. Ich habe folgende Ausgaben überprüft: Köln 1474, Straßburg *post* 1478 (Hain 8473); Nürnberg 1480 u. 1481; Straßburg 1484; Nürnberg 1496; Straßburg 1499 u. 1503; Rouen 1513 (in der nur Diana genannt wird). Weitere Angaben zu Herolt (der um 1390 geboren wurde) bei Klapper, *Deutscher Volksglaube*, cit., S. 48–50, der die verschiedenen Lesarten der zitierten Stelle (und einer anderen ähnlichen, aber kürzeren aus der 11. Predigt) auflistet, die in den Handschriften der *Sermones de tempore* der Universitätsbibliothek Breslau vorkommen.

[41] Neben *Die Benandanti*, cit., S. 72 ff., vgl. das von A. Endter, *Die Sage vom wilden Jäger und von der wilden Jagd*, Frankfurt a. M. 1933 analysierte oder gesammelte Belegmaterial; K. Meisen, *Die Sagen vom Wütenden Heer und wilden Jäger*, Münster i. W. 1935. Die alte Interpretation des Mythos in meteorologischem Sinn, wie sie W. Mannhardt und seine Schule vorschlugen, wurde von A. Endter, gestützt auf die im weiteren, S. 177, Anm. 2, u. 178, Anm. 26, zitierten grundlegenden Arbeiten von L. Weiser (später Weiser-Aall) verworfen. Zu Dietrich von Bern (der in der italienischen Tradition zu Theoderich von Verona wird) vgl. A. Veselovskij, in: Veselovskij u. Sade, *La fanciulla perseguitata*, hg. v. D. S. Avalle, Mailand 1977, S. 62 ff.; F. Sieber, *Dietrich von Bern als Führer der wilden Jagd*, in: »Mitteilungen der schlesischen Gesellschaft für Volkskunde«, 31–32 (1931), S. 85–124; A. H. Krappe, *Dietrich von Bern als Führer der wilden Jagd*, ebd., XXXIII (1933), S. 129–36; J. de Vries, *Theoderich der Große*, in: *Kleine Schriften*, Berlin 1965, S. 77–88. Zur Ausarbeitung dieser Themen im 16. Jahrhundert vgl. O. Niccoli, *Profeti e popolo nell'Italia del Rinascimento*, Bari 1987, S. 89–121.

[42] Vgl. J. Le Goff, *La naissance du Purgatoire*, Paris 1981 (dt. Übers.: *Die Geburt des Fegefeuers*, Stuttgart 1984); vgl. hierzu auch die Rezensionen von L. Génicot in »Revue d'histoire ecclésiastique«, LXXVIII, 1982, S. 421–26 und C. Carozzi in »Cahiers de civilisation médiévale«, XXXVIII, 1985, S. 264–66. Eine eingehende Untersuchung des Zusammenhangs zwischen den mit der Totenwelt verbundenen Vorstellungen im Volksglauben und den theologischen Ausarbeitungen zum Fegefeuer wäre sehr nützlich: siehe unterdessen die allgemeinen Bemerkungen von A. J. Gurjewitsch, *Popular and Scholarly Medieval Culture Traditions: Notes in the Margin of Jacques Le Goff's Book*, in: »Journal of Medieval History«, 9 (1983), S. 71–90.

[43] Vgl. Meisen, *Die Sagen*, cit., S. 103 (Berchtholda, in einem 1557 oder 1558 gedruckten deutschen Volksgedicht); S. 124 (Holda, in einer Beschreibung des Nürnberger Faschings aus dem 16. Jahrhundert); S. 132, Anm. 1 (»die alte Berchta«, die zusammen mit *Frau Herodias* und *Frau Hulda* und anderen teuflischen Geistern von J. Mathesius, *Auslegung der Fest-Evangelien*, 1571 erwähnt wird). Daß Herolts Hinweis auf das Heer der Diana ganz und gar ungewöhnlich ist, geht indirekt auch aus Endter, *Die Sage*, hervor.

[44] Die Seelen der »Ekstatiker«, die nicht in ihre Körper zurückkehrten, wurden Teil des »wütenden Heers«, wechselten also vom Zustand eines vorübergehenden in jenen des endgültigen Todes über: dies behauptete eine Gruppe von *clerici vagantes*, die Mitte des 16. Jahrhunderts durch das hessische Lande streiften und den Bauern Gaben und Geld abpreßten (vgl. *Die Benandanti*, cit., S. 79–81).

[45] Daß auf der Ebene des Mythos im Gefolge Wotans die Walküren vorkommen, steht zu all dem nicht in Widerspruch. Diese Interpretationsrichtung hat in erster Linie O. Höfler, *Kultische Geheimbünde der Germanen*, I (der einzige veröffentlichte Band), Frankfurt a. M. 1934 vorgeschlagen: vgl. im weiteren, S. 176, Anm. 2. In jüngerer Zeit vgl. J. de Vries, *Wodan und die wilde Jagd*, in: »Die Nachbarn«, 3 (1962), S. 31–59, der einige Schlußfolgerungen Höflers differenzierter wiederaufgreift. Zu den ideologischen Ausrichtungen von de Vries siehe die Bemerkungen von W. Baetke, *Kleine Schriften*, hg. v. K. Rudolph u. E. Walter, Weimar 1973, S. 37 ff.

[46] Vgl. Muraro, *La signora del gioco*, cit., S. 152–55.

[47] Höfler unterstrich einerseits, daß die Einreihung Perchtas in die mit dem Totenheer verknüpften Traditionen ein spätes Phänomen ist, andererseits, daß in den rituellen Umzügen (hierzu siehe im weiteren, S. 183 ff.) die »Perchten« von maskierten Jünglingen, nicht von Frauen verkörpert wurden (vgl. *Kultische*, cit., S. 15, 89–90 u. 277–78). Beide Elemente bestätigten seiner Ansicht nach die Unterscheidung zwischen einem (im eigentlichen Sinne germanischen) kriegerischen Kern und nebensächlichen, mit Fruchtbarkeit und dem hexerischen Erotismus verknüpften Elementen. Daß in den Beschreibungen der »wilden Jagd« männliche und weibliche Gestalten (wie auch Tiere und Menschen, Lebende und Tote) vorkommen, haben A. Endter (*Die Sage*, cit., S. 32) und vor allem Dönner, *Tiroler Fasnacht*, cit., S. 142 festgehalten. Auf der marginalen oder geographisch eingegrenzten Funktion Perchtas und Holdas in dieser Gesamtheit von Glaubensvorstellungen hat de Vries insistiert (*Wodan*, cit., S. 45). Von Muraro hin-

gegen wird das Problem der »wilden Jagd« völlig ignoriert.

48 Zur »wilden Jagd« ziehe ich aus Gründen der Zugänglichkeit die von K. Meisen besorgte Textsammlung *Die Sagen*, cit., heran, auch wenn sie in Hinblick auf die nachmittelalterliche Zeit alles andere als erschöpfend ist. Ich vernachlässige die antiken Texte sowie die wenigen Texte aus dem 19. Jahrhundert; die ersten, weil sie dem Thema eindeutig fremd, die zweiten, weil sie zufällig ausgewählt sind. Hinsichtlich der ekstatischen Frauen verweise ich auf die bibliographischen Angaben in diesem Kapitel. In beiden Fällen habe ich eine Tendenz zu erkennen versucht; daß es Ausnahmen davon gibt, wird als selbstverständlich vorausgesetzt. Zu den Erscheinungen einzelner Toter vgl. J.-C. Schmitt, *Les revenants dans la societé féodale*, in: »Le temps de la réflexion«, III (1982), S. 285–306.

49 Der *Roman de la Rose* (V. 18425–60) spricht von Anhängern der *Dame Habonde* und der »bonnes dames«, ohne ihr Geschlecht zu spezifizieren.

50 Der aristotelische Philosoph Vincenzo Maggi, geboren in Brescia und später Professor am *Studio* von Padua und jenem von Ferrara, wo er im Jahr 1564 starb, schrieb einen *»vergnüglichen Dialog*, in dem er den Gott Pan der tollen Heidenwelt an der Spitze jenes Lärms vorstellt, den die Weiblein um Brescia jenem Gespenst zuschreiben, das sie die *Donna del Giuoco* nennen« (vgl. L. Cozzando, *Libraria bresciana*, Brescia 1694, T. I, S. 203). Dieses kleine Werk ist anscheinend verloren, doch eine Initiale davon (vgl. Abb. S. 105) wurde im Edikt von Camillo Campeggio aus Pavia, Inquisitor in Ferrara, vom 2. Januar 1564 wiederverwendet (Archivio di Stato di Modena, *S. Uffizio*, b. 1). Der Buchdrucker Francesco de Rossi aus Valenza hatte bereits Maggis Abhandlung *De cognitionis praestantia oratio* (1557) veröffentlicht (vgl. P. Guerrini, *Due amici bresciani di Erasmo*, Ausz. aus »Archivio storico lombardo«, 1923, S. 6 ff.). In dieser außergewöhnlichen Abbildung der »Donna del Giuoco« wird »F« also für »Fantasima (Gespenst)« stehen; der *Piacevole Dialogo* (der in den *Annali della tipografia ferrarese de'secoli XV e XVI* von Girolamo Baruffaldi jr., Biblioteca Comunale Ariostea, MS Cl. I, 589 jedoch nicht erwähnt wird) muß im Jahr 1564 oder kurz zuvor von Francesco de'Rossi aus Valenza in Ferrara gedruckt worden sein. Der anonyme Kupferstecher ließ sich offensichtlich von der Ikonographie der Kybele inspirieren.

51 Siehe im weiteren, S. 190-191.

52 Für eine Gesamtschau vgl. J. de Vries, *Keltische Religion*, Stuttgart 1961, S. 4 ff. Zur Keltisierung des Trentino vgl. C. Battisti, *Sostrati e parastrati nell'Italia preistorica*, Florenz 1959, S. 236 ff., insbes. W. T. Elwert, *Die Mundart des Fassa-Tals*, (»Wörter und Sachen«, N. F., Beiheft 2), Heidelberg 1943, S. 215 ff.

53 Vgl. R. Bovet, *Pandaemonium, or the Devil's Cloyster, being a further blow to modern Sadduceism, proving the existence of witches and spirits*, London 1684, S. 172 ff. (»A remarkable passage of one named the Fairy-Boy of Leith in Scotland…«: es handelt sich um einen von Captain George Burton unterzeichneten Bericht).

54 Vgl. *Maximi episcopi Tauriensis Sermones*, hg. v. A. Mutzenbecher, Turholti 1962 (Corpus Christianorum, series latina, Bd. XXIII), S. 420–21: die Predigt stammt aus wenig späterer Zeit als 403–405 (vgl. Einl., S. XXXIV). Zur Interpretation vgl. F. J. Dölger, *Christliche*

Grundbesitzer und heidnische Landarbeiter, in: »Antike und Christentum«, 6 (1950), Nachdr. Münster 1976, S. 306 ff. Hingegen versteht Du Cange (*Glossarium*, cit., *sub voce*) »dianaticus« als »Anhänger der Diana«. Auf junge Kastraten zu Ehren von Berekynthia (d. h. Kybele) in Autun weist die *Passio Sancti Symphoriani* hin: vgl. T. Reinart, *Acta Martyrum…*, Veronae 1731, S. 68–71, zitiert bei F. J. Dölger, *Teufels Großmutter*, in: »Antike und Christentum«, 3 (1932), S. 175.

55 Vgl. allgemein A. K. Michels, Stichwort *Diana*, in: *Reallexikon für Antike und Christentum*, III, Stuttgart 1957, S. 970–72. Siehe außerdem E. Krüger, *Diana Arduinna*, in: »Germania«, I (1917), S. 4–12, der auf Gregor von Tours, *Historia Francorum*, VIII, 15 hinweist; S. Reinach, *La religion des Galates*, in: *Cultes, mythes et religions*, I, Paris 1922³, S. 276 (und vgl. auch ders., *Clelia et Epona*, ebd., S. 60–61).

56 F. Benoît, *L'héroïsation équestre*, Gap 1954, S. 27–30 u. Taf. I, 2, nimmt an, das abgebildete Tier sei ein Pfau mit Hörnern. Nach A. Ross, *Pagan Celtic Britain*, London 1967, S. 225 (der den Ziegel als Bild der Epona wiedergibt) soll es sich hingegen um eine Gans handeln. Keine der beiden Identifikationen wirkt überzeugend. Vgl. auch C. B. Pascal, *The Cults of Cisalpine Gaul*, Brüssel–Berchem 1964, S. 102–05.

57 Vgl. H. Gaidoz, *Dis Pater und Aere-Cura*, in: »Revue Archéologique«, XX (1892), S. 198–214; S. Wide, *Chtonische und himmlische Götter*, in: »Archiv für Religionswissenschaft«, X (1907), S. 257–68, insbes. S. 267; E. Thevenot, *Le culte des déesses–mères à la station gallo-romaine des Bolards*, in: »Revue Archéologique de l'Est et du Centre-Est«, II (1951), S. 23, Anm. 2; R. Egger, *Eine Fluchtafel aus Carnuntum*, jetzt in: *Römische Antike und frühes Christentum*, I, Klagenfurt 1962, S. 81 ff., insbes. S. 84–85. Zu beachten sind die Bemerkungen von J. Le Goff (*Pour un autre Moyen-Âge*, cit., S. 228–29, Anm.) zur Notwendigkeit der Unterscheidung zwischen Volksglauben und offizieller heidnischer Religion.

58 Vgl. J. Grimm, *Deutsche Mythologie*, 4. Aufl. hg. v. E. H. Meyer, I, Berlin 1875, S. 218.

59 Vgl. Wesselofsky, *Alichino*, cit., S. 332–33; aber siehe bereits Du Cange, *Glossarium*, cit., Stichwort »Hera« (2). Anderer Ansicht ist Friedberg, *Aus deutschen Bußbüchern*, cit., S. 72.

60 Anderer Auffassung ist K. Dilthey, *Die Artemis von Apelles und die wilde Jagd*, in: »Rheinisches Museum«, 25 (1870), S. 321–36 (aber die Argumentation wirkt nicht überzeugend).

61 Vgl. Reinach, *Clelia et Epona*, cit., S. 54–68. Zu Selene zu Pferde vgl. I. Chirassi, *Miti e culti arcaici di Artemis nel Peloponneso e Grecia centrale*, Triest S. 34, Anm. 96. In der Göttin auf dem Pferd, die auf einigen Münzen von Pherai abgebildet ist, erkennt T. Kraus (*Hekate*, Heidelberg 1960, S. 80 ff.) statt Artemis (wie man früher annahm) eine Gottheit Thessaliens: Enodia. Zu denselben Ergebnissen gelangte parallel dazu L. Robert, *Hellenica*, XI–XII, S. 588–95.

62 Daß die Diana des (irrtümlicherweise auf das inexistente Konzil von Ankyra zurückgeführten) *Canon Episcopi* tatsächlich eine keltische Gottheit war, hatte bereits S. Reinach, *La religion des Galates*, cit., S. 262 erahnt.

63 Vgl. H. Hubert, *Le mythe d'Epona*, in: *Mélanges linguistiques offerts à M. J. Vendryes*, Paris 1925, S. 187–98. Eine kurze Zusammenfassung der ikonographischen Zeugnisse zu Epona bietet E. Thevenot im Anhang zu R.

Magnen, *Epona déesse gauloise des chevaux protectrice des chevaliers*, Bordeaux 1953. Vgl. auch de Vries, *Keltische Religion*, cit., S. 123–27; K. M. Linduff, *Epona: a Celt among the Romans*, in: »Latomus«, 38 (1979), S. 817–37 (auf S. 825 hebt er die Totenkonnotationen hervor); L. S. Oaks, *The Goddess Epona: Concepts of Sovereignty in a Changing Landscape*, in: *Pagan Gods and Shrines of the Roman Empire*, hg. v. M. Henig u. A. King, Oxford 1986, S. 77–83.

[64] In der Mitte des 15. Jahrhunderts wies der heilige Antonius auf die vom *Canon Episcopi* verurteilten Frauen hin, die er mit *streghe* (Hexen) oder *ianatiche* verglich (vgl. *Summa moralis*, II, Florentiae 1756, Sp. 1548, zitiert auch bei Bonomo, *Caccia*, cit., S. 70; ich korrigiere die fehlerhafte Abschrift *ianutiche*). Allgemein siehe den vorzüglichen Aufsatz von D. Lesourd, *Diane et les sorciers. Étude sur les survivances de Diana dans les langues romanes*, in: »Anagrom«, 1972, S. 55–74 (auf den mich Daniel Fabre hingewiesen hat, dem ich hier danken möchte). Die volkstümliche Rezeption der von der herrschenden Kultur vorgeschlagenen Schemata war sehr ausgedehnt (siehe die rumänische *Doamna Zînelor*) und nicht auf Gebiete keltischer Zivilisation beschränkt (wie das neapolitanische *janara* beweist). Natürlich implizieren sprachliche Kontinuitäten nicht notwendigerweise Kontinuitäten von Glaubensvorstellungen, die von Fall zu Fall zu beweisen sind.

[65] Zu den engen Zusammenhängen zwischen Haerecura, Epona und *Matres* vgl. G. Faider-Feytmans, *La ›Mater‹ de Bavai*, in: »Gallia«, 6 (1948), S. 185–94, vor allem S. 390.

[66] Vgl. Wilhelm von Auvergne, *Opera, Parisiis* 1674, S. 1066 (auf diese Stelle hatte bereits Grimm, *Deutsche Mythologie*, cit., II, S. 885 aufmerksam gemacht). Und siehe W. Shakespeare, *Romeo and Juliet*, hg. v. B. Gibbons, London u. New York 1980, S. 109 (zu I, 4, 53).

[67] Die älteste mir bekannte Abhandlung ist jene von J. G. Keysler, *Dissertatio de mulieribus fatidicis veterum Celtarum gentiumque Septentrionalium: speciatim de Matribus et Matronis...*, in: ders., *Antiquitates selectae Septentrionales et Celticae*, Hannoverae 1720, S. 369–510. Nach wie vor grundlegend: M. Ihm, *Der Mütter- oder Matronenkultus und seine Denkmäler*, in: »Jahrbuch des Vereins von Alterthumsfreunden im Rheinlande« (später »Bonner Jahrbücher«), LXXXIII (1887), S. 1–200, der die Ergebnisse früherer Studien zusammenfaßt (darunter ist wichtig: H. Schreiber, *Die Feen in Europa. Eine historisch-archäologische Monographie*, Freiburg i. Breisgau 1842, reprogr. Nachdr. Allmendingen 1981). Vgl. außerdem H. Güntert, *Kalypso. Bedeutungsgeschichtliche Untersuchungen auf dem Gebiet der indogermanischen Sprachen*, Halle a. S. 1919, S. 241 ff.; W. Heiligendorff, *Der keltische Matronenkultus und seine ›Fortentwickelung‹ im deutschen Mythos*, Leipzig 1934, der die Analogien zwischen *Matronae, Parcae, Felices Dominae* (in Tirol und Kärnten *salige Fräulein*) und Feen hervorhebt, sie aber beharrlich und ein wenig gekünstelt voneinander unterscheidet; E. A. Philippson, *Der germanische Mütter- und Matronenkult am Niederrhein*, in: »The Germanic Review«, 19 (1944), S. 116 ff.; Pascal, *The Cults*, cit., S. 116 ff.; G. Webster, *The British Celts and Their Gods Under Rome*, London 1986, S. 64 ff. Die Filiation von Habonde und den »Nachtfrauen« von den *Matronae* wurde von M. P. Nilsson, *Studien zur Vorgeschichte des Weihnachtsfestes* (1916–19), in: *Opuscula selecta*, Lund

1951, I, S. 289 ff. anerkannt. Aber siehe bereits, im selben Sinne, Dom*** [J. Martin], *La religion des Gaulois*, cit., II, S. 170–71. Das Buch von L. Harf-Lancner, *Les fées au Moyen-Âge*, Paris 1984, analysiert die Feen vor allem als literarisches Thema.

[68] Vgl. F. Landucci Gattinoni, *Un culto celtico nella Gallia Cisalpina. Le Matronae-Iunones a sud delle Alpi*, Mailand 1986, S. 51, der in einer vicentinischen Inschrift mit Widmung an *Dianae* genannte Göttinnen einen keltischen Einfluß sieht.

[69] Vgl. A. C. M. Beck, *Die lateinischen Offenbarungsinschriften des römischen Germaniens*, in: »Mainzer Zeitschrift«, XXXI (1936), S. 23–32: der Ausdruck *de visu* soll typisch für die Gallia Cisalpina sein, während *ex imperio* (und in geringem Maß *ex iussu*) im Bereich des Niederrheins häufiger sein sollen (S. 24). Allgemein zu diesen Formeln vgl. M. Leglay, *Saturne Africain. Histoire*, Paris 1966, S. 342, Anm. 1.

[70] Vgl. E. Maaß, *Heilige Nacht*, in: »Germania«, XII (1928), S. 59–69 (ursprünglich im Jahr 1910 veröffentlicht).

[71] Vgl. J. Loth, *Les douze jours supplémentaires (»gourdeziou«) des Bretons et les Douze Jours des Germains et des Indous*, in: »Revue Celtique«, 24 (1903), S. 310–12; S. de Ricci, *Un passage remarquable du calendrier de Coligny*, ebd., S. 313–16; J. Loth, *L'année celtique d'après les textes irlandais...*, ebd., 25 (1904), S. 118–25.

[72] Vgl. CIL, VII, 927: Matribus Parcis; Pascal, *The Cults*, cit., S. 118; Thevenot, *Les cultes des déesses-mères*, cit.; Nilsson, *Studien*, cit., S. 289 ff.

[73] Vgl. G. Alfödi, *Zur keltischen Religion in Pannonien*, in: »Germania«, 42 (1964), S. 54–59 (aber vgl. auch Landucci Gattinoni, *Un culto celtico*, cit., S. 77); *Die römischen Steindenkmäler von Savaria*, hg. v. A. Mócsy u. T. Szentléleky, 1971, Nr. 46, Abb. 36. Siehe auch R. Noll, *Fatis: zu einem goldenen Fingerring aus Lauriacum*, in: *Römische Geschichte, Altertumskunde und Epigraphik. Festschrift für A. Betz*, Wien 1985, S. 445–50.

[74] Die Kontinuität mit den keltischen Feen wird auch von jemandem wie E. A. Philippson hervorgehoben, der in den *Matronae* ein keltisch-germanisches und nicht ausschließlich keltisches Phänomen sieht (vgl. *Der germanische*, cit., S. 125–35).

[75] Vgl. *Gotenkriege*, IV, 20 (die Übersetzung stammt von O. u. A. Veh: vgl. Prokop, *Gotenkriege*, München 1966, S. 875–879). Zum Detail des Bootes, das die Toten trägt und durch ein unsichtbares Gewicht beschwert wird, vgl. A. Freixas, *El peso de las almas*, in: »Anales de Historia Antigua y Medieval«, Buenos Aires 1956, S. 15–22; weiteres Material bei B. Lincoln, *The Ferryman of the Dead*, in: »The Journal of Indo-European Studies«, 8 (1980), S. 41–59. Zu dem in den verschiedensten Kulturen verbreiteten Thema des Totenbootes siehe auch M. Ebert, *Die Bootsfahrt ins Jenseits*, in: »Prähistorische Zeitschrift«, XI–XII (1919–20), S. 179 ff.

[76] J. B. Bury nahm auf unsicherer Basis an, es habe sich um herulische Söldner im Gefolge des Narses gehandelt: vgl. *The Homeric and the Historic Kimmerians*, in: »Klio«, VI (1906), S. 79 ff. Später schrieb er Vermittlerfunktion den Angeln zu, die der fränkischen Gesandtschaft an Justinian angehörten: vgl. E. A. Thompson, *Procopius on Brittia and Britannia*, in: »The Classical Quarterly«, N. F., XXX (1980), S. 501. Die von Bury vorgeschlagene Ineinssetzung von homerischen Kimmeriern und Kimbern hatte (zusammen mit der

überraschenderen von Odysseus und Odin) bereits Jonas Ramus in einer wunderlichen Schrift vertreten, die auf einem Vergleich zwischen *Odyssee* und *Edda* beruht (*Tractatus historico-geographicus, quo Ulyssem et Outinum eundemque esse ostenditur...*, Hafniae 1713) und in die »gotisierende« Strömung einzuordnen ist, die durch die *Atlantica* von O. Rudbeck inauguriert wurde (siehe im weiteren, S. 222 Anm. 48).

[77] Vgl. die Anmerkung von D. Comparetti zu *La guerra gotica*, III, Rom 1898, S. 317; und siehe jetzt Thompson, *Procopius*, cit., S. 498 ff. Auch E. Brugger, *Beiträge zur Erklärung der arthurischen Geographie*, II, *Gorre*, in: »Zeitschrift für französische Sprache«, XXVII (1905), S. 66–69 führt die von Prokopios gesammelten Traditionen am Ende auf die Bretagne zurück.

[78] Vgl. Claudianus, *In Rufinum*, V. 123 ff.; »est locus extremum pandit qua Gallia litus...«. A. Graf, *Miti, leggende e superstizioni del Medio Evo*, I, Turin 1892, nahm an, der Hinweis beziehe sich auf Cornwall statt auf die Bretagne.

[79] Vgl. Plutarch, *De facie quae in orbe lunae apparet*, 941–42, übers. u. komm. v. H. Cherniss, London 1957 (*Plutarch's Moralia*, XII, The Loeb Classical Library), S. 188–89. Vgl. auch F. Le Roux, *Les Îles au Nord du Monde*, in: *Hommages à Albert Grenier*, II, Brüssel 1962, S. 1051–62.

[80] Vgl. *Lycophronis Alexandra*, rec. E. Scheer, II, Berolini 1908, S. 345–46 (Scholion zu V. 1204).

[81] Vgl. A. R. Burn, *Procopius and the Island of Ghosts*, in: »The English Historical Review«, 70 (1955), S. 258–61; Thompson, *Procopius*, cit.: A. Cameron, *Procopius and the Sixth Century*, Berkeley und Los Angeles 1985, S. 215.

[82] Vgl. *Die Benandanti*, cit., S. 189 u. 197.

[83] Zu Friaul vgl. die linguistischen Überlegungen von G. Francescato u. F. Salimbeni, *Storia, lingua e società in Friuli*, Udine 1976, S. 24–28 u. 243–44. Zur Bretagne vgl. das von A. Le Braz, *La légende de la mort chez les Bretons Armoricains*, Neuausg. hg. v. G. Dottin, Paris 1902, II, S. 68 ff. gesammelte volkskundliche Belegmaterial. Auf einen keltischen Kontext zurückgeführt werden die von Prokopios berichteten Traditionen von A. C. L. Brown, *The Origin of the Grail Legend*, Cambridge, Mass. 1943, S. 134, Anm. 36; M. Dillon u. N. K. Chadwick, *The Celtic realms*, London 1972², S. 130; im selben Sinne vgl. Grimm, *Deutsche Mythologie*, cit., II, S. 694 ff. Einen Hinweis auf den nordischen Glauben an das Totenboot hatte hingegen F. G. Welcker, *Die homerischen Phäaken und die Inseln der Seligen* (1832), später in: *Kleine Schriften*, II, Bonn 1845, S. 17–20 formuliert. Siehe auch T. Wright, *Essays on Subjects Connected with the Literature, Popular Superstitions and History of England in the Middle Ages*, I, London 1846, S. 302–3 (allerdings enthält der Passus von Tzetzes nicht ein Fragment des verlorenen Plutarch-Kommentars zu Hesiod, sondern die Stelle von Prokopios: vgl. H. Patzig, *Questiones Plutarcheae*, Berlin 1876, S. 21). Ähnliche, an der ostfriesischen Küste verbreitete Traditionen verarbeitete Heine (der die Seite von Prokopios sicher kannte) in der Beschreibung des holländischen Totenspediteurs: vgl. *Die Götter im Exil*, in: *Historisch-kritische Gesamtausgabe d. Werke*, in Verb. mit d. Heinrich-Heine-Institut hg. v. M. Windfuhr, Bd. 9, Hamburg 1987, S. 132 ff. Nach G. Mücke, *Heinrich Heines Beziehungen zum deutschen Mittelalter*, Berlin 1908, S. 101, soll Heine aus mündlichen Zeugnissen geschöpft haben. Das neuere Buch von A. I.

Sandor, *The Exile of Gods. Interpretation of a Theme, a Theory and a Technique in the Work of Heinrich Heine*, Den Haag–Paris 1967, ignoriert das Problem der Quellen Heines und erwähnt die sehr gewissenhaften Forschungen von Mücke nicht.

[84] Ich schließe mich hier der von R. S. Loomis u. L. Hibbard Loomis, *Arthurian Legends in Medieval Art*, New York 1938, S. 36 vorgeschlagenen Interpretation an; im selben Sinne siehe auch C. Settis Frugoni, *Per una lettura del mosaico pavimentale della cattedrale di Otranto*, in: »Bulletino dell'Istituto storico italiano per il Medio Evo«, 80 (1968), S. 237–41. Anderer Ansicht sind M. A. Klenke, *Some Medieval Concepts of King Arthur*, in: »Kentucky Foreign Language Quarterly«, 5 (1958), S. 195–97, und W. Haug, *Artussage und Heilsgeschichte. Zum Programm des Fußbodenmosaiks von Otranto*, in: »Deutsche Vierteljahrschrift für Literaturwissenschaft und Geistesgeschichte«, 49 (1975), S. 577 ff., insbes. S. 580 (differenzierter nochmals aufgenommen in *Das Mosaik von Otranto*, Wiesbaden 1977, S. 31): beide interpretierten Artus als positive Figur, lassen aber außer Acht oder können nicht erklären, weshalb er auf der Kruppe eines Bocks dargestellt ist. Vgl. auch H. Birkhan, *Altgermanistische Miszellen...*, in: *Festgabe für O. Höfler*, hg. v. H. Birkhan, Wien 1976, S. 62–66 u. 82; M. Wierschin, *Artus und Alexander im Mosaik der Kathedrale von Otranto*, in: »Colloquia Germanica«, 13 (1980), S. 1–34, insbes. S. 16–17.

[85] Vgl. G. Paris, *Études sur les romans de la Table Ronde – Lancelot du Lac*, in: »Romania«, XII (1883), S. 508 ff., an den G. Ehrismann, *Märchen im höfischen Epos*, in: »Beiträge zur Geschichte der deutschen Sprache und Literatur«, 30 (1905), S. 14–54 anknüpft (für eine andere, aber weniger überzeugende Interpretation von *Limors* siehe F. Lot, *Celtica*, in: »Romania«, 24, 1895, S. 335). Diese Interpretationsrichtung wurde von S. Singer entwickelt: vgl. *Lanzelet*, in: *Aufsätze und Vorträge*, Tübingen 1912, S. 144 ff., vor allem 156 ff.; ders., *Die Artussage*, Bern/Leipzig 1920; ders., *Erec*, in: *Vom Werden des deutschen Geistes. Festgabe Gustav Ehrismann*, hg. v. P. Merker u. W. Stammler, Berlin/Leipzig 1925, S. 61–65. Siehe auch K. Varty, *On Birds and Beasts. »Death« and »Resurrection«. Renewal and Reunion in Chrétien's Romances*, in: *The Legend of Arthur in the Middle Ages. Studies Presented to A. H. Diverres*, hg. v. P. B. Grout u. a., Cambridge 1983, S. 194 ff., vor allem S. 200–12 (der jedoch Singers Studien nicht kennt). Allgemein siehe das Stichwort »Artustradition« von K. O. Brogsitter, in: *Enzyklopädie des Märchens*, I, Berlin u. New York 1977, Sp. 828–49. Auf einer Linie, die sich mit der hier vorgeschlagenen Interpretation trifft, vgl. C. Corradi Musi, *Sciamanesimo ugrofinnico e magia europea. Proposte per una ricerca comparata*, in: »Quaderni di Filologia Germanica della Facoltà di Lettere e Filosofia dell'Università di Bologna«, III (1984), S. 57–69.

[86] Vgl. O. Jodogne, *L'Autre Monde celtique dans la littérature française du XIIᵉ siècle*, in: »Bulletin de l'Académie Royale de Belgique«, 5. F., XLVI (1960), S. 584 ff.; J. de Caluwé, *L'Autre Monde celtique et l'élément chrétien dans les lais anonymes*, in: *The Legend of Arthur*, cit., S. 56–66.

[87] Vgl. M. Dillon, *Les sources irlandaises des romans Arthuriens*, in: »Lettres Romanes«, IX (1955), S. 143 ff.

[88] Vgl. R. S. Loomis, *Morgain la Fée and the Celtic Goddesses*, jetzt in: *Wales and the Arthurian Legend*, Cardiff 1956, S. 105–130.

89 *Ebd.*, S. 127–28.

90 Diese namentlich von R. S. Loomis entwickelte Interpretation hat heftige Diskussionen ausgelöst: vgl. R. S. Loomis, *Objections to the Celtic Origin of the ›Matière de Bretagne‹*, in: »Romania«, 79 (1958), S. 47–77; F. L. Utley, *Arthurian Romance and International Folk Method*, in: »Romance Philology«, 17 (1963–64), S. 596–607; R. Bromwich, *The Celtic Inheritance of Medieval Literature*, in: »Modern Language Quarterly«, 26 (1965), S. 203–227; I. Lovecy, *Exploding the Myth of the Celtic Myth: a New Appraisal of the Celtic Background of Arthurian Romance*, in: »Reading Medieval Studies«, 7 (1981), S. 3–18; R. Bromwich, Celtic Elements in Arthurian Romance: a General Survey, in: *The Legend of Arthur*, cit., S. 41–55. Es sollte selbstverständlich sein, daß die Erkenntnis mythischer Materialien keltischer Herkunft einer Analyse ihrer literarischen Ausarbeitung nicht im Wege steht (sie vielmehr begünstigt). Zum Eindringen volkstümlicher Elemente in die weltliche Literatur des 11. und 12. Jahrhunderts vgl. Le Goff, *Pour un autre Moyen-Âge*, cit., S. 233, der auf die in Anm. 92 genannten Studien von E. Köhler hinweist.

91 Vgl. außer Ehrismann, *Märchen*, cit., M. Völker, *Märchenhafte Elemente bei Chrétien de Troyes*, Bonn 1972; H. D. Mauritz, *Der Ritter im magischen Reich. Märchenelemente im französischen Abenteuerroman des 12. und 13. Jahrhunderts*, Bern u. Frankfurt a. M. 1974 (beeinträchtigt durch einen dogmatisch Jungschen Ansatz). Zu berücksichtigen sind die Bemerkungen von A. Guerreau-Jalabert, *Romans de Chrétien de Troyes et contes folkloriques. Rapprochements thématiques et observations de méthode*, in: »Romania«, 104 (1983), S. 1–48. Siehe außerdem I. Nolting-Hauff, *Märchen und Märchenroman. Zur Beziehung zwischen einfacher Form und narrativer Großform in der Literatur*, in: »Poetica«, 6 (1974), S. 129–78, der, im Unterschied zu den zuvor genannten, den Forschungen Propps Rechnung trägt. Dieser hatte bereits in der *Morphologie des Märchens* lakonisch bemerkt: »Andererseits zeigen z. B. auch einige Ritterromane dieselbe Struktur [des Zaubermärchens]« (S. 99).

92 Vgl. E. Köhler, *Ideal und Wirklichkeit in der höfischen Epik*, Tübingen 1970², S. 76 ff., 94 ff., u. 101 ff.; G. Duby, *Au XIIᵉ siècle: les ›Jeunes‹ dans la société aristocratique*, in: »Annales E. S. C.«, 19 (1964), S. 835–96; J. Le Goff u. P. Vidal-Naquet, *Lévi-Strauss en Brocéliande* (1973) (ital. Übers.: *Abbozzo di analisi di un romanzo cortese*, in: *Il meraviglioso e il quotidiano nell'Occidente medievale*, Bari 1983, S. 101 ff.)

93 Vgl. Bonomo, *Caccia*, cit., S. 74–84. Es handelt sich um einen der trientinischen Prozesse vom Anfang des 16. Jahrhunderts, die in verstümmelter und fehlerhafter Form bereits von A. Panizza veröffentlicht wurden (siehe im weiteren, S. 149 Anm. 59). Giovanni Kral bereitet derzeit eine neue Edition vor.

94 Vgl. W. Söderhjelm, *Antoine de la Sale et la légende de Tannhäuser*, in: »Mémoires de la société néo-philolo-
gique«, 2 (1897), S. 101–167; allgemein siehe den vorzüglichen Aufsatz von O. Löhmann, *Die Entstehung der Tannhäusersage*, in: »Fabula«, III (1959–60), S. 224–53.

95 Venus ist eine *interpretatio romana* der Holda: vgl. Klapper, *Deutscher Volksglaube*, cit., S. 36 u. 46, der eine vor 1250 verfaßte Stelle aus der *Summa de confessionis discretione* des Bruders Rudolf von Biberach (»In nocte nativitatis Christi ponunt regine celi, quam dominam Holdam vulgus appellat, ut eas ipsa adiuvet«) einem zwei Jahrhunderte später entstandenen Abschnitt aus einer Predigt des Bruders Thomas Wunschilburg zur Seite stellt, in dem vorgeschrieben wird, daß sich von der Kommunion fernzuhalten hat, wer »in dictam Venus, quod personaliter visitat mulieres insane mentis ... in noctibus Christi« glaubt. Man beachte, daß sich beide Texte speziell auf Frauen beziehen.

96 Vgl. *Die Benandanti*, cit., S. 81–82. Ein analoger Fall: Im Jahr 1623 hatte Hans Hauser, ein bettelarmer fahrender Kleriker, in einer Schenke damit geprahlt, die Zukunft vorhersagen und Kranke heilen zu können. Den Justizbeamten, die ihn vernahmen, erzählte er, ein Freund habe ihn auf den Venusberg geführt, wo er neun Jahre lang unter außergewöhnlichen Leuten (darunter eine Frau) geblieben sei, die ihn in den magischen Künsten unterwiesen hätten; im Lauf des Prozesses leugnete er später alles ab (vgl. die noch unveröffentlichte Doktorarbeit von E. W. M. Bever, *Witchcraft in Early Modern Württemberg*, Princeton 1983; ich danke dem Verfasser herzlich, daß er mich sie einsehen und zitieren ließ).

97 Vgl. Löhmann, *Die Entstehung*, cit., S. 246.

98 Vgl. Duvernoy, *Le registre*, cit., I, S. 133, Anm. 61.

99 Vgl. J. Grimm, *Irische Elfenmärchen*, Leipzig 1826, S. CXXII–CXXVI, Einleitung.

100 Vgl. C. Musès, *Celtic Origins and the Arthurian Cycle: Geographic-Linguistic Evidence*, in: »Journal of Indo-European Studies«, 7 (1979), S. 31–48, wo ein Teil der Ergebnisse einer bereits erschienenen Studie (*Celtic Origins...*, in: »Ogam«, 98, 1965, S. 359–84) überzeugender ausgeführt werden. Beide Aufsätze figurieren in *Arthurian Legend and Literature. An Annotated Bibliography*, hg. v. E. Reiss u. a., I, New York/London 1984 nicht. Musès scheint nicht zu wissen, daß seine Schlußfolgerungen in einigen Punkten jene von S. Singer, *Die Artussage*, cit., nachvollziehen (zum Beispiel in bezug auf den Zusammenhang Artus–Artio: vgl, im weiteren, S. 132). Man beachte, daß bereits E. Freymond sich gefragt hatte (ohne eine überzeugende Antwort zu finden), weshalb die Sage, die den Kampf zwischen Artus und »Cath Paluc« schildert, wohl in der Südwestschweiz und in Savoyen lokalisiert sei: vgl. *Artus' Kampf mit dem Katzenungetüm: Eine Episode der Vulgata des Livre d'Artus, die Sage und ihre Lokalisierung in Savoyen*, in: »Beiträge zur romanischen Philologie. Festgabe für G. Gröber« (1899), vor allem S. 369 ff. Auch Bromwich, *Celtic Elements*, cit., S. 43, ist außerstande, diese Frage zu klären.

Hexen bei der Bereitung der Hexensalbe, Titelblattholzschnitt zu: Reinhard Lutz, *Wahrhaftige Zeitung. Von den Gottlosen Hexen,* 1571

ANOMALIEN

Zeugnisse, die aus einem ganz Europa umfassenden Gebiet und einer mehr als ein Jahrtausend umspannenden Zeit stammen, haben die Züge einer überwiegend weiblichen ekstatischen Religion zutage treten lassen, die von einer nächtlichen Göttin mit vielerlei Namen beherrscht wird. In dieser Gestalt haben wir eine hybride, späte Filiation keltischer Gottheiten erkannt – eine Hypothese, die, gestützt auf in Raum und Zeit verstreutes Belegmaterial, vielleicht fragwürdig sein mag, gewiß aber unzureichend ist, da sie die Gründe für eine so langanhaltende Kontiniutät nicht erklären kann. Und nicht nur dies: durch andere Zeugnisse, von denen bislang nicht die Rede war, erweist sie sich als widerlegt.

Es handelt sich um eine Reihe von Prozessen, die das Heilige Offizium in Sizilien von der zweiten Hälfte des 16. Jahrhunderts an gegen Frauen (mitunter sogar junge Mädchen) führte, die beteuerten, sich regelmäßig mit geheimnisvollen weiblichen Wesen zu treffen: den *Donne di fuori* (»Frauen von draußen«). Mit ihnen flogen sie nachts aus, um in entlegenen Burgen oder auf Wiesen zu tafeln. Sie waren prachtvoll gekleidet, hatten aber Katzenpfoten oder Pferdehufe. Im Mittelpunkt ihrer »Gesellschaften« (der Römer, von Palermo, Ragusa usw.) stand eine weibliche Gottheit, die viele Namen trug: die Matrone, die Meisterin, die Griechische Herrin, die Weise Sibylle, die – manchmal von einem König begleitete – Feenkönigin. Ihre Anhängerinnen lehrte sie, Personen von Verhexungen zu heilen[1]. Diese Erzählungen, die denjenigen der Frauen, die sich in Ekstase zur nächtlichen Göttin begaben, so ähnlich waren, entsprangen spezifisch sizilianischen Traditionen. Schon seit Mitte des 15. Jahrhunderts wies eine auf Sizilien verfertigte volkssprachliche Übersetzung eines Leitfadens für Beichtväter auf die »donni di fori e ki vayanu la nocti« (Frauen von draußen und die nachts umgehen) hin[2]. Trotz der ablehnenden Haltung des Klerus hielt sich der Glaube lange. Im Jahr 1640 wurde Caterina Buní, eine Frau aus Palermo, »die nachts mit den *Donne di fuora* auszog und den Leuten versprach, sie mitzunehmen, und sie auf einem Hammel reiten lassen wollte, so wie sie es tat«, vom Heiligen Offizium gerichtlich belangt und verurteilt. Und noch mitten im 19. Jahrhundert zeigten sich die *Donni di fuora, Donni di locu, Donni di notti, Donni di casa, Belli Signuri, Patruni di casa* Männern und Frauen in Gestalt zwielichtiger Wesen, die tendenziell wohltätig waren, aber auch Unheil bringen konnten, wenn man ihnen nicht die gebührende Ehrfurcht bezeigte. Ein Detail wie die den ordentlich gekehrten Häusern vorbehaltene Gunst der »donne di fuori« unterstreicht die Analogie zu den »guten Frauen«, den Feen, den Anhängerinnen Orientes. Man ist versucht, den charakteristischen Kopfputz der keltischen *Matronae* (vgl. Abb. S 109) an den »drei jungen, weißgekleideten Frauen mit einer Art rotem Turban auf dem Kopf« wiederzuerkennen, die Mitte des 19. Jahrhunderts einer alten Frau aus Modica, Emanuela Santaéra, erschienen und sie zum Tanz einluden[3]. Aber wir sind in Sizilien. Die Präsenz keltischer, von Griechen und Karthagern im 4. Jahrhundert v. Chr. angeworbener Söldnertruppen war ein nebensächliches Vorkommnis, das nicht die Voraussetzungen für eine so hartnäckige kulturelle Kontinuität geschaffen haben kann[4]. Wir kommen nicht umhin, in den »donne di fuori« ein anomales Phänomen zu erkennen, das mit der von uns formulierten historischen Hypothese eindeutig unvereinbar ist.

Man könnte das Hindernis zu umgehen suchen, indem man vergleichend eine andere Tradition heranzieht, deren (wenngleich ausgearbeitetes) keltisches Gepräge allerdings offensichtlich erscheint. Gemeint sind die legendären Erzählungen, die in Sizilien vom 13. Jahrhundert an belegt sind und denen zufolge König Artus, in der Schlacht verletzt, in einer Höhle des Ätna im Schlaf lag. Man hat diese Legenden auf eine (nicht belegte, aber plausible) Verbreitung der Themen der Artusepik zurückgeführt, die bretonische Ritter, gelandet im Gefolge der normannischen Invasoren, Ende des 11. Jahrhunderts nach Sizilien gebracht haben sollen. Auch das späte Epitheton »Fata Morgana«, mit dem die in der Straße von Messina sichtbaren Luftspiegelungen bezeichnet werden, soll ein Beweis für diesen kulturellen Umlauf sein[5]. Im übrigen ist die Verbindung Morganas mit Sizilien und speziell mit dem Ätna bereits in einigen französischen und provenzalischen Dichtungen festgehalten[6]. Ließen sich die Feen, die in den Erzählungen der vom Heiligen Offizium von Palermo belangten Frauen und Mädchen vorkommen, nicht ebenfalls auf den Import von Themen der »Matière de Bretagne« zurückführen? Wenn dem so wäre, fänden wir wieder ein keltisches Substrat – wenn auch ein viel jüngeres und viel tiefgreifender modifiziertes als das bisher angenommene. Die Ekstasen der Anhängerinnen der »donne di fuori« hätten demnach den in der literarischen – freilich mündlich überlieferten – Tradition verborgenen volkstümlichen Gehalt zum Vorschein gebracht, der sie ausgelöst hatte.

Diese Annahme läßt sich schwerlich akzeptieren. Doch die überraschende Präsenz von an Morgana gebundenen Traditionen in Sizilien hat auch eine andere Hypothese nahegelegt, die in eine weit fernere Vergangenheit weist. Sowohl die keltische Morrigan als auch die sizilianische Morgana seien in einer Tradition zu sehen, die auf eine große, vorgriechische mediterrane Göttin zurückgehe, welche auch zu Gestalten von Zauberinnen wie Kirke oder Medeia inspiriert haben soll. Diese kulturelle Filiation erkläre das Auftreten ähnlicher

Namen und Ortsnamen (auch des Typs *Morg-*) im mediterranen und keltischen Raum[7]. Wie man sieht, handelt es sich um generische und leicht anfechtbare Mutmaßungen, die die dokumentarischen Schwierigkeiten lösen, indem sie sie in eine nebulöse Vergangenheit zurückprojizieren. Selbst die »große Göttin« ist eine Abstraktion, die willkürlich Kulte mit verschiedenen Merkmalen zusammenbringt[8]. Und dennoch weist diese Hypothese, obwohl in inakzeptabler Weise formuliert, der Forschung indirekt einen Weg, der von ganz anderer Art ist als jene, die wir bisher beschritten haben.

2. Von Poseidonios von Apameia – wahrscheinlich aus seinem großen, heute verlorenen historischen und ethnographischen Werk – übernahm Plutarch, wie er ausdrücklich erklärt, das 20. Kapitel seiner *Lebensgeschichte des Marcellus*[9]. Die darin berichteten Begebenheiten gehen auf das Jahr 212 v. Chr. zurück; Poseidonios schrieb um das Jahr 80 v. Chr.; Plutarch zwischen dem 1. und 2. Jahrhundert n. Chr. Das Kapitel erzählt von der List, die Nikias, erster Bürger von Engyon (einer Stadt in Ostsizilien, in der man das heutige Troina erkannt hat[10]), anwandte, um zu Marcellus zu fliehen, dem römischen Feldherrn, der mit seinem Heer die Insel überfallen hatte. Engyon war berühmt für seine Erscheinungen gewisser Göttinnen, sogenannter Mütter; ihnen war ein weithin bekanntes Heiligtum geweiht. Nikias beginnt, Reden gegen die Mütter zu führen, erklärt, ihre Erscheinungen seien erlogen. Während einer öffentlichen Versammlung läßt er sich unversehens wie tot zu Boden fallen. Kurz darauf gibt er vor, wieder zu sich zu kommen, und sagt mit kläglicher, gebrochener Stimme, die Mütter quälten ihn. Wie ein Wahnsinniger zerreißt er sich die Kleider und flieht, sich den allgemeinen Schrecken zunutze machend, in Richtung des römischen Lagers. Seine Frau gibt ihrerseits vor, zum Tempel der Mütter gehen zu wollen, um Verzeihung zu erbitten, und erreicht Nikias bei Marcellus.

Weitere Angaben zum Kult der Mütter sind Ausführungen des Diodorus zu entnehmen, denen, neben der wahrscheinlichen Kenntnis des Werks von Poseidonios, lokale (vielleicht von Timaios bezogene) Traditionen und Informationen aus erster Hand zugrunde liegen[11]. Das Renommee des Heiligtums von Engyon war groß: Auf den Rat von Orakeln, die Apoll eingegeben hatte, verehrten etliche sizilianische Städte die Muttergöttinnen, die Bürgern wie Gemeinwesen Wohl angedeihen ließen, mit Opfern, Ehrfurchtsbezeigungen, Votivgaben in Gold und Silber. Auch Agyrion (wo Diodorus geboren war) hatte, obgleich es fast hundert Stadien entfernt lag, durch Entsendung steinbeladener Karren zum Bau des großen Tempels von Engyon beigetragen. Man hatte keine Kosten gescheut, denn das Heiligtum der Mütter war wahrlich reich: Bis vor kurzem – versicherte Diodorus – habe es dreitausend heilige Ochsen besessen und Ländereien in großer Zahl, aus denen es erkleckliche Einkünfte bezogen habe[12].

Im Tempel von Engyon – so läßt Plutarch in Anknüpfung an Poseidonios wissen – wurden die Waffen des kretischen Helden Meriones aufbewahrt, des mythischen Kolonisators Siziliens. Diodorus präzisiert, daß die Gründer von Engyon – Kreter – den Kult der Mütter aus ihrer Heimat mitgebracht hätten. Cicero wiederum behauptet (*Verr.* IV, 97; V, 186), Engyon sei berühmt für den der Großen Mutter, Kybele, geweihten Tempel. Aber dasselbe Schwanken zwischen Plural und Singular läßt sich an archäologischen Zeugnissen aus Ostsizilien beobachten: Auf zwei aus dem zweiten Sklavenkrieg stammenden, in Syrakus und Lentini gefundenen bleiernen Wurfgeschossen ist zu lesen: »Sieg der Mütter *(nikē mēterōn)*« bzw. »Sieg der Mutter *(nikē materos)*«[13]. Die Verdoppelung oder Verdreifachung von Einzelgöttinnen ist, auch im Mittelmeerraum, ein weithin belegtes Phänomen[14]. Und Kybele wurde nicht nur in Ostsizilien, sondern auch in Kreta (unter dem Namen Rhea) mit stürmischen Ritualen verehrt, die man mit dem von Nikias vorgetäuschten Verhalten in Verbindung gebracht hat. Demnach wären die Unterschiede zwischen den Berichten des Poseidonios und Diodorus auf der einen und dem Ciceros auf der anderen Seite letzten Endes unmaßgeblich[15].

Man hat angenommen, daß dieser vermutlich aus Kreta stammende Kult auf einem früheren, autochthonen aufbaue: Auf einen bei Timaios wiedergegebenen Ausspruch des Pythagoras gestützt, in dem die Mütter den Nymphen und den Korai angenähert wurden, hat man die Göttinnen von Engyon in Nymphentriaden gesehen, die auf Reliefs oder sikeliotischen Münzen abgebildet sind[16]. Doch die Ausführungen des Poseidonios und Diodorus scheinen sich auf spezielle Gottheiten zu beziehen. Man hat versucht, sie in den drei weiblichen, in einen Umhang gehüllten Figurinen zu erkennen, die in einem Grab auf Zypern gefunden wurden, oder aber in jenen sehr viel größeren Figuren, die auf einem in Camàro bei Messina gefundenen Relief zu sehen sind (vgl. Abb. S. 127)[17]. In jüngerer Zeit hat man die Mütter von Engyon im Zusammenhang mit den Nymphen genannt, die auf einigen, im thrakischen Heiligtum von Saladinovo entdeckten Exvoten abgebildet sind[18].

3. Dieses Heiligtum wird im Volksmund als »Feenfriedhof« bezeichnet; die Nymphentriaden tragen Kopfbedeckungen in Turbanform, ähnlich denen der keltischen *Matronae* (Abb., S.109) – oder jenen der »donne di fuori«, die Mitte des 19. Jahrhunderts der alten Frau aus Modica erschienen. Was Saladinovo betrifft, so ist daran nichts Seltsames zu finden: Zwischen dem 4. und 3. Jahrhundert v. Chr. sind in Thrakien keltische Siedlungen bezeugt[19]. Für Sizilien, wie wir gesehen haben, gilt diese Erklärung jedoch nicht.

Die Ähnlichkeit zwischen den rätselhaften Muttergöttinnen von Engyon und den keltischen *Matronae*, auf die bereits ein Altertumsforscher des 18. Jahrhunderts hingewiesen hat, ist auf verschiedenste Weisen interpretiert worden. Bald hat man in ihr einen Hinweis auf eine Abstammung von nicht näher bestimmten indoeuropäischen weiblichen Gottheiten gesehen, bald eine bloße Koinzidenz, dann wieder den Beweis für die Präsenz vielfältiger Muttergöttinnen sowohl im keltischen als auch im sikeliotischen Bereich, die weder mit der Mutter Erde noch mit der in Kleinasien verehrten Göttermutter in eins zu setzen seien[20]. Daß die letzte Hypothese die richtige ist, beweist ein bislang vernachlässigtes Faktum. In einer vielleicht auf das 1. Jahrhundert v. Chr. zurückgehenden, in einem kleinen Heiligtum bei Allan (einer Ortschaft der Dauphiné) erhaltenen Votivinschrift wandte sich ein gewisser Niger – wahrscheinlich eine Sklave –, Vorsteher der Kellerei eines großen Gutes, in grammatisch fehlerhaftem Latein »an die siegreichen Mütter« *(Matris V[ic]tricibus)*[21]. Unmöglich, nicht an die Glück

Basrelief, gefunden in Camàro (Messina). Wahrscheinlich stellen die drei Figuren die Muttergöttin dar: ein Heiligtum, das ihnen geweiht war, befand sich in der Nähe der Stadt Engyon.

heischenden Wendungen auf den bleiernen Wurfgeschossen zu denken, die mit Schleudern bewaffnete sizilianische Krieger in den Sklavenkriegen verwandten: »Sieg der Mütter« (oder »der Mutter«). Auch wenn die Interpretation dieser Konvergenz alles andere als klar ist, so bestätigt sie doch die unabhängig davon formulierten Vermutungen über die zugleich keltischen und sizilianischen Wurzeln von Figuren wie der Fee Morgana oder der »donne di fuori«[22].

4. An diesem Punkt scheint die Hypothese einer untergründigen Kontinuität zwischen den Müttern von Engyon und den »donne di fuori« im sizilianischen Bereich unausweichlich. Freilich bedeutet Kontinuität nicht Identität. Anders als die »donne di fuori« bildeten die Mütter den Mittelpunkt eines öffentlichen Kultes, nicht den privater ekstatischer Erfahrungen. Aber die von Nikias vorgetäuschte Ohnmacht und anschließende Raserei wie auch der Hinweis auf Erscheinungen der Mütter weisen darauf hin, daß sich diese Gottheiten Personen zu zeigen pflegten, die in einen ekstatischen Zustand versunken waren. Auch die Qualen, die die Mütter über diejenigen verhängten, die wie Nikias ihre Erscheinungen leugneten, erinnern an die feindseligen Reaktionen der »donne di fuori« gegenüber denen, die es an Respekt mangeln ließen. Trotzdem bleibt das Gepräge der Mütter von Engyon dunkel. Die übereinstimmenden Angaben über ihre kretische Herkunft komplizieren das Bild. Dem Mythos zufolge war Rhea nach Kreta geflüchtet, um Kronos zu entkommen, der ihren neugeborenen Sohn Zeus verschlingen wollte, wie er es bereits mit den früheren Söhnen getan hatte. Zwei Bärinnen (oder, anderen Zeugnissen zufolge, zwei Nymphen), Helike und Kynosura, hatten den Säugling in einer Höhle des Berges Ida versteckt und großgezogen. Zeus hatte sie zum Zeichen seiner Dankbarkeit in Sternbilder verwandelt: in den großen und den kleinen Bären[23]. Eine Stelle aus den *Phainomena* zitierend, einem um 275 v. Chr. von Arat verfaßten astrologischen Lehrgedicht, identifizierte Diodorus die Mütter von Engyon mit den beiden nährenden Bärinnen.

Anderen Versionen zufolge war Zeus von einer später ebenfalls in ein Sternbild verwandelten Nymphe (oder Ziege) mit Namen Amaltheia, von einer Hündin, einer Sau, einem Bienenschwarm großgezogen worden[24]. Der von (später vermenschlichten) Tieren aufgezogene neugeborene Gott ist eine ganz andere Gestalt als der Herr des Olymp, eine sicherlich indoeuropäische Himmelsgottheit: die kretischen Mythen würden demnach auf eine ältere kulturelle Schicht zurückgehen[25]. Nun waren diese allerdings nicht nur auf Kreta beschränkt. In der Nähe von Kyzikos, in der Propontis (dem heutigen Marmarameer), gab es einen Berg, der, wie ein Scholion zu den *Argonautika* des Apollonios Rhodios (I, 936) mitteilt, zum Gedenken an die Nährmütter des Zeus »Berg der Bärinnen« genannt wurde[26]. In einer einsam gelegenen, gebirgigen Gegend des Peloponnes wie Arkadien hatten sich diese Mythen mit lokalen Traditionen vermischt, wie sie Pausanias im 2. Jahrhundert v. Chr. aufgezeichnet hatte. Diese Traditionen bekundeten, Zeus sei nicht auf Kreta geboren, sondern in einem Teil Arkadiens, genannt Kreteia; eine der Nährmütter, Helike, sei eine Tochter des arkadischen Königs Lykaon – während sie andere Versionen mit Phoinike identifizierten, einer Nymphe, die Artemis in einen Vogel verwandelt hatte, weil sie von

Zeus verführt worden war[27]. Man erahnt eine Verschmelzung, auf die bereits Kallimachos hinwies, zwischen den Mythen über die kretische Geburt des Zeus und den Mythen über Kallisto, Tochter – zumindest in einigen Versionen – des Lykaon, des Königs von Arkadien: Sie war Geliebte des Zeus und Mutter des eponymen Helden Arkas, wurde in eine Bärin verwandelt, daraufhin von Artemis getötet und als Sternbild des Bären an den Himmel gehoben[28]. Von den griechischen Dialekten ähnelt der arkadisch-kyprische der Sprache am meisten, die das Volk verwendete, das um die Mitte des 2. Jahrtausends v. Chr. Kreta eroberte: dem Mykenischen (genauer: der sogenannten Linear B-Variante, in der die in Pylos und Knossos gefundenen Verwaltungszeugnisse abgefaßt sind)[29]. Die vielleicht zum Teil späte Konvergenz zwischen beiden Gruppen von Mythen – der kretischen und der arkadischen – knüpfte demnach an sehr alte kulturelle Beziehungen an. Ihre Elemente sind zum Großteil dieselben (Bärinnen – Nymphen – Zeus – Sternbild): hingegen unterscheiden sich deren Kombination und unmittelbare Funktion. Anstelle der beiden nährenden Bärinnen finden wir eine in eine Bärin verwandelte Geliebte; anstelle der märchenhaften Kindheit eines Gottes die Bekräftigung des göttlichen Ursprungs des Arkas. Die Verbindung zwischen den Nachkommen des Arkas und dem Sohn des Stammvaters der Pelasger, Lykaon, den Zeus in einen Wolf verwandelte, weil er Menschen opferte, wurde abgeschwächt, um einer neuen mythologischen Genealogie Raum zu geben. Durch den Mythos von Kallisto – einen Mythos wahrhafter Neubegründung – waren die Pelasger, wie Pausanias (VIII, 3, 7) bemerkte, Arkadier geworden; den Namen, den sie damit erworben hatten, führte eine volkstümliche Etymologie auf jenen der Bärin *(arktos, arkos)* zurück[30].

Daß der sikeliotische Kult der Muttergöttinnen die kretischen Mythen um die Bären-Nährmütter zur Voraussetzung hat, steht außer Zweifel; die Beziehung zwischen kretischen Mythen und arkadischen Mythen über die in eine Bärin verwandelte Nymphe-Mutter stellt sich jedoch weniger klar dar, auch wenn es wahrscheinlich scheint, daß erstere früher da waren[31]. Aber die arkadische Ausarbeitung wirft neue Schwierigkeiten auf. Lange Zeit hat man Kallisto als Projektion oder Hypostase der Artemis betrachtet: In ihrer Verwandlung hat man das Zeichen für eine uralte Bärennatur der Göttin gesehen, einen später infolge der Überlagerung durch ganz anders geartete Elemente halb ausgelöschten totemistischen Kern. Die Verwendung fragwürdiger Kategorien wie »Hypostase« oder »Totemismus« hat jüngst zu einer totalen Ablehnung dieser Interpretationsrichtung geführt[32]. Gleichwohl liegen ihr aber nicht nur fragwürdige theoretische Postulate zugrunde, sondern auch unbestreitbare Belege, wie etwa die Überreste eines athenischen Heiligtums, das Artemis »Kalliste« gewidmet war[33], oder die berühmte, umstrittene Stelle bei Aristophanes (*Lysistrata*, 641–647), aus der hervorgeht, daß Artemis im Heiligtum von Brauron von »Bärinnen« genannten Mädchen verehrt wurde, die safranfarbene Gewänder trugen[34]. Es kann nicht a priori ausgeschlossen werden, daß diese Zeugnisse eines engen Zusammenhangs zwischen Artemis und der Bärin in abgeschwächter Form eine ältere Beziehung der Identität zum Ausdruck bringen[35]. Gerade in einer Gegend wie Arkadien, das in kultureller Hinsicht sehr konservativ war, gab es noch im 2. Jahrhundert v. Chr. deutliche Spuren von Kulten, die mit teilweise oder gänzlich tierischen Gottheiten verknüpft waren[36]. Zudem werden die arkadischen Daten, wie dies auch für andere religiöse (oder sprachliche) Phänomene gilt, durch den Vergleich mit Kreta erhellt. An der Nordwestküste der Insel gab es allem Anschein nach eine mykenische Stadt, die Kynosura hieß – der Name einer der Nährmütter des Zeus. Mit demselben Namen wurde auch die Halbinsel bezeichnet, auf der die Stadt lag: die derzeitige Akrotiri. Dort kann man noch eine »Bärengrotte« *(Arkoudia)* besichtigen, so benannt nach einem mächtigen Stalagmiten, der ein Tierbild suggeriert. In der Grotte wurden Fragmente von Abbildungen der Artemis und des Apoll gefunden, die auf die klassische und die hellenistische Zeit zurückgehen. Heute wird dort die »Jungfrau der Bärengrotte« *(Panaghia Arkoudiotissa)* verehrt: Einer lokalen Legende zufolge war die Madonna in die Grotte gegangen, um sich zu erfrischen, war dort auf eine Bärin gestoßen und hatte sie in Stein verwandelt. Hinter der christlichen Ausarbeitung erkennen wir den vielleicht bereits in minoischer Zeit, im 2. Jahrtausend v. Chr. lebendigen Kult einer nährenden Göttin in Gestalt einer Bärin: einer fernen Urahnin der Mütter von Engyon[37].

Aller Wahrscheinlichkeit nach wird uns der Name dieser Göttin für immer unbekannt bleiben. Wir wissen jedoch, daß der einer anderen Nährmutter des Zeus – Adrasteia – eine thrakisch-phrygische Gottheit bezeichnete, die in Athen zusammen mit der thrakischen Göttin Bendis verehrt wurde. Daß Herodot (V, 7) Bendis mit Artemis identifizierte, ist sehr wahrscheinlich; daß Pausanias (X, 27, 8) Adrasteia mit Artemis gleichsetzte, ist gewiß[38]. Bei griechischen Beobachtern beschworen disparate Figuren fremder weiblicher Gottheiten unweigerlich den Namen der Artemis herauf. Vielleicht nicht ganz zu Unrecht. In der *Ilias* ist Artemis die »Herrin der Tiere« *(potnia thērōn,* XXI, 470): ein Epitheton, das an die aus dem Mittelmeerraum und Kleinasien stammenden Abbildungen einer von Tieren, oft in Paaren (Pferde, Löwen, Hirsche usw.), umgebenen Göttin erinnert[39]. An diesen archaischen, vorgriechischen Kern lagerten sich Kulte und Vorrechte an, die man auf ein gemeinsames Motiv zurückgeführt hat: die Beziehung zu Wirklichkeiten, die als Grenz-, Zwischen-, Übergangsbereiche bestimmt sind. Jungfrau und Jägerin, auf der Grenze zwischen Stadt und amorphem Wald, zwischen Menschlichem und Tierischem, wurde Artemis auch als Nährmutter der Knaben *(kourotrophos)* und Beschützerin der jungen Mädchen verehrt[40]. An sie wandten sich auch die schwangeren Frauen: Im Heiligtum der Artemis Kalliste fand man Brüste und Vulven darstellende Exvoten. Von Euripides *(Iphigenie auf Tauris,* 1462 ff.) wissen wir, daß Iphigenie, der Priesterin im Heiligtum der Artemis Brauronia, die Kleider der Frauen geweiht wurden, die bei der Niederkunft gestorben waren – während der Göttin wahrscheinlich die Kleider jener Frauen gebührten, bei denen die Wehen zu einem glücklichen Abschluß gekommen waren[41]. Wie wir gesehen haben, war Artemis, Jungfrau und Amme – zwei in der religiösen Vorstellungswelt des Mittelmeerraums hartnäckig miteinander verflochtene Elemente –, eng mit der Bärin verbunden. Der Eifer der Bärin gegenüber ihren Jungen war bei den Griechen sprichwörtlich[42]. Auch das menschenähnliche Aussehen der Bärin, dieses zu den Sohlengängern zählenden Tieres, ließ sie möglicherweise als geeignet erscheinen, wie Artemis Zwischen- und Schwellensituationen zu symbolisieren.

---

5. Im 2. oder 3. Jahrhundert n. Chr. weihte eine Frau mit Namen Licinia Sabinilla der Göttin Artio eine Bronzegruppe. In Muri bei Bern im Jahr 1832 in Bruchstücken gefunden, wurde sie erst im Jahr 1899 wieder zusammengesetzt. Die derzeitige Anordnung im Historischen Museum Bern zeigt eine sitzende weibliche Gottheit mit einem Napf in der rechten Hand, den Schoß voller Früchte (15,6 cm hoch); links neben ihr ragen aus einem Korb, gestützt auf einen Pfeiler, noch mehr Früchte hervor; gegenüber eine in der Nähe eines Baumes (19 cm hoch) zusammengekauerte Bärin (12 cm hoch). Der Sockel (5,6 cm hoch, 28,6 cm breit, 5,2 cm tief) trägt die Inschrift: »DEAE ARTIONI LICINIA SABINILLA« (vgl. Abb. S. 132). Epigraphe mit Widmungen an die Göttin Artio fand man in der Pfalz (bei Bitburg), in Süddeutschland (Stockstadt, Heddernheim), vielleicht in Spanien (Sigüenza oder Huerta). Die Streuung der Zeugnisse und der Name, der an den Bären erinnert (gallisch *artos, altirländisch art), deuten auf eine keltische Gottheit hin[43]. Eine eingehendere Untersuchung der Gruppe ergab, daß diese ursprünglich allein aus der vor dem Baum hingekauerten Bärin – Artio – bestand. Die Göttin in Menschengestalt ist ein zwar antiker, doch späterer Zusatz. Ihr Bild ist jenem der keltischen *Matronae* oder *Matres* nachgebildet, sowie – allgemeiner – jenem der sitzenden Demeter[44].

Die derzeitige Gestalt der Gruppe ist also das Ergebnis einer zweifachen Schichtung, der eine Verdoppelung der – zunächst in Tier-, dann in Menschengestalt abgebildeten – Artio entspricht. Wir treffen erneut auf den Zusammenhang Bärengöttin–Nährgöttin, der bereits im Kult von Engyon und den ihn anregenden kretischen Mythen sowie in den Kulten der Artemis Kalliste und Artemis Brauronia zutage trat. Ist man nicht bereit, in der Bärin ein von kulturellen Kontexten unabhängiges Symbol anzuerkennen, wirkt diese Übereinstimmung zwischen keltischen und griechischen Zeugnissen verwirrend. Die Möglichkeit eines sprachlichen (und also historischen) Zusammenhangs zwischen *Artio* und *Artemis* macht das Bild noch komplizierter. Man hat angenommen, die keltische Gottheit sei eine keltische Filiation der griechischen, da *artos sich von arktos ableite, vermittelt über das lateinische arctus (»Bär«)[45]. Aber daß *artos eine Entlehnung darstellt, scheint sowohl aus sprachlichen als auch kulturellen Gründen unwahrscheinlich[46]. Überdies ist die Bedeutung des Namens *Artemis* dunkel (der Zusammenhang mit arktos ist eine linguistisch inakzeptable Volksetymologie)[47]. Infolgedessen ist eine Hypothese formuliert worden, die die vorhergehende umkehrt: die griechische Göttin stamme von einer keltisch-(oder dacisch-)-illyrischen Göttin ab, welche die mutmaßliche dorische Invasion (1200 v. Chr.) auf den Peloponnes gebracht haben soll[48]. Ein Zeugnis aus noch früherer Zeit, nämlich die in Linear B auf Täfelchen einer mykenischen Stadt, Pylos, geschriebenen Namen A-te-mi-to und A-ti-mi-te, scheint auch diese Hypothese zu widerlegen. Aber die Bedeutung jener Namen ist unklar; die Möglichkeit, sie mit Artemis gleichzusetzen, umstritten[49]. Die Beziehung zwischen Artio und Artemis bleibt ein ungelöstes Problem.

6. Der Versuch, das anomale Vorkommen der »donne di fuori« in Sizilien zu erklären, hat uns zu einem langen Exkurs genötigt. Im Lauf dieses Exkurses sind wir den keltischen Matronen begegnet, die eng mit den von Kreta nach Sizilien

Votivgruppe aus Bronze mit einer Darstellung der Göttin Artio,
2.–3. Jh. n. Chr. Neuere Restaurationsarbeiten haben gezeigt, daß es sich bei der
weiblichen Figur um einen späteren Zusatz handelt.

verpflanzten Müttern verbunden sind; den kretischen Mythen und Kulten, die sich auf nährende Göttinnen in Bärengestalt beziehen; den Kulten der Artemis Kalliste und Artemis Brauronia, in denen die Göttin mit Nährmutterfunktionen als eng verknüpft mit der Bärin erscheint; schließlich Artio, dargestellt als Bärin und als Matrone. Unversehens schließt sich hier der Kreis. Wir kehren in den Bereich zurück, von dem wir ausgegangen waren. Wir finden nicht nur die Wurzeln des ekstatischen Kultes wieder, den wir hier rekonstruieren, sondern vielleicht sogar seine literarischen Ausarbeitungen – wenn der Namen *Artus* sich, vermittelt über *Artoviros*, von Artio ableitet (wie man vermutet hat)[50]. Doch hat die Anomalie der sizilianischen Zeugnisse eine tiefer liegende, ältere Schicht zum Vorschein gebracht, in der sich keltische, griechische, vielleicht auch mediterrane Elemente vermischen. Fragmente dieser Schicht sind in den Geständnissen der Frauen eingelagert, die der nächtlichen Göttin folgen.

7. Sie dünkten mich altersschwach und närrisch –, sagte Cusanus in seiner Predigt zu den Gläubigen von Brixen, als er sich über die beiden alten Frauen aus dem Fassatal ausließ. Sie hätten Richella Gaben überreicht, fügte er hinzu; sie hätten ihre Hand berührt, wie man dies bei einem Vertragsabschluß zu tun

pflege. Sie sagten, ihre Hand sei behaart. Mit haarigen Händen habe sie ihnen über die Wangen gestrichen[51].

8. Dieses Detail ist auf gewundenen Pfaden zu uns gelangt: durch die lateinische Übersetzung der von Cusanus in der Volkssprache gehaltenen Predigt, die sich auf den nicht mehr erhaltenen (vielleicht ebenfalls lateinischen) Prozeß stützt, in welchem ein Notar, vermutlich summarisch, die Geständnisse aufgezeichnet haben wird, die die beiden Frauen, eingeschüchtert und furchtsam, im Dialekt ihres Tales, vielleicht vor einem als Übersetzer fungierenden Kleriker, vor sich hingemurmelt haben mögen, als sie das geheimnisvolle Ereignis, das sie heimgesucht hatte, in Worte zu fassen suchten – die Erscheinung der nächtlichen Göttin mit den vielen Namen.

Für die beiden alten Frauen war sie nur Richella. Trotz der Beharrlichkeit des so gelehrten und mächtigen Bischofs von Brixen weigerten sie sich hartnäckig, ihr abzuschwören. Ihr hatten sie Gaben dargebracht; von ihr hatten sie liebevolle Zärtlichkeiten erfahren und war ihnen Reichtum versprochen worden; bei ihr hatten sie jahrelang regelmäßig die Mühen und die Eintönigkeit ihres Alltags vergessen können. Ein *Exemplum* in einer Handschrift der Bibliothek Breslau aus dem 15. Jahrhundert erzählt von einer alten Frau, die, in Ohnmacht gesunken, träumte, im Flug zu »Herodiana« fortgetragen zu werden: Von Freude überwältigt *(leta)*, hatte sie ihre Arme ausgebreitet, hatte ein für die Göttin bestimmtes Gefäß mit Wasser umgeschüttet und sich sogleich am Boden liegend wiedergefunden[52]. Ein Adjektiv, einem Erzähler entschlüpft, der mit ironischer Distanz seine kulturelle Überlegenheit zur Schau stellt, teilt uns für einen kurzen Augenblick die Intensität der Gefühle mit, die auch die Ekstasen der beiden Anhängerinnen Richellas begleitet haben dürfte.

In seiner Predigt hatte Cusanus von Diana gesprochen, oder besser von Artemis, der großen Göttin von Ephesos. Erst jetzt beginnen wir zu begreifen, wie viel Wahres diese Identifizierung trotz allem in sich birgt. Hinter Diana-Artemis sehen wir die Umrisse Richellas hervortreten, der Wohlstand spendenden, prächtig gekleideten Göttin, die den in Ekstase versunkenen alten Frauen aus dem Fassatal mit ihrer haarigen Tatze über die runzeligen Wangen strich. In Richella gewahren wir eine ähnliche Göttin wie Artio, die mehr als tausend Jahre zuvor auf der anderen Seite der Alpen in Zwiegestalt, als Bärin und als Wohlstand spendende Matrone mit einem Schoß voller Früchte, dargestellt wurde. Hinter Artio öffnet sich ein schwindelerregender zeitlicher Abgrund, in dessen Tiefe wiederum Artemis, die »Tierherrin« vielleicht, erscheint; oder vielleicht wiederum eine Bärin.

9. Nur eine am hellen Tag erfolgende, sprachliche Vermittlung kann eine Religion ohne institutionelle Strukturen oder Kultstätten, bestehend vielmehr aus stillen nächtlichen Erleuchtungen, so lange Zeit hindurch am Leben erhalten haben. Bereits Regino von Prüm beklagte, daß die Anhängerinnen der Göttin der »Gesellschaft der Diana« neue Schülerinnen gewannen, indem sie von ihren Gesichten erzählten. Hinter den Beschreibungen dieser ekstatischen Erfahrungen müssen wir uns eine lange, aus Erzählungen, Vertraulichkeiten und Klatsch

bestehende Kette vorstellen, die über unermeßliche chronologische und räumliche Entfernungen reichen kann.

Ein Beispiel mag die (nur zum kleinsten Teil rekonstruierbare) Komplexität dieses Überlieferungsprozesses veranschaulichen. In einem mantuanischen Prozeß vom Ende des 15. Jahrhunderts ist von einem Weber, Giuliano Verdena, die Rede, der mit Hilfe einiger Kinder magische Praktiken vollzog. Erst ließ Giuliano, wie ein Zeuge berichtete, die Kinder in ein Gefäß voller Wasser schauen, um sich dann erzählen zu lassen, was sie sahen. Erschienen war eine Schar von Leuten: einige zu Fuß, einige zu Pferd, einige andere ohne Hände. Es sind Geister, habe Giuliano gesagt, der damit gewiß auf die Totenprozession anspielte. Dann war auf der Wasseroberfläche eine einzelne Gestalt erschienen, die durch den Mund der befragten Kinder verlauten ließ, sie könne Giuliano die »Wirkkraft der Kräuter und das Wesen der Tiere *(potentiam herbarum et naturam animalium)*« offenbaren. In ihr hatte Giuliano die »Herrin des Spiels *(domina ludi)*« erkannt, »in schwarze Gewänder gekleidet, mit gesenktem Haupt *(cum mento ad stomacum)*«[53]. Das Zeugnis ist in gewisser Hinsicht anomal: nicht von weiblichen Ekstasen ist hier die Rede, sondern von männlicher Wahrsagekunst, die mit Hilfe von Kindern (als solche geschlechtsneutral) ausgeübt wird. Doch die Details, die wir erwähnt haben, sind nicht ganz neu. Die »Herrin des Spiels« aus Mantua läßt an Oriente denken, an die geheimnisvolle nächtliche Herrin, die in den mailändischen Prozessen vom Ende des 14. Jahrhunderts beschrieben wird: von Tieren umgeben, darum bemüht, ihre Anhängerinnen die »Wirkkraft der Kräuter« zu lehren. Die Nähe zu den Tieren, die diese Gestalten kennzeichnet, wird im Fall der Richella oder der »donne di fuori« zur halb tierischen Natur, erkennbar an haarigen Tatzen, Pferdehufen, Katzenpfoten. Auch wenn sie eine Totenschar anführen, erscheinen die Hauptfiguren der nächtlichen Ekstasen als ebensoviele Variationen auf ein mythisches Thema: jenes der »Herrin der Tiere«.

Daß diese unleugbare Ähnlichkeit auch einen tatsächlichen historischen Zusammenhang impliziert, ist voerst eine Mutmaßung. Es sei immerhin angemerkt, daß sie auch das Detail des gesenkten Hauptes der »Herrin des Spiels« in plausibler Weise erklärt. Daß dem Blick der Gottheit (und grundsätzlich dem Blick) eine oft tödliche Macht zugeschrieben wird, kehrt in den verschiedensten Kulturen wieder[54]. Eine solche Macht verband Gorgo, Artemis und jene Göttin miteinander, von der, in gewisser Hinsicht, beide abstammten: die »Herrin der Tiere«[55]. Gorgo ließ die Menschen mit ihrem entsetzlichen Blick zu Stein werden; bedrohliche Legenden umgaben die Statuen der Artemis. Jene von Pellene, das ganze Jahr hindurch verborgen, wurde nur wenige Tage öffentlich gezeigt, doch niemand vermochte ihr ins Gesicht zu blicken; es hieß, ihre Augen ließen die Früchte auf den Bäumen vertrocknen und machten diese auf immer unfruchtbar. Die Echtheit des Bildnisses der Artemis Orthia wurde Pausanias zufolge (III, 16, 7) auch durch den Wahnsinn unter Beweis gestellt, mit dem diejenigen geschlagen wurden, die sie enthüllt hatten[56]. Im Tempel von Ephesos gab es ein Standbild der Hekate (der eng mit Artemis verbundenen Totengöttin), das so strahlend war, daß, wer sie anblickte, sich zwangsläufig die Augen bedecken mußte: ein Verhalten, das aller Wahrscheinlichkeit nach mit einem Verbot religiöser Natur zusammenhing[57]. Nun zeigen einige Zeugnisse aus den ersten

Jahren des 16. Jahrhunderts und aus einem zwischen der Poebene und den östlichen Alpen gelegenen Gebiet, daß dem gesenkten Haupt der mantuanischen »Herrin des Spiels« ähnliche Bedeutung zukam, wie sie im alten Griechenland festgestellt wurde. In Ferrara ließen einige angebliche Hexen verlauten, sie hätten, um nicht getötet zu werden, das Antlitz der »weisen Sibylle« (der Göttin, der sie folgten) fliehen müssen, das durch die vergebliche Anstrengung, die Wasser des Jordan zu erreichen, erzürnt gewesen sei[58]. Im Fleimsertal erklärte Margherita genannt Tessadrella, eine andere Frau, die als Hexe vor Gericht gestellt wurde, die »Frau des guten Spiels« habe zwei Steine neben den Augen, »nämlich auf jeder Seite einen, die immer auf- und zugehen, wie es ihr beliebt«. »Sie trug ein schwarzes Band um das Haupt mit zwei Tellern an der Seite, vor den Ohren und Augen, so daß sie nicht alles hören und sehen kann«, bestätigte Caterina della Libra da Carano, »denn alles, was sie hört oder sieht, muß ihr gehören, wenn sie das kann«[59]. »Sie fliegt stets durch die Lüfte und hat zwei Teller neben den Augen, so daß sie nicht alles sieht: wenn sie nämlich alles sehen könnte«, erklärte Margherita dell'Agnola genannt Tommasina, »würde sie der Welt großen Schaden zufügen«[60].

Auch die partielle Sehunfähigkeit der »Frau des guten Spiels« und ihrer mantuanischen Entsprechung bringt uns zur »Herrin der Tiere« zurück. In den Märchen ist die Zauberin, die den Eingang zum Reich der Tiere und der Toten bewacht, häufig blind, und zwar im passiven wie im aktiven Sinn: unsichtbar für die Lebenden und außerstande, diese zu sehen[61]. Offensichtlich ist die substantielle Übereinstimmung zwischen den verschiedenen lokalen Versionen nicht einem Eingreifen der Richter zuzuschreiben. Von der kanonistischen Tradition konnten diese, wie im Fleimsertal, den Namen der »Frau des guten Spiels« – Herodias – lernen, nicht aber ihr Aussehen. Die Hexen aus dem Fleimsertal ließen sich darüber detailliert aus: »ein großes, häßliches Weib ... (das) einen großen Kopf hatte« (Margherita genannt Tessadrella); »ein häßliches schwarzes Weib mit einem schwarzen Hemd und einem schwarzen Tuch, das sie sonderbar um das Haupt gebunden trägt« (Margherita genannt la Vanzina); »ein häßliches, unförmiges Weib mit einem schwarzen, auf deutsche Art um den Kopf gebundenen Tuch« (Bartolomea del Papo)[62]. Diese Übereinstimmungen bei nebensächlichen Varianten sind typisch für die mündliche Überlieferung, genauso wie das vermutliche Mißverständnis (bei den Angeklagten, den Richtern, den Notaren?), aufgrund dessen die »zwei Teller neben den Augen« der »Frau des guten Spiels« aus dem Fleimsertal unweit davon (in Völs am Schlern) und in denselben Jahren (1506–1510) zu »großen Augen wie zwei Teller« wurden[63]. Aber die mündliche Tradition fand in regelmäßigen Abständen in einer lebendigen, direkten Erfahrung ekstatischer Natur neue Nahrung.

Caterina della Libra da Carano zufolge waren Augen und Ohren der Göttin mit zwei Steinen oder »Tellern« bedeckt. Diese unklare Beschreibung wird durch ein Zeugnis aus dem angrenzenden Tal erhellt. Fünfzig Jahre zuvor, in der Mitte des 15. Jahrhunderts, hatten die beiden von Cusanus verhörten alten Frauen aus dem Fassatal gesagt, Richella verberge ihr Gesicht: sie hätten sie nicht von der Seite sehen können »wegen gewisser Vorsprünge eines halbkreisförmigen, an den Ohren angebrachten Schmuckes (*propter quasdam protensiones cuiusdam semicir-*

cularis ornamenti ad aures applicati)[64] – Worte von einer visionären Präzision. Der Schmuck muß sehr groß gewesen sein. Wenn wir ihn uns kreis- statt halbkreisförmig vorstellten, hätten wir ein Bild wie dieses vor uns (vgl. Abb. S. 137).

10. Zwischen der sogenannten *Dama* von Elche (vgl. Abb. S. 137) und den ekstatischen Visionen einer Gruppe von Frauen, die zweitausend Jahre später in den Tälern des Trentino lebten, besteht kein direkter historischer Zusammenhang[65]. Freilich wirft die *Dama* eine Vielzahl von Fragen auf, die zum Teil daher rühren, daß eine archäologische Dokumentation der Umstände fehlt, unter denen sie aufgefunden wurde[66]. Es ist ungewiß, ob sie ursprünglich, so wie heute, eine Büste war, oder, was wohl wahrscheinlicher ist, eine ganze Figur: eine sitzende, wie die sogenannte *Dama de Baza,* oder eine aufrecht stehende wie die Frauenstatue, die man im Cerro de los Santos fand[67]. Ihre Datierung ist umstritten, auch wenn die Mehrheit der Gelehrten dazu neigt, sie auf eine Zeit zwischen Mitte des 5. und Beginn des 4. Jahrhunderts v. Chr. anzusetzen[68]. Noch umstrittener ist die Herkunft der Statue: nach Ansicht einiger iberisch, nach der anderer ionisch (vielleicht rhodisch)[69]. Obgleich von lokaler Machart, hat man die *Dama* von Baza unter typologischem Gesichtspunkt mit Statuetten Großgriechenlands in Verbindung gebracht, vor allem mit sizilianischen, die eine sitzende Göttin, manchmal mit einem Kind auf dem Schoß, darstellen[70]. Diese Mutmaßung auf die *Dama* von Elche auszudehnen, wäre riskant, da ihre ursprüngliche Gestalt nicht feststeht. Jedenfalls scheint eine wahrscheinlich zur Aufnahme von Asche benutzte Höhlung an der Hinterseite darauf hinzuweisen, daß sie für den Totenkult bestimmt war[71].

Die Identität der *Dama* von Elche (Göttin, Priesterin, Opfernde?) bleibt dunkel. Kein Geheimnis hingegen umgibt die beiden riesigen, von einem Band zusammengehaltenen Räder neben ihren Schläfen. Es handelt sich um einen Kopfschmuck, den auch etliche weibliche Votivfiguren aufweisen, die man im Heiligtum von Castellar fand; ein ähnliches Silberobjekt hat man in Estremadura gefunden[72]. Die Räder von größeren oder kleineren Dimensionen dienten als Behältnisse für echte oder künstliche Zöpfe. Die Extravaganz der iberischen Frisuren war in der Antike berühmt, wie aus einer Stelle bei Strabo (III, 4, 17) hervorgeht, der ein Zeugnis des Artemidor zugrunde liegt[73]. Aber ähnliche Frisuren sind auch in der griechischen Plastik von Sizilien bis nach Böotien zu sehen[74]. Hinter der Übereinstimmung zwischen dem Kopfputz der *Dama de Elche* und jenem der nächtlichen Göttin im Fleimsertal – »ein schwarzes Band um das Haupt mit zwei Tellern an der Seite« – verbirgt sich vielleicht ein historischer Zusammenhang, der uns entgeht.

11. Die bislang vorgeschlagenen Erklärungen sind zum Teil konjektural: Die Fakten, auf die sie sich beziehen, sind es weit weniger. Die Existenz eines durchgängigen Kontinuums ekstatischer Erfahrungen scheint unleugbar. Männer und Frauen – vor allem Frauen, die mitunter auch noch in abgeschiedenen Bergdörfern wohnten – durchlebten in ihren nächtlichen Ohnmachten, ohne es zu wissen, Mythen, die über unermeßlich weite räumliche und zeitliche Entfernungen hinweg zu ihnen gelangt waren. Durch die Wiederherstellung eines tiefflie-

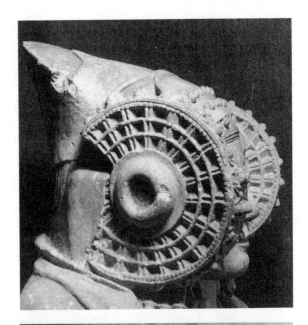

oben:
Weibliche Büste – hier im Profil –,
Ende 15. Jh. in Elche (span. Mittel-
meerküste), dem antiken *Ilici*, aufgefunden. – Die Büste, bekannt als *Dama
de Elche*, stammt möglicherweise aus
dem 5.–4. Jh. v. Chr. (einigen zufolge
2.–1. Jh. v. Chr.). Möglicherweise handelt es sich um ein Bruchstück eines
Standbildes.

rechts:
Dama de Elche, Vorderansicht

genden Kontextes offenbaren unverständliche Details plötzlich ihre Bedeutung. In einem der Ende des 14. Jahrhunderts in Mailand gefällten Urteile – dem gegen Pierina – heißt es, Oriente mache die von ihren Anhängerinnen geschlachteten und verzehrten Ochsen wieder lebendig, indem sie ihre von den zugehörigen Häuten umschlossenen Knochen mit einem Stab berühre. Nun hatte – der *Historia Brittonum* des Nennius (um 826) zufolge, die in der (Ende des 13. Jahrhunderts verfaßten) *Legenda Aurea* des Jacopo da Varagine aufgegriffen wurde – der heilige Germanus von Auxerre in Britannien während der Bekehrung der Kelten ein eben solches Wunder vollbracht, nämlich gewisse geschlachtete Ochsen aus ihren Knochen auferstehen lassen. Es ist nachgewiesen worden, daß die Erzählung des Nennius aus einer älteren Quelle stammt[75]. Daß dasselbe hagiographische Thema – die Auferweckung von Hirschen oder Gänsen aus den Knochen – in Irland oder in von irländischen Mönchen evangelisierten Gebieten wie Flandern und Brabant auftritt, belegt erneut die Präsenz eines keltischen Substrates[76]. Bis hierher finden wir nichts Überraschendes. Doch in der *Edda* von Snorri Sturlusson (erste Hälfte des 13. Jahrhunderts) wird das Wunder dem germanischen Gott Thor zugeschrieben, der Ziegen, ihm heilige Tiere, auferweckt, indem er mit der Waffe auf ihre Knochen schlägt, die er traditionsgemäß trägt: mit dem Hammer. Die Beziehung zwischen diesen Versionen, der christianisierten keltischen und der vorchristlichen germanischen, ist nicht klar. Stammt die zweite von der ersten ab? Oder ist es gerade umgekehrt? Oder leiten sich gar beide von einer älteren Version her[77]?

Was einen der letzten Hypothese zuneigen läßt, ist die geographische Streuung von Mythen und Riten, die auf dem Aufsammeln der (möglichst unversehrten) Knochen geschlachteter Tiere zum Zweck ihrer Wiedererweckung beruhen[78]. Solche Mythen sind belegt in der Alpenregion, wo es die Totenprozession oder die sie anführende nächtliche Göttin ist, die das Wunder vollbringt[79]. Es ist symptomatisch, daß zu den vielen Namen, die man der Göttin gab, auch jener der Pharaildis zählt, der Schutzpatronin von Gent, die einer Legende zufolge eine Gans wieder zum Leben erweckte, indem sie ihre Knochen zusammensammelte[80]. In einem völlig anderen kulturellen Bereich, bei den Abchasen des Kaukasus, ist es eine männliche Jagd- und Waldgottheit, die erlegtes Wild (statt Arbeitstieren) wieder zum Leben erweckt[81]. Diesen Glaubensvorstellungen, die in den verschiedenartigsten Kulturen belegt sind (auch in Kontinentalafrika), sind einige Riten verpflichtet, wie sie bei jenen Jägervölkern praktiziert werden, die in dem endlos weiten Gebiet zwischen Lappland und den von den Ainu bewohnten nördlichen Inseln des japanischen Archipels leben. Die Knochen des Großwildes (Bären, Elche, Hirsche) werden aufgestapelt, in Körben gesammelt oder auf Plattformen gelegt; manchmal werden die Häute mit Stroh oder Spänen ausgestopft[82]. Die lappländischen Schamanen *(No'aidi)*, denen die Vorbereitung der Opfer für den Ritus oblag, erklärten in der Mitte des 18. Jahrhunderts den dänischen Missionaren, die Knochen müßten sorgsam gesammelt und geordnet werden, denn auf diese Weise schenke der Gott, an den sich das Opfer richte, den getöteten Tieren wieder Leben und mache sie noch feister als zuvor[83]. Solche Zeugnisse gibt es zuhauf. Die Jukagiren Ostsibiriens beispielsweise sammeln die Knochen von Bären, Elchen und Hirschen auf, damit sie auferstehen: Sie legen sie auf eine Plattform, zusammen mit den Schädeln, die mit Spänen gefüllt werden (»jetzt geben wir dir das Gehirn«, sagen sie) und in die an die Stelle der Zunge ein Stück Holz gesteckt wird[84]. Von diesen vorübergehenden rituellen Konstruktionen leiten sich offenbar die geheimnisvollen Holzfiguren aus Ch'ang-sha (Provinz Hunan, China, 4.–3. Jh. v. Chr.) her, die ein menschliches Gesicht mit langer, heraushängender Zunge und einem Hirschgeweih auf dem Kopf darstellen (vgl. Abb. S. 140)[85].

12. Wir werden im weiteren sehen, ob diese Konvergenzen dem Zufall, der unabhängigen Wirkung ähnlicher Umstände oder anderen Faktoren zuzuschreiben sind. Einstweilen lassen wir gelten, daß die (in Mythen oder in Zeremonien ausgedrückte) Vorstellung, Tiere durch Sammeln der unbeschädigten Knochen vom Tod aufzuwecken, ein spezifisches kulturelles Merkmal ist – so spezifisch, daß seine Präsenz in völlig verschiedenen Zeiten und Gegenden entweder auf direkten Kontakt oder auf ein gemeinsames Substrat schließen läßt. An diesem Punkt ergibt sich eine Schwierigkeit, die wir bereits erahnten, als wir das Wunder des heiligen Germanus neben das von Thor bewirkte Wunder stellten. Die absolute Chronologie der Zeugnisse deckt sich nicht notwendigerweise mit der relativen Chronologie der Glaubensvorstellungen oder Riten, die sie belegen. Wie läßt sich die räumliche Streuung der Daten in eine zeitliche Serie übertragen?

Die Lappen verehrten einen hammer- oder stockbewehrten Gott des Blitzes. Die Verwandtschaft zum germanischen Thor ist offensichtlich, angefangen beim Namen: Horagalles. Wir haben also eine Entlehnung vor uns, ein Ergebnis der Kontakte mit den skandinavischen Völkern[86]. Möglicherweise verbirgt sich hinter der sprachlichen Entlehnung jedoch eine komplexere Realität[87]. Wie die lappische Gottheit Ruto, die die Pest verkörpert, stammte vielleicht auch Horagalles aus dem nördlichen Eurasien[88]. Beide Gottheiten werden in dem soeben erwähnten Bericht der dänischen Missionare genannt, die in der Mitte des 18. Jahrhunderts Lappland evangelisierten: Den aus Birkenzweigen geflochtenen Korb, in dem die Knochen der Opfertiere gesammelt wurden, überragte ein geschnitzter Stamm, der Horagalles mit dem Hammer darstellte, jener Waffe, mit der »der Götze (*deaster*) Hexen und Zauberer in Schrecken versetzt«[89]. Auch Horagalles stand demnach mit der Wiedererweckung der Tiere in Zusammenhang. Anzunehmen, das Echo des von Thor bewirkten Wunders habe sich im gesamten subarktischen Gebiet bis zum japanischen Archipel verbreitet, ist offensichtlich absurd; ebenso absurd ist die umgekehrte Hypothese, der Mythos habe sich im europäischen Bereich dank der Vermittlung durch die Lappen verbreitet. Es scheint unumgänglich, in Horagalles, Thor, dem heiligen Germanus von Auxerre und Oriente ebensoviele Varianten eines Mythos zu erkennen, dessen Wurzeln in eine ferne eurasische Vergangenheit reichen: des Mythos einer manchmal männlichen, häufig aber weiblichen Gottheit, Erzeugerin und Erwekkerin von Tieren[90]. Das Vorkommen entsprechender Riten im eurasischen wie auch deren Fehlen im keltischen und germanischen Raum scheint diese Abkunft zu bestätigen. Daß der Glaube an die Auferstehung getöteter Tiere in einer Jägerkultur entstanden ist, hat schließlich einige Plausibilität für sich.

13. Der räumliche und zeitliche Umfang unserer Untersuchung hat sich noch mehr vergrößert. Die Zeugnisse über die nächtliche Göttin erweisen sich als Palimpsest, in dem sich halb ausgelöschte Fragmente verschiedener Schriften überlagern: die von Kanonisten und Inquisitoren erwähnte »heidnische Gottheit« Diana; Abundia, Oriente, Richella und ihre Verwandten; die Matronen und Feen; die Muttergöttinnen; Artemis; die »Herrin der Tiere«; eurasische Jagd- und Waldgottheiten.

Zu dieser letzten und wahrscheinlich tiefsten kulturellen Schicht sind wir auf fast ausschließlich morphologischem Weg gelangt, auf dem allerdings eher spezifische Merkmale herauszufinden als generische Übereinstimmungen typologischer Natur festzustellen waren. Die Möglichkeit, sowohl Artemis (aufgrund einiger Aspekte) als auch die Gottheiten eurasischer Jäger einer »Herrin der Tiere« benannten Kategorie zuzurechnen, reicht ganz offensichtlich nicht aus, um die Existenz eines historischen Zusammenhangs zwischen diesen Figuren zu beweisen[91]. Bedeutsamer, wenngleich hypothetisch, scheint der etymologische Nexus zwischen *Artemis* (dorisch *Artamis*) und *artamos*: der »Schlachter«, oder präziser: »derjenige, welcher die Glieder zerteilt«. Dieser Terminus, weniger gebräuchlich als sein Synonym *mageiros*, fand sowohl in der Küchen- als auch in der Opfersprache Verwendung[92]. Der Name der Artemis enthielte demnach eine Spur des im eurasischen Raum verbreiteten Verbots (das auch im Alten Testament auftaucht), die Knochen der geopferten Lebewesen zu zerbrechen[93]. Ein solches Verbot war vielleicht mit Despoina (oder der »Herrin«) verknüpft, der am meisten verehrten von allen Göttinnen Arkadiens, die in gewisser Hinsicht Artemis gleicht, auch wenn sie später Kore, der Tochter der Demeter, angenähert wurde. Pausanias zufolge (VIII, 37, 8) gehorchten die Opferungen zu Ehren der Despoina einem ganz und gar ungewöhnlichen Ritual. Dem Opfer wurde nicht die Kehle durchgeschnitten, die Gliedmaßen wurden »zufällig« zerteilt, das heißt, nicht in einer bestimmten Reihenfolge, allerdings unter Berücksichtigung der Gelenke[94]. Mit diesem Typ von Opferung hat man einige minoische Gemmen und eine archaische thebanische Amphore in Verbindung gebracht, auf denen eine von zerlegten Tiergliedern umgebene weibliche Gottheit abgebildet ist[95]. Vielleicht sind die eurasischen Gottheiten, die die Tiere aus den gesammelten Knochen auferstehen ließen, nicht weit von diesen Bildern entfernt. Jedenfalls war das Thema der Auferstehung aus den Knochen auch in der griechischen Kultur vorhanden: Dies werden wir im weiteren bei der Analyse des Mythos von Pelops sehen.

14. Daß in den Zeugnissen über die nächtliche Göttin, die aus einem Großteil des europäischen Kontinents stammen, Elemente vorkommen, die auf Mythen und Riten sibirischer Jäger verweisen, ist zwar ein verwirrendes, doch kein isoliertes Faktum. Auch die Ekstasen der Frauen, die der Göttin folgen, erinnern unweigerlich an jene der Schamanen – Männer wie Frauen – aus Sibirien oder Lappland[96]. In beiden finden wir dieselben Elemente: den Flug der Seele – in Tiergestalt, auf dem Rücken von Tieren oder auf anderen magischen Fortbewegungs-

Holzskulptur aus Ch'angsha (China) 4.–3. Jh. v. Chr.

mitteln – in die Welt der Toten. Den *gandus* oder Stock der lappischen Schamanen hat man zum einen mit dem von den burjatischen Schamanen benutzten Steckenpferd in Verbindung gebracht, zum anderen mit dem Besenstiel, auf dem die Hexen angeblich zum Sabbat flogen[97]. Der volkstümliche Kern des Sabbat – magischer Flug und Verwandlung – scheint aus einem fernen eurasischen Substrat zu stammen[98].

15. Einen Zusammenhang dieser Art hatte vage bereits einer der unerbittlichsten Hexenverfolger erahnt: der Richter Pierre de Lancre. Zu Beginn des 17. Jahrhunderts brachte De Lancre in seinen Überlegungen zu den Prozessen, die er selbst im Labourd, auf der französischen Seite der Pyrenäen, führte, die im *Canon Episcopi* erwähnten Anhängerinnen der Diana zum einen mit den Werwölfen, zum anderen mit den von Olaus Magnus und von Peucer beschriebenen »Magiern« oder Schamanen Lapplands in Verbindung. An ihnen allen machte De Lancre ein gemeinsames Merkmal aus: die Fähigkeit, in eine diabolische Ekstase zu verfallen, die irrtümlicherweise von einigen als Trennung der Seele vom Körper interpretiert werde. Ein begreiflicher Irrtum, wie De Lancre kommentierte: »Man muß zugeben, daß die Hexer einst weit weniger zahlreich als heute waren. Sie lebten abseits, im Gebirge und in Wüsteneien oder in den nordischen Ländern wie Norwegen, Dänemark, Schweden, Gotland, Irland, Livland; aus diesem Grunde waren ihre Idolatrien und Malefizien weitgehend unbekannt, und oft hielt man sie für Märchen oder Geschichten alter Weiber.« Unter den Ungläubigen der Vergangenheit sei auch der heilige Augustinus gewesen; aber seit nunmehr über hundert Jahren, bemerkte De Lancre, hätten Inquisitoren und Laienrichter Licht in diesen Gegenstand gebracht[99].

Dieser stolzgeschwellte Ton war in einem gewissen Sinn gerechtfertigt. Mit haßgeschärftem Auge beobachtete De Lancre den Gegenstand seiner Verfolgung mit nahezu ethnographischem Scharfblick, wie er von den distanzierten Beobachtern der nachfolgenden Jahrhunderte nur selten erreicht wurde[100]. Unscheinbare Vorkommnisse in kleinen baskischen Gemeinden erhielten auf einen Schlag ihren Ort in einem riesigen geographischen Rahmen, der den Schauplatz abgab für den von Satan eingeleiteten Angriff auf das Menschengeschlecht. De Lancre war überzeugt, daß die Werwölfe ebensowohl ihre menschlichen Hüllen abzustreifen und die Gestalt von Tieren anzunehmen vermochten, wie die Hexen imstande waren, leiblich zum Sabbat zu gehen; er räumte jedoch die Möglichkeit ein, daß Verwandlungen und Flüge bisweilen nur im Traum stattfänden. Es handelte sich freilich nicht um harmlose Träume: Der Teufel persönlich gab sie den verderbten Gemütern der Hexen, Hexer und Werwölfe ein. Für einen Gelehrten wie Della Porta stellte die Ekstase ein natürliches Phänomen dar, das von den – gewissenhaft aufgezählten – Ingredienzien der Hexensalben hervorgerufen wurde[101]. Für De Lancre war sie dasjenige Element, das den verschiedenen, vom Teufel inspirierten götzendienerischen Kulten – zu denen in erster Linie der Sabbat zählte – gemein war.

Die Überlegung De Lancres wurde nicht weiter zur Kenntnis genommen. Doch als ein halbes Jahrhundert später die zunehmend in kulturellen Mißkredit geratene Hexenverfolgung nachließ, fing man an, die außergewöhnliche Vielfalt der bislang als diabolisch abgestempelten Glaubensformen in einem neuen Licht zu betrachten. Gerade in Deutschland, wo sich die Hexenjagd zu besonders grausamen Höhen aufgeschwungen hatte, entwickelte sich diesen Phänomenen gegenüber eine Art antiquarische Neugier. Im Jahr 1668 druckte J. Praetorius in Leipzig ein Buch, in welchem er aus früheren Schriften und mündlichen Traditionen die Angaben über die Hexenflüge und über die Sabbate der Walpurgisnacht zusammenstellte, für die ein Berg in Thüringen berühmt war: der Blocksberg. In diesem Kontext wurde auch die Legende vom treuen Eckhart als Führer der dämonischen Schar aufgezeichnet. Aus dem Buchtitel *(Blockes-Berges Verrichtung oder ausführlicher geographischer Bericht)* sprach der Vorsatz wissenschaftlicher Distanz, wie er im geographischen Anhang besonders deutlich wurde: Diesem lag eine fünfzehn Jahre zuvor von einer Gesellschaft von fünfzehn Personen mit zwölf Pferden unternommene Ortserkundung zugrunde. Kurze Zeit später schloß Praetorius in ein Buch über die mit dem Jahresanfang verknüpften Glaubensvorstellungen aus alter und neuerer Zeit *(Saturnalia)* Abschnitte über die Werwölfe Livlands und Lapplands, über das Heer der Diana und über Holda mit ein[102]. Aus diesen Schriften bezog der lutheranische Pastor und Professor P. C. Hilscher die Anregung zu einer gelehrten Abhandlung *(De exercitu furioso, vulgo Wuetenden Heer)*, die im Jahr 1688 unter seiner Anleitung in Leipzig diskutiert und dann ins Deutsche übersetzt wurde[103]. Hier wurde die antiquarische Gelehrsamkeit in den Dienst einer antikatholischen Polemik gestellt, in welcher ein Echo auf die Schriften eines Aufklärers wie Thomasius vernehmbar ist. Aus den Gerichtssälen, wo sie in einigen Teilen Europas nach wie vor richterlicher Unterdrückung ausgesetzt waren, waren die mit dem Hexenwesen zusammenhängenden Glaubensvorstellungen in die Hörsäle der Universitäten gewandert. Hilscher brachte die Prozessionen der toten Seelen einerseits mit den fiktiven Entitäten in Verbindung, die sich die Scholastiker vorgestellt hatten, andererseits mit der Erfindung des Fegefeuers, mit dem die Reformatoren, geleitet durch die heilige Schrift, aufgeräumt hatten. Ein halbes Jahrhundert später unterstrich Girolamo Tartarotti aus Rovereto, ein moderater, von Muratori beeinflußter Humanist, daß die Glaubensvorstellungen um »die Schar der Diana«, die er als »Hexenwesen des Mittelalters« bezeichnete, einst verlacht und nicht verfolgt worden seien[104]. Von beiden konfessionellen Ufern her brachte die gelehrte Polemik Traditionen zum Vorschein, die das Stereotyp vom Hexensabbat Jahrhunderte hindurch verzerrt und ausgelöscht hatte. Es ist kein Zufall, daß die älteste Studie über die keltischen *Matronae* – die *Dissertatio de mulieribus fatidicis veterum Celtarum* des Altertumsforschers J. G. Keysler – auch einen scharfen Angriff auf die Verfolgung des Hexenwesens enthält[105].

Die große Dichtung und Philologie der deutschen Romantik machten den Sabbat zu einem Thema, das der Imagination von Gelehrten und Dichtern auf lange Zeit Nahrung geben sollte. Goethe empfing für die Walpurgisnacht-Szene des *Faust* Anregungen aus der *Blockes-Berges Verrichtung* von Praetorius[106]. Jakob Grimm umriß in der *Deutschen Mythologie* (1835) das Inventar einer mythischen, zum Großteil auf der »wilden Jagd« und den Figuren an ihrer Spitze beruhenden Tradition. Einer der Leitfäden, die dem Leser an die Hand gegeben wurden, um sich in der riesigen Menge des ans Licht gebrachten Materials zurechtzufinden, war die Hypothese einer Kontinuität zwischen heidnischen Glaubensvorstellungen und diabolischem Hexenwesen. Am Ende des den anthropophagen Hexen gewidmeten Kapitels wurde diese Hypothese in besonders dichter, fast kryptischer Weise formuliert[107]. Mit einem brüsken Sprung ging Grimm dann zu einer anderen, ebenso alten und in einer Vielzahl von Legenden wiederkehrenden Glaubensform über, nach der die Seele den Körper eines Schlafenden in Gestalt eines Schmetterlings verlassen kann. Der langobardische Geschichtsschreiber Paulus Diaconus, der im 8. Jahrhundert lebte, berichtet, daß eines Tages aus dem Mund des burgundischen Königs Guntram, der von einem Knappen bewacht schlief, plötzlich ein Tier, eine Art kleine Schlange schlüpfte. Diese schlängelte sich auf einen unweit gelegenen Bach zu, den sie vergebens zu überqueren suchte. Daraufhin legte der Knappe sein Schwert quer zwischen die beiden Ufer. Die Schlange glitt hinüber und verschwand hinter einem Hügel; nach einiger Zeit kam sie auf demselben Weg zurück und schlüpfte dem Schlafenden wieder in den Mund. Der König erwachte und erklärte, er habe geträumt, eine eiserne Brücke zu überqueren und in einen Berg hineinzugehen, in dem ein Schatz liege (der dann tatsächlich gefunden wurde). In den jüngeren Versionen derselben Legende ist das Tier ein anderes: Anstelle der Schlange finden wir ein Wiesel, eine Katze oder eine Maus. Hängt all dies – so fragt sich Grimm – vielleicht mit den Mausverwandlungen der Hexen auf der einen, mit der Brücke, schmal wie ein Draht, die die Seele auf ihrem Weg ins Jenseits überqueren muß, auf der anderen Seite zusammen?

In dieser Frage, die Grimm wohl eher an sich selbst als an den Leser richtete, sah er in einem verlöschenden Blitzlicht denselben erschütternden Zusammenhang, der zwei Jahrhunderte zuvor bereits Pierre de Lancre, dem Verfolger der Hexen des Labourd, in die Augen gesprungen war. Aller Wahrscheinlichkeit nach handelte es sich um eine unbewußte Übereinstimmung[108]. Scheinbar hatte De Lancre von etwas ganz anderem gesprochen: von Werwölfen, Dianajüngerinnen, lappischen Magiern. Aber das gemeinsame Element der beiden analogen Reihen war ein- und dasselbe: die Ekstase. Unmittelbar nach der Formulierung der oben angeführten Frage kehrte Grimm nämlich zur Katalepsie der Hexen in Serbien zurück: Die Seele verläßt in Gestalt eines Schmetterlings oder Huhns den leblosen Körper, der deshalb, während die Hexen sich in diesem Zustand befinden, nicht umgedreht werden darf. Und die Ekstase oder *Trance* wiederum ließ ihn an das hehre Beispiel Odins denken, der einer berühmten Stelle aus Snorris *Ynglingasaga* zufolge imstande war, verschiedene Gestalten anzunehmen: Den entschlafenen Körper zurücklassend, steuerte er, in einen Vogel, einen Fisch, eine Schlange verwandelt, im Handumdrehen auf ferne Länder zu.

16. Unzählige Wege gehen von diesen bedeutenden, unbeachtet gebliebenen Ausführungen aus: die schamanistischen Komponenten der Figur Odins oder der Legende von König Guntram[109]; die Verbreitung des keltischen Themas des Schwertes als Brücke zur Totenwelt in den Artusromanen und, allgemeiner, die Präsenz schamanistischer Themen in keltischen literarischen Texten[110]; die friaulischen Benandanti, die, bevor sie in Starrkrampf fallen, ihre Frauen bitten, sie nicht umzudrehen, da sonst die in Gestalt eines »Mäusleins« ausgefahrene

Seele nicht mehr in den Körper zurückkehren könne, um diesen wieder aufzuwecken[111]; die lappischen Schamanen, die während ihrer Ekstase bewacht wurden, damit ihr lebloser Körper nicht von Fliegen oder Mücken gestreift (wie Olaus Magnus berichtete) oder von Dämonen befallen würde (wie Peucer behauptete)[112]; die Reise der ekstatischen Seele in Tiergestalt und die Tierverwandlungen bei Hexen und Hexern – und viele andere Wege mehr. Figuren und Themen geben einander als Echo zurück, verweisen gegenseitig aufeinander, bis sie schließlich, mehr noch als eine Kette, eine Art Magnetfeld bilden, das erklärt, weshalb es möglich ist, trotz unterschiedlicher Ausgangspunkte und voneinander unabhängiger Vorgehensweisen zu ähnlichen Annahmen zu gelangen[113]. Doch die von Grimm gestellte Frage hat bislang noch keine richtige Antwort gefunden. Die nachfolgende Forschung hat sich in verschiedene Richtungen zerstreut und den einigenden Zusammenhang, den Grimm erahnt hatte, aus dem Blick verloren. Ekstasen, Tierverwandlungen, mythische Jenseitsreisen, mit den Totenprozessionen verbundene Riten und Glaubensvorstellungen – und natürlich der Sabbat – wurden getrennt voneinander analysiert[114]. Die vielerlei Fäden, die sie untereinander verbanden, gilt es erneut zusammenzuführen.

---

[1] Vgl. den wichtigen Aufsatz von G. Henningsen, *Sicilien: ett arkaiskt mönster för sabbaten*, in: *Häxornas Europa (1400–1700)*, hg. v. B. Ankarloo u. G. Henningsen, Lund 1987, S. 170–90, den ich in der engl. Fassung gelesen habe (›*The Ladies from Outside*‹: *Fairies, Witches and Poverty in Early Modern Europe*), die auf dem Kongreß über das Hexenwesen im September 1985 in Stockholm vorgelegt wurde.

[2] Vgl. Bonomo, *Caccia*, cit., S. 65; die volkssprachliche Übersetzung, datiert zwischen 1450 und 1470, stammte von Giovanni Vassallo.

[3] Vgl. zu all dem G. Pitré, *Usi e costumi credenze e pregiudizi del popolo siciliano*, IV, Palermo 1889, S. 153–77; der Bericht von Emanuela Santaéra befindet sich auf S. 165, Anm. 2. Auf S. 177 schlug Pitré einige mögliche Parallelen zu den »donne di fuori« vor (Feen, etruskische und römische Laren) und schloß mit einem unbestimmten Hinweis auf die »römischen *Deae Matres*, von denen wir so wenig wissen«. Die Kopfbedeckung der *Matronae* wurde mit lokalen Trachten in Verbindung gebracht: vgl. M. Ihm, *Der Mütter*, cit., S. 38–39, und vor allem L. Hahl, *Zur Matronenverehrung in Niedergermanien*, in: »Germania«, 21 (1937), S. 253–64, insbes. S. 254 ff.

[4] Vgl. Diodorus Siculus, *Historische Bibliothek*, XV, 70 (Jahr 369); XVI, 73 (Jahr 342).

[5] Vgl. A. Graf, *Artù nell'Etna*, in: *Miti, leggende e superstizioni del Medio Evo*, cit., A. H. Krappe, *Die Sage vom König im Berge*, in: »Mitteilungen der schlesischen Gesellschaft für Volkskunde«, XXXV (1935), S. 76–102, insbes. S. 92 zufolge war die Sage in Sizilien niemals richtig populär: aber Gervasius von Tilbury schrieb in seinen *Otia imperialia* die Erzählungen über Erscheinungen des Artus den »indigenae« zu. Zu den bretonischen Rittern als möglichen Vermittlern vgl. R. S. Loomis, *Morgain la Fée in Oral Tradition*, in: *Studies in Medieval Literature*, New York 1970, S. 6. Zum Ätna als Zugangsweg zum Fegefeuer vgl. Le Goff, *Die Geburt*, cit. S. 246 ff. Zum Artus im Mosaik von Otranto (1163–1165), vgl. oben S. 120.

[6] Vgl. zuletzt W. Fauth, *Fata Morgana*, in: *Beiträge zum romanischen Mittelalter*, hg. v. K. Baldinger, Tübingen 1977, S. 417–54, insbes. S. 436 ff.

[7] Vgl. M. Marconi, *Da Circe a Morgana*, in: »Rendiconti del R. Instituto Lombardo di Scienze e Lettere«, Cl. di Lettere, 74 (1940–41), S. 533–73; Einwände dagegen siehe bei Fauth, *Fata Morgana*, cit., S. 439 ff.

[8] Vgl. I. Chirassi Colombo, *La religione in Grecia*, Bari 1983, S. 9–10.

[9] Vgl. M. Mühl, *Poseidonius und der plutarchische Marcellus*, Berlin 1925, S. 8 ff. (hierzu vgl. F. Münzer in: »Gnomon«, I (1925), S. 96–100); vgl. auch den Kommentar von R. Flacelière und E. Chambry zum *Leben des Marcellus* (»Belles Lettres«, Paris 1966). Die Möglichkeit, daß die Stelle zu Poseidonios' Werk über die Divination gehörte, gibt vorsichtig J. Malitz, *Die Historien des Poseidonios*, München 1983, S. 363, Anm. 33 zu bedenken. Zusammen mit einer weiteren Schrift des Plutarch *(Über die Zerstörung der Orakel)* gab das 20. Kapitel der *Lebensgeschichte des Marcellus* für Goethe den Anstoß für die Müttermythe im *Faust* (II, 6213 ff.): vgl. *Goethes Gespräche*, hg. v. F. von Biedermann, IV, Leipzig 1910, S. 187–88 (Gespräch mit Eckermann vom 10. Januar 1830); hier ist hinzuzuziehen: J. Zeitler, *Goethe-Handbuch*, II, Stuttgart 1917, S. 641–42 (Stichwort »Mütter«). Die Plutarchlektüre ging auf die Jahre 1820–21 zurück; vgl. F. Koch, *Fausts Gang zu den Müttern*, in: *Festschrift der Nationalbibliothek in Wien*, [Wien] 1926, S. 509–28; C. Enders, *Faust-Studien. Müttermythus und Homunkulus-Allegorie in Goethes Faust*, Bonn 1948, S. 26–27.

[10] Vgl. M. I. Finley, *Das antike Sizilien*, dt. Übers., München 1979, S. 124. Was weitere Identifizierungen betrifft, vgl. G. Sfameni Gasparro, *I culti orientali in Sicilia*, Leiden 1973, S. 153.

---

[11] Zur Abhängigkeit der Ausführungen Diodors zu den Sklavenkriegen von Poseidonios vgl. Momigliano, *Hochkulturen im Hellenismus*, cit., S. 45 ff.

[12] Vgl. Diodorus Siculus, *Historische Bibliothek*, IV, 79–80.

[13] Vgl. G. Alessi, *Lettera su di una ghianda di piombo inscritta col nome di Acheo condottiero degli schiavi rubelli in Sicilia*, Palermo 1829, S. 11 u. 13; G. de Minicis, *Sulle antiche ghiande missili e sulle loro iscrizioni*, Rom 1844, S. 60.

[14] Vgl. allgemein H. Usener, *Dreiheit*, in: »Rheinisches Museum«, 58 (1903), S. 1–47, 161–208 u. 321–62; zu den Müttern von Engyon S. 192–93. Zu ähnlichen Schlußfolgerungen gelangt, unabhängig, Sfameni Gasparro, *I culti orientali*, cit., S. 153 ff. Die Identifizierung der Mütter mit den in Kreta gefundenen Bildnissen mehrfacher weiblicher Gottheiten hält L. Banti, *Divinità femminili a Creta nel tardo Minoico III*, in: »Studi e materiali di storia delle religioni«, XVII (1941), S. 30 – ohne Usener anzuführen – für verlockend, aber unbeweisbar.

[15] Dies war die Ansicht von A. Boeckh: vgl. den Artikel »Meteres«, in: Pauly-Wissowa, *Real-Enzyklopädie der classischen Altertumswissenschaft*, XV, 1373–75 (Pfister). Zu den mit dem Kybelekult zusammenhängenden Felsenskulpturen von Palazzolo Acreide (den sogenannten »Santoni«) vgl. Sfameni Gasparro, *I culti orientalisk*, cit., S. 126 ff.

[16] Vgl. E. Ciaceri, *Culti e miti nella storia dell'antica Sicilia*, Catania 1911, S. 241; siehe auch S. 5 ff., 120 ff., 239 ff. u. 306 ff.; P. E. Arias, *Sul culto delle ninfe a Siracusa*, in: »Rendiconti dell'Accademia dei Lincei«, Classe di scienze morali etc., S. VI, XI (1935), S. 605–08; B. Pace, *Arte e civiltà della Sicilia, III: Cultura e vita religiosa*, Città di Castello 1945, S. 486 ff. Den von diesen Gelehrten unternommenen Versuch, in Sizilien eine autochthone, vorgriechische religiöse Schicht zu ermitteln, lehnt A. Brelich, *La religione greca in Sicilia*, in: »Kokalos«, X–XI (1964–65), S. 35–54, entschieden ab (ohne sich speziell auf die Mütter zu beziehen). G. Pugliese-Carratelli, *Minos e Cocalos*, ebd., II (1956), S. 101 zufolge soll der Kult von Engyon sogar »der sikeliotischen religiösen Sphäre fremd« sein.

[17] Vgl. F. Welcker, *Drei Göttinnen, vielleicht die Mütter*, in: *Alte Denkmäler*, II, Göttingen 1850, S. 154–57, der die generischen Mutmaßungen (drei Schwestern? eine Mutter mit zwei Töchtern?) zu präzisieren sucht, die L. Ross, *Kyprische Grabreliefs*, in: »Archäologische Zeitung«, N. F., VI (1848), Sp. 289–92 vorschlägt, beziehungsweise U. von Wilamowitz-Moellendorff, *Der Glaube der Hellenen*, I, Darmstadt 1959[3], S. 199, Anm. 3, und, unabhängig davon, N. Putortí, *Rilievo di Camàro con rappresentazione delle ›Meteres‹*, in: »Archivio storico per la Sicilia Orientale«, XIX (1922–23), S. 203–10.

[18] Vgl. G. Zuntz, *Persephone*, Oxford 1971, S. 69, der bei V. Dobrusky, *Inscriptions et monuments figurés de la Thrace. Trouvailles de Saladinovo*, in: »Bulletin de correspondance hellénique«, 21 (1897), S. 119–40 veröffentlichtes Material heranzieht (wo die *Matronae* allerdings nicht erwähnt werden).

[19] Vgl. R. F. Hoddinott, *The Thracians*, London 1981, S. 89 ff., insbes. S. 162. Zu den Feen im Balkanraum siehe jetzt die umfassende und eindringliche Studie von E. Pócs, die demnächst in den FF Communications von Helsinki erscheint. Ich danke der Verfasserin dafür, daß sie mir die Möglichkeit gab, diesen Text zu lesen.

[20] Vgl. Dom *** [Jacques Martin], *La religion des Gaulois*, cit., II, S. 195 ff.; A. de Boissieu, *Inscriptions antiques de Lyon*, Lyon 1846–1854, S. 55–56 (wo auch Morgana Erwähnung findet); J. Becker, *Die inschriftlichen Überreste der keltischen Sprache*, in: »Beiträge zur vergleichenden Sprachforschung«, IV (1885), S. 146; ders., in: »Neue Jahrbücher der Philologie«, 77 (1858), S. 581–82. Entschieden kritische Positionen bei Ihm, *Der Mütter- und Matronenkultus*, cit., S. 58–59; siehe auch ders., *Griechische Matres*, in: »Jahrbücher des Vereins von Alterthumsfreunden im Rheinlande«, 90 (1891), S. 189–90. (Von rein zufälliger Koinzidenz hatte bereits Welcker, *Drei Göttinnen*, cit., S. 157 gesprochen). Zugunsten einer Übereinstimmung dieser Gottheiten siehe hingegen von Wilamowitz-Moellendorff, *Der Glaube*, cit., I, S. 199, und Zuntz, *Persephone*, cit., S. 62. In rassistischen Begriffen erklärte die Konvergenz E. Bickel, *Die Vates der Kelten und die »Interpretatio Graeca« des südgallischen Matronenkultes im Eumenidenkult*, in: »Rheinisches Museum«, LXXXVII (1938), S. 193–241.

[21] Vgl. R. Vallentin du Cheylard, *Sacellum consacré aux Mères victorieuses à Allan (Drôme)*, in: »Cahiers Rhodaniens«, IV (1957), S. 67–72. Zu den Inschriften von Allan vgl. E. Éspérandieu, in: »Revue épigraphique«, V (1903–1908), S. 179–83, der auch eine summarische Beschreibung der drei (heute verlorenen) unvollständigen Statuen der Mütter lieferte. Da er für das Epitheton »siegreich«, bezogen auf die Mütter, keine Vorläufer fand, verwies Espérandieu auf Münzen Diokletians und Maximians, auf denen drei Frauen mit Füllhörnern, umgeben von dem Schriftzug »Fatis victricibus«, abgebildet sind.

[22] Vgl. oben., S. 124–125.

[23] Vgl. Diodorus Siculus, *Historische Bibliothek*, IV, 80. Vgl. auch Avienus, *Les Phénomènes d'Aratus*, hg. v. J. Soubiran, »Les Belles Lettres«, Paris 1981, V. 99 ff. (wo auch ein Hinweis auf den arkadischen Mythos von Kallisto auftaucht; zu diesem siehe im weiteren), S. 185, Anm. 8.

[24] Vgl. E. Neustadt, *De Iove Cretico*, Berlin 1906, S. 18 ff.

[25] Vgl. M. P. Nilsson, *The Minoan-Mycenean Religion and its Survival in Greek Religion*, Lund 1950[2], S. 533 ff.; ders., *Geschichte der griechischen Religion*, I, München 1967[3], S. 319 ff.; W. Aly, *Ursprung und Entwicklung der kretischen Zeusreligion*, in »Philologus«, LXXI (1912), S. 457 ff.; P. Chantraine, *Réflexions sur les noms des dieux helléniques*, in »L'antiquité classique«, 22 (1953), S. 65–66.

[26] *Scholia in Apollonium Rhodium*, rec. C. Wendel, Berolini 1935, S. 81.

[27] Vgl. S. Reinach, *L'Artémis arcadienne et la déesse aux serpents de Cnossos* (1906), in: *Cultes*, cit., III, S. 210–22; siehe außerdem den Artikel »Helike« (von Gundel) in: Pauly-Wissowa, *Real-Enzyklopädie*, VII, 2860–61.

[28] Vgl. R. Franz, *De Callistus fabula*, in: »Leipziger Studien zur classischen Philologie«, XII (1890), S. 235–365; P. Lévêque, *Sur quelques cultes d'Arcadie: princesse-ourse, hommes-loups et dieux-chevaux*, in: »L'Information historique«, XXIII (1961), S. 93–108; W. Sale, *Callisto and the Virginity of Artemis*, in: »Rheinisches Museum«, N. F. 108 (1965), S. 11–35; G. Maggiulli, *Artemide-Callisto*, in: *Mythos. Scripta in honorem Marii Untersteiner*, [Genua] 1970, S. 179–85; P. Borgeaud, *Recherches sur le dieu Pan*, Genf 1979, S. 41 ff.; W. Burkert, *Homo Necans*, Berlin

1972, S. 101; A. Henrichs, *Three Approaches to Greek Mythology*, in: *Interpretations of Greek Mythology*, hg. v. J. Bremmer, London/Sydney 1987, S. 242–77, insbes. S. 254 ff.

29 Bibliographische Angaben bei Borgeaud, *Recherches*, cit., S. 10; vgl. auch L. R. Palmer, *Mycenaeans and Minoans*, London 1961, S. 144–46.

30 Nach V. J. Georgiev, *Introduzione alla storia delle lingue indoeuropee*, ital. Übers., Rom 1966, S. 15 (der auf W. Merlingen, in: *Mnēmēs Kharin. Gedenkschrift P. Kretschmer*, II, Wien 1957, S. 53 hinweist) ist *arkos* die ältere Form. Die Hypothese von W. Sale über den außerarkadischen Ursprung der Bärenverwandlung Kallistos scheint schwer aufrechtzuerhalten (*Callisto*, cit.). Die strukturelle Analogie zwischen arkadischen und kretischen Mythen wird in einer etwas anderen Perspektive hervorgehoben bei Borgeaud, *Recherches*, cit., S. 44 u. 68–69 (während Henrichs, *Three Approaches*, cit., S. 261–62 sie für irrelevant hält).

31 Zur Abhängigkeit der arkadischen Mythen von den kretischen, die bereits Reinach, *L'Artémis arcadienne*, cit., insbes. S. 221 behauptet, vgl. J. Laager, *Geburt und Kindheit des Gottes in der griechischen Mythologie*, Winterthur 1957, S. 174 ff.; R. Stiglitz, *Die großen Göttinnen Arkadiens*, Baden bei Wien 1967, S. 64, Anm. 218. Die umgekehrte Hypothese hat S. Marinatos, in: »Archäologischer Anzeiger«, 1962, Sp. 903–916 vertreten. Das kretische Element wird stark hervorgehoben bei Nilsson, *Geschichte*, cit., I, S. 320.

32 Vgl. G. Arrigoni, *Il maestro del maestro e i loro continuatori: mitologia e simbolismo animale in Karl Wilhelm Ferdinand Solger, Karl Otfried Müller e dopo*, in: »Annali della Scuola Normale Superiore di Pisa«, classe di lettere e filosofia, III, XIV (1984), S. 937–1029, vor allem S. 975 ff. Die Punkte, in denen ich anderer Meinung bin als dieser wichtige Aufsatz, werden nach und nach angesprochen werden.

33 Das Epitheton wird auch bei Pausanias (VIII, 35, 8) festgehalten, der auf »Holzstatuen der Ariste und Kalliste« hinweist (vgl. I, 29, 2): »wie ich meine und womit auch die Epen des Panphos übereinstimmen, sind das Beinamen der Artemis, eine andere Version darüber, die ich kenne, will ich übergehen.« (Pausanias, *Reisen in Griechenlands*, auf Grund d. komm. Übers. v. E. Meyer hg. v. F. Eckstein, Bd. 1, Zürich/München 1986³, S. 131). Ich meine nicht, daß der Hinweis auf Pamphos anstatt auf Sappho (die heute einhellig anerkannte Lesart, wie Arrigoni, *Il maestro*, cit., S. 978, Anm. 80 bemerkt) den Wert des Zeugnisses zunichte macht. Siehe im übrigen A. Philadelpheus, *Le Sanctuaire d'Artémis Kallistè et l'ancienne rue de l'Académie*, in: »Bulletin de Correspondance Hellénique«, LI (1927), S. 158–63 (auf den Arrigoni in der zitierten Anmerkung hinweist).

34 Vgl. L. G. Kahil, *Autor de l'Artémis attique*, in: »Antike Kunst«, 8 (1965), S. 20 ff.; A. Brelich, *Paides e Parthenoi*, I, Rom 1969, S. 229–311; C. Sourvinou (später Sourvinou-Inwood), *Aristophanes. Lysistrata, 641–647*, in: »The Classical Quarterly«, N. F. XXI (1971), S. 339–342; T. C. W. Stinton, *Iphigeneia and the Bears of Brauron*, ebd., XXVI (1976), S. 11–13; L. Kahil, *L'Artémis de Brauron: rites et mystères*, in: »Antike Kunst«, 20 (1977), S. 86–98; C. Montepaone, *L'arkteia a Brauron*, in: »Studi storico-religiosi«, III (1979), S. 343 ff.; M. B. Walbank, *Artemis Bear-Leader*, in: »Classical Quarterly«, 31 (1981), S. 276–81; S. Angiolillo, *Pisistrato e Artemide Brauronia*,

in: »La parola del passato«, XXXVIII (1983), S. 351–54; H. Lloyd-Jones, *Artemis and Iphigenia*, in: »Journal of Hellenic Studies«, CIII (1983), S. 91 ff.; L. G. Kahil, *Mythological Repertoire of Brauron*, in: *Ancient Greek Art and Iconography*, hg. v. W. G. Moon, Madison (Wisc.) 1983, S. 231–244. Weitere bibliographische Hinweise bei Arrigoni, *Il maestro*, cit., S. 1019.

35 Vgl. die bei Arrigoni, *Il maestro*, cit., diskutierten Texte.

36 Vgl. zum Beispiel die indirekte, aber überaus präzise Beschreibung, die Pausanias (VIII, 41, 4 ff.) vom antiken Bild der Demeter Phigalia gibt: und allgemein vgl. Lévêque, *Sur quelques cultes*, cit. Die hier gemachten Aussagen (wie auch die folgenden) setzen die Analyse des klassischen Bildes Arkadiens voraus, die P. Borgeaud (*Recherches*, cit.) vorgenommen hat, ohne jedoch auch dessen skeptische Implikationen (S. 10) aufzugreifen. Die wesentliche Glaubwürdigkeit jenes auf ausschließlich literarische Zeugnisse gestützten Bildes wird im übrigen durch den gleichzeitigen Hinweis wiederum Borgeauds auf den archaischen Charakter des arkadischen Dialektes bestätigt.

37 Vgl. P. Faure, *Nouvelles recherches de spéléologie et de topographie crétoises*, in: »Bulletin de correspondance hellénique«, LXXIV (1960), S. 209–215; ders., *Fonctions des cavernes crétoises*, Paris 1964, S. 144 ff.; R. F. Willets, *Cretan Cult and Festivals*, London 1962, S. 275–77; A. Antoniou, *Minoische Elemente im Kult der Artemis von Brauron*, in: »Philologus«, 125 (1981), S. 291–296; Lloyd-Jones, *Artemis*, cit., S. 97, Anm. 72. Siehe außerdem den Artikel »Kynosura« in Pauly-Wissowa, *Real-Enzyklopädie*, cit. Zur Möglichkeit, eine Kontinuität zwischen mykenischer und griechischer Religion ausfindig zu machen, vgl. W. K. C. Guthrie, *Early Greek Religion in the Light of the Decipherment of Linear B*, in: »Bulletin of the Institute of Classical Studies«, 6 (1959), S. 35–46.

38 Vgl. Neustadt, *De Iove Cretico*, cit., wo die Beobachtungen von A. Claus, *De Dianae antiquissima apud Graecos natura*, Vratislavae 1881, S. 87 ff. entwickelt werden; H. Posnansky, *Nemesis und Adrasteia*, »Breslauer Philologische Abhandlungen«, V, 2, Breslau 1890, S. 68 ff. Zu Bendis vgl. R. Pettazzoni, *The Religion of Thrace*, in: *Essays in the History of Religion*, Leiden 1954, S. 81 ff.; I. Chirassi Colombo, *The Role of Thrace in Greek Religion*, in: *Thracia II*, Serdicae 1974, S. 71 ff., insbes. S. 77–78; Z. Gočeva, *Le culte de la déesse thrace Bendis à Athènes*, in: *ebd.*, S. 81 ff.; D. Popov, *Artemis Brauro (déesse thraco-pélasgique)*, in: *Interaction and Acculturation in the Mediterranean*, I, Amsterdam 1980, S. 203–21.

39 Allgemein vgl. C. Christou, *Potnia Thērōn*, Thessaloniki 1968; L. Kahil, »Artemis« in: *Lexicon Iconographicum Mythologiae Classicae*, II, 1 u. 2, Zürich/München 1984, S. 618–753 (und siehe im weiteren, S. 140–141). Für ein kretisches Beispiel vgl. L. Pernier, *Templi arcaici di Priniàs. Contributo allo studio dell'arte dedalica*, in: »Annuario della R. Scuola archeologica di Atene…«, I (1914), S. 68 ff., Abb. 37–38.

40 Auf diesen Grenzeigenschaften insistiert J.-P. Vernant, *Tod in den Augen*, dt. Übers., Frankfurt a. M. 1988.

41 Vgl. Philadelpheus, *Le sanctuaire*, cit.; und siehe bereits Claus, *De Dianae antiquissima*, cit., S. 64 ff. und Neustadt, *De Iove*, cit., S. 49. Zur Artemis *Kourotrophos* vgl. M. P. Nilsson, *The Minoan-Mycenean Religion*, cit., S. 503.

42 Dieser und weitere Aspekte wurden von J. J. Bach-

ofen in seinem berühmten Aufsatz *Der Bär in den Religionen des Alterthums* (Basel 1863) hervorgehoben. Zu diesem Aufsatz vgl. T. Gelzer, *Bachofen, Bern und der Bär*, in: *Jagen und Sammeln. Festschrift für Hans-Georg Bandi zum 65. Geburtstag*, Bern 1985, S. 97–120. (Die Kenntnis dieser Schrift verdanke ich der Freundlichkeit von Giampiera Arrigoni, die mir eine Fotokopie davon zukommen ließ.) Die Beobachtungen von W. Sale (*Callisto and the Virginity of Artemis*, cit.) über das Fehlen mütterlicher Charakteristika im eigentlichen Sinne werden zu bedenken sein.

[43] Vgl. Bachofen, *Der Bär...*, cit., auf den auch die erste Ahnung der Einheit der Gruppe zurückgeht. Ein im Jahr 1868 in Zürich gefundenes Epigraph veranlaßte Bachofen zu weiteren Überlegungen zum Thema des Bären (*Gesammelte Werke*, X, Basel–Stuttgart 1967, S. 409–11). Zur Gruppe von Muri vgl. S. Reinach, *Les survivances du totémisme chez les anciens Celtes*, in: *Cultes...*, cit., I, S. 30 ff.; F. Stähelin, *Aus der Religion des römischen Helvetien*, in: »Anzeiger für schweizerische Altertumskunde«, XXIII (1921), S. 17 ff.; A. Leibundgut, *Die römischen Bronzen der Schweiz*, III, *Westschweiz, Bern und Wallis*, Mainz am Rhein 1980, S. 66–70, Anm. 60, Taf. 88–94, mit weiterer Bibliographie (grundlegend); *Lexicon Iconographicum*, cit., II, 1, 1984, S. 856. Das der *Dea Artio* gewidmete Heft der *Dissertationes Bernenses*, das auch einen Aufsatz von A. Alföldi (vgl. vom selben Verf. *Die Geburt der kaiserlichen Bildsymbolik...*, in: »Museum Helveticum«, 8 (1951), S. 197, Anm. 22) hätte enthalten sollen, ist offenbar nie erschienen. Über die Zeugnisse zu Artio siehe auch M. L. Albertos, *Nuevas divinidades de la antigua Hispania*, in: »Zephyrus«, III (1952), S. 49 ff. Zu den Bezeichnungen des Bären vgl. A. Meillet, *Linguistique historique et linguistique générale*, Paris 1948, I, S. 282 ff.

[44] Vgl. Leibundgut, *Die römische*, cit., S. 69–70; zur Ikonographie der sitzenden Göttin, die bereits Bachofen, *Der Bär*, cit., S. 34 erkannt hat, vgl. Faider-Feytmans, *La ›Mater‹ de Bavai*, in: W. Schiering, Wiesbaden 1967, S. 140–45 (*Bronzestatuette einer niederrheinischen Matrone in Kassel*), S. 239–42 (*Statue einer Muttergöttin aus der Normandie*). Die etwas emphatische Schlußfolgerung des Aufsatzes von G. Arrigoni – »Die Bärengöttin, heiße sie nun Artemis oder Artio, ist endgültig hinfällig geworden« (*Il maestro*, cit., S. 1019) – wird im Fall der Artio durch die vollkommene Übereinstimmung zwischen der Etymologie (zu der sich Arrigoni allerdings nicht äußert, S. 1004–1005) und der ältesten Fassung der Gruppe von Muri widerlegt. In einer Anmerkung, die hinzugesetzt ist, um den Ergebnissen von A. Leibundgut Rechnung zu tragen, räumt Arrigoni ein, ihre Interpretation von »›Bärengöttin‹ im Sinne von Schutzherrin der Bären« »könnte jedenfalls höchstens bis zur zweiten Anordnung der Bronzen von Muri zurückreichen« (S. 1005 u. Anm. 137 bis), schließt die erste Anordnung also aus. Zwar vereinfacht, wie Arrigoni behauptet *(ebd.)*, die Entdeckung der beiden Schichten der Gruppe die Aufgabe des Interpreten, allerdings in entgegengesetzter Richtung als der von ihr vertretenen.

[45] Vgl. V. Pisani, *Ellēnokeltikai*, in: »Revue des études anciennes«, XXVII (1953), S. 148–50; siehe jedoch P. Kretschmer, »Glotta«, 27 (1939), S. 33–34.

[46] Vgl. A. Meillet, in: »Mémoires de la Société Linguistique de Paris«, XI (1900), S. 316–17; E. Zupitza, *Miscel-*

len, in: »Zeitschrift für vergleichende Sprachforschung«, XXXVII (1904), S. 393, Anm., gefolgt von G. Bonfante, *I dialetti indoeuropei* (1931), Brescia 1976, S. 123 ff.

[47] Vgl. P. Chantraine, *Dictionnaire étymologique de la langue grecque*, Paris 1968, S. 110, 117; W. Burkert, *Greek Religion*, erw. engl. Übers., Cambridge (Mass.) 1985, S. 149 (dt. Orig.: *Griechische Religion der archaischen und klassischen Epoche*, Stuttgart–Berlin–Köln–Mainz 1977, S. 233).

[48] Vgl. M. Sánchez Ruipérez, *El nombre de Artemis, dacio-ilirico...*, in: »Emerita«, XV (1947), S. 1–60, u. ders., *La ›Dea Artio‹ celta y la ›Artemis‹ griega. Un aspecto religioso de la afinidad celto-ilirica*, in: »Zephyrus«, II (1951), S. 89–95. Zur (heute umstrittenen) Identifizierung der Invasoren mit den Dorern vgl. M. I. Finley, *Die frühe griechische Welt*, dt. Übers., München 1982, S. 92–93 u. 161, Anm. 4. Skepsis gegenüber der Hypothese von Sánchez Ruipérez (die bei Arrigoni, *Il maestro*, cit., S. 1004, Anm. 136 ungenügend von der von V. Pisani unterschieden wird) zeigt H. Krahe, *Die Sprache der Illyrier*, I, Wiesbaden 1955, S. 81, trotz des Vorhandenseins von Namen wie *Artemo, Artemia* (messapisch *Artemes*) im Illyrischen; diesen ist noch das messapische *Artos* hinzuzufügen (C. De Simone, in: H. Krahe, *Die Sprache*, cit., II, Wiesbaden 1964, S. 113), das R. S. Conway (in R. S. Conway–J. Whatmough–S. E. Johnson, *The Pre-Italic Dialects of Italy*, III, Cambridge, Mass., 1933, S. 6) mit dem illyrischen *Artus* und dem keltischen *Artobriga* in Verbindung bringt. Die illyrischen Parallelen hatte bereits G. Bonfante *Di alcune isoglosse indo-europee ›centrali‹*, in: »Rivista Greco-Indo-Italica«, XVIII (1934), S. 223–25 in Hinblick auf *arktos* (nicht auf Artemis) erwähnt. Auch in der Mitteilung desselben Verfassers über »Les éléments illyriens dans la mythologie grecque« (in: *Vᵐᵉ Congrès International des Linguistes, Bruxelles 28 août–2 septembre 1939*, Nachdr. 1973, *Résumés des communications*, S. 11–12) wird Artemis nicht erwähnt. Siehe auch A. J. van Windekens, *Sur les noms de quelques figures divines ou mythiques grecques*, in: »Beiträge zur Namenforschung«, 9 (1958), S. 163–67.

[49] Zu den umstrittenen Zeugnissen in Linear B vgl. E. L. Bennett, *The Pylos Tablets*, Princeton 1955, S. 208–09. Gegen die Identifizierung mit Artemis siehe M. Gérard-Rousseau, *Les mentions religieuses dans les tablettes mycéniennes*, Rom 1968, S. 46–47, und vor allem C. Sourvinou, in: »Kadmos«, 9 (1970), S. 42–47 (die Ruipérez' Hypothese vorsichtig zustimmt); zugunsten dieser Identifizierung siehe A. Heubeck, in: »Gnomon«, 42 (1970), S. 811–12 und T. Christidis, in: »Kadmos«, 11 (1972), S. 125–28.

[50] Vgl. Singer, *Die Artussage*, cit., S. 9 ff.; ders., *Keltischer Mythos und französische Dichtung*, in: *Germanisch-romanisches Mittelalter*, Zürich/Leipzig 1935, S. 170–71.

[51] »Dicunt eam habere irsutas manus, quia tetigerit eas ad maxillas, et sentiebant esse irsutam« (*Vat. lat. 1245*, Bl. 229 r). C. Binz, *Zur Charakteristik*, cit., S. 150–51, verstört durch dieses ganze »Durcheinander«, bemühte sich, dessen Herr zu werden, indem er annahm, die Hände der Göttin seien »rauh« und »bloß«, die wenig später von den alten Frauen erwähnten »irsuti homines« ebenfalls »bloß« gewesen.

[52] »Nam pro tunc vetula sine motu locali dormire cepit, et cum se iam sompniaret versus Herodianam vehi et manus leta proiceret, versum est ex motu vas et vetu-

lam cum confusione ad terram proiecit« (Klapper, *Deutscher Volksglaube*, cit., S. 45).

53 Vgl. *Die Benandanti*, cit., S. 73–74.

54 Vgl. W. Deonna, *Le symbolisme de l'œil*, Paris 1965, vor allem S. 159 ff.; ders., in: »Latomus«, XVI (1957), S. 205.

55 Vgl. Christou, *Potnia*, cit., S. 136 ff.; J.-P. Vernant, *Tod in den Augen*, cit., S. 23 u. 29–31.

56 Vgl. Deonna, *Le symbolisme*, cit., S. 162–63, in Hinblick auf Plutarch, *Vita Arat.* 32; vgl. auch W. Hertz, *Die Sage vom Giftmädchen*, in: *Gesammelte Abhandlungen*, hg. v. F. von der Leyen, Stuttgart/Berlin 1905, S. 181 ff.; S. Seligmann, *Der böse Blick und Verwandtes*, I, 1910, S. 164 ff.; E. S. Mc Cartney, *The Blinding Radiance of the Divine Visage*, in: »The Classical Journal«, XXXVI (1940–41), S. 485–88.

57 Vgl. S. Reniach, *L'Hécate de Ménestrate*, in: *Cultes*, cit., II, S. 307 ff. (in Hinblick auf Plinius, *Naturalis Historia*, 36, 32); der Standort der Hekate-Statue im Tempel von Ephesos wird nun in Frage gestellt von Kraus, *Hekate*, cit., S. 39–40. Reinach erwähnt auch (unter Hinweis auf Plutarch, *Parall.* 17) das Palladion des Athenetempels von Ilion, das kein Mensch erblicken durfte: Ilos, der es während eines Brandes zu retten versucht hatte, wurde von der Göttin geblendet.

58 Vgl. B. Spina, *Quaestio de strigibus*, in: *Tractatus universi iuris*, Bd. XI, 2, hg. v. J. Menochio, G. Panciroli u. F. Ziletti, Venetiis 1584, S. 356 v. Eine dieser Frauen war vielleicht jene Agnesina, die am 6. August 1523 (die erste Auflage der *Quaestio* stammt aus demselben Jahr) als Hexe verbrannt wurde: vgl. die von der ferraresischen Confraternita della Morte kopierte Liste der Hingerichteten (Biblioteca Comunale Ariostea, ms. Cl. I, n. 160, Bl. 16 v).

59 Vgl. A. Panizza, *I processi contro le streghe del Trentino*, in: »Archivio Trentino«, VIII (1889), S. 239; IX (1890), S. 99.

60 *Ebd.*, S. 236.

61 Vgl. Propp, *Le radici*, cit., S. 114 ff., auf den Scalera McClintock, *Due arti*, cit., S. 95–96, Anm. 35 in Hinblick auf den Kopfputz der »donna del bon zogo« sehr scharfsinnig hinweist.

62 Vgl. Panizza, *I processi*, cit., S. 244 u. *passim*. Das Detail der alten Schnupftücher, die um den Kopf der Sprecht (Perchta) gewickelt sind, hat sich in den österreichischen Alpen bis in unsere Tage erhalten: vgl. J. Hanika, *Bercht schlitzt den Bauch auf*, cit., S. 40.

63 Vgl. L. Rapp, *Die Hexenprozesse und ihre Gegner aus Tirol. Ein Beitrag zur Kulturgeschichte*, Innsbruck 1874, S. 168: Juliane Winklerin erzählt, Anna Jobstin, der gewählten »Königin von Engelland« (König war der Teufel) habe man »einen schönen gulden Rock angelegt und auf einen Stein gesetzt. Sie hätt im Gesicht grosse Augen gehabt wie zwei Teller, und verkehrt gräuslich damit ausgesehen« (vgl. die Beschreibung der »Äbtissin« auf den Thron in *Die Benandanti*, cit., S. 79). Auch Katharina Haselriederin spricht von »zwei grosse(n) Augen wie ein Teller« (S. 153). Von Rapps Arbeit hängt (worauf mich Giovanni Kral aufmerksam macht) P. Di Gesaro, *Strenghe nel Tirolo*, Bozen 1983, Kap. V (nicht paginiert) ab.

64 Vgl. *Vat. lat.* 1245, Bl. 229 r: »cuius faciem non viderunt quia eam occultat ita quod laterali videri nequeunt, propter quasdam etc.«.

65 Die Möglichkeit, die *Dama de Elche* mit den Beschrei-
bungen der »donna del bon zogo« in den Prozessen vom Fleimsertal in Verbindung zu bringen, wurde mir zum erstenmal vor vielen Jahren von Ippolito Marmai (der mich danach wissen ließ, er habe seine Ansicht darüber geändert) nahegelegt. Ich habe das Problem dann lange mit Xavier Arce diskutiert, der die phantastischen Mutmaßungen, die ich ihm nach und nach unterbreitete, geduldig und kenntnisreich auseinandernahm. Ich danke beiden; die Verantwortung für das Folgende trage ich natürlich allein.

66 Auf einige dieser Fragen antwortet etwas knapp G. Nicolini, *La Dame d'Elche: questions d'authenticité*, in: »Bulletin de la Société nationale des Antiquaires de France«, 1974 (1976 veröffentl.), S. 60–72. Vgl. jedoch die sorgfältige Analyse einer in gewisser Hinsicht typologisch verwandten Skulptur von F. Presedo Velo, *La Dama de Baza*, in: »Trabajos de Prehistoria«, N. F., 30 (1973), S. 151–203.

67 Daß es sich um eine Büste handelt, hat E. Kukahn, *Busto femenino de terracotta de origen rhodio en el ajuar de una tumba ibicenca*, in: »Archivo Español de Arqueología«, XXX (1957), S. 3 ff.; insbes. S. 13, Anm. 38 vertreten. Vorsichtiger A. Blanco Freijeiro, *Die klassischen Wurzeln der iberischen Kunst*, in: »Madrider Mitteilungen«, I (1960), S. 116. Nach Presedo Velo, *La Dama de Baza*, cit., S. 192 sollen auf der Basis der *Dama de Elche* noch Spuren eines Axtschlages zu sehen sein.

68 Zum beginnenden 4. Jahrhundert als *terminus ante quem* vgl. E. Kukahn, *Busto*, cit., S. 14. Nach A. García y Bellido, *¿Es la ›Dama de Elche‹ una creacion de época augústea?*, in: »Archeologia classica«, X (1958), S. 129–132; ders., *De nuevo la* »Dama de Elche«, in: »Revista de Occidente«, 15 (Juni 1964), S. 358–367 (dt. Übers. in: *Iberische Kunst in Spanien*, Mainz 1971, S. 36–42), soll die *Dama* ein pseudo-archaisches Werk aus dem 2. oder sogar aus dem 1. Jahrhundert v. Chr. sein: diese Hypothese fand keine Anhänger.

69 Vgl. einerseits Nicolini, *La Dame*, cit., andererseits E. Langlotz, *Ein Artemis-Kopf*, in: *Studies Presented to David M. Robinson*, I, Saint Louis 1951, S. 646 und Taf. 65 c (Vergleich mit den Metopen des Heratempels von Selinunt); Blanco Freijeiro, *Die klassischen Wurzeln*, cit., S. 117, wo die *Dama* einem vielleicht aus Syrakus stammenden, in den Vatikanischen Museen aufbewahrten Fragment gegenübergestellt wird; Kukahn, *Busto*, cit.

70 Vgl. Presedo Velo, *La Dama de Baza*, cit., S. 196 ff., und Zuntz, *Persephone*, cit., S. 110–14.

71 Zum Verwendungszweck im Rahmen des Totenkultes vgl. bereits S. Reniach, *La tête d'Elche au Musée du Louvre*, in: »Revue des études grecques«, S. 51, Anm.; unabhängig davon S. Ferri, *Supplemento ai busti fittili di Magna Grecia (la Dama di Elche)*, in: »Klearchos«, 19 (1963), S. 53–61; García y Bellido, *De nuevo la* »Dama de Elche«, cit.

72 Vgl. Blanco Freijeiro, *Die klassischen Wurzeln*, cit., S. 114 u. Taf. 24 b; G. Nicolini, *Les bronzes figurés de sanctuaires ibériques*, Paris 1969, S. 228–29; ders., *Bronces ibéricos*, Barcelona 1977, Abb. 48, 49 u. 51.

73 Auf diesen Text wies bereits Reinach, *La tête*, cit., S. 52 hin.

74 Vgl. die umfangreiche Materialsammlung bei P. Jacobsthal, *Zum Kopfschmuck des Frauenkopfes von Elche*, in: »Athenische Mitteilungen«, 57 (1932), S. 67–73 (siehe insbes. Taf. X, wo die Kore 666 des Museums der Akropolis wiedergegeben ist).

[75] Vgl. Bertolotti, *Le ossa*, cit., S. 477–80.

[76] Vgl. J. W. Wolf, *Irische Heiligenleben*, in: »Zeitschrift für deutsche Mythologie«, I (1853), S. 203 ff., zu dem vom heiligen Mochua Cuanus erweckten Hirschen. Zum Ganswunder, das der heiligen Pharaildis zugeschrieben wird, vgl. *Acta Sanctorum*, I, Antverpiae 1643, S. 170–73; L. van der Essen, *Étude critique et littéraire sur les »Vitae« des saints mérovingiens de l'ancienne Belgique*, Löwen 1907, S. 303–07; *Bibliotheca Sanctorum*, V, Rom 1964, Sp. 457–63; zum Ochsenwunder, das dem Mönch Wilhelm von Villers in Brabant zugeschrieben wird, vgl. Thomas von Cantimpré, *Miraculorum et exemplorum memorabilium sui temporis, libri duo*, Duaci 1597, S. 201–02. Siehe auch W. Mannhardt, *Germanische Mythen*, Berlin 1858, S. 60.

[77] Diese Fragen wurden zum erstenmal von Mannhardt, *Germanische Mythen*, cit., S. 60, Anm. 1 gestellt. Am Ende seiner Studie *Tors färd till utgård*, in: »Danske Studier«, I (1910), S. 65 ff., neigte C. W. von Sydow der keltischen Hypothese zu (die durch die Analogie zwischen Thor und dem keltischen Gott Taranis erhärtet werden könnte: vgl. H. Gaidoz, *Le dieu gaulois au maillet sur les autels à quatre faces*, in: »Revue Archéologique«, XV, 1890, S. 176). Die Herkunft von einer vorkeltischen oder vorgermanischen Version hat L. Schmidt in zwei Aufsätzen vertreten (vgl. im weiteren, S. 282 Anm. 154). Im selben Sinn, jedoch unabhängig davon, vgl. auch Bertolotti, *Le ossa*, cit.

[78] Für eine kurze Zusammenfassung der Diskussion zu diesem Thema vgl. den vorzüglichen Aufsatz von J. Henninger, *Neuere Forschungen zum Verbot des Knochenzerbrechens*, in: *Studia Ethnographica et Folkloristica in Honorem Béla Gunda*, Debreczin 1971, S. 673–702; H. J. Paproth, *Studien über das Bärenzeremoniell*, I, Uppsala 1976, S. 25 ff. Weitere bibliographische Angaben werden nach und nach gemacht.

[79] Vgl. L. Röhrich, *Le monde surnaturel dans les légendes alpines*, in: »Le monde alpin et rhodanien«, 10 (1982), S. 25 ff.

[80] Im *Ysengrimus*, einer lateinischen Dichtung von Mitte des 12. Jahrhunderts, wird Pharaildis explizit mit Herodias identifiziert, der nächtlichen »mesta padrona«, der ein Drittel des Menschengeschlechtes gehorcht (»pars hominum meste tertia servit here«; vgl. *Ysengrimus*, Text, Übersetzung und Kommentar hg. v. J. Mann, Leiden 1987, B. II, V. 71–94; *Die Benandanti*, cit., S. 63 u. 229, Anm., ist hinsichtlich der Interpretation einer analogen Stelle aus dem *Roman de la Rose* zu korrigieren). In diesen Worten sah J. Grimm zu Recht einen Hinweis auf den Glauben an die von Diana, Herodias oder Holda angeführte Totenschar, auch wenn es ihm nicht gelang, in den Viten der heiligen Pharaildis Elemente zu finden, die deren mögliche Ableitung von Verelde (dem mittelholländischen Äquivalent zu Frau Hilde oder Holda) gerechtfertigt hätten (*Deutsche Mythologie*, cit., I, S. 236–37, gefolgt von Wesselofsky, *Alichino*, cit., S. 235–36). Die Anspielung auf die Heilige wurde durch die Entdeckung geklärt, daß der mutmaßliche Autor des *Ysengrimus*, Nivardus, wahrscheinlich sein Amt in der Kirche der heiligen Pharaildis in Gent versah (vgl. *Ysengrimus*, hg. v. E. Voigt, Halle a. d. S. 1884, I, S. CXIX–CXX): Aber die Gleichsetzung der Pharaildis mit Herodias in der Gestalt der nächtlichen Seelenführerin blieb unerklärt. Dem jüngsten Herausgeber des *Ysengrimus* zufolge (J. Mann, Ausg. cit., S. 89–97) soll es

sich um eine Erfindung des Verfassers des Gedichtes handeln, nicht um ein Element aus der Volkskultur: Voigt (und daher auch Grimm) hätten die Bedeutung der Episode falsch verstanden. Tatsächlich drängt der Beginn des 2. Buchs des *Ysengrimus* jedoch entgegengesetzte Schlußfolgerungen auf. Dort wird eine alte Bäuerin beschrieben, Aldrada, die einen Wolf tötet, in Stücke hackt, dreimal zwischen diesen durchgeht, um zu vermeiden, daß sie wieder lebendig werden, und zu guter Letzt Gebete an einige (zum Teil inexistente) Heilige richtet. Die Anrufung der Pharaildis, mit der die Reihe schließt, spielt scherzhaft auf das Ganswunder an: Offensichtlich bittet Aldrada die Heilige darum, sie möge den Wolf nicht aus den Knochen erstehen lassen. Eben dieses Wunder liefert den von Grimm vergeblich gesuchten Schlüssel zur (dem *Ysengrimus* gewiß vorausgegangenen) Annäherung der Pharaildis an Herodias.

[81] Vgl. A. Dirr, *Der kaukasische Wild- und Jagdgott*, in: »Anthropos«, 20 (1925), S. 139–47.

[82] Siehe die Materialsammlung bei A. Gahs, *Kopf-, Schädel- und Langknochenopfer bei Rentiervölkern*, in: *Festschrift ... P. W. Schmidt*, hg. v. W. Koppers, Wien 1928, S. 231–68. Der Versuch von Gahs, diese Riten (auf den Spuren seines Lehrers Schmidt) als an einen kosmischen Gott oder ein höchstes Wesen gerichtete Opfer zu begreifen, wird von Henninger, *Neuere Forschungen*, cit., zu Recht kritisiert.

[83] Vgl. E. J. Jessen im Anhang (mit separater Paginierung) zu K. Leem, *Beskrivelse over Finmarkens Lapper ... De Lapponibus Finmarchiae ... commentatio ... una cum ... E. J. Jessen ... Tractatu singulari de Finnorum Lapponumque Norvegic. religione pagana*, Kopenhagen 1767, S. 52–53. Dazu A. Thomsen, *Der Trug des Prometheus*, in: »Archiv für Religionswissenschaft«, XII (1909), S. 460–490 hin.

[84] Vgl. A. I. Hallowell, *Bear Ceremonialism in the Nothern Hemisphere*, in: »American Anthropologist«, 28 (1926), S. 142, Anm. 617, zitiert bei Gahs, *Kopf-, Schädel- und Langknochenopfer*, cit., S. 251.

[85] Vgl. A. Salmony, *Antler and Tongue. An Essay on Ancient Chinese Symbolism and its Implications*, in: »Artibus Asiae«, Suppl. 13, Ascona 1954, aber zur Herleitung des Motivs aus Indien siehe die Vorbehalte von R. Heine-Geldern, in: »Artibus Asiae« 18 (1955), S. 85–90. Außer M. Badner, *The Protruding Tongue and Related Motifs in the Art Styles of the American Northwest Coast, New Zealand and China*, siehe auch den sich daran anschließenden Aufsatz von R. Heine-Geldern, *A Note on Relations Between the Art Styles of the Maori and Ancient China* (beide Schriften sind unter dem Titel *Two Studies of Art in the Pacific Area*, »Wiener Beiträge zur Kulturgeschichte und Linguistik«, XII (1966) zusammengeschlossen). Heine-Geldern nimmt an, daß sowohl die Ch'angsha-Kunst als auch jene der amerikanischen Nordwestküste von einem neolithischen Holzschnitzstil herkommen, der um 2500 v. Chr. Ostrußland, Sibirien und China gemeinsam gewesen sein soll. Zusammenhänge im Bereich der Kunst, bemerkt Heine-Geldern (S. 60), haben, genauso wie jene im Bereich der Sprache, Beweiskraft: aber siehe zur selben Frage den im weiteren, S. 223, Anm. 54 zitierten Aufsatz von Lévi-Strauss.

[86] Vgl. J. de Vries, *Altgermanische Religionsgeschichte*, Berlin 1957 (2., erneuerte Aufl.), II, S. 115, der auf eine Studie von Å. Olrik hinweist.

[87] Diese Bedenken meldet R. Karsten, *The Religion of the Samek*, Leiden 1955, S. 24–25 an.

88 Vgl. G. Ränk, *Der mystische Ruto in der samischen Mythologie*, Stockholm 1981; ders., *The North-Eurasian Background of the Ruto-cult*, in: *Saami Pre-Christian Religion. Studies on the Oldest Traces of Religion Among the Saamis*, hg. v. L. Bäckman u. Å. Hultkrantz, Stockholm 1985, S. 169–78; O. Pettersson, *The God Ruto, ebd.*, S. 157–168.

89 Vgl. Jessen, *Tractatu*, cit., S. 47.

90 Zur letztgenannten vgl. Burkert, *Homo Necans*, cit., S. 93, Anm. 27. Die hier formulierte Hypothese wird als bewiesen vorausgesetzt von K. Beitl, *Die Sagen vom Nachtvolk*, in: »Laographia«, XXII (1965), S. 19 (in bezug auf Thor und den heiligen Germanus).

91 Siehe im weiteren, S. 220, Anm. 21.

92 Vgl. C. Robert, in L. Preller, *Griechische Mythologie*, I, Berlin 1894[4], S. 296, Anm. 2 (aber der Hinweis auf H. Bazin, »Revue Archéologique«, 1886, S. 257 ff. muß wegfallen: vgl. R. Fleischer, *Artemis von Ephesos*, Leiden 1973, S. 329 u. 415). Vgl. auch U. von Wilamowitz-Moellendorff, *Isyllos von Epidauros*, in: *Philologische Untersuchungen*, 9, 1886, S. 68; ders., *Hellenistische Dichtung in der Zeit des Kallimachos*, 1924, II, S. 50, und P. Kretschmer in »Glotta«, XV (1927), S. 177–78 (vom selben Verf. vgl. auch ebd., XXVIII (1939), S. 33–34); und siehe auch Chantraine, *Dictionnaire*, cit., I, S. 116–17. Zu *Artamos* vgl. J.-L. Durand, *Bêtes grecques*, in: Detienne u. Vernant, *La cuisine*, cit., S. 151; allgemein G. Berthiaume, *Les rôles du mágeiros*, Leiden 1982 (keiner der beiden erwähnt den möglichen Zusammenhang mit *Artemis*).

93 Vgl. *Joh.*, 19, 31–36 (M. Bertolotti verwendet diese Stelle als Motto zu seinem Aufsatz *Le ossa e la pelle dei buoi*, cit.), der auf *Ex.*, 12, 46 und *Num.*, 9, 12 verweist, indem Christus implizit dem Osterlamm gleichgesetzt wird. Zu dieser Frage siehe im weiteren, S. 248–49.

94 Diese Interpretation wird durch das von Pausanias gebrauchte Verb *apokopto* nahegelegt: Es handelt sich um ein Synonym von *kopto, katakopto*, was in der Opfersprache genau »den Leichnam zu schneiden« bedeutet (vgl. Berthiaume, *Les rôles*, cit., S. 49 u. 5). Siehe auch M. Jost, *Les grandes déesses d'Arcadie*, in: »Revue des Études Anciennes«, LXII (1970), S. 138 ff., insbes. S. 150–51, der die Zusammenhänge zwischen diesem Ritual und dem dionysischen *diasparagmos* diskutiert, und jetzt *Sanctuaires et cultes d'Arcadie*, Paris 1985, S. 297 ff. (auf S. 335 ein Hinweis auf den Zusammenhang Despoina-Artemis). Auf die Analogie zwischen diesen Figuren hatte bereits Claus, *De Dianae antiquissima natura*, cit., S. 28 aufmerksam gemacht; aber siehe auch B. C. Dietrich, *Demeter, Erinys, Artemis*, in: »Hermes«, 90 (1962), S. 129–48. Der geheimnisvolle Umzug (als Menschen verkleideter Tiere? als Tiere verkleideter Menschen?) auf dem in Lykosura gefundenen (heute im archäologischen Museum von Athen aufbewahrten) Umhang der Despoina könnte mit den Fragen zusammenhängen, die wir hier gerade erörtern; vgl. Kahil, *L'Artémis de Brauron*, cit., S. 94 ff., mit bibliographischen Angaben. Allgemein siehe E. Lévy u. J. Marcadé, in: »Bulletin de correspondance hellénique«, 96 (1972), S. 967–1004.

95 Vgl. Nilsson, *The Minoan-Mycenean Religion*, cit., S. 508–09 (und siehe auch S. 232–35), der auf P. Wolters, »Eph. Arch«, 1892, S. 213 ff., Taf. 10, 1 verweist; R. Stiglitz, *Die großen Göttinnen*, cit., S. 34–35.

96 Zur Existenz eines weiblichen Schamanismus vgl. R. Hamayon, *Is There a Typically Female Exercise of Shamanism in Patrilinear Societies Such as the Buryat?*, in: *Shamanism in Eurasia*, hg. v. M. Hoppál, 2 Bde. mit fortlaufender Paginierung, Göttingen 1984, S. 307–18. Nach Harva (Holmberg), *Les représentations religieuses des peuples altaïques*, frz. Übers., Paris 1959, S. 309, sollen die weiblichen Schamanen stets in einer untergeordneten Position sein; Lot-Falck, *Le chamanisme en Sibérie...*, in: »Asie du Sud-Est et Monde insulindien. Bulletin du Centre de documentation et de recherche (CEDRASEMI)«, IV (1973), Nr. 3, S. 1 ff. bestreitet dies, räumt jedoch ein, daß sie weniger zahlreich als die männlichen Schamanen sind. Gesondert wäre die Frage der Häufigkeit (männlicher) Homosexueller und Transvestiten unter den Schamanen zu berücksichtigen, die bereits M. Z. Czaplicka, *Aboriginal Siberia*, Oxford 1914, S. 242 ff. herausgestellt hat.

97 Vgl. L. Weiser (später Weiser-Aall), *Zum Hexenritt auf dem Stabe*, in: *Festschrift für Maria Andree-Eysn*, 1928, S. 64–69; dies., »Hexe«, in: *Handwörterbuch des deutschen Aberglaubens*, 3, Berlin/Leipzig 1930–31, Sp. 1849–1851. Und vgl. bereits J. Fritzner, *Lappernes Hedenskab og Trolddomskunst...*, in: »Historisk Tidsskrift« (Kristiania), IV (1877), S. 159 ff. Allgemein vgl. *Studies in Lapp Shamanism*, hg. v. L. Bäckman u. Å. Hultkrantz, Stockholm 1978. Der Terminus *gandreidh* (»Zauberritt«) kommt in der isländischen Saga von Thorstein vor (die ich in lat. Übers. gelesen habe: *Vita Thorsteinis Domo-Majoris*, in: *Scripta Historica Islandorum de rebus gestis veterum borealium, latine reddita...*, III, Hafniae 1829, S. 176–78): Der Held, der einem Kind folgt, besteigt einen Stock und fliegt in ein unterirdisches Jenseits, aus dem er mit einem Ring und einer Decke, geschmückt mit Edelsteinen, die er dem König dort unten geraubt hat, zurückkehrt. Die Erzählung ist voller keltischer Motive: vgl. J. Simpson, *Otherworld Adventures in an Icelandic Saga*, in: »Folk-Lore«, 77 (1966), S. 1 ff. Zu den schamanistischen Charakteristika des Themas vom Raub aus dem Jenseits siehe im weiteren, S. 174.

98 Außer *Die Benandanti*, cit., S. 15 (und siehe oben, Einleitung, S. 18–19) vgl., von einem anderen Gesichtspunkt aus, H. Biedermann, *Hexen. Auf den Spuren eines Phänomens*, Graz 1974, S. 35 ff.

99 Vgl. P. de Lancre, *Tableau de l'inconstance des mauvais anges et démons*, Paris 1613, S. 253 ff., insbes. S. 268. Nur schwerlich wird De Lancre einen kleinen Traktat von S. Fridrich, gebürtig aus Lindau, gelesen haben, der den verschiedenen Formen zeitweiligen Verlusts der Sinne gewidmet ist: *Von wunderlicher Verzückung etlicher Menschen welche bissweilen allein mit der Seele ohne den Leib an diesem und jenen Orth verzückt werden und wohin? ...*, o. O., 1592, unnummerierte Blätter (ich habe das Exemplar der Carolina Rediviva von Uppsala eingesehen). Fridrich unterschied: die Verzückung der Propheten, jene frommer Männer und Frauen (zum Beispiel seiner Mutter und Großmutter), eine durch natürliche Ursachen bedingte (die in *De varietate rerum* von Cardano diskutiert wird) und schließlich jene der Hexen, die durch Salben erzielt wird (dieselbe, die Della Porta in *De magia naturali* anführt; hierzu vgl. im weiteren, Anm. 101). Hinsichtlich der Tierverwandlungen erwähnte er den *Canon Episcopi*, und, in einer Randbemerkung, auch die Ekstasen lappischer Zauberer. Diese werden hingegen von einem Verfasser, den De Lancre gut kannte, in einem der Ekstase gewidmeten Kapitel mit den Werwöl-

fen in Verbindung gebracht, nämlich von C. Peucer (*Commentarius de praecipuis generibus divinationum*, Francofurti ad Moenum 1607, S. 279 ff.).

100 Michelet unterstrich neben der Eleganz seines Stils auch die »Klarheit« De Lancres (vgl. *Die Hexe*, dt. Übers., Berlin 1977², S. 108). Ein neuerer Aufsatz stellt in oberflächlicher Weise vor allem seine Weitschweifigkeit und Leichtgläubigkeit heraus (M. M. McGowan, *Pierre de Lancre's »Tableau de l'inconstance des mauvais anges et démons«: The Sabbat Sensationalised*, in: *The Damned Art. Essays in the Literature of Witchcraft*, hg. v. S. Anglo, London 1977, S. 182–201); der lange Abschnitt über die Lykanthrophie wird als »irrelevant and extraordinary« bezeichnet.

101 Vgl. G. B. Della Porta, *Magiae naturalis sive de miraculis rerum naturalium libri IIII*, Neapoli 1558, S. 102. In den nachfolgenden Ausgaben begegnete Della Porta den Vorwürfen der Zauberei, die ihm Bodin entgegengehalten hatte, durch einen gewaltsamen Eingriff, indem er nämlich den Absatz stillschweigend unterdrückte: vgl. ders., *Magiae naturalis libri XX*, Neapoli 1589, Einl., unnumerierte Blätter. Vgl. auch Tartarotti, *Del congresso notturno*, cit., S. 141–42 u. 146–47 (und Bonomo, *Caccia*, cit., S. 394).

102 Vgl. J. Praetorius, *Saturnalia*, Leipzig o. J., S. 65 ff., 395 ff. u. 403 ff.

103 Vgl. P. C. Hilscher, *Curiöse Gedancken vom Wütenden Heere, aus dem Lateinischen ins Teutsche übersetzt*, Dresden u. Leipzig 1702, Bl. Br. Die wissenschaftliche Bedeutung dieses kleinen Werks wird zu Unrecht bestritten von K. Meisen, *Die Sagen*, cit., S. 12 Anm. Auf seine frühe Entstehungszeit macht L. Röhrich, *Sage*, Stuttgart 1966, S. 24 aufmerksam. Die Person Hilschers (1666–1730: siehe den Artikel über ihn in der *Allgemeinen Deutschen Bibliographie*) verdiente eine eingehendere Erforschung.

104 Vgl. Tartarotti, *Del congresso notturno*, cit., insbes. S. 50 ff.; ders., *Apologia del congresso notturno delle lammie*, Venedig 1751, S. 159. Die zweite Schrift ist eine Antwort an Scipione Maffei, der den *Congresso notturno* als übertrieben zurückhaltend bewertet hatte. Zu dieser Polemik (in die noch andere Persönlichkeiten verwickelt waren) vgl. F. Venturi, *Settecento riformatore*, I, Turin 1969, S. 353 ff.

105 Vgl. Keysler, *Antiquitates selectae*, cit., insbes. S. 491 ff. Die Gleichsetzung von *Matronae* und Druidinnen, für die Keysler eintrat, wurde von Martin (*La religion des Gaulois*, cit., II, S. 154) zu Recht angefochten. Siehe im allgemeinen S. Piggott, *The Druids*, New York 1985, S. 123 ff.

106 Vgl. A. Schöne, *Götterzeichen, Liebeszauber, Satanskult*, München 1982, der auf G. Witkowski, *Die Walpurgisnacht im ersten Teile von Goethes Faust*, Leipzig 1894, S. 23 ff. verweist (den ich nicht eingesehen habe).

107 Vgl. Grimm, *Deutsche Mythologie*, cit., II, S. 906. Das Kernstück dieser Ausführungen reichte genau zwanzig Jahre zurück: vgl. *Das Märlein von der ausschleichenden Maus*, in: *Kleinere Schriften*, VI, Berlin 1882, S. 192–96. Ergänzungen wiederum von Grimm in *Deutsche Mythologie*, cit., III, S. 312–13.

108 De Lancre war jedoch Heine bekannt: vgl. Mücke, *Heinrich Heines Beziehungen*, cit., S. 116.

109 Zu Odin vgl. allgemein de Vries, *Altgermanische Religionsgeschichte*, cit., II, S. 27 ff. In seiner Polemik gegen D. Strömbäck, *Sejd*, Lund 1935, versuchte G. Dumézil, die Präsenz schamanischer Züge in der Figur Odins herabzuspielen: vgl. *Les Dieux des Germains*, Paris 1959, S. 40 ff. und *Du mythe au roman*, Paris 1970, S. 69 ff.; siehe jedoch die implizite Revision in *Les dieux souverains des Indo-Européens*, Paris 1977, S. 189 ff., wo von »schamanistischen Praktiken und Ansprüchen« die Rede ist, und von Texten, in denen »ein fast sibirischer Schamanismus dominiert«. Anderer Ansicht ist J. Fleck, *Odinn's Self-Sacrifice – A New Interpretation*, in: »Scandinavian Studies«, 43 (1971), S. 119–42, 385–413; ders., *The ›Knowledge-Criterion‹ in the Grimnismál: The Case against ›Shamanism‹*, »Arkiv för nordisk filologi«, 86 (1971), S. 49–65. Zu Guntram ist grundlegend H. Lixfeld, *Die Guntramsage (AT 1645 A). Volkserzählungen vom Alter Ego und ihre schamanistische Herkunft*, in: »Fabula«, 13 (1972), S. 60–107, mit reichhaltiger Bibliographie; siehe auch R. Grambo, *Sleep as a Means of Ecstasy and Divination*, in: »Acta Ethnographica Academiae Scientiarum Hungaricae«, 22 (1973), S. 417–25. Beiden ist L. Hibbard Loomis, *The Sword-Bridge of Chrétien de Troyes and its Celtic Original*, in: *Adventures in the Middle Ages*, New York 1962 (der Aufsatz ist aus dem Jahr 1913), S. 19–40, insbes. S. 39–40, unbekannt. Die schamanistischen Komponenten der Legende werden abgestritten von J. Bremmer, *The Early Greek Concept of the Soul*, Princeton 1983, S. 132–35, der auf andere Studien verweist, vgl. darunter insbes. A. Meyer-Matheis, *Die Vorstellung eines Alter Ego in Volkserzählungen*, Freiburg 1973 (Diss.), S. 65–86. Einen Vergleich mit den schamanischen Verwandlungen Odins hatte bereits F. von der Leyen vorgeschlagen: vgl. *Zur Entstehung des Märchens*, in: »Archiv für das Studium der neueren Sprachen und Literaturen«, 113 (N. F. 13) (1904), S. 252 f. Zu Beginn des 14. Jahrhunderts zirkulierte eine Version der Legende von Guntram in der Form eines *exemplum* im Ariège: vgl. Le Roy Ladurie, *Montaillou*, cit., S. 608–09.

110 Vgl. Hibbard Loomis, *The Sword-Bridge*, cit.; B. Beneš, *Spuren von Schamanismus in der Sage ›Buile Suibhne‹*, in: »Zeitschrift für celtische Philologie«, 28 (1961), S. 309–34 (andere Studien zum selben Thema sind weniger zuverlässig). Die Analogie zwischen Druiden und Schamanen wird als irrelevant zurückgewiesen von J. de Vries, *Keltische Religion*, cit., S. 210, konträrer Meinung ist S. Piggott, *The Druids*, cit., S. 184–85.

111 Vgl. *Die Benandanti*, cit., S. 38–40; und siehe auch de Lorris u. de Meun, *Le Roman de la Rose*, cit., IV, S. 229, V. 18445–48 zu den Anhängern der »dame Habonde«.

112 Vgl. Olaus Magnus, *Historia de gentibus septentrionalibus*, Romae 1555, S. 115–16; Peucer, *Commentarius*, cit., S. 143 r. Beide Stellen zitiert, zusammen mit jüngeren Zeugnissen, J. Scheffer, *Lapponia*, Francofurti et Lipsiae 1674, S. 119 ff. (Kap. XI: »De sacris magicis et magis Lapponum«).

113 Ich hätte die obenerwähnte Stelle von Grimm im Zusammenhang mit dem, was ich in *Die Benandanti*, cit., S. 83–87 schrieb, anführen sollen.

114 Siehe vom Verf., *Présomptions*, cit., S. 352 f., Anm. 13, wo sich ein kurzer Überblick über die verschiedenen Forschungsrichtungen findet. Auf den folgenden Seiten wird dieser nach und nach präzisiert; jedenfalls sei eine unzutreffende Behauptung korrigiert, wonach nämlich Propp *Das Jenseits im Mythos der Hellenen* von L. Radermacher nicht gekannt habe.

KÄMPFEN IN EKSTASE

Im Jahr 1692 bekannte in Jürgensburg in Livland ein achtzigjähriger Mann namens Thiess, den seine Landsleute als Götzendiener betrachteten, vor den ihn verhörenden Richtern, er sei ein Werwolf. Dreimal im Jahr, sagte er, in der Nacht der heiligen Luzia vor Weihnachten, in der Johannisnacht und der Pfingstnacht, führen die Werwölfe Livlands in die Hölle »am Ende des Meeres« (später verbesserte er sich: »unter der Erde«), um gegen den Teufel und die Hexer zu kämpfen. Auch Frauen kämpften gegen die Werwölfe, nicht aber junge Mädchen. Die deutschen Werwölfe führen in eine eigene Hölle. Hunden gleich – sie seien die Hunde Gottes, sagte Thiess – verfolgten die Werwölfe, bewaffnet mit Eisenpeitschen, den Teufel und die Hexer, deren Waffe ein mit Pferdeschwänzen umwickelter Besenstiel sei. Vor Jahren, erklärte Thiess, habe ihm ein Hexer (ein inzwischen verstorbener Bauer namens Skeistan) die Nase eingeschlagen. In diesen Kämpfen gehe es um die Fruchtbarkeit der Felder: Die Hexer raubten die Weizenkeimlinge, und wenn es nicht gelänge, ihnen diese zu entwenden, komme es zu einer Hungersnot. In diesem Jahr hätten aber sowohl die livländischen als auch die russischen Werwölfe gesiegt. Die Gersten- und Roggenernte werde reichlich sein. Auch Fisch werde es für alle geben.

Vergeblich versuchten die Richter, den Alten zu dem Eingeständnis zu bringen, er habe einen Pakt mit dem Teufel geschlossen. Beharrlich wiederholte Thiess, die ärgsten Feinde des Teufels und der Hexer seien die Werwölfe, wie er einer sei: Nach ihrem Tod kämen sie ins Paradies. Da er sich weigerte, zu bereuen, wurde er zu zehn Peitschenhieben verurteilt[1].

Wir können uns die Verwirrung der Richter vorstellen, als sie sich einem Werwolf gegenübersahen, der Ernten beschützte, statt Vieh anzufallen. Einige Gelehrte der neueren Zeit reagierten ähnlich. Die Erzählungen des alten Thiess stellten nämlich nicht nur die Umkehrung eines alten Stereotyps dar. Sie ließen auch ein relativ junges Interpretationsschema aus den Fugen geraten, welches die Werwölfe in einen weiteren, im wesentlichen germanischen, seinem innersten

Wesen nach kriegerischen, auf dem Thema vom *Totenheer* basierenden mythischen Komplex einband. Die Zeugnisse zu diesem Mythenkomplex wurden als Beweis für die jahrhundertelange Existenz von Ritualen genommen, die Gruppen von Männern, durchdrungen von dämonischer Wut und überzeugt, das Totenheer zu verkörpern, praktiziert haben sollen[2]. Thiess' Hinweis nun auf die auch von Frauen ausgefochtenen Kämpfe um Fruchtbarkeit schien dem ersten Punkt zu widersprechen; so außergewöhnliche Details wie der Kampf gegen die Hexen »am Ende des Meeres« dem zweiten – von daher der Impuls, den Wert dieses Zeugnisses mehr oder weniger feinsinnig herabzusetzen. Die Geständnisse des alten Werwolfs wurden als Echo realer Ereignisse gewertet, vermischt mit Mythenfragmenten, mit Lügen und Aufschneidereien; oder als wirre Anhäufung von abergläubischen Vorstellungen und Riten; oder auch als Gemisch von Sagenelementen und Lebenserinnerungen aus der fernen Vergangenheit[3]. Angesichts dieser exzentrischen und widerspruchsvollen baltischen Variante versuchte man, die ursprüngliche Reinheit des dem »Totenheer« verpflichteten germanischen Kriegermythos zu bekräftigen[4].

2. Bereits im 5. Jahrhundert v. Chr. sprach Herodot von Menschen, die die Fähigkeit besaßen, sich in regelmäßigen Abständen in Wölfe zu verwandeln. In Afrika, in Asien, auf dem amerikanischen Kontinent entdeckte man ähnliche Vorstellungen, bezogen auf zeitweilige Verwandlungen menschlicher Wesen in Leoparden, Hyänen, Tiger, Jaguare[5]. Man hat angenommen, daß in diesen parallelen, in einem derart umfassenden zeitlichen und räumlichen Rahmen verstreuten Mythen ein tief in der menschlichen Psyche verwurzelter aggressiver Archetyp zum Ausdruck komme, der vom Paläolithikum an in Gestalt einer psychischen Disposition weitervererbt worden sei[6]. Es handelt sich hier, soviel liegt auf der Hand, um eine ganz und gar unbewiesene Hypothese. Doch zur allgemeinen Ratlosigkeit, die sie auslöst, kommen noch speziellere Bedenken hinzu. In dem Fall etwa, den wir gerade besprechen, widerspricht das Bild der Werwölfe als Beschützer der Feldfrüchte in auffälliger Weise dem angeblich aggressiven Kern des Mythos. Welchen Wert soll man diesem einzelnen, scheinbar außergewöhnlichen Zeugnis beimessen?

Die Vers- und Prosadichtungen, die Sagen, Bußbücher, theologischen und dämonologischen Traktate, philosophischen und medizinischen Abhandlungen, in denen von *loup-garous, Werwölfen, werewolves, lobis-homem, lupi mannari* usw. die Rede ist, sind zahlreich und wohl bekannt. Aber in den mittelalterlichen Texten – vor allem den literarischen – werden die Werwölfe als unschuldige Opfer des Schicksals, wenn nicht gar als wohltätige Gestalten dargestellt. Erst gegen Mitte des 15. Jahrhunderts wird die widersprüchliche Aura, die diese zwielichtigen, zugleich menschlichen und tierischen Wesen umgibt, nach und nach infolge ihrer Überlagerung durch ein grausames Stereotyp ausgelöscht – jenes vom Werwolf, der Viehherden und kleine Kinder verschlingt[7].

Ungefähr zur selben Zeit bildete sich das Feindbild der Hexe heraus. Diese Koinzidenz ist nicht zufällig. Im *Formicarius* spricht Nider von Hexern, die sich in Wölfe verwandelten; in den zu Beginn des 15. Jahrhunderts im Wallis geführten Prozessen bekannten die Angeklagten, zeitweilig die Gestalt von Wölfen angenommen und Vieh gerissen zu haben. Von den ersten Zeugnissen zum Sabbat an zeigt sich also ein sehr enger Zusammenhang zwischen Hexern und Werwölfen. Aber auch hier erlauben anomale, unter Umständen sogar späte Zeugnisse wie jenes von Thiess, die Kruste des Stereotyps aufzusprengen, indem sie eine tiefer liegende Schicht zum Vorschein bringen.

3. Die Interpretationsprobleme, die die Geständnisse von Thiess aufwerfen, verschwinden, sobald wir die von ihm beschriebenen Kämpfe gegen Hexen und Hexer jenen zur Seite stellen, die die Benandanti in Ekstase austrugen. Wie bereits gesagt, wurden in Friaul zwischen dem 16. und 17. Jahrhundert all jene – es handelte sich vorwiegend um Frauen – als Benandanti bezeichnet, die behaupteten, regelmäßig den Totenprozessionen beizuwohnen. Aber auch andere – größtenteils Männer – wurden so genannt, die erklärten, sie kämpften, mit Fenchelzweigen bewaffnet, regelmäßig gegen mit Hirsestengeln bewaffnete Hexen und Hexer um die Fruchtbarkeit der Felder. Die Bezeichnung; das Erkennungszeichen, das die eine wie die andere Art Benandanti materiell auszeichnete (im »Hemd«, d. h. in die Eihaut gehüllt, geboren worden zu sein); die Zeiten, zu denen sie gewöhnlich die tapferen Taten, für die sie bestimmt waren, vollbrachten (die Quatember); die Starre oder Katalepsie, die ihren Unternehmungen vorausging, waren in beiden Fällen dieselben. Der Geist der Benandanti verließ den leblosen Körper für eine gewisse Zeit, manchmal in Gestalt einer Maus oder eines Schmetterlings, manchmal auch auf dem Rücken von Hasen, Katzen und anderen Tieren, um sich in Ekstase zu den Totenprozessionen oder den Kämpfen gegen Hexen und Hexer zu begeben. In beiden Fällen wurde die Reise der Seele von den Benandanti selbst mit einem vorläufigen Tod verglichen. Am Ende der Reise stand die Begegnung mit den Toten. In den Prozessionen erschienen sie in christianisierter Gestalt, als Büßerseelen; in den Kämpfen in einer aggressiveren und wahrscheinlich archaischeren Gestalt, als Malandanti, als Feinde der Fruchtbarkeit, die Hexen und Hexern gleichgesetzt wurden[8].

Die Kämpfe um Fruchtbarkeit sind jedoch nicht der einzige Berührungspunkt zwischen dem Werwolf Thiess und den Benandanti. In der slawischen Welt (von Rußland bis nach Serbien) glaubte man, Werwölfe müßten jene werden, die im Hemd, in der Glückshaube zur Welt kämen. Eine zeitgenössische Chronik berichtet, daß die Mutter des Fürsten Wseslaw von Polock – der im Jahr 1101 starb, nachdem er kurze Zeit König von Kiew gewesen war – von einem Zauberer gebeten wurde, dem Kind die Hülle, in der es zur Welt gekommen war, umzubinden, damit es sie immer bei sich trage. Deshalb, kommentiert der Chronist, sei Wseslaw so unmenschlich blutrünstig gewesen. Im *Igorlied* wird er als ein richtiggehender Werwolf dargestellt. Ähnliche Charakteristika weist der Held einer anderen *Byline* (vielleicht einer der ältesten) auf: Wolch Wseslaw'ewitsch, der sich in einen Wolf, aber auch in einen Falken und eine Ameise verwandeln konnte[9].

Auch die friaulischen Benandanti trugen auf Wunsch ihrer Mütter die Eihaut, in der sie geboren worden waren, um den Hals[10]. Aber in ihrer Bauernzukunft gab es keine glorreichen fürstlichen Taten: lediglich den dunklen, unbezwingbaren Impuls, regelmäßig »im Geiste«, auf Tierkruppen oder in Tierge-

stalt, um die Ernten zu kämpfen und sich gegen Hexen und Hexer mit Fenchelzweigen zu wappnen. Zu ähnlichen Kämpfen war seiner Aussage nach der alte
Thiess aufgebrochen, mit einer eisernen Peitsche bewaffnet und in einen Wolf
verwandelt. Er behauptete zwar nicht, sie »im Geiste« ausgetragen zu haben; von
Ekstase oder Starre fiel bei ihm kein Wort – wir wissen nicht einmal, ob er in der
Glückshaube geboren wurde. Doch seine Erzählungen sind gewiß auf eine mythische, nicht auf eine rituelle Dimension zu beziehen – nicht anders als die Aussage
der Benandantin Maria Panzona, sie sei *mit Leib und Seele* ins Paradies und in die
Hölle gefahren, begleitet von ihrem Paten in der Gestalt eines Schmetterlings[11].
In beiden Fällen läßt sich der Versuch erkennen, eine als vollkommen real
empfundene ekstatische Erfahrung zum Ausdruck zu bringen.

4. Der Prozeß gegen Thiess ist ein außergewöhnliches Dokument; allerdings
kein einzigartiges. Andere Zeugnisse bestätigen zum Teil seinen Inhalt.
    In einem 1585 in Heidelberg erschienenen Traktat mit dem Titel *Christlich
Bedencken und Erinnerung von Zauberey* erörterte der Verfasser, der seinen wahren
Namen – Hermann Witekind – hinter dem Pseudonym Augustin Lercheimer
verbarg, in einem gesonderten Kapitel die Frage, »Ob die hexen und zauberer in
katzen, hunde, wölffe, esel etc. verwandelt werden«. Die Antwort, die er darauf
gab – es handle sich um teuflisches Blendwerk –, war damals nicht besonders
originell, obgleich unter den Gelehrten auch die entgegengesetzte These im
Schwange war, daß nämlich die Verwandlungen von Hexen und Werwölfen ein
unbestreitbares physisches Phänomen seien. Die Besonderheit der *Christlich
Bedencken* ist anderswo zu suchen. Die Schrift fußte zu einem Teil auf einem
Gespräch, das Witekind, gebürtiger Livländer und Universitätsprofessor in Riga
(später dann in Heidelberg), mit einem Werwolf, einem Landsmann von ihm,
geführt hatte. (In Livland, dem Land der Werwölfe, wurde, wie man sich erinnern wird, auch der alte Thiess geboren.) Etliche Zeit zuvor hatte Witekind
nämlich den Landvogt aufgesucht, der ihn mit einem inhaftierten Werwolf
zusammengebracht hatte. »Der mensch«, erinnerte sich Witekind, »geberde sich
wie ein unsinniger, lachete, hupffte, als wann er nicht auß eim thurn, sondern
von eim wolleben keme«. In der Osternacht, erzählte dieser seinem verblüfften
Gegenüber, habe er sich in einen Wolf verwandelt: Er habe sich aus seinen
Fesseln befreit, sei durchs Fenster geflohen und zu einem riesigen Fluß gelangt.
Er wurde gefragt, weshalb er dann ins Gefängnis zurückgekehrt sei? »Ich mußt
wol, mein meister wolt es so haben«. Von diesem Meister habe er, bemerkte
Witekind rückblickend, voller Begeisterung gesprochen. »Ein böser meister«,
hatten sie ihm zu bedenken gegeben. »Könnet ir mir einen bessern geben, den
will ich annemen«, hatte er geantwortet. In den Augen von Professor Witekind,
dem Verfasser historischer und astronomischer Bücher, war der namenlose
Werwolf ein unbegreifliches Wesen: »Er wußt von Gott so viel alß ein wolff. Es
war ein erbärmlichs ding den menschen anzusehen und zuhören«[12]. Der Werwolf
mag sich vielleicht gedacht haben, sein Gegenüber verstehe vom geheimnisvollen
»Meister« soviel wie ein Professor. Jedenfalls erinnert der fröhliche Übermut des
Gefangenen an die mit Sarkasmus getränkte Sicherheit, mit der die Benandanti
manchmal den Inquisitoren die Stirn boten[13].

Ein Nachhall dieses Gesprächs läßt sich in einer flüchtigen Anspielung Caspar Peucers auf den Dialog zwischen einem »homo sapiens« (zweifellos Witekind) und einem Werwolf finden, den er gelehrt als »bäurischen Lykaon« bezeichnet, nach dem mythischen, wegen seiner Anthropophagie von Zeus in einen Wolf verwandelten König von Arkadien[14]. Der Hinweis findet sich im erweiterten Nachdruck von Peucers *Commentarius de praecipuis generibus divinationum*, der im Jahr 1560, das heißt fünfundzwanzig Jahre *vor* dem Traktat *Christlich Bedencken*, erschien. Diese augenscheinliche chronologische Merkwürdigkeit läßt sich leicht erklären: Um das Jahr 1550 hatte Witekind, damals Student, einige Zeit in Wittenberg verbracht, wo er Peucer offensichtlich von seiner Begegnung mit dem unbekannten Werwolf erzählte[15]. Peucers lateinischer Text ist weit von der fast ethnographischen Frische des Gesprächs entfernt, wie es Witekind Jahre später wiedergibt. Die Keckheit jenes bäuerlichen Werwolfs, ein kostbares Zeugnis einer nicht allein psychologischen, sondern auch kulturellen Fremdheit, ist im *Commentarius* verflogen. Doch trotz der schulmeisterhaften Anspielung auf Lykaon übermittelt Peucers Abhandlung eine Reihe von – in Witekinds Schrift nur vereinzelt aufgegriffenen – Einzelheiten, die in Widerspruch zum geläufigen Bild der Werwölfe stehen. Sie rühmen sich, die Hexen fernzuhalten und mit ihnen zu kämpfen, wenn diese sich in Schmetterlinge verwandelt haben; sie nehmen während der zwölf Tage zwischen Weihnachten und Epiphanias Wolfsgestalt an (oder glauben dies vielmehr), wozu sie die Erscheinung eines hinkenden Kindes veranlaßt; zu Tausenden werden sie von einem hochgewachsenen, mit einer eisernen Peitsche bewaffneten Mann zu den Ufern eines großen Flusses getrieben, den sie trocken überqueren, da jener Mann die Wasser mit einem Peitschenhieb teilt; sie fallen Vieh an, Menschen aber können sie nichts zuleide tun[16]. Über diese Gegenstände hielt ein anderer Professor an der Universität von Wittenberg Vorlesungen: Philipp Melanchthon (der Peucers Schwiegervater war). Von einem Hörer wissen wir, daß er als Quelle einen Brief heranzog, den er von einem »Hermannus Livonus«, einem ganz und gar glaubwürdigen und »achtbaren Manne« erhalten hatte[17]. Peucer hatte bei der Abfassung seines *Commentarius* wahrscheinlich auch den an Melanchthon gerichteten Brief des Livländers Hermann Witekind vorliegen[18]. Durch diesen wertvollen, seiner Geburt und Sprache nach den baltischen Volkstraditionen nahestehenden Informanten ist also eine Angabe – die Feindseligkeit der Werwölfe den Hexen gegenüber – zu uns gelangt, die in einem wesentlichen Punkt mit den Geständnissen von Thiess übereinstimmt und deren Anomalie mithin abschwächt. Man erkennt hier vage einen Untergrund von Glaubensvorstellungen, die vom negativen Stereotyp des Werwolfs denkbar weit entfernt sind.

5. Bei Skythen und in Skythien lebenden Griechen hatte Herodot ein Gerücht über ein ihm nur indirekt bekanntes Volk – die Neuren – aufgefangen, das er wiedergab, obgleich er ihm keinen Glauben schenkte: Die Neuren verwandelten sich alljährlich einige Tage lang in Wölfe. Wer die Neuren waren und wo sie lebten, wissen wir nicht mit Sicherheit. Im 16. Jahrhundert glaubte man, sie hätten eine Gegend bewohnt, die Livland entsprach; heute halten einige Gelehrte sie für ein proto-baltisches Volk[19]. Doch diese angenommene, alles andere als

bewiesene ethnische Kontinuität bietet keine Erklärung dafür, weshalb analoge Vorstellungen über Werwölfe in verschiedenartigen kulturellen Bereichen – dem mittelmeerischen, keltischen, germanischen, slawischen – während einer sehr langen Zeit vorhanden sind.

Man kann sich fragen, ob es sich wirklich um analoge Vorstellungen handelt. Zweifellos wird die Fähigkeit, sich in Wölfe zu verwandeln, von Mal zu Mal Gruppen sehr unterschiedlicher Beschaffenheit zugeschrieben. Ganzen Völkern wie den Neuren (nach Herodot); den Bewohnern einer Region wie Ossory in Irland (nach Giraldus Cambrensis); bestimmten Familien wie dem Geschlecht des Anthos in Arkadien (nach Plinius); einzelnen Individuen, welche die (mit den *Matres* identifizierbaren[20]) Parzen dazu ausersehen hatten, wie Burchard von Worms, diesen Glauben als abergläubisch verurteilend, zu Beginn des 11. Jahrhunderts schrieb. In dieser Vielfalt begegnen jedoch einige immer wiederkehrende Elemente. Zum einen ist die Verwandlung immer vorübergehend, wenngleich von unterschiedlicher Dauer: neun Jahre in Arkadien, nach Pausanias und Plinius; sieben Jahre, oder für eine bestimmte Zeit alle sieben Jahre, im mittelalterlichen Irland; zwölf Tage in den germanischen und baltischen Ländern. Zum zweiten gehen ihr rituell anmutende Gesten voraus: Der Werwolf entkleidet sich und hängt seine Kleider an den Zweigen einer Eiche auf (Plinius) oder legt sie auf den Boden und uriniert rings um sie herum (Petronius); dann überquert er einen Weiher (in Arkadien, laut Plinius) oder einen Fluß (in Livland, laut Witekind)[21].

In dieser Überquerung und den mit ihr einhergehenden Gesten hat man einen Übergangsritus, genauer: eine Initiationszeremonie gesehen, oder aber ein Äquivalent zur Überquerung des Höllenflusses, der die Welt der Lebenden von jener der Toten schied[22]. Die beiden Interpretationen widersprechen sich nicht, gesetzt, man erkennt einerseits an, daß der Tod der Übergang schlechthin ist, andererseits, daß jeder Initiationsritus auf einem symbolischen Tod beruht[23]. Wie man weiß, wurde der Wolf im Altertum mit der Totenwelt in Verbindung gebracht: In der etruskischen Grabstätte von Orvieto beispielsweise ist Hades mit einem Wolfskopf als Kopfbedeckung dargestellt[24]. Mehrere Elemente legen nahe, diesen Zusammenhang auch auf Bereiche jenseits der räumlichen, chronologischen und kulturellen Grenzen der mittelmeerischen alten Welt zu übertragen. Die Zeit, die die Werwölfe in den germanischen, baltischen und slawischen Ländern für ihre Streifzüge bevorzugten – die zwölf Nächte zwischen Weihnachten und Epiphanias –, entspricht jener, in der die Seelen der Toten umherstreiften[25]. Im alten germanischen Recht wurden die aus der Gemeinschaft vertriebenen und symbolisch als tot geltenden Verbannten mit dem Terminus *wargr* oder *wargus*, das heißt »Wolf«, bezeichnet[26]. Ein symbolischer Tod – die Ekstase – scheint hinter den Erzählungen des alten Werwolfs Thiess auf, die jenen der friaulischen Benandanti so sehr ähneln. In der Verwandlung in ein Tier oder im Ritt auf dem Rücken von Tieren kam die zeitlich begrenzte Entfernung der Seele vom leblosen Körper zum Ausdruck[27].

6. In seiner *Historia de gentibus septentrionalibus* (1555) beschrieb Olaus Magnus, Bischof von Uppsala, die am Weihnachtsabend von Werwölfen in Preußen, Livland und Litauen verübten blutigen Überfälle auf Menschen und Vieh und

setzte hinzu: »Sie gehen in die Bierlager, leeren die Wein- oder Honigweinfässer und stapeln dann mitten im Keller Stück für Stück die leeren Behälter aufeinander«[28]. In diesem Verhalten sah er ein charakteristisches Merkmal, das die in Wölfe verwandelten Menschen von den wirklichen Wölfen unterschied. An der physischen Realität ihrer Verwandlungen hatte er nicht den geringsten Zweifel, und er bekräftigte sie gegen die Autorität des Plinius. Die Dissertationen über Werwölfe dagegen, die ein Jahrhundert später an den Universitäten von Leipzig und Wittenberg diskutiert wurden, warteten auf der Grundlage auch in baltischen Ländern gesammelter Informationen mit Thesen auf, die eher mit jener von Witekind übereinstimmten: Der Verwandlung gehe ein Tiefschlaf oder eine Ekstase voraus, und folglich müsse sie immer oder fast immer als (je nach Meinung des Interpreten natürliche oder diabolische[29]) Einbildung angesehen werden. Einige moderne Gelehrte zogen es vor, sich der Auffassung von Olaus Magnus anzuschließen, und stützten sich auf seinen Bericht, um die im Zusammenhang mit den Erzählungen des alten Thiess bereits erwähnte Deutung zu untermauern: Die angeblichen Werwölfe seien in Wahrheit junge Anhänger sektenartiger Vereinigungen gewesen, gebildet aus Zauberern oder als Wölfe verkleideten Personen, die sich in ihren Ritualen mit dem Totenheer identifiziert hätten[30]. Dieser letztgenannte Zusammenhang nun steht außer Zweifel, ist jedoch in rein symbolischem Sinn zu verstehen. Die Einfälle der baltischen Werwölfe in die Keller wird man jenen zur Seite stellen müssen, die die friaulischen Benandanti »im Geiste« vornahmen: Diese »kletterten auf die Fässer hinauf und tranken mit einem Rohr« – natürlich Wein, nicht Bier oder Met wie ihre Kollegen aus dem Norden. In beiden Fällen vernehmen wir das Echo eines Mythos, jenes vom unstillbaren Durst der Toten[31].

7. Vom Durst der Hexer aus dem Wallis, der Benandanti aus Friaul, der Toten im Ariège waren wir ausgegangen, um eine Schicht von Glaubensvorstellungen zu rekonstruieren, die später, in beschnittener und verzerrter Form, in den Sabbat einflossen. Einem anderen Weg folgend, sind wir nun wieder zum selben Punkt zurückgelangt. Mit Hilfe der Zeugnisse über die von Werwölfen und Benandanti mit Hexen und Hexern ausgefochtenen nächtlichen Kämpfe beginnen wir eine symmetrische, vorwiegend männliche Version des bisher analysierten, vorwiegend weiblichen ekstatischen Kultes zu erkennen.

In Friaul erscheint die Göttin, die die Totenschar anführte, in einem einzigen Zeugnis[32]: Aber beide Versionen des Kultes waren gleichzeitig vorhanden. Die untergründige Analogie, die sie miteinander verband, wurde durch die Einheit des Namens – Benandanti – betont: Mit ihm wurden all jene bezeichnet, die sie in Ekstase praktizierten. Es handelt sich um einen fast einzigartigen Fall (nur jener der rumänischen Căluşari kann ihm, wie wir sehen werden, zur Seite gestellt werden). Die Zeugnisse über die Anhängerinnen der nächtlichen Gottheiten stammten aus einem keltisch-mediterranen Bereich, den das Thema der Auferstehung der Tiere aus den Knochen in einen weit größeren Rahmen einband. Die Zeugnisse über die nächtlichen Kämpfe ergeben, wie man sehen wird, ein anderes geographisches Bild: ein fragmentarisches und, zumindest auf den ersten Blick, unzusammenhängendes. Friaul wird dann als eine Art Grenzland zu gelten haben, in dem die beiden, gemeinhin voneinander getrennten Versionen des ekstatischen Kultes sich überschnitten und miteinander verschmolzen (vgl. Karte 3).

Bisher waren es die Inquisitoren, Prediger, Bischöfe, die unserer Untersuchung den Weg wiesen: Die Analogien, die ihr für gewöhnlich unfehlbarer Blick aufgedeckt hatte, indem sie die »heidnische Göttin« Diana als Leitfaden benutzten, hatte eine erste Ordnung des Materials nahegelegt. Die ekstatischen Kämpfe hingegen haben sowohl in der kirchenrechtlichen wie auch in der dämonologischen Literatur nur äußerst schwache Spuren hinterlassen[33]. In der einzigen Gegend, in der sich die Inquisitoren solchen Glaubensvorstellungen gegenüber sahen – in Friaul –, hielten sie sie für eine unverständliche lokale Spielart des Sabbat. Die Unmöglichkeit, auf Interpretationsanstrengungen der Verfolger zurückzugreifen, hat nicht allein die Deutung, sondern sogar schon die Wiederherstellung der dokumentarischen Reihe erschwert. Die morphologische Strategie, die hinter dem ekstatischen Kult der nächtlichen Göttin die Möglichkeit eines eurasischen Substrats aufschimmern ließ, war hier die einzig anwendbare.

Eine formale Ähnlichkeit zu erkennen, ist nie eine selbstverständliche Operation. Die Daten, an denen Thiess und die Benandanti ihre ekstatischen Schlachten schlugen, waren verschieden; verschieden waren die Waffen, die die einen und die anderen gegen Hexen und Hexer einsetzten. Doch hinter diesen oberflächlichen Unterschieden erkennen wir eine tiefliegende Analogie, weil in beiden Fällen die Rede ist von a) periodischen Kämpfen, die b) in Ekstase c) für die Fruchtbarkeit d) mit Hexen und Hexern ausgefochten werden. Die Fenchelstengel, zu denen die Benandanti greifen, und die von den Werwölfen geschwungenen Eisenpeitschen werden nicht als verschiedene, sondern als isomorphe Elemente aufzufassen sein. Der im Bereich des slawischen Volksglaubens bezeugte Zusammenhang zwischen Bekleidet-zur-Welt-Kommen und Zum-Werwolf-Werden erweist sich dann als unverhofftes Zwischenglied von formalem Charakter[34]. Es wird, in diesem Fall, durch ein historisches Faktum verstärkt: die Präsenz einer slawischen Komponente in der friaulischen Ethnie und Kultur.

8. Eine Reihe von Glaubensvorstellungen, die man in Istrien, Slowenien, Kroatien und längs der dalmatischen Küste bis nach Montenegro ausfindig gemacht hat und die jenen von den Benandanti als Beschützern der Ernten analog sind, schreiben sich perfekt in diese Konfiguration ein[35]. Bereits im 17. Jahrhundert bemerkte, ein wenig konfus, G. F. Tommasini, in Istrien glaubten die Leute und könnten »sich nicht von dieser Einbildung freimachen, es gebe manche Männer, die unter gewissen Sternen, und besonders solche, die mit einer gewissen Haut umkleidet zur Welt gekommen seien (diese nennen sie *Chresnichi*, die anderen *Vucodlachi* [d. h. Vampire]), die nachts im Geiste an die Kreuzwege und auch durch die Häuser gingen, um Angst zu machen und Schaden anzurichten; sie pflegten an einigen bekannteren Kreuzwegen zusammenzutreffen, besonders zur Zeit der Quatember; dann kämpften die einen mit den andern um Überfluß oder Mangel einer jeden Sorte von Ertrag...«[36]. Hier ist von Frauen nicht die Rede. Der *Kresnik* (oder *Krestnik*) Istriens und Sloweniens, in Kroatien *Krsnik* genannt, entspricht in Nordkroatien dem *Mogut*, in Süddalmatien dem *Negroma-*

nat und in Bosnien, der Herzegowina und vor allem in Montenegro dem *Zduhač*. Fast immer ist er ein Mann[37]. In der Regel zeichnet ihn eine Besonderheit der Geburt aus. Der *Kresnik* und der *Zduhač* werden in der Glückshaube geboren; der *Negromanat* hat einen Schwanz; der *Mogut* ist der Sohn einer Mutter, die bei seiner Geburt gestorben ist oder ihn nach einer überlangen Schwangerschaft geboren hat. Alle sind dazu ausersehen, gegen Hexer und Vampire zu kämpfen, um Malefizien zu vertreiben oder die Ernten zu schützen – manchmal zu festgesetzten Zeiten wie an den Quatembern oder in der Weihnacht. Bei diesen Kämpfen handelt es sich um wilde Zusammenstöße zwischen Tieren – Ebern, Hunden, Ochsen, Pferden oft gegensätzlicher Farbe (schwarz die Hexer, weiß oder gescheckt ihre Gegner). Die Tiere sind die Seelen der Streitenden. Manchmal handelt es sich um kleine Tiere: Von den *Kresniki* heißt es, ihr Geist schlüpfe, während sie schliefen, in Gestalt einer schwarzen Fliege aus dem Mund.

Auch von den Hexern *(Strigoi)* heißt es, sie kämen bekleidet zur Welt: Aber die Haut, die sie umhüllt, ist schwarz oder rot, während jene der *Kresniki* weiß ist. In Istrien nähen die Hebammen sie den kleinen *Kresniki* unter den Achseln fest; auf der Insel Krk wird sie getrocknet und den Speisen beigemischt, damit sie der künftige *Kresnik* ißt. Dann, mit sieben (seltener mit achtzehn oder einundzwanzig) Jahren, beginnen die nächtlichen Kämpfe. Über sie müssen die *Kresniki* (wie die Benandanti) allerdings Schweigen bewahren.

Auf Krk sagt man, jedes Volk, jedes Geschlecht werde von einem *Kresnik* beschützt und von einem *Kudlak* (Vampir) bedroht. Andernorts sind die feindlichen Hexer Fremde: Auf der dalmatischen Insel Dugi Otok sind es Italiener, in der Nähe von Dubrovnik Venezianer, in Montenegro Türken oder jene, die von der anderen Seite des Meeres kommen. Allgemeiner gesprochen, stellen sie das Allerfeindlichste schlechthin dar: den ruhelosen, die Lebenden beneidenden Toten – den Vampir *(Vukodlak)*, dessen grauenerregende Züge sich bei den westlichen Slawen mit jenen der Hexe mischen[38]. Im übrigen wurden Hexen und Hexer, Frauen und Männer aus Fleisch und Blut, auch in Friaul dunkel mit den Malandanti gleichgesetzt, mit den umherirrenden Seelen der ruhelosen Toten[39].

9. Im Fall der Benandanti und *Kresniki* treffen formale Analogien und historische Zusammenhänge zusammen. Aber Zeugnisse anderer Herkunft komplizieren das Bild. Aus der Schar von Hexen und Zauberern, die den ungarischen Volksglauben bevölkern, treten wegen ihrer Eigenart einige Figuren hervor, die man mit östlichen, wahrscheinlich uralten Traditionen in Verbindung gebracht hat. Die wichtigste dieser Figuren ist der *Táltos*. Mit diesem Namen vielleicht türkischen Ursprungs bezeichnete man Männer und Frauen, die von der Mitte des 16. Jahrhunderts an wegen Hexerei gerichtlich belangt wurden[40]. Doch die *Táltos* wiesen die Anschuldigungen, die man gegen sie richtete, entschieden zurück. Eine Frau namens András Bartha, die im Jahr 1725 in Debreczin angeklagt wurde, erklärte, Gott selbst habe sie zum Oberhaupt der *Táltos* bestimmt, denn Gott bilde die *Táltos*, solange sie noch im Mutterleib seien, nehme sie dann unter seine Fittiche und lasse sie wie Vögel am Himmel fliegen, damit sie »für die Herrschaft des Himmels« gegen Hexen und Hexer kämpften[41]. Eine große Zahl

Kulte, Mythen und Riten mit schamanistischem Hintergrund in Europa

Ekstatische Reisen im Gefolge vornehmlich weiblicher Gottheiten.
Feen (Schottland); Diana, Habonde, »Äbtissin« der Benandanti, *Matres*, Feen etc. (Frankreich, Rheinland, Nord- und Mittelitalien); »donne di fuori« (Sizilien).
(Teil II, Kap. 1 und 2)

In Ekstase und vorwiegend um Fruchtbarkeit ausgefochtene Kämpfe.
Benandanti (Friaul); *Mazzeri* (Korsika); *Kresniki* (Istrien, Slowenien, Dalmatien, Bosnien, Herzegowina, Montenegro); *Tältos* (Ungarn); *Burkudzäutä* (Siedlungsgebiet der Osseten; Werwölfe (Livland); Schamanen (Lappland).
(Teil II, Kap. 3)

Halb tierische Erscheinungen während der Zwölf Tage
Kallikantzaroi (Griechenland).
(Teil II, Kap. 3)

Gruppen von als Tiere verkleideten Jugendlichen, vornehmlich während der Zwölf Tage.
Regös (Ungarn;) *Eskari* (Bulgarien); *Surovaskari* (Ostbulgarien); *Calusari* (Rumänien); *Koljadanti* (Ukraine).
(Teil II, Kap. 4)

Rituelle Kämpfe um Fruchtbarkeit.
Punchiadurs (Graubünden).
(Teil II, Kap. 4)

★

Totenerscheinungen bei prädestinierten Individuen.
Benandanti (Friaul); *Armiers* (Ariege); *Mesultane* (Georgien).
(Teil II, Kap. 1 und 4)

späterer Zeugnisse, gesammelt bis fast in unsere Tage, bestätigen und bereichern diese grundlegende Gegenüberstellung. Sie wandeln sie allerdings auch ab: Die weiblichen *Táltos* werden immer rarer. Bei den *Táltos* handelt es sich überwiegend um Männer, die von Geburt an durch irgendeine körperliche Eigenheit ausgezeichnet sind, etwa die, mit Zähnen, mit sechs Fingern an einer Hand oder, seltener, in die Eihaut gehüllt zur Welt gekommen zu sein[42]. Als Kinder sind sie still, schwermütig, sehr stark und lüstern nach Milch (als Erwachsene dann auch nach Käse und Eiern). In einem bestimmten Alter (in der Regel mit sieben, manchmal mit dreizehn Jahren) haben sie eine Erscheinung: die eines älteren *Táltos* in Gestalt eines Tieres – fast immer eines Hengstes oder Stiers. Zwischen den beiden beginnt ein Kampf: Wenn der Junge unterliegt, bleibt er zur Hälfte ein *Táltos*; wenn er die Oberhand gewinnt, wird er ein richtiger *Táltos*. In einigen Ortschaften heißt es, daß die männlichen *Táltos* die Mädchen (vorausgesetzt, es sind Jungfrauen) initiieren und umgekehrt. In der Regel geht der Initiation ein »Schlaf« voraus, der drei Tage dauert: In dieser Zeit, sagt man, »verbirgt sich« der künftige *Táltos*. Manchmal träumt er, in Stücke gehauen zu werden, oder aber er besteht außerordentliche Prüfungen, klettert beispielsweise auf riesige Bäume. Die *Táltos* kämpfen in regelmäßigen Abständen (dreimal pro Jahr, oder aber einmal alle sieben Jahre usw.) in der Gestalt von Hengsten, Stieren oder Flammen, gewöhnlich gegeneinander. Seltener kämpfen sie gegen Hexen und Hexer, die manchmal fremder, beispielsweise türkischer oder deutscher Herkunft und ebenfalls in Tiere oder Flammen, allerdings anderer Farbe, verwandelt sind. Bevor sich der *Táltos* in ein Tier verwandelt, überkommt ihn eine Art Hitze und stottert er zusammenhanglose Wörter, wodurch er mit der Welt der Geister in Verbindung tritt. Oft findet der Kampf zwischen den Wolken statt und wird von Gewittern begleitet: Die Gewinner sichern ihrer Schar für sieben Jahre oder für das nächste Jahr reiche Ernten. Aus diesem Grunde bringen die Bauern, wenn Dürre herrscht, den *Táltos* Geld und Gaben, damit sie es regnen lassen. Die *Táltos* wiederum pressen den Bauern Milch und Käse ab, indem sie damit drohen, Gewitter zu entfesseln, oder sich ihrer Heldentaten rühmen: versteckte Schätze aufspüren, Verhexte heilen, die Hexen im Dorf durch Schläge auf eine Trommel (oder, wahlweise, auf ein Sieb) bekanntgeben zu können. Ihren Beruf aber haben sie nicht gewählt: Dem Ruf können sie nicht widerstehen. Nach einiger Zeit (einem Zeugnis zufolge mit fünfzehn Jahren, aber oft erst sehr viel später) geben sie ihre Tätigkeit auf.

Auch aus diesem schematischen Bild geht die Analogie zwischen *Táltos* und Benandanti deutlich hervor. In beiden Fällen finden wir die Initiation oder Berufung durch einen älteren Adepten wieder, die Verwandlungen in Tiere, die Kämpfe um Fruchtbarkeit, die Fähigkeit, Hexen zu entlarven und Opfer von Malefizien zu heilen, sowie das Bewußtsein der Unausweichlichkeit der eigenen, außerordentlichen Sendung und deren Rechtfertigung in sogar religiösen Begriffen[43]. Obwohl sie an dieser Analogie teilhaben, scheinen die *Kresniki* formal wie geographisch ein Zwischenglied zu bilden: So werden sie etwa, wie die Benandanti, in der Glückshaube geboren, kämpfen aber, wie die *Táltos*, in Tiergestalt gegen andere, ebenfalls in Tiere verwandelte *Kresniki*[44]. Doch diese unbestreitbare formale Kompaktheit der Reihe kontrastiert mit der Heterogenität der in ihr gefaßten Phänomene: Die ungarischen *Táltos* führen uns offensichtlich über den indo-europäischen Sprachraum hinaus.

10. Diesem vollauf zugehörig sind hingegen die Osseten, wie zu Beginn des 19. Jahrhunderts der Orientalist Julius Klaproth auf seiner Reise durch das Gebirge des Nordkaukasus erkannte. Bei diesen späten Nachkommen der Skythen des Altertums und der Alanen und Ossolanen des Mittelalters studierte Klaproth vor allem die Sprache, deren Zugehörigkeit zum iranischen Stamm er feststellte; doch interessierte er sich auch für ihre Religion, die er »eine seltsame Mischung aus christlichen und alten abergläubischen Vorstellungen« nannte[45]. Er beschrieb ihre inbrünstige Verehrung für den als höchsten Schutzherrn geltenden Propheten Elias[46]. In ihm geweihten Höhlen opferten sie Ziegen und verzehrten deren Fleisch; danach breiteten sie deren Häute unter einem großen Baum aus und verehrten sie in besonderer Weise am Feiertag des Propheten, damit sich dieser bereit finde, Hagel fernzuhalten und eine reiche Ernte zu bescheren. In diese Höhlen gingen die Osseten oft, um sich am Rauch des *Rhododendron caucasicum* zu berauschen, der sie in einen tiefen Schlaf fallen lasse: Die bei dieser Gelegenheit eintretenden Träume würden als Weissagungen angesehen. Sie hätten jedoch auch hauptberufliche Wahrsager, welche die heiligen Felsen bewohnten und für Geschenke die Zukunft vorhersagten. »Unter ihnen«, bemerkte Klaproth, »gibt es auch alte Männer und Frauen, die am Abend des heiligen Silvester in eine Art Verzückung geraten, bei der sie unbeweglich auf dem Boden liegen bleiben, als ob sie schliefen. Wenn sie erwachen, erzählen sie, sie hätten, bald in einem großen Sumpf, bald auf Schweinen, Hunden oder Ziegenböcken reitend, die Seelen der Toten gesehen. Wenn sie eine Seele sehen, die in den Feldern Korn pflückt und es ins Dorf bringt, nehmen sie dies als Prophezeiung einer reichen Ernte«[47].

Die Forschungen, die russische Volkskundler gegen Ende des 19. Jahrhunderts durchführten, bestätigten und bereicherten dieses Zeugnis. In der Zeit zwischen Weihnachten und Neujahr verlassen, wie die Osseten versichern, einige Personen im Schlaf ihre Körper und gehen im Geist ins Land der Toten. Bei diesem handelt es sich um eine große Wiese, die im ossetischen Dialekt Digor *Burku*, im Dialekt Iron *Kurys* genannt wird; diejenigen, die die Fähigkeit besitzen, dorthin zu gehen, heißen *Burkudzäutä* beziehungsweise *Kurysdzäutä*. Um zur Totenwiese zu gelangen, benutzen sie die verschiedenartigsten Reittiere und -geräte: Tauben, Pferde, Kühe, Hunde, Kinder, Sensen, Besen, Bänke, Mörser. Diejenigen Seelen, die diese Reise schon oft zurückgelegt haben, verfügen bereits über die notwendigen Fortbewegungsmittel; die unerfahrenen stehlen sie ihren Nachbarn. Aus diesem Grund richten die Osseten kurz vor Weihnachten feierliche Gebete an Uazilla (das heißt Elias), damit er Kinder, Pferde, Hunde und Hausgerät vor den diebischen Überfällen »durchtriebener, unflätiger Leute« behüten möge; auf diese aber beschwören sie den Fluch des Propheten herab. Wenn die unerfahrenen Seelen auf der großen Wiese ankommen, lassen sie sich vom Duft der Blumen und Früchte anlocken, mit denen diese übersät ist: Daher pflücken sie eine rote Rose, die Husten, eine weiße Rose, die Schnupfen, einen großen roten Apfel, der Fieber bringt, und anderes mehr. Die erfahreneren

Seelen hingegen erbeuten Getreidesaat und Samen anderer Früchte, was eine reiche Ernte verheißt. Während sie mit ihrer Beute fliehen, werden die Seelen von den Toten verfolgt, die mit Pfeilen werfen und sie zu treffen suchen: Erst an der Schwelle zum Dorf findet die Jagd ein Ende. Diese Pfeile verursachen keine Wunden, sondern schwarze Flecken, die sich nicht heilen lassen; einige *Burkud-zäutä* werden von selbst wieder gesund, andere sterben nach langem Leiden. Wer aus der Totenwelt Saat von Feldfrüchten mitbringt, erzählt seine Heldentaten den Dorfbewohnern, die ihre Dankbarkeit zum Ausdruck bringen. Solche Seelen, die Krankheiten mitgebracht haben, ziehen die Flüche derjenigen auf sich, die Fieber oder Husten bekommen[48].

11. Andere, an die Osseten angrenzende Völker teilten allem Anschein nach ähnliche Glaubensvorstellungen. Am zwanzigsten Tag des zehnten Mondes (dem gregorianischen Kalender zufolge am 28. April) des Jahres 1666 hielt sich der türkische Reisende und Geograph Evliyâ Çelebi in einem tscherkessischen Dorf auf. Von den Dorfbewohnern erfuhr er, daß dies »die Nacht der *Kara-Kondjolos* (Vampire)« sei. Wie er später erzählte, verließ er das Lager zusammen mit achtzig weiteren Personen. Plötzlich sah er die Hexer der Abchasen erscheinen: Rittlings auf entwurzelten Bäumen, auf irdenen Krügen, Strohmatten, Wagenrädern, Ofenschaufeln und anderen Gerätschaften sitzend, flogen sie durch den Himmel. Sogleich erhoben sich von der entgegengesetzten Seite Hunderte von tscherkessischen Hexern *(Uyuz)* in die Lüfte, mit zerzaustem Haar und gefletschten Zähnen; aus Augen, Ohren und Mund schossen flammende Strahlen hervor. Sie ritten auf Fischerbooten, Pferde- oder Ochsenskeletten, riesigen Kamelen; sie fuchtelten mit Schlangen, Drachen-, Bären-, Pferde- und Kamelschädeln herum. Die Schlacht dauerte sechs Stunden. An einem bestimmten Punkt begann es Teile der Reitgeräte vom Himmel zu regnen, so daß die Pferde scheuten. Sieben tscherkessische und sieben abchasische Hexer fielen auf den Boden herab, wo sie weiterkämpften und sich gegenseitig das Blut auszusaugen versuchten. Die Dorfbewohner kamen ihren Streitern zur Hilfe, indem sie die Feinde anzündeten. Mit dem Hahnenschrei lösten sich die Streitenden in Nichts auf. Der Boden war mit Leichen, Gegenständen, Tierskeletten übersät. Früher habe er, Evliyâ, diesen Geschichten keinen Glauben geschenkt. Nun sei er eines Besseren belehrt worden: Die Schlacht habe wirklich stattgefunden, wie Tausende von Soldaten bestätigen könnten, die dem Geschehnis beigewohnt hätten. Die Tscherkessen hätten geschworen, derlei seit vierzig oder fünfzig Jahren nicht mehr gesehen zu haben. Gewöhnlich seien es fünf oder zehn Streiter, die, wenn sie auf dem Boden aufeinander getroffen seien, auf und davon flögen[49].

Auch die balkanischen *Kresniki* und die livländischen Werwölfe kämpften, wie man sich erinnern wird, in regelmäßigen Abständen gegen fremde Hexer. Und die durch die Luft wirbelnden Fortbewegungsmittel, die Evliyâ in seiner emphatischen und staunenerregenden Erzählung den abchasischen Hexern zuschreibt, sind ungefähr identisch mit jenen der ossetischen *Burkudzäutä* (und nicht mit jenen ihrer Gegner, wie wir es erwarten würden)[50]. Dennoch wird nicht ersichtlich, daß bei den Tscherkessen in den Schlachten zwischen Hexern reiche Ernten auf dem Spiel gestanden hätten. Beschränken wir uns daher aus Gründen der Vorsicht auf das ossetische Belegmaterial: Die Ähnlichkeiten zu den Phänomenen, die wir hier untersuchen, springen ins Auge. Die Ekstase; der Flug in die Totenwelt auf dem Rücken von Tieren (zu denen hier noch Kinder und Hausgerät hinzukommen); der Kampf mit den Toten (die andernorts mit den Hexern gleichgesetzt werden) um die Fruchtbarkeit verheißenden Samen: All dies gleicht die ossetischen *Burkudzäutä* den friaulischen Benandanti, den baltischen Werwölfen wie Thiess, den balkanischen *Kresniki*, den ungarischen *Táltos* an. In zumindest einem Fall schließt diese strukturelle Analogie auch oberflächliche Übereinstimmungen mit ein. Ein junger friaulischer Ochsenhirt, Menichino aus Latisana, der im Jahr 1591 vor Gericht gestellt wurde, hatte geträumt, mit den Benandanti auszuziehen (ein Traum, der sich fortan dreimal pro Jahr wiederholen sollte): »Und ich hatte Angst, und mich deuchte, ich ginge auf eine große, weite und schöne Wiese; und sie roch nach Öl, das heißt, sie gab einen guten Geruch von sich, und mich deuchte, es gäbe dort ziemlich viele Blumen und Rosen.« Dort, mitten im Duft der Rosen – er konnte sie nicht sehen, alles war in Rauch gehüllt – hatte er mit den Hexen gekämpft, sie besiegt und also eine gute Ernte errungen.

Diese Wiese sei die »Wiese Josaphat«, so Menichino: die Wiese der Toten, voller Rosen, auf die sich die Seelen der *Burkudzäutä* in Ekstase begaben. Auch Menichino zufolge ließ sie sich nur im Zustand eines zeitweiligen Todes erreichen: »Wenn jemand unseren Körper umgedreht hätte, solange wir draußen waren, wären wir gestorben«[51].

12. Die ekstatischen Erfahrungen der *Burkudzäutä* klingen auch in der ossetischen Nartendichtung an. Einer der Helden dieses Sagenzyklus, Soslan, begibt sich ins Land der Toten. Dieses ist eine Ebene, in der alle Getreidearten der Welt wachsen und alle Tiere der Welt, ob zahm oder wild, umherstreifen. Längs eines Flusses tanzen junge Mädchen den Nartentanz. Vor ihnen sind Tafeln mit köstlichen Speisen aufgebaut. Von diesem Ort der Freuden zu entkommen, gelingt Soslan nur mit Mühe: Teufel – die hier die Stelle der Toten einnehmen–, angestachelt von seinem Gegenspieler Syrdon, verfolgen ihn und werfen ihm brennende Pfeile nach[52]. Wie im Abendland gab das Thema der Reise in die Totenwelt also auch im Kaukasus zugleich Ekstasen einiger vorherbestimmter Personen und einer Reihe von Dichtungen Nahrung[53]. Vielleicht handelt es sich dabei nicht um eine zufällige Koinzidenz. Man hat vermutet, daß die außergewöhnlichen Parallelen zwischen der ossetischen und der – in den Romanen des Artuszyklus ausgearbeiteten – keltischen Epik präzise historische Beziehungen voraussetzen[54].

Aber all dies werden wir später erörtern. Zunächst gilt es, die Reihe, die wir konstruiert haben, näher zu untersuchen.

13. Das einzige Element, das alle Bestandteile der Reihe miteinander gemeinsam haben, ist die Fähigkeit, in regelmäßigen Abständen in Ekstase zu fallen. Auch hinter den Erzählungen des alten Thiess darf man wohl mit einiger Berechtigung eine ekstatische Erfahrung vermuten – wie sie den Werwölfen im Laufe des 17. Jahrhunderts jedenfalls immer häufiger zugeschrieben wurde[55]. Während der Ekstase kämpften alle in Betracht gezogenen Personen um die Fruchtbarkeit

der Felder: Nur bei den *Táltos* hat dieses Thema einen geringeren Stellenwert[56]. Alle außer den *Burkudzäutä* sind durch irgendein körperliches Kennzeichen zur Ekstase ausersehen (sie kommen in der Eihaut, mit Zähnen, mit sechs Fingern an einer Hand, mit einem Schwanz zur Welt). Bei allen (auch hier mit Ausnahme der *Burkudzäutä*) scheinen Männer in der überwiegenden Mehrzahl. Bei Benandanti, *Kresniki* und *Táltos* erfolgt die Berufung in unterschiedlichem Alter, zwischen dem siebten und dem achtundzwanzigsten Lebensjahr. Den Benandanti und *Táltos* wird die Berufung durch ein anderes Mitglied der Sekte in Gestalt eines Geistes oder Tieres angekündigt. Die Ekstase geht mit dem Auszug der Seele in Gestalt kleiner Tiere einher (Mäuse und Fliegen bei den Benandanti und *Kresniki*); mit der Verwandlung in größere Tiere (Eber, Hunde, Ochsen, Pferde bei den *Kresniki*; Vögel, Stiere, Hengste bei den *Táltos*; Wölfe oder ausnahmsweise Hunde, Esel, Pferde bei den Werwölfen[57]); mit der Reise auf dem Rücken von Tieren (auf Hunden, Hasen, Schweinen, Hähnen bei den Benandanti; auf Hunden, Tauben, Pferden, Kühen bei den *Burkudzäutä*); mit einem Ritt auf Kindern oder verschiedenen Gegenständen (Bänken, Strohmatten, Sensen, Besen bei den *Burkudzäutä*); mit einer Verwandlung in Flammen *(Táltos)* oder in Rauch (Benandanti). Der ekstatische Schlaf fällt mit kalendarischen Fristen zusammen, die manchmal genau festgelegt (die Quatember bei den Benandanti und *Kresniki*; die Zwölf Nächte bei den Werwölfen und *Burkudzäutä*), manchmal unbestimmter sind (dreimal pro Jahr oder einmal alle sieben Jahre bei den *Táltos*)[58]. Die Feinde der Feldfruchtbarkeit, gegen die gekämpft wird, sind bei den *Kresniki* und *Táltos* jeweils *Kresniki* oder *Táltos* anderer Gemeinden oder sogar anderer Länder; bei den Benandanti, *Kresniki* und Werwölfen (wobei die letztgenannten präzisieren, daß ihre Feinde in Schmetterlinge verwandelt seien) Hexen und Hexer; bei den *Burkudzäutä* die Toten.

All diese Angaben stammen mehr oder weniger direkt von den Protagonisten dieser ekstatischen Kulte selbst: von Benandanti, Werwölfen, *Kresniki*, *Táltos* und *Burkudzäutä*. Wie wir gesehen haben, stellten sie sich als wohltätige Figuren dar, die über eine außergewöhnliche Macht zum Schutz der Gemeinschaft verfügen. Doch in den Augen der sie umgebenden Gemeinschaft war diese Macht ihrem tiefsten Wesen nach zwielichtig: Sie konnte jederzeit in ihr Gegenteil umschlagen. Der Glaube, die *Burkudzäutä* könnten aus Nachlässigkeit Krankheiten statt Wohlstand von ihren nächtlichen Reisen zurückbringen, bringt eine symbolische Ambivalenz zum Vorschein, die möglicherweise auch das alltägliche Verhalten dieser Personen auszeichnete. Die Benandanti zogen Unmut und Feindseligkeit auf sich, da sie den Anspruch erhoben, die Hexen ihrer Nachbarschaft erkennen zu können; die *Táltos* erpreßten die Bauern, indem sie damit drohten, Gewitter zu entfesseln.

14. Die Reihe, von der wir sprechen, ließe sich eher mit einer Zusammenballung ungleich verteilter Energie denn mit einem klar umrissenen Gegenstand vergleichen. Allerdings wird jeder Bestandteil der Reihe durch das gleichzeitige Vorkommen mehrerer Elemente oder Unterscheidungsmerkmale gekennzeichnet: *a)* periodische Kämpfe, *b)* in Ekstase, *c)* um die Fruchtbarkeit der Felder, *d)* gegen Hexen und Hexer (oder ihr Pendant, die Toten)[59]. Um diesen festen Kern

herum rotieren weitere Elemente, deren Präsenz fluktuierend, aleatorisch ist: Manchmal fehlen sie ganz, manchmal sind sie in abgeschwächter Form vorhanden. Daß sie sich übereinanderschieben und sich überschneiden, läßt die Figuren, aus denen die Reihe besteht, als Familie erscheinen[60]. Von daher rührt die beinahe unwiderstehliche Versuchung, durch Analogieschluß eine Materialsammlung zu vervollständigen, die in anderen Fällen Lücken aufweist. In Rumänien etwa heißt es, die *Strigoi* seien im Hemd, in der Glückshaube, (oder aber mit einem Schwanz) zur Welt gekommen; wenn sie ins Erwachsenenalter kämen, legten sie sich diese um und würden unsichtbar. In Tiere verwandelt oder auf Pferden, Besen oder Fässern reitend, gelangten sie im Geist zu einer Wiese am Ende der Welt (am Ende des Meeres, sagte der alte Thiess), auf der kein Gras wachse. Dort nähmen sie wieder Menschengestalt an und kämpften mit Stöcken, Beilen und Sensen. Wenn sie die ganze Nacht hindurch gekämpft hätten, versöhnten sie sich wieder. Obwohl ein ausdrücklicher Hinweis auf die Kämpfe um Fruchtbarkeit fehlt, scheint der Zusammenhang mit der Reihe, von der wir sprechen, überaus eng[61].

In anderen Fällen erkennen wir eine komplexere Beziehung morphologischer Nähe. In manchen Teilen Korsikas (im Sartenais und den umliegenden Bergen, im Niolo) sagt man, daß bestimmte Personen, sogenannte *Mazzeri* oder aber *Lanceri, Culpatori, Culpamorti, Accaciatori, Tumbatori* im Schlaf, allein oder zu mehreren, im Geiste durchs Land zu streifen pflegen, namentlich in der Nähe von Wasserläufen, vor denen sie sich jedoch fürchten. Es können Männer wie Frauen sein, die Männer aber haben größere Macht. Von einer unwiderstehlichen Kraft angetrieben, fallen sie Tiere an (Wildschweine, Schweine, aber auch Hunde usw.) und töten sie: die Männer mit Flintenschüssen, Stockhieben oder Messerstichen, die Frauen, indem sie sie mit den Zähnen zerreißen. Im getöteten Tier erkennen die *Mazzeri* einen Augenblick lang, wenn sie ihm die Schnauze umdrehen, ein menschliches Gesicht – das Gesicht eines Dorfbewohners, manchmal sogar eines Familienangehörigen. Dieser muß binnen kurzem sterben. Die *Mazzeri* (gewöhnlich handelt es sich um unvollkommen getaufte Personen) sind Todesboten, unschuldige Werkzeuge des Schicksals. Einige übernehmen ihren Part voller Freude, andere schicken sich darein, wieder andere suchen bei Priestern Vergebung für die im Traum begangenen Tötungen. Auf diese beschränkt sich die Traumaktivität der *Mazzeri* jedoch nicht. An manchen Orten glaubt man, daß einmal im Jahr, in der Regel in der Nacht vom 31. Juli auf den 1. August, die *Mazzeri* benachbarter Dörfer miteinander kämpfen. Es handelt sich um Gemeinden, zwischen denen geographische Hindernisse (zum Beispiel ein Hügel) liegen oder ethnische Unterschiede bestehen. In diesen Schlachten werden normale Waffen eingesetzt; nur in einem Dorf (Soccia) benutzen die Streiter Asphodelusstengel, jene Pflanze, die den Alten zufolge auf den Wiesen des Jenseits wuchs. Die Gemeinde, der die besiegten *Mazzeri* angehören, wird im Laufe des kommenden Jahres die meisten Toten haben[62].

Dieses Motiv läßt sich vielleicht auch an einer dunklen Stelle der Geständnisse von Florida Basili erkennen, einer Benandantin, die im Jahr 1599 vom Inquisitor von Aquileia und Concordia verhört wurde: »Ich habe vorgegeben«, log sie, »ich sei bekleidet geboren worden, und es sei ein Zwang, daß ich jeden

Donnerstag abends fahre, und daß man sich mit den Stregoni unten an der Piazzetta San Cristoforo schlage und der das Banner trägt, wo der das Banner hinhängt, stirbt einer«[63]. Zweifellos fahren die *Mazzeri* wie die Benandanti nachts »im Geiste« aus; wie jene kämpfen sie, wenn auch nicht ausdrücklich für den Reichtum der Ernten; wenigstens in einem Fall schwenken sie, wie jene, pflanzliche Waffen in ihrer Schlacht, auch wenn es sich dabei um Asphodelus- und nicht um Fenchelstengel handelt. Ihre Feinde sind nicht Hexen und Hexer, sondern (wie bei den *Kresniki* und *Táltos*) andere *Mazzeri*. Aber anstatt von den Toten gejagt zu werden wie die *Burkudzäutä*, machen die *Mazzeri* Jagd auf jene, die bald sterben werden.

Angesichts dieses teils widersprüchlichen Motivgeflechts könnte man versucht sein, die Zugehörigkeit der *Mazzeri* zur hier skizzierten Serie in Zweifel zu ziehen. Und trotzdem scheint es nicht überinterpretiert, wenn man die regelmäßig auftretenden Träume der *Mazzeri* den ekstatischen Ohnmachten gleichsetzt und den Streitwert ihrer Traumschlachten – der gegnerischen Gemeinde die größtmögliche Zahl von Toten innerhalb des kommenden Jahres aufzubürden – als eine formale Variante der Kämpfe um Feldfruchtbarkeit betrachtet. Das gleichzeitige Vorhandensein dieser beiden Elemente, in denen wir durchgängige Merkmale unserer Reihe erkannt haben, würde es demnach erlauben, die vorher geäußerten Bedenken hinsichtlich der Klassifikation zu zerstreuen.

15. An diesem Punkt könnte man den Schluß ziehen, daß zumindest jene Fälle, in denen jeder Hinweis auf eine Ekstase oder Kämpfe um Fruchtbarkeit fehlt, aus der Analyse ausgeschlossen werden sollten. Manchmal jedoch, wie bereits der Bericht des türkischen Reisenden Evliyâ Çelebi nahelegte, ist nicht einmal diese Entscheidung ganz unanfechtbar.

Im Jahr 1587 überredete eine Hebamme aus Monfalcone, Caterina Domenatta, »nachdem eine Frau ein Kindlein mit den Füßen zuvörderst geboren hatte, (...) seine Mutter dazu, wenn sie nicht wolle, daß dies Kindlein Benandante oder Hexer werde, es an einem Spieß aufzuspießen und es, ich weiß nicht wie oft, im Feuer herumzuwenden«. Weil sie diesen, von den »alten Gevatterinnen« übernommenen Rat erteilt hatte, handelte sich die Domenatta eine Anzeige beim Inquisitor von Aquileia und Concordia durch den Pfarrer des Ortes ein, der sie beschuldigte, ein »böses Hexenweib« zu sein. Mit den Füßen zuerst geboren zu werden, hielt man demnach, analog zur Geburt in der Glückshaube, in ein- und derselben Gegend für eine Eigenheit, die das neugeborene Kind dazu ausersehe, nachts mit Hexen und Hexern auszuziehen[64]. Um ihnen zu folgen oder um sie zu bekämpfen? »Damit sie nicht zum *strigozzo* (zum Hexensabbat) gingen«, sagte, die zwiespältige Formulierung der Anzeige aufgreifend, die Domenatta. Es ist nicht auszuschließen, daß ihre Worte einen relativ frühen Beleg für die erzwungene Angleichung der Benandanti an ihre Gegner, die Hexer, darstellen. Aber einige, bis vor nicht allzu langer Zeit lebendige Traditionen in Istrien deuten ebenfalls auf eine zunächst einmal unterschiedslose Berufung all jener hin, die das Schicksal haben, bekleidet zur Welt zu kommen; so lehnt sich in Momiano die Hebamme zum Fenster hinaus und ruft: »Ein *Kresnik*, ein *Kresnik*, ein *Kresnik* ist geboren«, um zu vermeiden, daß das Kind ein Hexer *(Fudlak)* wird[65].

Das Ritual hingegen, das im »Aufspießen« und im Feuer Umdrehen (»drei Mal«, präzisierte die Domenatta) des mit den Füßen zuerst geborenen Kindes bestand, ist allem Anschein nach sowohl in Istrien als auch in Friaul unbekannt[66]. In der Mitte des 17. Jahrhunderts findet es sich jedoch auf der Insel Chios bezeugt: Der berühmte Gelehrte Leone Allacci, der auf Chios geboren wurde und dort seine Kindheit verbracht hatte, beschreibt es in Worten, die solchen Aberglauben harsch verurteilen. Allaccis Bericht zufolge sind die an Weihnachten geborenen Kinder – doch zuerst ist von der Zeit zwischen dem heiligen Abend und Silvester die Rede – dazu bestimmt, *Kallikantzaroi* zu werden: fast tierische Wesen, die regelmäßig Tobsuchtsanfälle bekommen, und zwar genau in der letzten Dezemberwoche, in der sie zerzaust durch die Gegend laufen, ohne zur Ruhe zu kommen. Sobald sie jemanden treffen, fallen sie über ihn her, quetschen ihn, zerkratzen ihm mit ihren Fingernägeln, die überlang und gekrümmt sind, da sie sie nie schneiden, Gesicht und Brust und fragen dabei: »Werg oder Blei?«. Wenn das Opfer »Werg« antwortet, lassen sie es laufen; wenn es »Blei« sagt, wird es durchgebleut und halb tot am Boden liegen gelassen. Um zu vermeiden, daß ein Kind ein *Kallikantzaroi* werde, fährt Allacci fort, nehme man es bei den Fersen und halte es übers Feuer, so daß die Fußsohlen verbrennen. Das Kind schreie und heule wegen der Brandwunden, die man ihm gleich darauf mit ein wenig Öl lindere: Die Leute aber glaubten, daß dadurch die Nägel kürzer und der künftige *Kallikantzaros* infolgedessen harmlos werde[67].

Diese Schlußfolgerung – wir wissen nicht, ob es die der Einwohner von Chios oder eine von Allacci nahegelegte ist – scheint von dem Wunsch diktiert, eine Gewohnheit zu erklären, die bereits damals als unbegreiflich empfunden wurde[68]. Mittlerweile haben sich ihre Spuren verloren. Die Gestalt des *Kallikantzaros* aber ist im Volksglauben des Peloponnes und der griechischen Inseln immer noch sehr lebendig[69]. Die *Kallikantzaroi* sind scheußliche, schwarze, zottige Wesen, bald riesengroß, bald winzig klein, die gewöhnlich einige tierische Gliedmaßen haben: Eselsohren, Ziegen- oder Pferdehufe. Oft sind sie blind oder lahm; fast immer sind sie männlichen Geschlechts, mit riesigen Genitalien ausgestattet. Sie erscheinen in den zwölf Nächten zwischen Weihnachten und Epiphanias, nachdem sie das ganze Jahr über unter der Erde geblieben sind, wo sie es darauf abgesehen haben, den Baum abzusägen, der die Welt trägt: Aber es gelingt ihnen nie, diese Unternehmung zu Ende zu führen. Sie streunen umher und erschrecken die Leute; sie gehen in die Häuser, essen dort die Speisen, manchmal harnen sie darauf; im Gefolge eines hinkenden Anführers, des »großen *Kallikantzaros*«, ziehen sie auf dem Rücken von Hähnen oder kleinen Pferden durch die Dörfer. Berühmt ist ihre Fähigkeit, sich in jede Art Tier zu verwandeln. Kurzum, sie sind übernatürliche Wesen: Es heißt jedoch auch – einer Tradition zufolge, die bereits Allacci, in etwas anderer Form, festhielt –, daß die zwischen Weihnachten und Epiphanias geborenen Kinder *Kallikantzaroi* werden; in ähnlichem Ruch stehen oder standen auch die Einwohner des südlichen Euböa.

Einem etymologischen Vorschlag zufolge, der viele Einwände hervorgerufen hat, soll sich der Terminus *Kallikantzaros* von *kalos-kentauros* (schöner Kentaur) herleiten. Die halb als Menschen, halb als Pferde dargestellten Kentauren waren in der Antike tatsächlich nur die Pferdevariante – die *hippokentauroi* – einer weiteren mythologischen Familie, die auch Kentauren in Eselsgestalt *(onokentauroi)* sowie, aller Wahrscheinlichkeit nach, solche in Wolfsgestalt *(lykokentauroi)* umfaßte. Dieser letzte Terminus ist nicht bezeugt; bezeugt hingegen ist – in Messenien, im südlichen Lakonien und auf Kreta – der Ausdruck *Lykokantzaroi* als Synonym für *Kallikantzaroi*. Diese wären demnach, wie die Kentauren, von denen sie sich herleiten, Gestalten, die dem weit zurückliegenden Glauben entsprungen sind, daß bestimmte Individuen imstande seien, sich in regelmäßigen Abständen in Tiere zu verwandeln[70].

Dieser Interpretation wurden andere, manchmal auf mehr oder weniger plausible etymologische Annahmen gestützte, entgegengehalten. So wurde etwa eine Herleitung von *kantharoi* (Schaben) ins Feld geführt, oder aber man hat in den *Kallikantzaroi* die Seelen der Toten erkannt, da während der Zwölf Tage, an denen sie herumstreichen, auch ihnen Speisen angeboten werden[71]. Dieses Element, zusammen mit den körperlichen Eigenheiten und der Fähigkeit, sich in Tiere zu verwandeln, scheint eine Annäherung der *Kallikantzaroi* – menschlicher und mythischer Wesen zugleich – an die Serie, die wir gebildet hatten, nahezulegen. Da die *Kallikantzaroi* aber offensichtlich weder mit der Ekstase noch mit den Kämpfen um die Fruchtbarkeit in Verbindung stehen, sollten wir dann noch einmal die Kriterien überprüfen, die wir (a posteriori) festgelegt hatten.

16. Die tscherkessischen Hexer, die rumänischen *Strigoi*, die korsischen *Mazzeri* und vor allem die griechischen *Kallikantzaroi* stellen uns also vor einen Scheideweg. Wenn wir sie aus der Analyse ausschließen, haben wir eine Serie vor uns, die durch die Präsenz zweier Elemente definiert wird: der Ekstase und der Kämpfe um Fruchtbarkeit. Wenn wir sie miteinbeziehen, sehen wir uns einer Serie gegenüber, die sich durch ein Netz einander überlagernder und überschneidender Ähnlichkeiten auszeichnet, die von Mal zu Mal einen Teil der betrachteten Phänomene – nie alle – zusammenfassen. Der erste, sogenannte monothetische Klassifikationstyp wird jenen strenger erscheinen, die – auch aus ästhetischen Gründen – eine Untersuchung zu Phänomenen mit klaren Umrissen bevorzugen. Der zweite, sogenannte polythetische Typ weitet die Untersuchung in vielleicht unbegrenzter Weise und jedenfalls in schwer vorhersehbare Richtungen aus[72].

Dies ist das Kriterium, dem zu folgen wir uns entschlossen haben, aus Gründen, die im Lauf der Untersuchung klarer hervortreten werden. Zweifelsohne enthält jede Klassifikation ein Element von Willkür: Die Kriterien, die sie leiten, sind nicht vorgegeben. Es scheint jedoch nicht widersprüchlich, diesem nominalistischen Bewußtsein den realistischen Vorsatz beizugeben, über rein formale Zusammenhänge faktische Beziehungen ans Licht zu bringen, die spärliche oder überhaupt keine dokumentarischen Spuren hinterlassen haben[73].

17. Wie wir bereits sagten, zeigen die *Táltos* (ebenso wie die noch mehr Fragen aufwerfenden tscherkessischen Hexer), daß die in Ekstase ausgetragenen nächtlichen Kämpfe für die Feldfruchtbarkeit kein auf den indogermanischen Sprachraum beschränktes kulturelles Merkmal sind. Wenn wir diesem morphologischen Leitfaden zu folgen versuchen, gelangen wir wiederum zu den Schamanen. Mit

ihnen wurden im übrigen bislang von Mal zu Mal die Benandanti, die Werwölfe, die *Táltos* (und, vermittelt über diese, die *Kresniki*), die *Burkudzäutä*, die *Mazzeri* verglichen: niemals jedoch die ganze, hier vorgeschlagene Serie[74]. Man wird sich erinnern, daß in der Analyse der an die nächtlichen Göttin gebundenen Glaubensvorstellungen ein schamanistischer Untergrund ersichtlich wurde. Diese Konvergenz bestätigt die engen Bande zwischen den beiden Versionen des ekstatischen Kultes, den wir hier rekonstruieren.

Die Ekstase hat man nun aber bereits seit langem als einen charakteristischen Zug der eurasischen Schamanen erkannt[75]. In der Mitte des 16. Jahrhunderts beschrieb Peucer das Erwachen der lappischen »Magier« aus der Starre mit folgenden Worten: »Wenn vierundzwanzig Stunden vergangen sind, erwacht der leblose Körper bei Rückkehr des Geistes wie aus dem Tiefschlaf mit einem Seufzer, so als wäre er aus dem Tod, dem er anheimgefallen ist, wieder ins Leben zurückgerufen worden«[76]. Dreißig Jahre später benutzte der Verfasser eines anonymen Zeugnisses über den Benandante Toffolo di Buri, Viehhirte in einem Dorf bei Monfalcone, ganz ähnliche Worte: »Wann er gezwungen ist, kämpfen zu gehen, kommt ihm ein sehr tiefer Schlaf, und wann er mit dem Bauch nach oben schläft, hört man, wie er beim Ausfahren des Geistes drei Seufzer ausstößt, wie sie des öfteren die Sterbenden zu tun pflegen«[77]. Auf der einen wie auf der anderen Seite Schlaf, Lethargie, Katalepsie, die, ausdrücklich dem Zustand eines vorübergehenden Todes verglichen, aber endgültig werden, falls der Geist nicht rechtzeitig in den Körper zurückkehrt[78].

Auf dieser Analogie bauen nach und nach andere, spezifischere auf. Auch die Ekstasen der eurasischen (lappischen, samojedischen, tungusischen) Schamanen sind voller Schlachten. In Starre versunken, kämpfen Männer gegen Männer und Frauen gegen Frauen: Ihre Seelen gehen in Tiergestalt (gewöhnlich in der von Rentieren) solange aufeinander los, bis eine unterliegt und dadurch Reglosigkeit und Tod des verlierenden Schamanen verursacht[79]. In der im 13. Jahrhundert verfaßten *Historia Norwegiae* wird erzählt, wie der in einen Blitz verwandelte Geist *(gandus*, wörtlich »Stock«) eines in Ekstase gefallenen lappischen Schamanen vom *gandus* eines gegnerischen Schamanen, der die Form zugespitzter Pfähle angenommen hat, tödlich verletzt wird[80]. Wiederum in Lappland beschreiben einige in unserer Zeit gesammelte Sagen zwei Schamanen *(No'aidi)*, die, in Starre gefallen, einen Zweikampf austragen und dadurch versuchen, die größtmögliche Zahl von Rentieren auf ihre Seite zu locken[81]. Wie sollte man nicht an die Kämpfe um Fruchtbarkeit denken, die *Kresniki, Táltos* und der alte Werwolf Thiess in Tiergestalt, oder, auf dem Rücken von Tieren, Benandanti und *Burkudzäutä* ausfechten? Der Schluß ist unvermeidlich, daß Gesellschaften, die sich unter ökologischen, ökonomischen wie sozialen Gesichtspunkten stark voneinander unterscheiden, ein und dasselbe mythische Schema aufgriffen und es sich zu eigen machten. In Gemeinschaften von Hirtennomaden fallen die Schamanen in Ekstase, um für Rentiere zu sorgen. Ihre Kollegen in landwirtschaftlichen Gemeinschaften tun dasselbe, um – je nach Klima und Breitengrad – für Roggen, Weizen oder Wein zu sorgen.

Doch in einem wesentlichen Punkt erweisen sich diese Analogien als unvollkommen. Die Katalepsie der eurasischen Schamanen ist öffentlich; die der

Benandanti, *Kresniki, Táltos, Burkudzäutä, Mazzeri* ist stets privat. Manchmal wohnen ihr die Ehefrauen bei, seltener die Ehemänner; doch dabei handelt es sich um außergewöhnliche Fälle. Keine dieser Personen macht aus ihrer Ekstase den Mittelpunkt einer öffentlichen Zeremonie, wie sie die Schamanensitzung darstellt[82]. Wie zum Ausgleich tragen die eurasischen Schamanen während ihrer öffentlichen Katalepsien vereinzelte Zweikämpfe aus; ihre europäischen Kollegen nehmen während ihrer privaten Katalepsien an regelrechten Schlachten teil.

18. Dieser Unterschied hebt sich stark von einem überwiegend homogenen Hintergrund ab. Bei den Schamanen finden wir in der Tat einen Großteil der Charakteristika wieder, die wir an den Protagonisten der in Ekstase ausgetragenen Kämpfe ausgemacht haben[83]. Manchmal wird die Ähnlichkeit geradezu zur Identität. In einigen Teilen Sibiriens ererbt man das Schamanenamt; aber bei den Jurak-Samojeden wird der künftige Schamane durch eine körperliche Besonderheit bezeichnet – durch den Umstand, in der Glückshaube geboren zu sein, wie ein Benandante oder ein slawischer Werwolf[84]. Öfter finden wir Isomorphismen oder Familienähnlichkeiten. Auch bei den Schamanen erfolgt die Berufung in wechselndem Alter: Im allgemeinen fällt sie mit der Geschlechtsreife zusammen, manchmal aber findet sie sehr viel später statt[85]. Die Offenbarung der Berufung geht oft mit psychischen Störungen einher: ein komplexes Phänomen, das einige europäische Beobachter früher grob vereinfachend in eine pathologische Ecke drängten, indem sie von »arktischer Hysterie« sprachen[86]. Im europäischen Raum scheinen die individuellen Reaktionen vielfältiger zu sein: Sie reichen von der Verzweiflung der unbekannten Frau aus Friaul, die sich an eine Hexe wandte, um sich von dem Zwang, »die Toten sehen« zu müssen, zu befreien, über den Wagemut des Benandante Gasparo, der dem Inquisitor seinen Haß gegen die Hexer zeigte, bis hin zur Freude und, je nach Fall, zu den Schuldgefühlen der im Traum mordenden *Mazzeri*[87]. In einer christianisierten Gesellschaft war die Stellung dieser Individuen zwangsläufig diffiziler. Aber gerade weil die kulturellen Kontexte sich so stark voneinander unterscheiden, erscheinen die Ähnlichkeiten zwischen den Ekstasen der eurasischen Schamanen und jenen ihrer europäischen Kollegen so beeindruckend. In einen Wolf, einen Bären, ein Rentier, einen Fisch verwandelt oder aber auf einem Tier (Pferd oder Kamel) reitend, das im Ritus durch eine Trommel symbolisiert wird, verläßt die Seele des Schamanen den leblosen Körper. Nach einer bestimmten, bald längeren, bald kürzeren Zeit, erwacht der Schamane aus der Starre, um den Zuschauern des Ritus zu berichten, was er gesehen, was er erfahren, was er im Jenseits gemacht hat: Die lappischen »Magier« brachten sogar, berichtete Olaus Magnus, einen Ring oder ein Messer als greifbaren Beweis der zurückgelegten Reise mit (vgl. Abb. S. 175)[88]. Auf den Trommeln der Schamanen hat man in vielen Fällen eine Abbildung der Welt der Toten erkannt[89]. Aber auch die Träger des verstreut über den europäischen Kontinent belegten ekstatischen Kultes betrachteten sich als Vermittler oder Vermittlerinnen zwischen den Lebenden und Toten oder wurden als solche betrachtet. In beiden Fällen brachten Tierverwandlungen oder Ritte auf Tieren symbolisch die Ekstase zum Ausdruck: den zeitweiligen Tod, den der Auszug der Seele in Tiergestalt aus dem Körper darstellte.

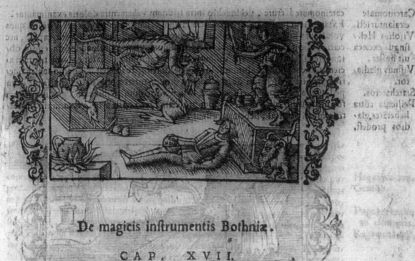

De magicis instrumentis Bothniæ.

CAP. XVII.

INTER Bothnicos homines Septentrionis passim reperie-
bantur malefici, ac magi, tanquam in proprio loco: qui
per summam ludificandorum oculorum peritiam suos, alie-
nosq́ vultus varijs rerum imaginibus adumbrare callebant,
fallacibusq́ somnis veros obscurare conspectus. Nec so-
lùm pugiles, verùm etiam fœminæ, & teneræ virgines pro
voto suo laruas liuido squalore terribiles, faciesq́ adulteri-
no pallore distinctas, ab aëris teneritudine mutuari con-
sueuerunt, & rursus ablegato nubila inumbrationis vapo-
re, pręteritas ori tenebras suda perspicuitate discutere. Tantamq́ vim carminibus
eorum affuisse constat, vt rem remotissimè positam, & quantalibet nodorum con-
fertione perplexam, conspicuam & præsentissimam efficerent. Talibusq́ præ-
stigijs idipsum hoc modo demonstrant. Scire cupientes statum amicorum, aut in-
imicorum, longinquo terrarum spatio quingentorum, vel mille milliarium inde di-
stantium, Lapponem seu Finnonem huius rei peritum, dato munere, lineç scilicet
vestis aut arcus, rogant experientiam fieri, vbinam fuerint, & quid agant amici,
vel inimici. Quocirca conclaue ingreditur vno comite, vxoreq́ contentus, ranam
æneam, aut serpentem malleo super incudem præscriptis ictibus cohcutit, carmi-
numq́ murmure hinc inde reuoluit, continuoq́ cadens in extasim rapitur, iacetq́
breui spatio velut mortuus. Interea diligentissimè à predicto comite, ne quoduis in-
uens, culex, aut musca, vel aliud animal eum contingat, custoditur. Carminum
nanq́ potentia spiritus eius malo dæmone ductore longinquis signa annulum, vel
cultellum in testimonium expeditæ legationis, seu commissionis reportat. Illi-
coq́ resurgens, eadem signa cum cæteris circunstantijs conductori suo declarat.
Nec minoris efficaciæ perhibentur in hominibus diuersa ægritudine prosternendis.
Faciunt nanq́ de plumbo iacula magica breuia ad modum digiti: ea emittunt
per quæuis dissita loca in eos, de quibus vindictam expetunt. Hi oborto

L iij.

19. Diese Elemente kehren, wenn auch in verzerrter Form, in den zu Beginn des 15. Jahrhunderts im Wallis geführten Prozessen und fernerhin in unzähligen Geständnissen von Hexen und Hexern von einem Ende Europas bis zum anderen wieder. Das Thema der Kämpfe um Fruchtbarkeit hingegen verschwand weitgehend – von den bereits erwähnten Ausnahmen abgesehen. Manchmal vernehmen wir in winzigen Details ein verzerrtes Echo davon. Im Jahr 1523 wurden drei Frauen – Agnes Callate, Ita Lichtermutt und Dilge Glaserin – wegen Hexerei vor Gericht gestellt. Sie lebten in Pfeffingen, einer Ortschaft, die damals dem Bischof von Basel unterstand. Eine nach der anderen erzählte, soweit es scheint, »ohne Nötigung oder Folter ausgesetzt zu sein«, fast mit denselben Worten die folgende Geschichte: Als sie in einem Frühjahr zusammen mit einer anderen Frau unter einem Pfirsichbaum saßen, sahen sie Raben, die sie fragten, was sie essen wollten – Kirschen, sagte eine; Vögel, sagte die nächste; Wein, die dritte. Deshalb, so erklärten sie im Verlauf des Prozesses, hätte es in jenem Jahr viele Kirschen, viele Vögel, viel Wein gegeben. Es kamen drei Teufel an – ihre Geliebten – und brachten Speisen und Wein mit; alle zusammen hielten sie einen Schmaus und liebten sich. Dann kehrten die Frauen zu Fuß nach Hause zurück. Die Prozeßakten sind uns in einer ganz offensichtlich stark verkürzten Fassung überliefert[90]. Nichtsdestotrotz scheinen in der unpassenden Verknüpfung zwischen den Bitten an die Raben und dem Reichtum von Ernten und Jagdbeute alte Themen nachzuklingen, die in ein bereits verfestigtes diabolisches Schema eingepaßt sind. Dasselbe gilt im Fall eines gewissen Semjon Kalleničenko, der zu einer völlig anderen Zeit und an einem völlig anderen Ort (1727 in Nosowki bei Kiew) gestand, als Vampir geboren zu sein; erkennen zu können, welche Frauen Hexen seien und welche nicht; als Vampir bis zum Alter von zwölf Jahren gegen die Überfälle der Hexen gefeit gewesen und später zum Sabbat gegangen zu sein, an dem die Hexen militärisch organisiert teilgenommen hätten – in diesem ukrainischen Vampir erkennen wir einen Verwandten der ungarischen *Táltos*, der dalmatischen *Kresniki*, der friaulischen *Benandanti*[91]. Es handelt sich um fragmentarische Zeugnisse, entfernt voneinander in Zeit und Raum, die noch einmal die Tiefe der kulturellen Schicht veranschaulichen, die wir ans Licht zu bringen versucht haben.

[1] Die Prozeßakten publizierte H. von Bruiningk, *Der Werwolf in Livland und das letzte im Wendeschen Landgericht und Dörptschen Hofgericht i. J. 1692 deshalb stattgehabte Strafverfahren*, in: »Mitteilungen aus der livländischen Geschichte«, 22 (1924), S. 163–220. Ich entwickle hier eine in *Die Benandanti*, cit., S. 47–52 skizzierte Interpretation. Damals waren mir die (im übrigen irrelevanten) Beiträge von J. Hanika, *Kultische Vorstufen des Pflanzenanbaus*, in: »Zeitschrift für Volkskunde«, 50 (1953), S. 49–65, und H. Kügler, *Zum ›Livländischen Fruchtbarkeitskult‹*, ebd., 52 (1955), S. 279–81 entgangen. Ein früheres Zeugnis zu den baltischen Werwölfen findet sich bei Birkhan, *Altgermanische Miszellen*, cit., S. 36–37. Für einige volkskundliche Ergänzungen vgl. A. Johansons, *Kultverbände und Verwandlungskulte*, in: »Arv«, 29–30 (1973–74), S. 149–157 (auf den mich Erik af Edholm hinwies, dem ich hier danken möchte).

[2] Vgl. vor allem Höfler, *Kultische Geheimbünde*, cit. Zum ideologischen (nazistischen) Gepräge und zum großen Erfolg dieses Buches bei Gelehrten wie S. Wikander, K. Meuli (der später dann eine kritischere Haltung einnahm) und G. Dumézil, vgl. vom Verf., *Miti emblemi spie*, cit., S. 210–38. Gegen die vorherrschende Tendenz, Höflers These *en bloc* anzunehmen oder zu verwerfen, wäre zu betonen, daß sie sich tatsächlich in drei Punkte gliedert. Die Sagen und allgemein die Zeugnisse zur *Wilden Jagd* oder zum *Totenheer* hätten *a)* eine mythisch-religiöse Bedeutung; brächten *b)* einen heroischen, kriegerischen, seinem Wesen nach germanischen Mythos zum Ausdruck; seien *c)* als Belege für Riten zu interpretieren, die Geheimorganisationen und -gruppen junger, in der Regel verkleideter Männer praktizierten, welche, von ekstatischer Raserei ergriffen, die Geister der Toten zu verkörpern glaubten. Meiner Meinung nach ist allein Punkt *a)*, der zumindest bis auf J. Grimm zurückgeht, fundiert: Die Einwände eines antifaschistischen Volkskundlers wie F. Ranke (*Das wilde Heer und die Kultbünde der Germanen...*, [1940], jetzt in *Kleine Schriften*, hg. von H. Rupp und E. Studer, Bern 1971, S. 380–408), der die Zeugnisse zur *Wilden Jagd* als reine Halluzinationen betrachtet, sind völlig inakzeptabel. Punkt *b)*, angeregt durch Höflers Aufgeschlossenheit für die Ideologie des Nationalsozialismus, interpretiert das Belegmaterial einseitig, indem kriegerische Themen aus einem weiteren Kontext, der auch mit der Fruchtbarkeit verknüpfte Themen umfaßt, herausgelöst werden. In Punkt *c)* treibt er, auch hier aus offensichtlichen ideologischen Gründen, die suggestiven Hypothesen auf die Spitze, die L. Weiser in *Altgermanische Jünglingsweihen* (Bühl [Baden] 1927) formuliert hatte, und gelangt, wie bereits W. Krogman (in: »Archiv für das Studium der neueren Sprache«, 168. Band, 90, 1935, S. 95–102) hervorhob, zu völlig absurden Schlußfolgerungen, die von der Vorentscheidung diktiert sind, die Beschreibungen der Totenprozessionen und der Werwolfstreifzüge systematisch als Zeugnisse realer Ereignisse zu werten. Zu dieser Forschungsrichtung siehe die zum richtigen Zeitpunkt vorgebrachten kritischen Bemerkungen von E. A. Philippson, *Die Volkskunde als Hilfswissenschaft der germanischen Religionsgeschichte*, in: »The Germanic Review«, XIII (1938), S. 237–51. Der Einfluß Höflers ist offensichtlich bei F. Cardini, *Alle radici della cavalleria medievale*, Florenz 1981.

[3] Vgl. jeweils Höfler, *Kultische Geheimbünde*, cit., S. 345 ff.; W. E. Peuckert, *Geheimkulte*, Heidelberg 1951, S. 109–117; L. Kretzenbacher, *Kynokephale Dämonen südosteuropäischer Volksdichtung*, München 1968, S. 91–95. Mit meinem Aufsatz *Freud, der Wolfsmann und die Werwölfe* (dt. Übers., in : »Zeitschrift für Volkskunde«, 82, 1986, S. 189–99), in dem ich einige Themen dieses Buches vorwegnahm, setzt sich R. Schenda, *Ein Benandante, ein Wolf, oder Wer?*, ebd., S. 200–02 polemisch auseinander (weitere Stellungnahmen im selben Heft).

[4] Wenn auch von anderen Gesichtspunkten aus, wird die Deutung der Geständnisse von Thiess in rituellem Sinn auch von Hanika, *Kultische Vorstufen*, cit., und von H. Rosenfeld, *Name und Kult der Istrionen (Istwäonen), zugleich Beitrag zu Wodankult und Germanenfrage*, in: »Zeitschrift für deutsches Altertum und deutsche Literatur«, 90 (1960–61), S. 178 geteilt.

[5] Veraltet, aber noch nützlich, die umfassenden Studien von W. Hertz, *Der Werwolf*, Stuttgart 1862; R. Andree, *Ethnographische Parallelen...*, I, Stuttgart 1878, S. 62–80; C. T. Stewart, *The Origin of the Werewolf Superstition*, University of Missouri Studies, Social Science Series, II, 3, 1909. Es fehlt eine Bibliographie, die den Versuch von G. F. Black, *A List of Books relating to Lycanthropy*, in: »New York Public Library Bulletin«, 23 (1919), S. 811–15, ersetzte. Spezialstudien werden im Folgenden nach und nach zitiert. Unter jenen, die sich außereuropäischen Phänomenen widmen, siehe z. B. B. Lindskog, *African Leopard Men*, Stockholm 1954.

[6] Vgl. das (sehr gelehrte, aber absolut nicht überzeugende) Buch von R. Eisler, *Man into Wolf*, London 1951; über den Autor vgl. das unerbittliche Porträt, das G. Scholem, *Von Berlin nach Jerusalem*, Frankfurt a. M. 1977, S. 162–69 zeichnet. In ähnlicher (noch im wesentlichen Jungscher) Perspektive wie Eisler vgl. auch Burkert, *Homo Necans*, cit., S. 28, 43, 65 etc. (jedoch werden auf S. 103 die Geständnisse von Thiess in herkömmlicher Manier als Zeugnis für rituelle Verhaltensweisen genommen).

[7] Vgl. L. Harf-Lancner, *La métamorphose illusoire: des théories chrétiennes de la métamorphose aux images médiévales du loup-garou*, in: »Annales E. S. C.«, 40 (1985), S. 208–26; den Studien über *Bisclavret* ist W. Sayers, *»Bisclavret« in Marie de France: a Reply*, in: »Cambridge Medieval Celtic Studies«, 4 (Winter 1982), S. 77–82 (mit reicher Bibliographie) anzufügen. Nach L. Harf-Lancner soll das widersprüchliche Gepräge der Werwölfe in mittelalterlichen Texten von dem Versuch herrühren, eine für das christliche Denken inakzeptable Verwandlung zu mildern: Die Volkstradition hingegen bestehe auf dem »bestialischen und unmenschlichen Gebaren des Werwolfs« (*La métamorphose*, cit., S. 220–21). Doch dieselbe Volkstradition ist als Ergebnis eines historischen Prozesses anzusehen, nicht als unwandelbares Datum.

[8] Vgl. zu all dem *Die Benandanti*, cit.

[9] Vgl. den glänzenden Aufsatz von R. Jakobson und M. Szeftel, *The Vseslav Epos*, in: »Memoirs of the American Folklore Society«, 42 (1947), S. 13–86, insbes. S. 56–70; dieser ist zu ergänzen durch R. Jakobson und G. Ružičić, *The Serbian Zmaj Ognjeni Vuk and the Russian Vseslav Epos*, in: »Annuaire de l'Institut de philologie et d'histoire orientales et slaves«, X (1950), S. 343–55. Beiden Aufsätzen trägt das überaus nützliche Buch von N. Belmont, *Les signes de la naissance*, Paris 1971, S. 57–60 Rechnung. In deutscher Sprache siehe *Das Igorlied. Eine Heldendichtung*, Leipzig 1960 (Übertragung von R. M. Rilke); sowie, in italienischer Sprache, *Le byline*, hg. v. B. Meriggi, Mailand 1974, S. 41–49 (»Volch Vseslav'evič«).

[10] Vgl. *Die Benandanti*, cit., S. 31 u. 35. Der Brauch ist auch in Lappland belegt: vgl. T. I. Itkonen, *Heidnische Religion und späterer Aberglaube bei den Finnischen Lappen*, Helsinki 1946, S. 194–95.

[11] *Ebd.*, S. 132.

[12] Vgl. *Augustin Lercheimer (Professor H. Witekind in Heidelberg) und seine Schrift wider den Hexenwahn*, hg. v. C. Binz, Straßburg 1888, S. 55 ff. An anderer Stelle wird dieselbe Person Wilken genannt.

[13] Vgl. *Die Benandanti*, cit., S. 23–24.

[14] Siehe oben, S. 129.

[15] Vgl. O. Clemen, *Zum Werwolfsglauben in Nordwestrußland*, in: »Zeitschrift des Vereins für Volkskunde«, 30–32 (1920–22), S. 141–44.

[16] Vgl. C. Peucer, *Commentarius de praecipuis generibus divinationum*, Witebergae 1560, S. 140 r–145 r (Diese Seiten fehlen in der Erstausgabe von 1553).

[17] Vgl. *Corpus Reformatorum*, XX, Brunsvigae 1854, Sp. 552. Die Identifizierung des Verfassers des Briefes mit Witekind (die Binz entgangen ist) stammt von Clemen, *Zum Werwolfsglauben*, cit. Sowohl dieser Aufsatz als auch Lercheimers *Christlich Bedencken* sind von den Erforschern dieser Gegenstände generell vernachlässigt worden: Unter den Ausnahmen finden sich von Bruiningk, *Der Werwolf in Livland*, cit., und K. Straubergs, *Om varulvarna i Baltikum*, in: *Studier och Oeversikter Tillägrade Erik Nylander...*, »Liv och Folkkultur«, I (1951), S. 107–29, insbes. S. 114–16. Doch siehe jetzt, von einem anderen Gesichtspunkt aus, F. Baron, *The Faust Book's Indebtedness to Augustin Lercheimer and Wittenberg Sources*, in: »Daphnis«, 14 (1985), S. 517–45 (mit weiterer Bibliographie).

[18] Das in *Christlich Bedencken* fehlende Detail vom hinkenden Kind, das die Werwölfe führt, fehlt auch im Bericht über Melanchthons Vorlesung (vgl. *Corpus Reformatorum*, XX, cit.): Peucer hat es wohl aus Witekinds Brief oder mündlich direkt von ihm erfahren. Hierzu siehe im weiteren, S. 240 ff.

[19] Außer Herodot, *Historien*, (IV, 105), vgl. Peucer, *Commentarius*, cit., S. 1414 r. Bodin bestätigte, daß ein in seinem Besitz befindlicher Brief eines Deutschen an den Connetable von Frankreich ähnliche Phänomene beschrieb: »Die Nachwelt hat also viele Dinge verifiziert, die Herodot schrieb und die den Alten unglaublich schienen« (*Demonomania de gli stregoni*, ital. Übers., Venedig 1597, S. 176). Auf Herodot verweist, neben nicht näher bestimmten sprachlichen und archäologischen Zeugnissen, M. Gimbutas, *Bronze Age Cultures in Central and Eastern Europe*, Den Haag 1965, S. 443.

[20] Vgl. oben, S. 108.

[21] Die Stellen bei Herodot (IV, 105), Pausanias (VIII, 2, 6) und Plinius (VIII, 81) werden, in einer meines Erachtens zu kurz gefaßten Perspektive, von G. Piccaluga, *Lykaon*, Rom 1968, kommentiert. Zu Petronius vgl. den schönen Aufsatz von M. Schuster, *Der Werwolf und die Hexen. Zwei Schauermärchen bei Petronius*, in: »Wiener Studien«, XLVIII (1930), S. 149–78, der R. O. James, *Two Examples of Latin Legends from the Satyricon*, in: »Arv«, 35 (1979), S. 122–25 (knapp, aber nützlich wegen der Hinweise auf parallele Themen im skandinavischen Raum) entgangen ist. Zu Irland vgl. Hertz, *Der Werwolf*, cit., S. 133, der auf Giraldus Cambrensis, *Topographia Hibernica*, II, 19 (*Opera*, V, London 1887, hg. v. J. F. Dimock, S. 101 ff.) hinweist, die nicht später als 1188 abgefaßt wurde und in der die fünf oder sechs Jahre zurückliegende Begegnung eines Priesters mit einem Mann und einer Frau, beide in Wölfe verwandelt, geschildert wird; Eisler, *Man into Wolf*, cit., S. 138–39, Anm. 111. Zu Burchard von Worms vgl. Migne, *Patrologia Latina*, CXL, Sp. 971. Zu Witekind siehe oben, S. 156 ff.

[22] Siehe R. Buxton, *Wolves and Werewolves in Greek Thought*, in: *Interpretations of Greek Mythology*, cit., S. 60–79, beziehungsweise Schuster, *Der Werwolf*, cit., S. 153, Anm. 14 (im erstgenannten Aufsatz nicht erwähnt).

[23] Was den ersten Punkt betrifft, so erscheint es symptomatisch, daß die Entdeckung der »Übergangsriten« durch die Untersuchungen von R. Hertz zur doppelten Bestattung erfolgte (vgl. oben, S. 62, Anm. 25). Hinsichtlich des zweiten Punktes mag es genügen, auf Propp, *Le radici storiche*, cit., zu verweisen.

[24] Vgl. den grundlegenden Aufsatz von W. H. Roscher, *Das von der »Kynanthrophie« handelnde Fragment des Marcellus von Side*, in: »Abhandlungen der philologisch-historischen Classe der Königlich Sächsischen Gesellschaft der Wissenschaften«, 17 (1897), insbes. S. 44–45 u. 57; auf S. 4 wurde die umfassende Schuld gegenüber *Psyche* von Rohde bekannt. Dieser antwortete mit einer wichtigen Rezension, die postum erschien in: »Berliner Philologische Wochenschrift«, 18 (1898), Sp. 270–76 (siehe in *Kleine Schriften*, Tübingen u. Leipzig 1901, II, S. 216–23). Roschers Angaben wurden entwickelt von L. Gernet, *Dolon le loup*, jetzt in: *Anthropologie de la Grèce antique*, Paris 1968, S. 154–71. Zur Kopfbedeckung des Hades vgl. S. Reinach, Art. »Galea«, in: C. Daremberg u. E. Saglio, *Dictionnaire des antiquités grecques et romaines*, II, 2, Paris 1896, S. 1430; weitere bibliographische Angaben bei A. Alvino, *L'invisibilità di Ades*, in: »Studi storico-religiosi«, V (1981), S. 45–51, der jedoch Gernets Aufsatz nicht zu kennen scheint. Reichhaltiges Belegmaterial zum Zusammenhang Wolf (und Hund) und Totenwelt bei F. Kretschmar, *Hundestammvater und Kerberos*, Stuttgart 1938, 2 Bde.

[25] Vgl. W. E. Peuckert, in: *Handwörterbuch des deutschen Aberglaubens*, 9, Berlin 1938–41, Sp. 783–84, und Höfler, *Kultische*, cit., S. 16–18. Man beachte, daß auf der Insel Guernsey der *varou* ein Nachtgeist ist, der sich mit dem Toten identifizieren läßt (*varw* auf Bretonisch): vgl. E. Mac Culloch, *Guernsey Folk Lore*, London 1903, S. 230–31.

[26] Vgl. den wichtigen Aufsatz von L. Weiser-Aall, *Zur Geschichte der altgermanischen Todesstrafe und Friedlosigkeit*, in: »Archiv für Religionswissenschaft«, 30 (1933), S. 209–27. Außerdem: A. Erler, *Friedlosigkeit und Werwolfsglaube*, in: »Paideuma«, I (1938–40), S. 303–17 (stark von Höfler beeinflußt); G. C. von Unruh, *Wargus, Friedlosigkeit und magisch-kultische Vorstellungen bei den Germanen*, in: »Zeitschrift für Rechtsgeschichte«, Germ. Abt., 74 (1957), S. 1–40; T. Bühler, *Wargus-friedlos-Wolf*, in: *Festschrift für Robert Wildhaber*, Basel 1973, S. 43–48. In polemischer Auseinandersetzung mit dieser Interpretationsrichtung: H. Siuts, *Bann und Acht und ihre Grundlagen im Totenglauben*, Berlin 1959, S. 62–67; M. Jacoby, *Wargus, vargr, »Verbrecher«, »Wolf«. Eine sprach- und rechtsgeschichtliche Untersuchung*, Uppsala 1974 (der – nicht überzeugend – zu zeigen versucht, daß die mittelalterlichen und nachmittelalterlichen Zeugnisse über Werwölfe keinerlei Verbindung zur Volkskultur haben, da sie stark durch klassische und christliche Vorstellungen beeinflußt seien; siehe auch die strenge Rezension von J. E. Knirk in »Scandinavian Studies«, 49, 1977, S. 100–03). Zu den Wurzeln des Zusammenhangs zwischen Wölfen und Verbrechern in der griechischen und römischen Antike vgl. J. Bremmer, *The ›suodales‹ of Poplios Valesios*, in: »Zeitschrift für Papyrologie und Epigraphik«, 47 (1982), S. 133–47; siehe jetzt auch J. N. Bremmer u. N. M. Horsfall, *Roman Myth and Mythography*, London 1987 (University of London, Institute of Classical Studies, Bulletin Supplement 52), S. 25 ff.

[27] In einer eindringlichen Rezension der Arbeit von Kretzenbacher, *Kynokephale Dämonen*, cit., hat R. Grambo vorgeschlagen, den Komplex der Glaubens-

vorstellungen um die Werwölfe »mit einer im eurasischen Raum verbreiteten Ekstasetechnik« in Verbindung zu bringen (»Fabula«, 13, 1972, S. 202–04).

[28] Vgl. Olaus Magnus, *Historia*, cit., S. 442 ff.

[29] Vgl. Ae. Strauch, *Discursus physicus lykanthropiam quam nonnulli in Livonia circa Natalem Domini vere fieri narrant, falsissimam esse demonstrans ... praeses M. Michael Mej Riga Livonus*, Wittenbergae 1650; F. T. Moebius, *De transformatione hominum in bruta ... sub praesidio J. Thomasii*, Leipzig 1667. Das Werwolfthema war um die Mitte des 17. Jahrhunderts in Deutschland offenbar generell sehr im Schwange: Ein Beleg dafür ist beispielsweise der *Cyllenes facundus, hoc est problema philosophicum de lycanthropis, an vere illi, ut fama est, luporum et aliarum bestiarum formis induantur? cum aliis questionibus hinc emanantibus ...?*, Spirae Nemetum 1647, der die Titel der Reden enthält, die zwölf Professoren und ebensoviele Studenten am Gymnasium von Speyer hielten.

[30] Vgl. die oben, S. 177, Anm. 3 erwähnten Studien von O. Höfler, W. E. Peuckert, L. Kretzenbacher u. a.

[31] Vgl. Deonna, *Croyances funéraires*, cit.

[32] Vgl. oben, S. 101.

[33] Vgl. *Die Benandanti*, cit., S. 82, und den vereinzelten Hinweis von Peucer (oben, S. 157).

[34] Vgl. die in der Einleitung, S. 22 zitierte Wittgenstein-Stelle.

[35] Vgl. zum Folgenden M. Bošković-Stulli, *Kresnik-Krsnik, ein Wesen aus der kroatischen und slovenischen Volksüberlieferung*, in: »Fabula«, III (1959–60), S. 275–98 (eine neu durchgesehene Fassung liegt nun in ital. Übers. vor in »Metodi e ricerche«, N. F., VII, 1988, S. 32–50). Die Kenntnis dieses vorzüglichen Aufsatzes hätte es mir erlaubt, den in *Die Benandanti*, cit., S. 178 allzu kurz angedeuteten Zusammenhang Benandanti-–Kresniki angemessen zu behandeln. Zur anhaltenden Lebendigkeit dieser Phänomene vgl. P. Del Bello, *Spiegazione della sventura e terapia simbolica. Un caso istriano* (Tesi di laurea, Universität Triest, akademisches Jahr 1986–87; der Referent Prof. G. P. Gri hat mir die wichtigsten Teile freundlicherweise zukommen lassen).

[36] Der Text wurde erstmals im Jahr 1837 ediert; hier berücksichtige ich die von Bošković-Stulli (S. 279, Anm. 11) und, unabhängig davon, G. Trebbi, *La Chiesa e le campagne dell'Istria negli scritti di G. F. Tommasini*, in: »Quaderni giuliani di storia«, I (1980), S. 43 vorgeschlagenen Korrekturen.

[37] Bošković-Stulli bestätigt, daß die *Kresniki* sowohl Männer als auch Frauen sein können (*Kresnik-Krsnik*, cit., S. 278): Tatsächlich aber betreffen alle angeführten Fälle bis auf einen (S. 281) Männer.

[38] Vgl. D. Burkhart, *Vampirglaube und Vampirsage auf dem Balkan*, in: »Beiträge zur Südosteuropa-Forschung ...«, 1966, S. 211–52 (ein sehr nützlicher Aufsatz, obwohl hie und da beeinträchtigt durch ein übertriebenes Beharren auf veralteten Kategorien wie Animismus und Präanimismus).

[39] Vgl. *Die Benandanti*, cit., S. 84–86.

[40] Die ungarischen Schriften sind mir aus sprachlichen Gründen unzugänglich geblieben. Zur Analogie zwischen Benandanti und *Táltos* siehe jedoch den ausgezeichneten Aufsatz von G. Klaniczay, *Shamanistic Elements in Central European Witchcraft*, und (allgemeiner) M. Hoppál, *Traces of Shamanism in Hungarian Folk Beliefs*, in: *Shamanism in Eurasia*, cit., S. 404–22 u. 430–46, die A. M. Losonczy, *Le chamane-cheval et la sage-femme ferrée.*

Chamanisme et métaphore équestre dans la pensée populaire hongroise, in: »L'Ethnographie«, 127 (1986), N. 98–99, S. 51–70 beide nicht kennt. Diese Studien ergänzen die bibliographische Übersicht von J. Fazekas, *Hungarian Shamanism. Material and History of Research*, in: *Studies in Shamanism*, hg. v. C.-D. Edsman, Stockholm 1967, S. 97–119. In italienischer Sprache siehe außer M. Hoppál, *Mitologie uraliche*, in: »Conoscenza religiosa«, 4 (1978), S. 367–95, das Bändchen von A. Steiner, *Sciamanesimo e folklore*, Parma 1980. Grundlegend bleiben, auch wenn sie in manchen Teilen fragwürdig oder veraltet sind, G. Róheim, *Hungarian Shamanism*, in: »Psychoanalysis and the Social Sciences«, III (1951), S. 131–69 und V. Diószegi, *Die Überreste des Schamanismus in der ungarischen Volkskultur*, in: »Acta Ethnographica Academiae Scientiarum Hungaricae«, VII (1958), S. 97–134, die umfangreichere, in den Jahren 1925 bzw. 1958 auf ungarisch erschienene Arbeiten zusammenfassen. Zu den ethnographischen Untersuchungen Diószegis siehe T. Dömötör, in: »Temenos«, 9 (1973), S. 151–55; E. Lot-Falck, in: »L'homme«, XIII (1973), Nr. 4, S. 135–41; J. Kodolányi u. M. Varga, in: *Shamanism in Eurasia*, cit., S. XIII–XXI. Für weitere Hinweise siehe auch M. Sozan, *The History of Hungarian Ethnography*, Washington 1979, S. 230–45 (zu Róheim), S. 327–30 (zu Diószegi). Zur Etymologie von *Táltos* vgl. B. Gunda, *Totemistische Spuren in der ungarischen »táltos«-Überlieferung*, in: *Glaubenswelt und Folklore der sibirischen Völker*, hg. v. V. Diószegi, Budapest 1963, S. 46, der (unter Berufung auf eine Studie von D. Pais) das türkische *taltis-taltus*, d. h. »der Kämpfer«, »einer, der bis zur Bewußtlosigkeit prügelt«, anführt und darin eine Andeutung der Ekstase (oder vielleicht der Kämpfe?) entdeckt. Eine andere Etymologie, nämlich vom finnischen *tietaja* (Weiser, Magier) hat Róheim, *Hungarian Shamanism*, cit., S. 146 vorgeschlagen. Zum ungarischen Hexenwesen läßt sich mit Nutzen immer noch V. Klein, *Der ungarische Hexenglaube*, in: »Zeitschrift für Ethnologie«, 66 (1934), S. 374–402 konsultieren.

[41] Die Stelle aus dem Prozeß findet sich übersetzt bei G. Ortutay, *Kleine ungarische Volkskunde*, Budapest 1963, S. 120–121. Vgl. auch T. Dömötör, *The Problem of the Hungarian Female Táltos*, in: *Shamanism in Eurasia*, cit., S. 423–29, insbes. S. 425.

[42] *Ebd.*, S. 427.

[43] Vgl. Klaniczay, *Shamanistic Elements*, cit. Man beachte, daß Diószegi, *Die Überreste*, cit., S. 125 ff. zwar auf das Thema des Kampfes bei den *Táltos* eingeht, nicht aber auf dessen Zweck, die Fruchtbarkeit der Felder: vgl. hingegen Róheim, *Hungarian Shamanism*, cit., S. 140 u. 142. Ein völlig unzulänglicher Hinweis auf die militärische Organisation, wie sie aus den ungarischen Hexenprozessen ersichtlich wird, in *Die Benandanti*, cit., S. 225, Anm. 12. Der Detailreichtum in diesem Punkt hat T. Körner (*Die ungarischen Hexenorganisationen*, in: »Ethnographia«, 80, 1969, S. 211; es handelt sich um die Zusammenfassung eines in ungarischer Sprache erschienenen Aufsatzes) zu der Annahme verleitet, um die Mitte des 16. Jahrhunderts hätten die der Hexerei angeklagten ungarischen Bauern eine richtiggehende, militärisch organisierte Sekte ins Leben gerufen. Diese Hypothese, die sich der These Murrays über das Fortleben einer prähistorischen religiösen Sekte explizit entgegenstellt, entbehrt jedoch gleichermaßen der dokumentarischen Grundlagen. Zur Frage der möglichen

Entsprechungen zwischen diesen Mythen und bestimmten Riten, siehe aber im weiteren, S. 193 ff.

⁴⁴ Die Verbindung zwischen *Táltos* und *Kresniki* hatte bereits Róheim, *Hungarian Shamanism*, cit., S. 146–47 erfaßt. Im Aufsatz von Bošković-Stulli, *Kresnik-Krsnik*, cit., fehlt hingegen ein Vergleich mit den ungarischen Phänomenen, wie T. Dömötör, *Ungarischer Volksglauben und ungarische Volksbräuche zwischen Ost und West*, in: *Europa und Hungaria*, hg. v. G. Ortutay u. T. Bodrogi, Budapest 1965, S. 315 hervorhob (dieselbe Kritik ist auf *Die Benandanti* auszudehnen: vgl. oben, Anm. 43).

⁴⁵ Vgl. J. Klaproth, *Voyage au Mont Caucase et en Géorgie*, 2 Bde., Paris 1823 (zu den Osseten vgl. II, S. 223 ff.).

⁴⁶ Vgl. H. Hübschmann, *Sage und Glaube der Osseten*, in: »Zeitschrift der deutschen Morgenländischen Gesellschaft«, 41 (1887), S. 533.

⁴⁷ Vgl. Klaproth, *Voyage*, cit., II, S. 254–55. Diese Stelle wird in den in der folgenden Anmerkung genannten Studien nicht erwähnt.

⁴⁸ Vgl. zu all dem die Untersuchungen von B. Gatiev (1876) und V. Miller (1882), auf die bereits Dumézil, *Le problème des Centaures*, Paris 1929, S. 92–93 hinwies und zurückgriff. Sie waren mir zugänglich dank der Hilfe von Aleksándr Gorfunkel (der mir Kopien davon beschaffte) und Marussa Ginzburg (die sie mir übersetzte). Beiden gilt meine Dankbarkeit.

⁴⁹ Vgl. Evliyâ Çelebi, *Seyohâtnâme*, VII, Istanbul 1928, S. 733–37. Peter Brown hat mich nicht nur auf dieses Zeugnis hingewiesen, sondern mir auch eine englische Übersetzung davon zukommen lassen: Ich danke ihm hiermit wärmstens.

⁵⁰ Festzuhalten ist, daß Haushaltsgeräte (die Besen einmal ausgenommen) selten unter den von den europäischen Hexen zum Sabbatflug benutzten Fortbewegungsmitteln vorkommen. Zu den Ausnahmen zählen die Hexen von Mirandola, die Bänke und Hocker bestiegen: vgl. G. F. Pico, *Strix sive de ludificatione daemonum*, Bononiae 1523, Bl. Dvʳ.

⁵¹ Vgl. *Die Benandanti*, cit., S. 102 ff.

⁵² Vgl. *Il libro degli Eroi. Leggende sui Narti*, hg. v. G. Dumézil, ital. Übers., Mailand 1979², S. 107–31 (frz. Orig: *Le livre des héros*, Paris 1965): *Soslan nel Paese dei Morti* (der Kommentar stellt die Ähnlichkeit zu den Ekstasen der *Burkudzäutä* nicht heraus); vgl. auch G. Dumézil, *Légendes sur les Nartes suivies de cinq notes mythologiques*, Paris 1930, S. 103 ff.

⁵³ Vgl. oben, S. 111 ff.

⁵⁴ Vgl. G. Dumézil, *Romans de Scythie et d'alentour*, Paris 1978, S. 12; J. H. Grisward, *Le motif de l'épée jetée au lac: la mort d'Arthur et la mort de Badraz*, in: »Romania« 90 (1969), S. 289–340 u. 473–514.

⁵⁵ Zu den kurzen Zuständen von Bewußtlosigkeit, die der Berufung oder der Tierverwandlung der *Táltos* vorausgingen, vgl. Diószegi, *Die Überreste*, cit., S. 122 ff.; anderer Ansicht ist Róheim, *Hungarian Shamanism*, cit., S. 147.

⁵⁶ Vgl. oben, S. 164.

⁵⁷ Vgl. V. Foix, *Glossaire de la sorcellerie landaise*, in: »Revue de Gascogne«, 1903, S. 368–69 u. 450 (Ich danke Daniel Fabre, der mich durch Übersendung einer Kopie auf diesen Aufsatz aufmerksam machte).

⁵⁸ Einer der Benandanti (Menichino aus Latisana) gab nur drei Daten an: den Johannistag, Fronleichnam und den Matthiastag; vgl. *Die Benandanti*, cit., S. 102. Bei den *Táltos* ist das einzige genau angegebene Datum die Sankt-Georgs-Nacht (in der Gegend von Debreczin): vgl. Róheim, *Hungarian Shamanism*, cit., S. 120.

⁵⁹ Es versteht sich, daß jedes dieser Elemente, einzeln genommen, einen sehr viel größeren, für die Zwecke dieser Untersuchung faktisch unbrauchbaren Raum umfaßt. Zur Bestätigung vgl. E. Arbman, *Ecstasy or Religious Trance*, 3 Bde., Uppsala 1963–70, der, wenn ich recht gesehen habe, die hier analysierten Phänomene nicht einmal erwähnt.

⁶⁰ Bezug genommen wird hier auf die berühmten Seiten von L. Wittgenstein, *Philosophische Untersuchungen*, Frankfurt a. M. 1971, S. 56 ff. (Par. 65 ff.). Es ist bekannt, daß der Begriff der »Familienähnlichkeiten« (S. 57, Par. 67) durch ein Experiment von F. Galton nahegelegt wurde. Nicht erwähnt (doch irgend jemand wird es gewiß getan haben) finde ich hingegen das wahrscheinliche Zwischenglied zwischen Wittgenstein und den Ausführungen von Galton, nämlich *Die Traumdeutung* von Freud (vgl. *Gesammelte Werke*, Frankfurt a. M. 1961³, Bd. II/III, S. 144 u. 299), wo die »Familienähnlichkeiten« in einem etwas anderen Sinn eingeführt werden, um das Phänomen der Verdichtung zu illustrieren. Vgl. zu diesem Thema und seinen Implikationen allgemein Needham, *Polythetic Classification*, cit. (grundlegend).

⁶¹ Zu all dem vgl. Eliade, *Some Observations*, cit., S. 158–59. Allgemein siehe auch H. A. Senn, *Were-Wolf and Vampire in Rumania*, New York 1982.

⁶² Vgl. zu all dem den scharfsinnigen Aufsatz von G. Ravis-Giordani, *Signes, figures et conduits de l'entre-vie-et-mort; finzione, mazzeri et streie corses*, in: »Études Corses«, 12–13 (1979), S. 361 ff. (den mir der Verfasser freundlicherweise zugesandt hat), in dem die Ähnlichkeiten zu den Benandanti erörtert werden. Nützliches ethnographisches Material bei D. Carrington u. P. Lamotte, Les »*mazzeri*«, ebd., Nr. 15–16 (1957), S. 81–91; D. Carrington, *Granite Island*, London 1971, S. 51–61. In einem sehr oberflächlichen Buch (*Le folklore magique de la Corse*, Nizza 1982) weist R. Multedo auf S. 248 ohne weitere Angaben auf Schamanen (oder geht es vielmehr um *Mazzeri*?) hin, die sich auf ihrer ekstatischen Reise einer Bank, überzogen mit einer Roßhaut, bedienen.

⁶³ Vgl. *Die Benandanti*, cit., S. 89.

⁶⁴ *Ebd.*, S. 101 ff. Zur Geburt mit den Füßen voran vgl. Belmont, *Les signes de la naissance*, cit., S. 129 ff.

⁶⁵ Vgl. Bošković-Stulli, *Kresnik Krsnik*, cit., S. 277.

⁶⁶ Zu seiner Verbreitung in verschiedenen Teilen Europas vgl. E. F. Knuchel, *Die Umwandlung in Kult, Magie und Rechtsbrauch*, Basel 1919.

⁶⁷ Vgl. L. Allacci, *De templis Graecorum recentioribus … De Narthece ecclesiae veteris … nec non de Graecorum hodie quorundam opinionibus…*, Coloniae Agrippinae 1645, S. 140 ff. Auch den Kindern, die zwischen Weihnachten und Sankt Basilius zur Welt kamen und deshalb im Verdacht standen, Vampire *(Vrikolakes)* werden zu können, wurden die Füße in einen heißen Ofen gesteckt: vgl. G. Drettas, *Questions de vampirisme*, in: »Études rurales« 97–98 (1985), S. 216, Anm. 4. In Ungarn tut man so, als werfe man die Kinder, bei denen man argwöhnt, sie seien von der Hebamme verwechselt worden, in den Kamin oder den Kochtopf: vgl. Losonczy, *Le chamane-cheval*, cit., S. 62. Zu Fällen von Verhören wie dem bei Allacci wiedergegebenen vgl. Knuchel, *Die Umwandlung*, cit., S. 7; *Die Benandanti*, cit., S. 101.

⁶⁸ Dies bemerkte bereits J. C. Lawson, *Modern Greek*

Folklore and Ancient Greek Religion, Cambridge 1910, S. 210 (von diesem nach wie vor unabdingbaren Buch gibt es einen reprographischen Nachdruck – New York 1964 – mit einem Vorwort von A. N. Oikonomides).

⁶⁹ Für ihre Informationen zu diesem Punkt möchte ich Nikolaos Kontizas und Gianni Ricci herzlich danken.

⁷⁰ Zu all dem vgl. Lawson, Modern Greek Folklore, cit., S. 190–225.

⁷¹ Vgl. F. Boll, Griechische Gespenster, in: »Archiv für Religionswissenschaft«, 12 (1909), S. 149–51, der die von B. Schmidt vorgeschlagene Herleitung vom türkischen »Kara-Kondjolos« (Vampir) verwirft, bzw. G. A. Megas, Greek Calendar Customs, Athen 1958, S. 33–37. Nichts Neues zu den Kallikantzaroi, abgesehen von einem oberflächlichen psychologischen Erklärungsversuch, findet sich bei R. u. E. Blum, The Dangerous Hour, New York 1970, S. 119–22, 232 u. 331.

⁷² Vgl. R. Needham, Polythetic Classification, cit.

⁷³ Vgl. Einleitung, S. 22.

⁷⁴ Zu den erstgenannten vgl. Die Benandanti, cit., S. 15 u. 53; Eliade, Some Observations, cit., S. 153 ff. Zu den Táltos siehe jetzt, nach den Studien von G. Róheim und V. Diószegi, Klaniczay, Shamanistic Elements, cit., der die Parallele zu den Schamanen auf die Kresniki ausdehnt. Zu den Werwölfen vgl. G. H. von Schubert, Die Geschichte der Seele, Tübingen 1839³, S. 394 ff., auf den R. Leubuscher, Ueber die Wehrwölfe und Thierverwandlungen im Mittelalter. Ein Beitrag zur Geschichte der Psychologie, Berlin 1850, S. 39–40, Anm. zurückgreift. Trotz Roschers Hinweis auf die Stelle bei Leubuscher (Von der »Kynanthropie«, cit., S. 21, Anm. 52) wurde der Zusammenhang zwischen Schamanen und Werwölfen in der nachfolgenden Literatur weitgehend ignoriert: siehe jedoch G. Vernadsky, The Eurasian Nomads and their Art in the History of Civilization, in: »Saeculum«, I (1950), S. 81, und jetzt Å. Hultkrantz, Means and Ends in Lapp Shamanism, in: Studies in Lapp Shamanism, cit., S. 57; R. Grambo, Shamanism in Norwegian Popular Legends, in: Shamanism in Eurasia, cit., S. 396. Spuren schamanistischer Motive in den russischen Bylinen, in denen, wie man sich erinnern wird, auch Hinweise auf Werwölfe vorkommen, hat Meriggi herausgestellt (Le byline, cit., S. 12, 21 ff. etc.); vgl. auch Jakobson, Autoritratto, cit., S. 134. Zu den Burkudzäutä vgl. den kurzen, aber genauen Hinweis von É. Benveniste, Études sur la langue ossète, Paris 1959, S. 139–40. Zu den Mazzeri vgl. Ravis-Giordani, Signes, cit., S. 369 ff., der die von R. Multedo, Le ›mazzerisme‹ et la folklore magique de la Corse, Cervione 1975 (das ich nicht eingesehen habe) vorgeschlagene Ähnlichkeit mit den Schamanen kritisiert.

⁷⁵ Dies ist die Annahme von M. Eliade, Shamanism, Archaic Techniques of Ecstasy, Princeton (N. J.) 1974 (mit ausführlicher, auf den Stand des Jahres 1964 gebrachter Bibliographie), der zuletzt jedoch auch Phänomene als schamanistisch ansieht, die sich nicht durch Ekstase im strengen Sinn auszeichnen: siehe die kritischen Stellungnahmen von D. Schroeder, in: »Anthropos«, 48 (1953), S. 671–78 und von Lot-Falck, Le chamanisme en Sibérie, cit. Auch L. Vajda, Zur phraseologischen Stellung des Schamanismus, in: »Ural-Altaische Jahrbücher«, 31 (1959), S. 456–85 hält, darin mit den anderen übereinstimmend, die Ekstase für eines der Erkennungsmerkmale des sibirischen Schamanismus. Zugleich betont er, daß keines dieser Merkmale (zu diesen siehe im weiteren, S. 174) als ausschließlich schamanistisch angese-

hen werden dürfe: Ihr gleichzeitiges Vorhandensein mache die Originalität des Schamanismus aus. Eine ausgewählte Bibliographie ist der vorzüglichen Textsammlung Testi dello sciamanesimo siberiano e centroasiatico, hg. v. U. Marazzi, Turin 1984, vorangestellt.

⁷⁶ Vgl. Peucer, Commentarius, cit., S. 143 r: »horis viginti quatuor elapsis, revertente spiritu ceu e profundo somno cum gemitu expergiscitur exanime corpus, quasi revocetur in vitam ex morte qui conciderat.«

⁷⁷ Vgl. Die Benandanti, cit., S. 96.

⁷⁸ Vgl. ebd., S. 39; in Friaul blieben in der zweiten Hälfte des 16. Jahrhunderts dem Geist vierundzwanzig Stunden, um in den Körper zurückzukehren. In Lappland hingegen waren es laut einer im Jahr 1922 aufgenommenen Information drei Tage und drei Nächte: vgl. T. I. Itkonen, Der »Zweikampf« der lappischen Zauberer (Noai'di) um eine Wildrentierherde, in: »Journal de la Société finno-ougrienne«, 62 (1960), Heft 3, S. 4, Anm. 3

⁷⁹ Vgl. V. Diószegi, Le combat sous forme d'animal des chamans, in: »Acta Orientalia Academiae Scientiarum Hungaricae«, II (1952), S. 315–16 (Zusammenfassung eines umfänglichen Aufsatzes in russischer Sprache). Ein Hinweis in dieser Richtung findet sich bereits bei Harva (Holmberg), Les représentations, cit., S. 326, wo auch die Fylgia der Skandinavier (hierzu siehe im weiteren, S. 268) kurz erwähnt wird. Die Unterscheidung zwischen »weißen« und »schwarzen« Schamanen, die vor allem bei den Burjaten anzutreffen ist, hat wahrscheinlich eine andere Bedeutung, wie Vajda, Zur phraseologischen, cit., S. 471–73, bemerkt, der in den in Ekstase ausgetragenen Kämpfen eines der Unterscheidungsmerkmale des Schamanismus erkennt. Siehe aber auch L. Krader, Buryat Religions and Society, in: Gods and Rituals, hg. v. J. Middleton, Austin u. London 1967, S. 117 ff.

⁸⁰ Vgl. Monumenta historica Norvegiae latine conscripta, hg. v. G. Storm, Kristiania 1880, S. 85–97. Siehe auch Hultkrantz, Means and Ends, cit., S. 54; R. Grambo, Shamanism in Norwegian Popular Legends, in: Shamanism in Eurasia, cit., S. 391 ff.; R. Boyer, Le monde du double, Paris 1986, S. 65–66.

⁸¹ Vgl. den wichtigen Aufsatz von Itkonen, Der ›Zweikampf‹, cit., S. 1 ff. Siehe auch L. Bäckman, Types of Shaman: Comparative Perspectives, in: Studies in Lapp Shamanism, cit., S. 77.

⁸² Auf diesem Punkt insistiert zu Recht Klaniczay, Shamanistic Elements, cit., S. 414.

⁸³ Sie stimmen im wesentlichen mit den von Vajda, Zur phraseologischen, cit., ausgemachten Merkmalen überein (den ich erst nach Abfassung dieser Seiten gelesen habe). Einige Unterschiede sind nicht sehr bedeutend. (Auf S. 465 weist Vajda etwa auf die körperlichen Eigenheiten der künftigen Schamanen hin, stellt sie jedoch nicht als Unterscheidungsmerkmal heraus.) Der bemerklichste Unterschied besteht darin, daß die hier analysierten Phänomene keine kosmologischen Implikationen aufweisen: vgl. dagegen Vajda, S. 470–71 zu den sibirischen Schamanen.

⁸⁴ Vgl. T. Lehtisalo, Entwurf einer Mythologie der Jurak-Samojeden, Helsinki 1924, S. 114. Und siehe im weiteren, S. 267 ff.

⁸⁵ Vgl. Lot-Falck, Le chamanisme, cit., S. 6.

⁸⁶ Vgl. Å. Ohlmarks, Studien zum Problem des Schamanismus, Lund 1939; R. T. Christiansen, Ecstasy and Arctic Religion, in: »Studia Septentrionalia«, IV (1953),

S. 19–92; Å. Hultkrantz, *Types of Religion in the Arctic Cultures. A Religio-Ecological Approach,* in: *Hunting and Fishing...,* hg. v. H. Hvarfner, Luleå 1965, S. 264–318 (insbes. S. 310, wo die alte These von Ohlmarks differenzierter wiederaufgenommen wird). Zur Vertiefung vgl. E. De Martino, *Il mondo magico,* Turin 1948, S. 91 ff.; Vajda, *Zur phraseologischen,* cit., S. 260–61; E. Lot-Falck, *Psychopathes et chamanes yakoutes,* in: *Échanges et communications, Mélanges offerts à Cl. Lévi-Strauss,* hg. v. J. Pouillon u. P. Maranda, Den Haag–Paris 1970, I, S. 115–29; ders., *Le chamanisme,* cit., S. 4 ff.

[87] Vgl. *Die Benandanti,* cit., S. 59 u. 113.

[88] Vgl. Olaus Magnus, *Historia,* cit., S. 115–16.

[89] Vgl. D. Strömbäck, *The Realm of the Dead on the Lappish Magic Drum,* in: »Arctica. Studia Ethnographica Upsaliensa«, XI (1956), S. 216–20.

[90] Veröffentlicht von K. R. Hagenbach, *Die Basler Hexenprozesse in dem 16ten und 17ten Jahrhundert,* Basel [1840?], S. 5–7, der mehrmals die außergewöhnlichen Merkmale des Prozesses hervorhebt. Ein ebenso verzerrtes Echo ähnlicher Themen vernimmt man vielleicht in Hexenprozessen, die in Szged (Ungarn) im Jahr 1728 geführt wurden: vgl. T. Dömötör, *Hungarian Folk Beliefs,* Bloomington (Ind.) 1982, S. 70–71.

[91] Vgl. Z. Kovács, *Die Hexen in Rußland,* in: »Acta Ethnographica Academiae Scientiarum Hungaricae«, 22 (1973), S. 51–85, insbes. S. 82–83; der Verfasser weist auf die Ähnlichkeit mit den Prozessen gegen ungarische Hexen hin. Der Aufsatz von Kovács scheint R. Zguta, *Witchcraft Trials in Seventeenth-Century Russia,* in: »The American Historical Review«, 82 (1977), S. 1187–1207 entgangen zu sein.

Gewalt der

Zykl. Anweisungen,

Namenübernahmen

Die Symmetrie des

Aufbaues 73 kommd. schwedr
&
B Teens
&
B Frauen

Herd mit = Emganie Best

IN DEN MASKEN VON TIEREN

Unter dem Druck von Bischöfen, Predigern und Inquisitoren wurden die Glaubensvorstellungen über die Totenschar, die man vorher für einen mehr oder minder harmlosen Aberglauben gehalten hatte, gewaltsam mit dem Sabbatstereotyp in Zusammenhang gebracht. Die diabolische Aura, die sie fortan umgab, verblaßte erst nach der Mitte des 17. Jahrhunderts, als die Verfolgung des Hexenwesens wieder nachließ. Erst dann wurden jene Glaubensvorstellungen aus einiger Distanz heraus, in historischer Perspektive betrachtet. Am Ende seiner Abhandlung *De exercitu furioso* (1688) bemerkte der lutherische Pastor P. C. Hilscher, die ältesten Zeugnisse zum Zug der toten Seelen gingen auf jene Zeit zurück, in welcher sich das in Thüringen, Franken und Schwaben bereits verbreitete Christentum infolge der durch die römischen Kirche eingeführten Irrtümer langsam korrumpiert habe[1]. Noch das gesamte 16. Jahrhundert hindurch habe der Aberglaube fortgedauert; einem anonymen Informanten Hilschers, wahrscheinlich einem Pastor aus Erfurt, zufolge waren die Erscheinungen seit einiger Zeit nun aber sehr viel seltener geworden. An diesem Punkt wies Hilscher auf einen Brauch hin, der sich in Frankfurt – wir wissen nicht, seit wann – eingebürgert hatte. Jedes Jahr würden einige Jünglinge dafür bezahlt, daß sie am Abend einen großen, mit Zweigen bedeckten Karren von Stadttor zu Stadttor zögen, unter Gesängen und Prophezeiungen, die sie sich, um keine Fehler dabei zu machen, von kundigen Leuten hätten beibringen lassen. Das gemeine Volk sage, schloß Hilscher, auf diese Weise werde feierlich des Heeres des Eckhart gedacht[2].

2. Die Zuschauer erkannten in der Frankfurter Zeremonie demnach eine Darstellung des »Totenheers« – der Totenscharen, an deren Spitze sich verschiedene mythische Gestalten abwechselten, darunter, wie man sich erinnern wird, der alte Eckhart. Ihre Reaktion erlaubt uns, in derselben Zeremonie einen Ritus zu erkennen. Gewiß, die Jünglinge, die auf Bezahlung und anhand von Anweisun-

gen anderer die Totenprozession verkörperten, lassen eher an Berufsschauspieler denken als an Adepten von Geheimbünden, ergriffen von dämonischer Raserei[3]. Doch was für die einen sozusagen eine Vorlage war, nach der sich eine Art Theaterdarbietung entwickeln ließ, war für andere Teil eines Kernstücks von Erinnerungen, die wiederbelebt und weitergegeben werden konnten.

Dieses frühe Beispiel einer Wiederentdeckung oder Neuerfindung einer Tradition beweist einmal mehr, daß die (vor allem städtische) Volkskultur des vorindustriellen Europa alles andere als statisch war[4]. Aber es legt auch eine allgemeinere Überlegung nahe. Jeder Ritus – die aus einem revolutionären Bruch geborenen eingeschlossen – sucht seine Legitimation in einer wirklichen oder imaginären Vergangenheit[5]. Da sich die Erfindung eines Ritus stets als Wiederauffindung gibt, hat die augenscheinliche Künstlichkeit der von Hilscher beschriebenen Situation nichts Außergewöhnliches an sich. Die Einsetzung eines Ritus – ein zutiefst widersprüchliches Ereignis, da der Ritus definitionsgemäß dem Fluß der Zeit enthoben ist – setzt einen Gegensatz voraus zwischen solchen, die sich auf eine Tradition berufen, welche gemeinhin als seit unvordenklichen Zeiten bestehende hingestellt wird, und solchen, denen diese fremd ist.

Leider äußert sich Hilscher weder darüber, wann die Frankfurter Zeremonie eingeführt wurde, noch, in welcher Jahreszeit sie stattfand, noch, wer den Jünglingen, die sie feierlich vollzogen, Anweisungen erteilte. Handelte es sich vielleicht um Alte, die, auf eine ferne, gelebte Erfahrung sich berufend, bereits obsolet gewordene Bräuche neuerlich ins Spiel brachten? Oder handelte es sich vielmehr um Gelehrte, die versuchten, auf der Grundlage von Bücherwissen antike Riten, wirkliche oder imaginäre, wiederzubeleben?

3. Diese letzte Hypothese kann nicht sofort verworfen werden. Zu jener Zeit hatte die Beziehung zwischen Weihnachts- oder Karnevalsbräuchen und griechischen und römischen Festen die Neugierde der deutschen Altertumsforscher geweckt. Fast gleichzeitig mit den *Saturnalia* des Praetorius war im Jahr 1670 in Leipzig ein gelehrtes Werk von M. Lipen (Lipenius) mit dem Titel *Integra strenarum civilium historia* erschienen. Unter den zahlreichen darin erörterten Zeugnissen befand sich eine Predigt gegen das Fest der Januarkalenden, die am Epiphaniastag des Jahres 400 von Asterios, Bischof von Amaseia in Kappadokien, gehalten wurde. Neben der auch in Rom geübten Sitte, sich zum Jahresbeginn gegenseitig zu beschenken, verurteilte Asterios scharf einige in seiner Diözese verbreitete Riten. Komödianten, Taschenspieler und Leute aus dem Volk *(demotai)* teilten sich in Gruppen auf und zögen von Tor zu Tor; unter Geschrei und Applaus wünschten sie den Hausbewohnern Wohlstand und verlangten Geld; die Belagerung werde erst aufgehoben, wenn man, erschöpft, den Forderungen der Aufdringlichen nachgebe. Der Bettelumzug dauere bis zum Abend; auch Kinder nähmen daran teil, die Äpfel verteilten und dafür Geldsummen von doppeltem Wert ergatterten. Auf einem ähnlichen Karren, wie man sie auf dem Theater sehe, setzten beim selben Anlaß Soldaten, die als Frauen verkleidet seien, einen der ihren als fiktiven Herrscher ein, der dann verspottet und verhöhnt werde[6]. Daß die in Niedermösien und Kappadokien stationierten Truppen an den Januarkalenden einen König zu ernennen pflegten, geht auch aus der

Lebensgeschichte des heiligen Dasius hervor, eines christlichen Soldaten, der im Jahr 303 in Durostorum am Schwarzen Meer (dem heutigen Silistria in Bulgarien) gemartert wurde, weil er sich geweigert hatte, jene Rolle zu verkörpern[7].

Gruppen von Jünglingen, die einmal im Jahr (wir wissen nicht wann) abends von Tor zu Tor zogen, dabei Lieder und Prophezeiungen sangen: die spärlichen Einzelheiten, die Hilscher uns übermittelt hat, lassen vage eine mögliche Ähnlichkeit mit einigen der von Asterios verurteilten kappadokischen Riten erkennen. Könnte der mit Zweigen bedeckte Karren nicht eine Anspielung auf den Karren sein, der den eintägigen König der Saturnalien trug, und die Zeremonie von Frankfurt nicht eine gelehrte Gedenkveranstaltung, angeregt durch irgendeinen Altertumsforscher, der weniger als Lipenius zur moralischen Verurteilung der heidnischen Zeremonien neigte[8]? Die Reaktion der Zuschauer läßt einen diese Hypothese verwerfen. Wenn das Volk, wie Hilscher bemerkte (Asterios hatte von *demotai* gesprochen), imstande war, die Gesamtbedeutung der Zeremonie zu entschlüsseln, konnte diese nicht auf einer Reihe von gelehrten Bezügen beruhen. Der Karren, den die Gruppe von Jugendlichen mit sich führte, wird wahrscheinlich jener der Holda gewesen sein, der auch in einer Beschreibung des Karnevals von Nürnberg aus dem 16. Jahrhundert auftaucht[9].

4. An diesem Punkt mag auch die vage erkannte Ähnlichkeit mit den von Asterios beschriebenen Riten, die wir zu erkennen glaubten, irrelevant erscheinen. Das Problem ist jedoch komplexer, als wir es bisher ausgeführt haben. Anders als die mit der vorübergehenden Inthronisierung des Saturnalienkönigs verbundene Tradition dauerten die Bettelumzüge bis weit über das 5. Jahrhundert hinaus fort. Bis vor wenigen Jahrzehnten pflegten in einem riesigen, Teile Europas, Kleinasiens und Zentralasiens umfassenden Gebiet Schwärme von Kindern und Jugendlichen in den zwölf Tagen zwischen Weihnachten und Epiphanias (seltener in der Mitte der Fastenzeit), oft als Pferde oder andere Tiere verkleidet, von Haus zu Haus zu ziehen, dabei Lieder zu singen und Süßigkeiten und kleine Geldsummen zu erbetteln. Die Schmähungen und Flüche, die auf eine eventuelle Weigerung folgten, bewahrten noch den alten, aggressiven Beigeschmack des Bettelumzugs, wie ihn bereits Asterios wahrgenommen hatte. Im allgemeinen wurde das Almosen jedoch gewährt: die Bettelnden begrüßten es mit Glückwunschgesängen für die Hausbewohner. In einigen Fällen hat sich dieser Brauch bis in unsere Tage hinein gehalten[10].

In den durch die Dörfer ziehenden Schwärmen verkleideter Kinder und Jugendlicher hat man eine Darstellung der Totenscharen gesehen, die traditionsgemäß besonders häufig in den Zwölf Tagen erschienen[11]. Die Streifzüge der Kinder in den englischsprachigen Ländern diesseits und jenseits des Atlantik in der Nacht von Halloween (31. Oktober) sind ein lebendiges Beispiel für einen analogen Brauch. Der scheinbar scherzhafte Ritus des Bettelumzugs soll angeblich ambivalente Gefühle einflößen – Angst; Schuldgefühle; den Wunsch, sich durch Bußzahlungen Gunst zu verschaffen –, wie sie mit dem ambivalenten Bild der Toten verknüpft seien[12]. Diese psychologischen Implikationen kann man nur vermuten; die Identifizierung der Bettelnden mit den Toten scheint hingegen unleugbar[13]. Sie läßt gleichwohl eine entscheidende Frage im Dunkeln: ob nämlich die Bedeutung des Ritus für seine Akteure und seine Zuschauer auch immer eindeutig dieselbe ist. Im Frankfurter Fall freilich steht das Wissen letzterer außer Frage: Die Jugendlichen, die mit Glückwunschgesängen von Haus zu Haus zogen (»non sine cantionibus et vaticiniis«, schrieb Hilscher), – ob sie auch bettelten, wissen wir nicht –, wurden vom Volk ausdrücklich mit der Totenschar identifiziert.

5. Die Zeremonie wiederholte sich in Frankfurt jedes Jahr; daß sie während der Zwölf Tage stattfand, ist nur eine Mutmaßung. Doch das Zeugnis, so summarisch es auch sein mag, ist kostbar. Die Reaktionen des Volkes bieten uns einen Anhaltspunkt, um die rituellen Entsprechungen der bis jetzt untersuchten Mythen zu rekonstruieren. Dennoch beziehen sich Mythen und Riten auf verschiedene Ebenen der Realität: ihre Beziehung zueinander ist, so eng sie auch sein mag, nie eine spiegelbildliche. Wir können sie als verschiedene Sprachen ansehen, die sich wechselseitig übersetzen, ohne jemals völlig zur Deckung zu gelangen. Anstatt von Koinzidenzen werden wir eher von mehr oder weniger partiellen Isomorphismen sprechen.

Seit den ersten Jahrhunderten der christlichen Zeitrechnung ging das Fest der Januarkalenden mit zuvor nicht bezeugten Zeremonien einher. Wie aus der im Jahr 400 gehaltenen Predigt des Asterios hervorgeht, pflegten sich in Kappadokien die Soldaten als Frauen zu verkleiden. Auf ähnliche Verkleidungen beim selben Anlaß wies um das Jahr 420, wenn auch nur allgemein, Maximus von Turin hin; in speziellerer Form, wiederum auf die Soldaten bezogen, tat dies ein Jahrhundert später auch Caesarius von Arles. Aber diese Übereinstimmung steht allein: Insgesamt weisen die Zeugnisse zu den Riten, die an den Januarkalenden praktiziert wurden, wesentliche Unterschiede auf, obwohl sie allesamt auf eine Grundatmosphäre festlicher Regellosigkeit hindeuten. Im Westen, genauer noch im keltisch-germanischen Raum, finden wir den Brauch, sich als Tiere zu verkleiden und nächtliche Speisegaben für unsichtbare weibliche Wesen auf gedeckten Tischen zu hinterlassen. Im Osten begegnen wir Bettelumzügen von Kindern und Jugendlichen und der vorübergehenden Inthronisierung (vielleicht syrisch-phönikischen Ursprungs) des eintägigen Saturnalienkönigs unter den Soldaten[14].

Diese schematische Zusammenfassung wirft nicht viel Licht auf die Bedeutung oder die Bedeutungsvielfalt dieser Riten. Aber versuchen wir, sie näher zu untersuchen. Caesarius von Arles zufolge richteten die Bauern in der Nacht der Kalenden Tische voller Speisen her, um ein reiches Jahr zu bekommen. Dieser Brauch hielt sich unzweifelhaft lange: Fünfhundert Jahre später verspürte Burchard von Worms noch das Bedürfnis, ihn zu verdammen, wobei er präzisierte, der Tisch werde mit drei Messern gedeckt, die für die Parzen bestimmt seien. Wir haben gesehen, daß diese nichts anderes als die lange Zeit als gute Herrinnen (bonnes dames, bonae dominae) verehrten keltischen Matronae waren. Zusammen mit der sie anführenden Göttin des Wohlstandes und der Toten – Abundia, Satia, Richella – erhielten diese Figuren, die mit den nächtlichen Ekstasen verbunden waren, von ihren Anhängern oder Anhängerinnen Speise- und Trankgaben[15]. Zwischen den an den Januarkalenden praktizierten Riten und den ekstatischen

Kulten, die wir zu rekonstruieren versucht haben, besteht also eine Verbindung, die auf eine andere, zur nämlichen Zeit verbreitete Sitte auszudehnen legitim scheint. Kein vernünftiger Mensch möchte es glauben – so wiederum Caesarius von Arles –, aber es gibt Personen, die, durchaus bei Verstand, sich als Hirsche verkleiden (»cervulum facientes«); andere legen Schafs- oder Ziegenhäute an, wieder andere setzen Tiermasken auf (»alii vestiuntur pellibus pecudum, alii assumunt capita bestiarum«); dabei geraten sie vor Freude schier außer sich, da sie, wenn sie das Aussehen von Tieren angenommen haben, keine Menschen mehr zu sein scheinen (»gaudentes et exsultantes, si taliter se in ferinas species transformaverint, ut homines non esse videantur«). Seit Mitte des 4. Jahrhunderts finden wir entsprechende Verbote, die neben dem Hirschen gewöhnlich die Färse (»vetula«) und in einem Fall, vielleicht, die Stute (»hinnicula«) nennen[16]. Wir schlagen vor, in diesen Tierverkleidungen eine rituelle Entsprechung zu den in Ekstase erlebten Tierverwandlungen oder den ekstatischen Ritten auf Tieren zu sehen, die eine Variante der ersteren bildeten. Wenn man diese Hypothese akzeptiert, fügen sich die meisten der im Westen wie im Osten an den Januarkalenden praktizierten Riten in ein kohärentes Bild. Bettelumzüge von Kindern, für die nächtlichen Gottheiten gedeckte Tische und Tierverkleidungen stellten demnach verschiedene Weisen dar, mit den Toten, den zwielichtigen Spendern von Wohlstand, in Beziehung zu treten: in der bedeutungsvollen Zeit, in der das alte Jahr zu Ende geht und das neue beginnt[17].

6. Zu dieser noch vorläufigen Schlußfolgerung sind wir gelangt, indem wir frühe, lückenhafte oder stereotype (jedenfalls rätselhafte Texte) mit Hilfe sehr [...] iesen Weg schlechterdings zu ver- [...] it zu verschließen, ungleichzeitige [...] und damit auch jede Möglichkeit, [...] t man jedoch eingewandt, daß die [...] iere – der Hirsch, die Färse, viel- [...] kstatischen Reisen im Gefolge der [...] . Doch diese Abweichung ist ein [...] usammenhang ekstatischer Erfah- [...] eise der bei den Verwandlungen [...] sentlichen einheitliche Mythen[19]. [...] ng des geographischen Rahmens [...] Jahresbeginn stattfindenden, mit [...] gen der Kinder ergibt. Das älteste [...] n oder jüngsten Zeugnisse decken, [...] t ab, das von Frankreich über die [...] meinden Kleinasiens bis nach Zen- [...] mit dem streng keltischen oder [...] gen, aus dem die frühmittelalterli- [...] men? Die Möglichkeit, daß es sich [...] l auszuschließen. Die Verkleidun- [...] lbinsel (in Albanien, Thessalien, Makedonien, Bulgarien) anläßlich der Anfang Januar veranstalteten Pantomi-

men mit erotischem und possenhaftem Hintergrund praktiziert wurden, erinnern an die von Caesarius von Arles verurteilte Sitte, in derselben Zeit Schafs- oder Ziegenhäute anzulegen (»alii vestiuntur pellibus pecudum«)[20]. Die »obszönen Garstigkeiten« der Tierverkleidungen – wahrscheinlich eine phallische Anspielung –, die Caesarius mit Scham und Bedauern zu quittieren empfahl (»in quibus quidem sunt quae primum pudenda, aut potius dolenda sunt«), gaben vielleicht auch im Westen – bereits im 6. Jahrhundert – den Anstoß zu rituellen Pantomimen. All dies lädt dazu ein, die Analyse weiterzuverfolgen und die vergleichende Untersuchung auf Mittel- und Osteuropa auszudehnen.

7. Von der Balkaninsel bis zur Ukraine werden die Zeremonien, die zu Jahresende und -beginn stattfinden, von Gruppen mit Initiationscharakter begangen, bestehend aus Jugendlichen fast immer männlichen Geschlechts, die je nach Gegend mit verschiedenen Namen bezeichnet werden. *Ceăta* in den Karpaten; *Eskari* im makedonischen Bulgarien; *Surovaskari* in Ostbulgarien; *Coledari* (von *calendae*) in Serbien und Westbulgarien; *Regös* in Ungarn; *Koljadanti* in der Ukraine usw.[21]. Die *Coledari* zum Beispiel sind in der Regel ledig oder erst seit kurzem verheiratet; manchmal werden sie innerhalb der Gruppe nur bis zur Geburt ihres ersten Kindes akzeptiert. Sie versammeln sich einige Wochen vor Weihnachten im Beisein eines Anführers. Am Heiligen Abend ziehen sie verkleidet durch die Dorfstraßen und singen eigens dafür vorgesehene Lieder *(colinde)*. Sie wünschen Reichtum, Gesundheit für das Vieh; vor Häusern, in denen jemand während des Jahres gestorben ist, stimmen sie Trauergesänge an und bringen Nachrichten vom Verstorbenen. Vergolten wird ihnen dies mit Speisen, manchmal mit Geld. Die *Koljadanti* tragen ihr Ansinnen in drohendem Ton vor; die *Eskari* erlegen anscheinend regelrechte Tribute auf. Manchmal begehen sie kleinere Diebstähle, ohne daß jemand darum viel Aufhebens machte. Die Größe dieser Gruppen ist sehr unterschiedlich: die *Surovaskari* können auch einmal vierzig oder fünfzig sein; die *Koljadanti* nicht mehr als drei oder vier. Alle tragen Masken; die *Surovaskari* haben große Flügel und zwei Meter hohe Kopfbedeckungen. Fast immer findet sich im Umzug auch ein Tier, die sogenannte Geiß oder das Roß, gewöhnlich von mehreren Personen dargestellt, die, von einem Umhang bedeckt, in einer Reihe gehen.

Diese Winterriten finden in einigen Fällen einen Nachhall in Frühlingsriten. Auch bei ihnen handelt es sich um jahrhundertealte Traditionen: Ein Zeugnis aus dem Jahr 1230 unterrichtet darüber, daß im makedonischen Bulgarien an Pfingsten Scharen von Jugendlichen singend, obszöne Szenen spielend und Gaben erpressend durch die Dörfer rannten[22]. Bei den Rumänen Makedoniens entfalten die *Căluşari* ihre Aktivitäten zwischen dem 1. Januar und Epiphanias; in Rumänien zu Pfingsten *(Rusaliile)*. Hinter dieser Schwankung erahnt man eine wahrscheinliche Entsprechung zweier verschiedener Kalender, des Sonnen- und des Mondkalenders[23]. Sie wird bekräftigt durch die Todeskonnotationen, die das Frühlingsfest der Rosenblüte bereits in heidnischer Zeit angenommen hatte. Wie die Zwölf Tage ist auch Pfingsten – die christliche Reinkarnation der antiken *Rosalia* – eine den Toten geweihte Zeit[24]. All diese Figuren kann man, wie man dies bei den *Coledari* auch getan hat, als Personifizierungen der Toten definieren[25]. Im Licht der Materialsammlung, von der wir ausgegangen sind, wird man präzisieren müssen: Personifizierungen der Toten und zugleich Mittelspersonen zum Jenseits. Nicht anders als die Benandanti etwa überbringen *Coledari* und *Regös* Nachrichten über die Toten. All dies bekräftigt die bereits formulierte provisorische Schlußfolgerung: Zumindest ein Teil der mit Januarkalenden und Pfingsten verbundenen Bräuche brachte in der Sprache des Ritus jene Mythen zum Ausdruck, wie sie Männer und Frauen durchlebten, die regelmäßig in Ekstase die Welt der Toten aufsuchten.

8. Ein dichtes Geflecht konvergierender Daten bestätigt diesen Isomorphismus. In Driskoli in Thessalien nannte man die maskierten Figuren, die zwischen dem 1. Januar und Epiphanias Pantomimen vorspielten, *Karkantzaroi* – eines der vielen Synonyme, mit denen die *Kallikantzaroi* bezeichnet wurden[26]. In diesem Fall erscheint die Entsprechung zwischen Alltagsleben (während der Zwölf Tage geborene Kinder), Mythos (an den Zwölf Tagen umherstreunende Wesen) und Ritus (Jugendliche, deren Auftrag darin besteht, die an den Zwölf Tagen umherstreunenden Wesen zu verkörpern) vollkommen, auch wenn sie über einen Zeitraum von drei Jahrhunderten (zwischen Anfang des 17. und Anfang des 20. Jahrhunderts) und über ein ziemlich großes Gebiet (Insel Chios, Peloponnes, Thessalien) verteilt belegt ist. Wie man sich erinnern wird, war die Zugehörigkeit der *Kallikantzaroi* zur Gruppe der Mittelspersonen zum Jenseits jedoch nicht mit letzter Bestimmtheit erwiesen. Es gilt beweiskräftigere Elemente zu suchen. Eine Reihe rumänischer Zeugnisse liefert sie uns.

In der Mitte des 17. Jahrhunderts beschrieb der Minorit Marcus Bandini, Erzbischof von Marcianopel (in Niedermösien), Durostorum und Tomis (am Schwarzen Meer) eingehend die außergewöhnlichen Taten der Zauberer und Zauberinnen der Moldau[27]. An sie wenden sich die Leute, um etwas über die Zukunft zu erfahren, um von den Krankheiten zu genesen, an denen sie leiden, oder um verlorene Dinge wiederzufinden. Wenn sich die Zauberkundigen einen geeigneten Platz ausgesucht haben, beginnen sie zu murmeln, Kopf und Augen zu verdrehen, den Mund zu verzerren, Grimassen zu schneiden, am ganzen Körper zu zittern; dann stürzen sie zu Boden, mit auseinandergespreizten Händen und Füßen, und bleiben reglos, Toten gleich, eine Stunde lang (manchmal auch zwei oder drei) so liegen. Wenn sie wieder zu Bewußtsein kommen, bieten sie den Zuschauern einen schauerlichen Anblick: Erst richten sie sich auf zitternden Gliedern auf, als würden sie von den Höllenfurien geschüttelt; dann, wenn sie erwachen, offenbaren sie ihre Träume, als wären sie Orakel. Wir wissen nicht, ob sich diese Beschreibung auf eine direkte Beobachtung stützt: Jedenfalls mindert der einzelstehende Hinweis auf die antiken Furien nicht ihren ethnographischen Wert[28]. Was beschrieben wird, ist zweifellos ein Ritus: eine öffentliche Zeremonie, die sich an einem bestimmten Ort *(certo... loci spatio)* und vielleicht auch zu einer bestimmten Zeit abspielte. Ihre Protagonisten waren sowohl Männer als auch Frauen. Unserer Zeit sehr viel nähere rumänische Zeugnisse weisen jedoch darauf hin, daß vorwiegend Frauen zur Ekstase neigten. In einigen Dörfern gab es Frauen, die an Pfingsten *(Rusaliile)* gewohnheitsmäßig in Ekstase fielen; wieder bei Bewußtsein sagten sie, sie hätten mit Gott, mit den Heiligen, mit den Lebenden und den Toten gesprochen. Von einer der ihren, die kostenlos Medikamente verschrieb, hieß es, sie sei von Kind auf *Rusalie* (oder, abwechselnd, Hexe) gewesen. Die *Rusalii* sind nun aber die Geister der Toten (die im slawischen Raum mit weiblichen Wassergottheiten identifiziert werden)[29]. Jenseits des kalendarischen Unterschiedes – in Friaul beispielsweise traten die Ekstasen an den Quatembern ein – finden wir hier Phänomene wieder, die uns bereits vertraut sind. Auch die rumänischen Kolleginnen der weiblichen Benandanti brachten, nachdem sie in Ekstase einen vorübergehenden Todeszustand erreicht hatten, den Ratsuchenden Nachrichten aus dem Jenseits und handelten sich für diese Fähigkeit den Ruf ein, hexen zu können. Dasselbe trug sich noch bis vor wenigen Jahrzehnten in einem Dorf in Makedonien zu, in Velvendos, wo eine Gruppe von Frauen, die sich selbst als *Angeloudia* oder *Angeloudes* (Engel) bezeichneten, der Gemeinde Nachrichten von den Toten überbrachten, die sie in Ekstase von den Engeln erfahren haben wollten. In diesem Fall erfolgten die Treffen geheim, im allgemeinen nachts[30]. In Duboka, einem Gebirgsdorf in Ostserbien an der Grenze zu Rumänien, waren die Ekstasen hingegen öffentlich (und sind es vielleicht immer noch), wie jene, die Bandini vor drei Jahrhunderten beschrieb. An Pfingsten fallen junge und alte Frauen in Katalepsie, umgeben von einer Gruppe von Männern, die einen rasenden Tanz aufführen; ihr Anführer, der ein mit Knoblauch, Kamille und anderen Heilkräutern geschmücktes Messer in der Hand hält, spritzt den leblosen Frauen, um sie aufzuwecken, Flußwasser ins Gesicht, dem Saft von zerhackten Kräutern beigemischt ist[31]. Der Ritus steht in engem Zusammenhang mit den Toten: Unlängst Verstorbene werden indirekt herbeigerufen, indem für sie bestimmte Geschenke dargeboten werden oder man ihre Lieblingsmusik spielen läßt[32].

Am Ritus von Duboka nehmen neben drei *Kraljevi* drei *Kralijce,* das heißt »Königinnen«, teil: eine weibliche Gruppe, die in Ostserbien und im serbischen Banat vorkommt[33]. Diese wechselt sich mit einer analogen männlichen Gruppe ab, die eher genuin rumänisch ist: mit den *Căluşari,* deren Riten man jenem von Duboka zur Seite gestellt hat[34]. Die *Căluşari* stellen von allen balkanischen Jugendbünden den einzigen dar, welcher, und zwar nicht nur auf Grund von Mutmaßungen, eine tiefere Einsicht in die Glaubensvorstellungen erlaubt, die den Hintergrund der jahreszeitlich gebundenen Riten bilden. Die vielfältigen Aktivitäten der *Căluşari* – Tänze, Pantomimen, Heilungen, Umzüge mit Schwertern und Fahnen – werden unter dem Schutz einer mythischen Herrscherin entfaltet, der sie ihre Verehrung bezeigen. Sie wird bald Irodeasa oder Arada, bald Doamna Zînelor, Herrin der Feen *(zîne)* genannt. Eben dies sind die Namen, mit denen die Verfasser der frühmittelalterlichen Bußbücher, gefolgt von Bischöfen und Inquisitoren, die nächtliche Gottheit bezeichnet hatten, welche im Westen die Totenscharen anführte: Herodias und Diana[35]. Daß identische, von der Klerikerkultur ausgearbeitete Formeln Jahrhunderte lang in einem großen Teil Europas zirkulierten, wird deutlich. Weniger augenfällig ist die tiefe Einheit der Verhaltensweisen und Glaubensvorstellungen, die zu interpretieren diese Formeln bestrebt waren. Der schwer faßbare Zusammenhang zwischen stürmischen jahreszeitlichen Riten und in der Reglosigkeit der Ekstase erlebten Mythen hat in den rumänischen Zeugnissen eine unwiderlegliche Spur hinterlassen.

9. Die Verwandtschaft zwischen Irodeasa, Arada, Doamna Zînelor und den im keltisierten Europa aufgespürten nächtlichen Göttinnen scheint offensichtlich. Jene Namen weisen darauf hin, daß die Laien den zweifachen, biblischen und heidnischen Übersetzungsvorschlag des Klerus schließlich so sehr verinnerlichten, daß der Name oder die Namen der lokalen Gottheit ausgelöscht wurden. Diese hat man hypothetisch mit einer autochthonen dakisch-getischen Gottheit identifiziert[36]: Aber die bisher gesammelten Daten lassen eine fernere Herkunft vermuten. Jedenfalls darf die Aneignung einer von außen auferlegten lexikalischen Hülse nicht trügen: Die Offensive der orthodoxen Kirche gegen den Aberglauben war schwächer als jene, die die römische Kirche im Westen einleitete[37]. Dies erklärt wahrscheinlich die anhaltende Lebendigkeit von Riten, die andernorts ausgelöscht oder in der Einsamkeit privater Ekstase verinnerlicht wurden.

Aus der Moldau, wo, wie man sich erinnern wird, der Minorit Marcus Bandini in der Mitte des 17. Jahrhunderts die Anwesenheit von Zauberern und Zauberinnen verzeichnete, die über die Fähigkeit verfügten, in Ekstase zu fallen, stammt das erste, fast gleichzeitige Zeugnis über die *Căluşari*. In seiner Beschreibung der Gegend sprach Fürst Cantemir von sogenannten *Caluczenii*, von ihren Riten, von den Glaubensvorstellungen, die um sie kreisten. Sie versammelten sich in Gruppen zu sieben, neun, elf Personen; sie verkleideten sich als Frauen und täuschten Frauenstimmen vor; sie umwickelten sich den Kopf mit weißen Binden; sie sprangen, als ob sie flögen, mit gezückten Schwertern; sie heilten die Kranken; wenn sie jemanden töteten, gingen sie straffrei aus[38]. Begrenzt auf kleine Diebstähle wird dieselbe Straflosigkeit, wie gesagt, noch heute den Jugendgruppen gewährt, in denen wir eine rituelle Verkörperung der umherstreifenden Toten erkannt haben: zugleich feindliche und wohltätige Größen, die Wohlstand wie Übel bringen. Es handelt sich um eine aufschlußreiche Ähnlichkeit. Cantemir zufolge mußten die *Caluczenii* neun Jahre lang die ihnen anvertrauten rituellen Aufgaben wahrnehmen, sonst wurden sie von den Geistern *(Frumosi)* verfolgt. In den späteren Zeugnissen ist hingegen von mythischen weiblichen Wesen die Rede *(Rusalii),* die an Pfingsten *(Rusaliile)* nachts umgehen: Um sich gegen sie zu schützen, tragen die *Căluşari* bei ihren Gängen durch das Dorf in dieser Zeit Knoblauch und Absinth bei sich. Wer aber von den *Rusalii* geschlagen wird, beginnt zu hüpfen und zu schreien wie die *Căluşari*. Entgegensetzung und Gleichsetzung geraten hier in einem doppeldeutigen Verhältnis durcheinander[39]. In Nordbulgarien werden im übrigen den *Căluşari* ähnliche Gruppen ohne weiteres *Russalzi* genannt[40]. Nun waren die *Rusalii*, wie gesagt, Seelen der Toten: die *Frumosaele,* die weibliche Fassung der *Frumosi,* hat man Totenfiguren wie den *Bonae res* oder keltischen Feen angenähert[41]. Die Göttin, die den Riten der *Căluşari* vorsteht – Irodeasa, Arada, Doamna Zînelor – war sicher, wie ihre westlichen Entsprechungen, eine Totengöttin.

10. In den Texten keltischer Provenienz über die Tiermaskenumzüge der Januarkalenden ist von Frauen nie die Rede: ein Schweigen, das in diesem Fall Beweiswert hat, da ihre Beteiligung den skandalösen Charakter jener Bräuche in den Augen der Kleriker betont hätte. Wir wissen hingegen nicht, ob organisierte

Gruppen Jugendlicher an ihnen teilnahmen, ähnlich jenen, wie sie in den balkanischen und slawischen Jahreszeitenriten auftauchen. Bei diesen handelt es sich fast immer um Gruppen von jungen Männern, die, wie die *Caluczenii* aus der Moldau, allenfalls als Frauen verkleidet sind. Die serbo-kroatischen *Kralijce*, Gruppen von Frauen in stets gerader Zahl, die als Männer verkleidet, mit Schwertern bewaffnet und – wie die *Căluşari*, deren Charakteristika sie in symmetrischer und umgekehrter Form zu reproduzieren scheinen – mit Pfingsten verbunden sind, scheinen hingegen ein völlig außerordentlicher Fall zu sein[42]. Es läßt sich unmöglich sagen, ob er uns einen älteren Zustand wiedergibt, in dem sowohl Männer als auch Frauen, beide symbolisch ihre Geschlechteridentität verleugnend, an der öffentlichen Sphäre des Ritus teilhatten.

Auch in der privaten Erfahrung der Ekstase sahen wir eine tendenzielle Geschlechterspezialisierung sich abzeichnen: auf der einen Seite vorwiegend weibliche Züge im Gefolge der nächtlichen Gottheiten; auf der anderen in der Regel männliche Scharen, die sich in den Kämpfen für Fruchtbarkeit einsetzen. Dieses letzte Element ist bei den *Căluşari* in eher nebensächlicher Weise vorhanden, aber ein Vergleich mit den männlichen Benandanti läßt immerhin eine Reihe von partiellen, doch klaren Entsprechungen zum Vorschein kommen[43]. Beide treten als Heiler auf, spezialisiert auf die durch *Rusalii* beziehungsweise Hexen verursachten Leiden. Beide sind für eine bestimmte, wenn auch unterschiedliche Zahl von Jahren, in der Regel im Jugendalter, gezwungen, an geheimnisumwitterten kollektiven Riten teilzunehmen – die ersten materiell, die zweiten »im Geiste«. Die – rituelle beziehungsweise mythische – Gesellschaft, der sie angehören, ist in beiden Fällen eine Vereinigung mit Initiationscharakter, militärisch organisiert und von einem Anführer geleitet, mit Bannern, Musikinstrumenten, pflanzlichen Waffen ausgestattet – mit Knoblauch und Absinth die eine, mit Fenchelstengeln die andere. Die Tierverkleidungen der *Căluşari* können als eine reale Entsprechung der von den Benandanti beschriebenen imaginären Tierverwandlungen (oder der Luftfahrten auf dem Rücken von Tieren) angesehen werden. Wie ihr Name vorschreibt, tragen die *Căluşari* (das heißt »Pferdchen«) Pferdemähnen oder führen einen mit einem Pferdekopf geschmückten Stock mit sich; in alter Zeit wurden sie von einem als Hirsch oder Wolf verkleideten Tänzer begleitet[44]. Die hohen Sprünge, von denen ihre Tänze durchsetzt sind, ahmen sowohl die Flüge der *Rusalii* als auch die Sprünge der Pferde nach. Die Gesellschaft der *Căluşari* ist in der Tat der mythischen der *Sântoaderi* nachgebildet, jener mit Pferdeschwänzen und -hufen ausgestatteten Ritter, die in der Karnevalswoche anläßlich des Festes des heiligen Theodor (eines mit den Toten in Zusammenhang stehenden Heiligen) bedrohlich, Ketten schleifend und Trommeln rührend, nachts durch die Dorfstraßen ziehen[45]. Eine unterschwellige Homologie verbindet *Rusalii* und *Sântoaderi*: Es heißt, ihre Scharen träfen sich an einem anderen Theodorsfest, vierundzwanzig Tage nach Ostern, spielten zusammen und tauschten zu guter Letzt ein Büschel Waldmelisse *(todoruse)* untereinander aus[46]. *Căluşari* und Benandanti versuchten – die einen, um sich vor *Rusalii* und *Sântoaderi*, die anderen, um sich vor Hexen und Hexern zu schützen –, auf den verschiedenen Wegen des Ritus und des Mythos (Tierverkleidungen, Tierverwandlungen) ihren Feinden gleich zu werden, indem sie sich in Geister verwandelten und vorübergehend zu Toten wurden. Zum selben Schluß waren wir, wie man sich erinnern wird, bei der Analyse anderer Fälle von mythischen, sektenartigen Gruppen – Werwölfen, *Táltos* – gelangt, denen eine periodische Verwandlung in Tiere zugrunde liegt, dazu bestimmt, sich eine gewisse, wenn auch variable Zahl von Jahren hindurch zu wiederholen. Was in all diesen Fällen die Identifizierung mit den Toten möglich macht, ist eine – reale oder symbolische – Initiation; die Initiation nämlich ist immer, symbolisch, ein Tod.

11. Die Präsenz einer Initiationsdimension erklärt möglicherweise die Todesaura, die in verschiedenen Gesellschaften die Verhaltensweisen von Jugendgruppen umgibt, die manchmal durch Formen ritueller Gewaltausübung, manchmal in kriegerischen Organisationen zusammengeschlossen sind. Die ältesten Zeugnisse zu einem Ritus wie dem *Charivari,* das die (vor allem sexuellen) Sitten des Dorfes kontrollieren sollte, setzten die lärmende Schar verkleideter Jugendlicher mit der von mythischen Wesen wie Hellequin angeführten Totenschar gleich[47]. In den Augen der Akteure und Zuschauer müssen die Exzesse der Jugendbünde diese symbolischen Beiklänge lange Zeit bewahrt haben[48]. Sie erklären aller Wahrscheinlichkeit nach das den *Schurtendieben* im schweizerischen Löschental stillschweigend zugestandene Recht auf Diebstahl. Diese kommen in der Fastnachtszeit mit maskiertem Gesicht, den Körper in Ziegenfelle gewickelt, den Gürtel mit Kuhglocken geschmückt, vom Wald in das Dorf herunter, um dort zu plündern[49]. Ähnliche Phänomene gab es auch in den antiken Gesellschaften: es genügt, an die Prüfungen zu denken (Diebstähle, Morde an zufällig getroffenen Heloten), welche die Mitglieder einer Gruppe von Initiationscharakter wie der spartanischen *Kryptia* nach einer Zeit der Absonderung zu bestehen hatten, die sie in der Wildnis am Rande der Stadt verbrachten[50]. Die Phokäer, die, wie Herodot und Pausanias berichten, nachts mit kreidebeschmierten Gesichtern und Waffen gegen die Thessalier ausrückten; die Harier, die Tacitus einem Totenheer *(exercitus ferialis)* verglich, weil sie mit schwarz gefärbten Schilden und Gesichtern in die Schlacht zogen, um ihren Gegnern Schrecken einzujagen, sind Initiationsgruppen verglichen worden[51]. Der Zustand kriegerischer Raserei und die Verwandlungen in wilde Tiere, wie sie in den isländischen Sagen beschrieben werden, machten aus den *Berserkir* (wörtlich »Bärenhülle«) eine lebende Inkarnation der von Odin als ihrem Oberhaupt angeführten Totenschar[52]. In all diesen Fällen erkennt man eine aggressive Haltung, die mit der Identifizierung mit den Totenscharen zusammenhängt. Dem Anschein nach sind wir weit entfernt von der spielerischen Gewalt der Bettelumzüge der Kinder: die mythische Matrix ist jedoch dieselbe.

12. Wie wir sahen, fehlt in den Zeremonien der *Căluşari* ein präziser Widerhall der dramatischen Kämpfe, welche die Benandanti in Ekstase austrugen. Fraglos hatte die Atmosphäre der nicht immer (oder nicht nur) spielerischen Gewalt, in der sich die Riten dieser Gruppe von jungen Männern abspielten, ihrerseits vage rituelle Aspekte. Die slowenischen *Koledari* und die *Eskari* des makedonischen Bulgariens vor allem waren von einer überaus starken Feindseligkeit gegen die aus den benachbarten Orten stammenden Kollegen beseelt. Wenn zwei Gruppen

von *Eskari* aufeinandertrafen, brachen blutige, manchmal tödliche Schlägereien aus, die jedoch, wenn sie sich am 1. Januar zutrugen, keinerlei Strafe nach sich zogen, wie ähnlich noch heute kleinere oder kleinste Gesetzesbrüche, etwa Diebstähle oder boshafte Streiche, die von den Zügen der bettelnden Jugendlichen begangen werden[53]. Aber diese Formen territorialer Feindschaft erweisen sich im Unterschied zu jenen, die dalmatische *Kresniki* oder korsische *Mazzeri* in Ekstase oder im Traum auslebten, niemals als symbolisch mit einer Steigerung des materiellen Wohlstands der Gemeinschaft verbunden.

13. Solche Steigerung stellte hingegen den erklärten Zweck eines zu Beginn des 16. Jahrhunderts – wir wissen nicht wie lange schon – in einigen Alpenländern praktizierten Ritus dar. In einem historischen und geographischen Werk über Graubünden *(Die uralt warhafftig Alpisch Rhetia)*, das 1538 in Basel erschien, beschrieb der schweizerische Gelehrte Gilg Tschudi unter anderem eine Zeremonie, die jedes Jahr an Orten wie Ilanz und Lugnitz begangen wurde: Gruppen von Männern, *Stopfer* genannt, die mit dicken Stöcken bewaffnet und verkleidet waren, zogen von einem Dorf zum nächsten, machten dabei hohe Sprünge und gerieten heftig aneinander. Der Reformator Durich Chiampel, der in Surselva derselben Zeremonie beigewohnt hatte, nahm einige Jahre später die Seite von Tschudi auf und präzisierte, die »Punchiadurs« (so wurden sie in rätoromanischer Sprache genannt) versammelten sich nach einer »gleichsam erblichen« Gewohnheit vor allem an Feiertagen (»in bacchanalibus quae vocantur sacris«). Beide Zeugnisse nannten als Zweck der Zeremonie übereinstimmend den, sich eine reichere Weizenernte zu verschaffen. Aberglauben, kommentierte Tschudi; heidnische Dummheiten, pflichtete ihm Chiampel bei. Ihr einmütiges Zeugnis läßt keine Zweifel bestehen: Wir haben hier einen Fruchtbarkeitsritus vor uns, der durch die lebendige Stimme der Akteure oder der Zuschauer als solcher kenntlich gemacht ist. Der genau zu erkennende Abstand zwischen der Interpretation der daran Teilnehmenden und jener der ablehnenden Beobachter, die die erste aufzeichneten, schließt die Möglichkeit von Entstellungen aus. Die Anhänger des anmaßenden Kultes der »Punchiadurs«, bemerkte Chiampel, sagten allen Ernstes (»omnino serio asserentes«), am Ende der Zeremonie fehle immer einer beim Abzählen. Für Chiampel war dieser unsichtbare Teilnehmer ein Dämon[54].
Protestantische Pastoren und katholische Pfarrer versuchten, diese bäuerlichen Fruchtbarkeitsriten auszumerzen. Im Fall der »Punchiadurs« verschwanden sie restlos[55]. Andere, mehr oder minder ähnliche, wurden in harmlose Festlichkeiten umgewandelt. Im gesamten Alpenbogen haben sich von verkleideten Männergruppen begangene jahreszeitliche Zeremonien bis in unsere Tage hinein gehalten. Die Kuhglocken, die nach Chiampels Bericht vom Rücken der »Punchiadurs« herabbaumelten, schmücken nun die Kostüme schweizerischer oder Tiroler Masken[56]. Bis ins letzte Jahrhundert traten in einigen Orten Österreichs und Bayerns Gruppen von »schönen« und »häßlichen« Perchten gegeneinander an: Später blieben nur noch die »schönen« übrig. Ihr Name bewahrt die Spur der alten Kulte: Perchta – von Kanonisten und Inquisitoren mit Diana oder Herodias identifiziert – war einer der Namen der Wohlstand spendenden nächtlichen Gottheit, der die ekstatischen Frauen huldigten. In Tirol hat sich der

Glaube, die Perchtenläufe brächten Überfluß, lange Zeit gehalten[57]. In Rumänien sind Irodeasa und Doamna Zînelor, wie man sah, in den Zeremonien der *Căluşari* noch immer lebendig.

Dieser mythische Hintergrund erlaubt es, die spärlichen Daten zu den »Punchiadurs« zu interpretieren. In vielen, oft mit Sanktuarien oder Wallfahrtsorten verbundenen Ortschaften des Alpenbogens hat sich der Brauch erhalten, bestimmte Feiertage mit spielerischen Auseinandersetzungen zwischen Gruppen von Jugendlichen zu begehen: Doch diese rituellen Kämpfe – denn um solche handelt es sich dabei zweifellos – finden in der Regel nach der Ernte statt, und nicht vorher, um ein günstiges Ergebnis zu erzielen[58]. Eine spezifische Analogie zu den von den »Punchiadurs« praktizierten Fruchtbarkeitsriten ist anderswo zu suchen, nämlich in den Kämpfen um Fruchtbarkeit, wie sie in denselben Jahren die friaulischen Benandanti am entgegengesetzten Alpenhang in Ekstase ausfochten[59]. Aber eine auf den Alpenbogen begrenzte vergleichende Untersuchung wäre gewiß ungenügend: Die Benandanti ziehen die ungarischen *Táltos*, die baltischen Werwölfe und die *Burkudzäutä* des iranischen Kaukasus nach sich[60].

14. Bei den Völkern des Kaukasus tritt der Isomorphismus beider Versionen – der wettkämpferischen und der anderen – der bisher analysierten Mythen und Riten mit besonderer Deutlichkeit zutage. In Georgien finden regelrechte Schlachten zwischen entgegengesetzten Gruppen statt, die manchmal zwei Teilen der Stadt oder des Dorfes entsprechen. Zu je nach Ortschaft verschiedenen Gelegenheiten – manchmal im Karneval, manchmal im Frühling, manchmal sogar Anfang Januar – treten die Streitenden mit Tierfellen bedeckt und mit rußgeschwärzten Gesichtern auf dem Kampfplatz an und führen erotische Pantomimen auf. Es folgen Scharmützel und Boxkämpfe (in einem Dorf bei Tiflis sind Metallwaffen ausdrücklich verboten), denen oft Tänze und Maskenumzüge vorausgehen. Die Leute glauben, daß die Sieger eine gute Ernte einbringen werden[61]. Wie man sich erinnern wird, behaupten die *Burkudzäutä* bei den Osseten, sie kämpften auf den Wiesen des Jenseits, um den Toten die Weizenkeimlinge zu entreißen. Aber in Georgien finden wir auch die *Mesultanen* (von *suli*, Seele): Frauen oder Mädchen ab neun Jahren, die die Fähigkeit haben, sich im Geiste ins Jenseits zu begeben. Nachdem sie in eine von Gemurmel unterbrochene Starre gesunken sind, wachen sie wieder auf, beschreiben die zurückgelegte Reise und geben die Anliegen der Toten an einzelne oder an die Gemeinde weiter: dafür wird ihnen Ehre und Ansehen zuteil[62]. Parallel (und umgekehrt) dazu ziehen bei den Osseten, den Pschawen, den Chewsuren Anfang Januar Gruppen von Bettelnden, in manchen Fällen mit Tuchmasken vor den Gesichtern, durch die Häuser und drohen damit, überall dort, wo man ihnen die verlangten Gaben nicht herausgibt, die Türen aufzubrechen; nachts schleichen sie sich heimlich in die Häuser, trinken ein wenig Likör, essen ein Stückchen Fleisch. Nur wenige Happen: mehr zu nehmen, wäre eine Schande. Manchmal wachen die Hausherren von selber auf, manchmal werden sie geweckt. Die Diebe bekommen dann zu essen und zu trinken; bei Tagesanbruch schließlich werden sie von den Dorfbewohnern zum Spaß verdroschen[63].

15. In diesen symbolischen nächtlichen Dieben wird man die rituellen Entsprechungen zu den Toten aus dem Ariège, den Benandanti aus Friaul, den Hexern aus dem Wallis erkannt haben. Deren Durst, deren »im Geist« vollbrachte Einbrüche in die Keller hatten uns ins zweifache Labyrinth der Mythen von den Scharen der toten Seelen und den Kämpfen um Fruchtbarkeit geführt. Rund um diese Mythen hatten wir versucht, eine morphologisch kompakte Belegserie zu konstruieren, ohne uns darum zu sorgen, wie diese Serie in historischen Begriffen zu rechtfertigen wäre. Die ganz und gar provisorische Gegenüberstellung von Morphologie und Geschichte verfolgte den rein heuristischen Zweck, durch punktuelle Sondierungen die Konturen eines schwer faßbaren Gegenstandes zu ermitteln. Ein merkwürdiges Detail, eine scheinbar unerhebliche Konvergenz ließ nach und nach eine Myriade von disparaten, in Zeit und Raum verstreuten Phänomenen zum Vorschein kommen. Die Speise- und Trankgaben an die *Matronae*, die Präsenz von Irodeasa an der Spitze der *Căluşari*, die Kämpfe um Fruchtbarkeit in den Alpen und im Kaukasus haben Beweise für einen Isomorphismus von in Ekstase durchlebten Mythen und solchen Riten geliefert, die gewöhnlich mit dem Zyklus der Zwölf Tage oder mit Pfingsten verknüpft sind. Hinter Erzählungen, Bettelumzügen, Schlägereien, Verkleidungen haben wir einen gemeinsamen Gehalt entziffert: die symbolische Identifikation mit den Toten in der Reglosigkeit der Ekstase oder in der Frenesie des Ritus.

16. Im Fall der Benandanti, *Táltos* usw. stieß der Vergleich mit den eurasischen Schamanen, den das Vorhandensein einer Reihe von spezifischen Analogien nahegelegt hatte, auf die Schwierigkeit, daß öffentliche Ekstasen von rituellem Charakter fehlten. Wir sahen jedoch, daß solche Ekstasen in der Mitte des 17. Jahrhunderts von den bei Marcus Bandini beschriebenen Zauberern und Zauberinnen der Moldau praktiziert wurden, die versuchten, mit den Toten zu sprechen oder verlorene Gegenstände wiederzufinden – genau wie die lappischen oder sibirischen Schamanen. Man hat angenommen, Bandini habe auf Praktiken angespielt, wie sie nicht bei einem rumänischen, sondern einem magyarischen, ethnisch und kulturell mit den asiatischen Steppen verbundenen Volk verbreitet gewesen seien – bei den Tchangö der moldauischen Karpaten[64]. Diese Hypothese ist aber keineswegs über jeden Zweifel erhaben. Wie wir gesehen haben, fielen noch vor wenigen Jahrzehnten im serbischen Dorf Duboka Gruppen von Frauen an Pfingsten öffentlich in Ekstase. Obwohl sie rar sind, scheinen Phänomene wie dieses eine dauerhafte Spur von im eigentlichen Sinne schamanistischen Ritualen im europäischen Raum zu bewahren[65].

Es ist jedoch offenbar schwierig, diese Schlußfolgerung auf Zeremonien wie jene der *Căluşari* auszudehnen[66]. Allgemeiner gesprochen, erscheint der Vorschlag, in den jahreszeitlichen Tänzen und Zeremonien auf Grund von Elementen wie dem Gebrauch des Stocks mit Pferdekopf (*Steckenpferd*) Abkömmlinge von schamanistischen Riten zu sehen, als nicht ausreichend begründet[67]. Wir finden hier keine Männer und Frauen, die durch eine präzise, von Kindheit an durch körperliche oder andere Besonderheiten angekündigte ekstatische Berufung ausgezeichnet wären, sondern überwiegend männliche, aus Kindern und Jünglingen zusammengesetzte Gruppen (die ältesten Zeugnisse sprechen von heterogenen Gruppen, aus denen die Frauen aber jedenfalls ausgeschlossen zu sein scheinen)[68]. Im ersten Fall war die symbolische Beziehung zur Totenwelt Fachleuten anvertraut; im zweiten den Angehörigen einer bestimmten Altersklasse.

17. Die beiden Alternativen waren jedoch nicht unvereinbar, wie zum Beispiel aus den Beschreibungen des großen chinesischen Ta No-Festes hervorgeht: eines jahreszeitlichen Ritus, der im Januar, zwischen dem Ende des alten und dem fünfzehnten Tag des neuen Jahres, in einer den Geistern der Toten geweihten Zeit, begangen wurde. Eine in Rot und Schwarz gekleidete, in ein Bärenfell mit vier gelben Metallaugen gehüllte Person führte hundertzwanzig Kinder zwischen 10 und 12 Jahren an, die eine rote Mütze auf dem Kopf und eine halb rote, halb schwarze Tunika trugen. Die Kinder schossen von Pfirsichholzbögen Weißdornpfeile ab, um die Übel des alten Jahres aus der Ringmauer des kaiserlichen Palastes zu vertreiben. Die Verderben wurden von zwölf Tiermasken dargestellt, die den zwölf Monaten des Jahres entsprachen; weitere Tiermasken (darunter auch der Tiger) figurierten in den gegnerischen Reihen. An der Zeremonie nahmen auch mit Binsenbesen ausgestattete Hexen und Hexer teil. Das schamanistische Gepräge der die Kinderschar anführenden, als Bär verkleideten Person ist mehrmals hervorgehoben worden, ebenso die Affinität zwischen Austreibenden und Ausgetriebenen[69]. Man ist versucht, diese chinesische Zeremonie den (ekstatischen und anderen) Riten zur Seite zu stellen, in denen – von Friaul bis zum Kaukasus – einander entgegengesetzte, doch im innersten ähnliche Scharen zu Kämpfen um die Fruchtbarkeit antreten: Benandanti gegen Hexer, *Kresniki* gegen *Kresniki*, »schöne« Perchten gegen »häßliche« Perchten, *Burkudzäutä* gegen Tote, und noch andere mehr.

18. Wir hatten vorsichtig die Möglichkeit angedeutet, daß die Präsenz ähnlicher mythischer Formen in heterogenen kulturellen Zusammenhängen das Ergebnis halbausgelöschter historischer Beziehungen sein könnte. Insbesondere hatten wir angenommen, daß die Ekstasen, von denen wir ausgegangen waren, ein spezifisch (wenn auch vielleicht nicht ausschließlich) eurasisches Phänomen seien. Diese Hypothese scheint nun durch die Aufdeckung einiger vermutlicher ritueller Korrelate bestätigt – zugleich aber auch in einen sehr viel umfassenderen Untersuchungsrahmen gestellt. Man hat die Maskenumzüge, in denen die Seelen der Toten symbolisch vergegenwärtigt werden, die rituellen Kämpfe und die Vertreibung der Dämonen mit anderen Verhaltensweisen (Initiationen, Sexualorgien) in Verbindung gebracht, die in den traditionellen Gesellschaften den Beginn des Sonnen- oder Mondjahres begleiteten. Vom Nahen Osten bis nach Japan sollen diese, nach metahistorischen Archetypen modellierten Riten durch die Umkehrung der gewohnten Ordnung angeblich den periodischen Einbruch eines uranfänglichen Chaos symbolisieren, auf den eine zeitliche Regenerierung oder kosmische Neugründung folge[70]. Die Streuung dieser Zeugnisse im Raum hat zu der Annahme geführt, daß die immer wiederkehrende rituelle Annullierung der Geschichte auf eine extrem archaische, ja sogar prähistorische Zeit zurückgehe; ihr kulturelles Gepräge hingegen zu der Vermutung, daß es sich

dabei um ein sehr viel jüngeres, im Umkreis getreidebauender Gesellschaften entstandenes Phänomen handle[71]. Doch beide Hypothesen laufen Gefahr, das spezifische Geflecht der Mythen und Riten aufzulösen, von denen wir hier ausgegangen sind. Es ist zum Beispiel nicht einfach, aus der Masse der Dokumente jene rituellen Kämpfe herauszulösen, die Fruchtbarkeit bewirken sollen, und sie sowohl von Fruchtbarkeitsriten im allgemeinen als auch von rituellen Kämpfen im allgemeinen zu unterscheiden. Die alljährliche Zeremonie, in der, zwei hethitischen Inschriften von ungefähr 1200 v. Chr. zufolge, eine mit Bronzewaffen und eine mit Rohrwaffen ausgestattete Truppe gegeneinander antraten, gedachte sicher eines historischen Ereignisses, des Sieges der Hatter über die Masa; wahrscheinlich war sie auch ein religiöser Ritus, da sie, allem Anschein nach, mit einem Menschenopfer endete; aber daß es sich, wie man angenommen hat, um einen Vegetationsritus handelt, ist keineswegs sicher, obschon eine der Inschriften bestätigt, daß die Zeremonie im Frühling stattfand[72]. Auf Grundlagen wie dieser oder noch weniger tragfähigen hat man die verstreuten Spuren ritueller Schlachten in der alten Welt früher häufig mit jahreszeitlichen Zeremonien der modernen Folklore, wie der Winteraustreibung oder der Verbrennung der Strohfigur, in Verbindung gebracht. Trotzdem wissen wir nicht, weshalb bei spezifischen – uns allerdings unbekannten – kalendarischen Anlässen Personengruppen, die zur selben Stadt oder gar zur selben Familie gehörten (Brüder, Väter, Söhne), tagelang unerbittlich mit Steinwürfen gegeneinander kämpften und, wie der heilige Augustinus berichtet, sich gegenseitig umzubringen versuchten[73]. Gewiß handelte es sich um einen rituellen Kampf *(sollemniter dimicabant)*, wie bei jenem, in dem sich Mitte Oktober in Rom zur Via Sacra und zur Suburra gehörige Haufen *(catervae)* gegenüberstanden, die versuchten, den Kopf eines Opferpferdes zu erobern. Wahrscheinlich bezweckte die Zeremonie in diesem Fall nicht, den Reichtum der Ernten zu sichern[74]. Die Fruchtbarkeit war hingegen der erklärte Zweck eines anderen römischen Festes, jenes der Lupercalia, welches man alljährlich am 15. Januar beging. Zwei Gruppen von jungen Männern, sogenannte Luperci (*Quinctiales* und *Fabiani*), vollführten einen Wettlauf um den Palatin und schlugen dabei mit aus Ziegenhäuten gefertigten Peitschenriemen auf die Matronen ein, um sie fruchtbar zu machen. Auch wenn viele Einzelheiten für uns unentzifferbar sind, scheint es bedeutsam, daß sich die Zeremonie während der neun Tage (zwischen dem 13. und dem 21. Februar) abspielte, in denen dem römischen Kalender zufolge die Toten umgingen und sich von Speisen ernährten, die die Lebenden für sie zubereitet hatten[75]. Könnte die Affinität zwischen den beiden Haufen von Luperci nicht mit jener zwischen den baltischen Werwölfen (oder den Benandanti, den *Burkudzäutä*) und den Toten-Hexern, ihren Gegnern, verglichen werden?

19. Unsere morphologische Reise hat uns in Gesellschaften, Zeiten und Räume geführt, die von jenem kulturellen Bereich, innerhalb dessen sich der Sabbat herauskristallisierte, weiter und weiter entfernt sind. Das war vielleicht vorhersehbar. Nicht voraussehen ließ sich hingegen der Gegensatz zwischen der Heterogenität der Kontexte und der morphologischen Homogenität der Daten. Daraus erwachsen Fragen, denen man sich nicht entziehen kann[76]. Aber auf der Suche

nach einer Antwort gilt es einer bislang noch nicht eingehend geprüften Möglichkeit nachzugehen: der nämlich, daß diese formalen Konvergenzen durch Zusammenhänge historischer Natur bedingt sein könnten.

[1] Zu Hilscher vgl. oben, S. 143

[2] Vgl. Hilscher, *De exercitu furioso*, cit., Bl. D*v*. »Consuetudine receptum fuerunt Francofurti, ut quotannis iuvenes pretio allecti currum multis vestitum frondibus visoque conspicuum vesperi conducant ostiatim non sine cantionibus et vaticiniis, quae tamen, ne fallant, abs consciis earum rerum, de quibus rogandi sunt, edocti fuerunt. Memoriam exercitus illius Ekkartini ita celebrari vulgus ait.« (Es folgt, in einer Anmerkung, ein Hinweis auf *Blockes-Berges Verrichtung* von Praetorius; hierzu siehe oben, S. 143).

[3] So die Annahme O. Höflers und anderer von ihm beeinflußter Gelehrter: vgl. oben, S. 176–77, Anm. 2.

[4] Vgl. P. Burke, *Popular Culture in Early Modern Europe*, London 1978; *The Invention of Tradition*, hg. v. E. Hobsbawm u. T. Ranger, London 1984.

[5] Vgl. M. Ozouf, *La fête révolutionnaire (1789–1799)*, Paris 1976.

[6] Von diesem Text (bereits zugänglich in: Migne, *Patrologia Graeca*, XL, Sp. 222–26) gibt es nun eine kritische Edition: vgl. Asterius of Amasea, *Homilies I–XIV*, hg. v. C. Datema, Leiden 1970 (die Predigt gegen die Kalenden ist die vierte). Zur Datierung und dem Zustand des Textes vgl. *ebd.*, S. XVIII u. 228 ff. Außer einem Hinweis von M. Lipenius, *Integra strenarum civilium historia...*, Lipsiae 1670, S. 94, siehe den Kommentar von Nilsson, *Studien*, cit., I. S. 228 u. 247 ff.

[7] Vgl. *ebd.*, S. 247 ff. zur Diskussion der von F. Cumont (der die Lebensgeschichte des heiligen Dasius entdeckte und veröffentlichte) vorgeschlagenen Hypothese. Frazer sah in diesem Text eine Bestätigung seiner Theorien von der rituellen Ermordung des Königs: aber siehe die Bemerkungen von G. Brugnoli, *Il carnevale e i Saturnalia*, in: »La ricerca folklorica«, 10 (Oktober 1984), S. 49–54.

[8] Siehe den charakteristischen Kommentar zu einem Versuch, im Fest der Januarkalenden den Ursprung des Karnevals aufzuspüren: »Hoc veram est primam istam strenarum diabolicarum insaniem in vitam revocare« (Lipenius, *Integra*, cit., S. 121).

[9] Vgl. oben, S. 117, Anm. 43.

[10] Vgl. K. Meuli, *Bettelumzüge im Totenkultus, Opferritual und Volksbrauch* (der den Text von Asterios jedoch nicht erwähnt): der Aufsatz, zuerst 1927–28 veröffentlicht, ist mit Ergänzungen erneut abgedruckt in: *Gesammelte Schriften*, hg. v. T. Gelzer, I, Basel-Stuttgart 1975, S. 33 ff. Meulis Schlußfolgerungen stimmen zum Großteil mit jenen überein, zu denen fast gleichzeitig Dumézil, *Le problème des Centaures*, cit., S. 3 ff. gelangte. (Dieses Buch, das sein Verfasser wegen seines allzu Frazerschen Ansatzes später nicht mehr gelten ließ, wirkt immer noch sehr lebendig.) Reichlich Material zu Frankreich bei A. van Gennep, *Manuel de folklore français contemporain*, I, VII, Teil I, Paris 1958, S. 2874–981. Zu Kleinasien vgl. Nilsson, *Studien*, cit., S. 257. Zu Zentralasien vgl. R. Bleichsteiner, *Masken und Fastnachtsbräuche bei den Völkern des Kaukasus*, in: »Österreichische Zeitschrift für Volkskunde«, 55 (1972), S. 3–76, insbes. S. 18–19 u. 43 ff. M. Meslin, *La fête des Kalendes de janvier dans l'empire romain. Étude d'un rituel de Nouveau An*, Brüssel 1970, S. 78, vermutet einen Zusammenhang zwischen den von Asterios beschriebenen Riten und den Maskenumzügen der Jugendlichen.

[11] Vgl. Dumézil, *Le problème des Centaures*, cit., S. 44 ff. Meuli, *Bettelumzüge*, cit., (und siehe auch *Gesammelte Schriften*, op. cit., S. 211, 296 ff. und passim) zufolge sind die Toten mit den Vorfahren zu identifizieren. Doch die Riten und Mythen, die wir analysieren, scheinen sich eher auf die Toten als unbestimmte Gruppe zu beziehen: eine Altersklasse unter jenen, die die Dorfgemeinschaft bildeten (vgl. A. Varagnac, *Civilisation traditionnelle et genres de vie*, Paris 1948, S. 244). Im selben Sinne vgl. C. Lévi-Strauss, *Le Père Noël supplicié*, in: »Les Temps Modernes«, 7 (1952), S. 1573 ff., vor allem S. 1586. Obwohl in anscheinend leichtem Ton geschrieben, stellt dieser Aufsatz in überaus dichter Form entscheidende Fragen, von denen einige – wenn ich nicht irre – im späteren Werk von Lévi-Strauss nicht mehr aufgegriffen worden sind.

[12] Vgl. Meuli, *Bettelumzüge*, cit.

[13] Bremmer (*The Early Greek Concept*, cit., S. 116, Anm. 128) lehnt Meulis Interpretation ab, da sie auf »verengenden Hypothesen« evolutionistischen Typs, gewonnen aus der ethnologischen Materialsammlung, beruhe. Es sei jedoch bemerkt, daß den (von Bremmer nicht diskutierten) Untersuchungen, die parallel von Dumézil durchgeführt wurden, Zeugnisse aus der europäischen Folklore zugrunde liegen. Meuli selbst präsentierte die Schlußfolgerungen der *Bettelumzüge* in stichhaltiger Form in Aufsätzen wie *Die deutschen Masken* und *Schweizer Masken und Maskenbräuche*, die auf einer begrenzten Vergleichung beruhen (vgl. *Gesammelte Schriften*, cit., S. 69–162 u. 177–250). Zu Meulis *Gesammelten Schriften* vgl. J. Stagl, in: »Anthropos«, 72 (1977), S. 309 ff. und F. Graf, in: »Gnomon«, 51 (1979), S. 209–16, insbes. S. 213–14.

[14] Zu dieser ganzen Frage grundlegend bleiben die Untersuchungen von M. P. Nilsson (*Studien*, cit., S.

214 ff.), auch wenn einige Schlußfolgerungen, wie man sehen wird, zu korrigieren sind. Wenig Neues fügt Meslin, *La fête des Kalendes*, cit. hinzu. Zur Zuschreibung der Predigt über die Kalenden, als deren Verfasser traditionell der heilige Augustinus angenommen wurde, an Caesarius von Arles siehe die bei E. K. Chambers, *The Medieval Stage*, II, Oxford 1903, S. 297 angeführte Bibliographie.

[15] Vgl. Nilsson, *Studien*, cit., S. 289 ff. (und siehe oben, S. 132–133).

[16] Vgl. *ebd.*, S. 234 ff.; zu *vetula* (was nicht »Alte« bedeutet, wie Usener geglaubt hatte) und *hinnicula* (vielleicht in Zusammenhang mit Epona) vgl. *ebd.*, S. 240–41. Vgl. auch R. Arbesmann, *The ›cervuli‹ and ›anniculae‹ in Caesarius of Arles*, in: »Traditio«, 35 (1979), S. 89–119, der sich der von Rohlfs vorgeschlagenen Variante *(anicula)*, nicht aber dessen Interpretation (»Alte«) anschließt: der Ausdruck bedeute allgemein »weibliches Jungtier«.

[17] Diese Schlußfolgerung wurde von einem Gelehrten positivistischer Prägung wie Nilsson ausdrücklich abgelehnt: siehe den polemischen Hinweis auf die chthonischen Interpretationen, wie sie bei deutschen Gelehrten in Mode seien (*Studien*, cit,, S. 293, Anm. 124). Doch die unmittelbar darauf an E. Mogk geübte Kritik in bezug auf die Verbindung zwischen »Modranicht« und Rückkehr der Toten an den Zwölf Tagen – die Verstorbenen seien männliche Vorfahren (also Väter), während die Mütter in allen Religionen auf einen »ganz anderen Vorstellungskreis« bezogen seien – ist aprioristisch (siehe oben, Anm. 11). Hier ist zu bemerken, daß Nilsson bei dem um bibliographische Angaben ergänzten Nachdruck seiner Arbeiten zu den Kalenden die in der Zwischenzeit erschienenen Studien von K. Meuli und G. Dumézil nicht anführte. Wenn auch von unterschiedlichen Gesichtspunkten aus, bekräftigen ihre Schlußfolgerungen, wie gesagt, unbestreitbar die chthonische oder Totenhypothese.

[18] Vgl. Einleitung, S. 21–22.

[19] Der von Nilsson (*Studien*, cit., S. 296) vorgeschlagenen Interpretation der Tiermaskenumzüge als ausschließlich keltisches (oder keltisch-germanisches) Phänomen wird von den Forschungen Meulis und Dumézils widersprochen. Vom letztgenannten siehe neben den Kritiken an Nilsson auch die Bemerkung über die Austauschbarkeit der Tiere in den modernen Maskenumzügen (*Le problème des Centaures*, cit., S. 31 ff. u. 25). Die verabsäumte Untersuchung der Tierumzüge beeinträchtigt die Schlußfolgerungen des an scharfsinnigen Beobachtungen gleichwohl reichen Aufsatzes von J.-C. Schmitt, *Les masques, le diable, les morts dans l'Occident médiéval*, in: »Razo«, Cahiers du Centre d'études médiévales de Nice, 7 (1986), S. 87–119.

[20] »Pecudum« kann sich sowohl auf Schafe als auch auf Ziegen beziehen. Zu den balkanischen Zeremonien vgl., neben der bei Nilsson (*Studien*, cit., S. 252–53) angeführten Bibliographie, A. J. B. Wace, *More Mumming Plays in the Southern Balkans*, in: »Annual of the British School of Athens«, XIX (1912–13), S. 248–65, der aufzeigt, wie es der orthodoxen Kirche in einigen Fällen gelang, diese Pantomimen gleichwohl von Jahresbeginn auf ein Datum in der Nähe des Karnevals zu verschieben.

[21] Vgl. R. Wolfram, *Altersklassen und Männerbünde in Rumänien*, in: »Mitteilungen der anthropologischen Gesellschaft in Wien«, LXIV (1934), S. 112; G. Fochsa,

Le village roumain pendant les fêtes religieuses d'hiver, in: »Zalmoxis«, III (1940–42), S. 61–102; R. Katzarova, *Surovaskari, Mascherate invernali del territorio di Pernik, Breznik e Radomir*, in: *Atti del convegno internazionale di linguistica e tradizioni popolari*, Udine 1969, S. 217–27; S. Zečević, ›*Lesnik‹ – The Forest Spirit of Leskova in South Serbia*, in: »Ethnologia Slavica«, I (1969), S. 171 ff.; E. Gasparini, *L'antagonismo dei ›koledari‹*, in: *Alpes Orientales*, cit., I, S. 107–24; K. Viski, *Volksbrauch der Ungarn*, Budapest 1932, S. 15 ff. (zu den *Regös*); V. J. Propp, *Feste agrarie russe*, ital. übers., Bari 1978 (der Text stammt aber aus dem Jahr 1963), S. 77 ff. u. 197 ff. Es handelt sich um sehr ungleiche Untersuchungen: Die beste ist die umstrittene, doch ideenreiche von E. Gasparini. Für einen Gesamtüberblick vgl. Meuli, *Bettelumzüge*, cit., und Dumézil, *Le problème des Centaures*, cit., S. 3 ff.

[22] Vgl. G. Kligman, *Căluș. Symbolic Transformation in Rumanian Ritual*, Chicago 1981, S. 47.

[23] Vgl. einen Hinweis bei Wolfram, *Altersklassen*, cit., S. 119 und, ausführlicher, O. Buhociu, *Die rumänische Volkskultur und ihre Mythologie*, Wiesbaden 1974, S. 46 ff.

[24] Vgl. Nilsson, *Das Rosenfest*, in: *Opuscula selecta*, cit., I, S. 311–29; K. Ranke, *Rosengarten, Recht und Totenkult*, Hamburg o. J., S. 18 ff.

[25] Vgl. Gasparini, *L'antagonismo*, cit., S. 111. Zum selben Schluß war Dumézil, *Le problème des Centaures*, cit., S. 36 ff. gelangt. Dies erlaubt, die symbolische Umkehrung zu erfassen, die im Mittelpunkt einer Novelle von Noël du Fail steht (*Les propos rustiques*, 1547: Ich beziehe mich auf die Ausg. Paris 1878, hg. v. H. de la Borderie, S. 75–84): Mistoudin, ein bretonischer Bauer, der zum Opfer eines besonders gewalttätigen Bettelumzuges geworden ist, bemächtigt sich der Beute der Angreifer, indem er sich als Toter verkleidet. (Vgl. auch N. Z. Davis, *Der Kopf in der Schlinge*, dt. Übers., Berlin 1988, S. 84–85).

[26] Vgl. Wace, *More Mumming Plays*, cit., S. 249 und 264–65.

[27] Ich würde dem Umstand, daß sich gerade in Durostorum das Martyrium des hl. Dasius abgespielt haben soll, keine Bedeutung beimessen.

[28] Gegenteiliger Ansicht ist M. Eliade, ›*Chamanisme‹ chez les Roumains?*, in: »Societas Academica Dacoromana. Acta historica«, VIII (1968), S. 147 ff. (jetzt in: ders., *De Zalmoxis à Gengis Khan*, Paris 1970, S. 186–97, mit einem zusätzlichen kleinen Anhang; dt. Übers.: *Von Zalmoxis zu Dschingis-Khan*, Hohenheim (1982). Der Text von Bandini wurde ediert von V. A. Urechia, *Codex Bandinus…*, »Analele Academiei Romane«, XVI (1893–94), Memoriile sectiunii istorice; die fragliche Stelle findet sich auf S. 328.

[29] Vgl. Nilsson, *Das Rosenfest*, cit., S. 327 ff. Zeitgenössisches griechisches Material wird diskutiert bei F. K. Litsas, *Rousalia: The Ritual Worship of the Dead*, in: *The Realm of the Extra-Human. Agents and Audiences*, hg. v. A. Bharati, Den Haag–Paris 1976, S. 447–65.

[30] Vgl. L. Rushton, *The Angels. A Women's Religious Organisation in Northern Greece*, in: *Cultural Dominance in the Mediterranean Area*, hg. v. A. Blok u. H. Driessen, Nimwegen 1984, S. 55–81.

[31] Vgl. G. A. Küppers, *Rosalienfest und Trancetänze in Duboka. Pfingstbräuche im ostserbischen Bergland*, in: »Zeitschrift für Ethnologie«, 79 (1954), S. 212 ff; dem Aufsatz liegt eine 1938–39 durchgeführte Umfrage zugrunde; der Bibliographie ist anzufügen M. E. Dur-

ham, *Trances at Duboka*, in: »Folk-Lore«, 43 (1932), S. 225–38.

[32] Vgl. *ebd.*, S. 233, wo der Zusammenhang zwischen Ekstase und Hinwendung zu den Toten vermerkt wird, ohne daß eine Klärung gelänge.

[33] Vgl. *ebd.* und Kligman, *Călus*, cit., S. 58 ff. (die jedoch die teils abweichenden Daten, die M. E. Durham und G. A. Küppers gesammelt haben, nicht kennt). Kligman weist auch sehr oberflächlich auf die Möglichkeit hin, die Riten von Duboka psychoanalytisch zu interpretieren.

[34] Vgl. R. Vuia, *The Rumanian Hobby-Horse, the Calusari* (1935), in: *Studii de etnografie si folclor*, Bukarest 1975, S. 141–51, insbes. S. 146.

[35] Zu den Călușari vgl. Kligman, *Călus*, cit., die jedoch fast nur die rituellen Aspekte des Phänomens untersucht. Zu den mythischen Aspekten ist, neben Vuia, *The Rumanian Hobby-Horse*, cit., die unveröffentlichte Doktorarbeit von O. Buhociu, *Le folklore roumain de printemps*, Université de Paris, Faculté de Lettres, 1957, sehr nützlich, auf die Eliade, *Some Observations*, cit., teilweise zurückgegriffen hat. Zu Irodeasa vgl. Wolfram, *Altersklassen*, cit., S. 121; Buhociu, *Le folklore*, cit., S. 240; M. Eliade, *Notes on the Călușari*, in: »The Journal of the Ancient Near Eastern Society of Columbia University«, 5 (1973), S. 115; ders., *Some Observations*, cit., S. 159, wo schließlich die – nicht nur terminologische – Identität dieser rumänischen Figuren und ihrer westlichen Pendants anerkannt wird. Den Zusammenhang *zîna-Diana* hat Lesourd, *Diana*, cit., S. 72 erhellt.

[36] Vgl. Eliade, *Some Observations*, cit., S. 259–60; siehe auch ders.; *De Zalmoxis*, cit., S. 173.

[37] Vgl. Eliade, *Some Observations*, cit., S. 158.

[38] Vgl. D. Cantemir, *Descriptio Moldaviae*, Bukarest 1872, S. 130. Eliade, *Notes on the Călușari*, cit., S. 117 verzerrt die Stelle, indem er von »Masken« und von »Verstellung der Stimme, um nicht erkannt zu werden«, spricht.

[39] Vgl. Vuia, *The Roumanian Hobby-Horse*, cit.; im selben Sinne Eliade, *Notes on the Călușari*, cit., S. 117.

[40] Vgl. Wolfram, *Altersklassen*, cit., S. 119.

[41] Vgl. Wesselofsky, *Alichino*, cit., S. 330, Anm. 5.

[42] Vgl. Kligman, *Călus*, cit., S. 59 ff.; N. Kuret, *Frauenbünde und maskierte Frauen*, in: *Festschrift für Robert Wildhaber*, Basel 1973, S. 334–47, insbes. S. 342 ff. Siehe auch R. Wolfram, *Weiberbünde*, in: »Zeitschrift für Volkskunde«, N. F., IV (1932), S. 137–46 (von O. Höfler beeinflußt); W. Puchner, *Spuren frauenbündischer Organisationsformen im neugriechischen Jahreslaufbrauchtum*, in: »Schweizerisches Archiv für Volkskunde«, 72 (1976), S. 146–70. Die Präsenz von Jungen und Mädchen bei den ukrainischen *Koljadanti* (vgl. Propp, *Feste agrarie*, cit., S. 75) erscheint ungewöhnlich: aber vgl. A. van Gennep, *Le Folklore des Hautes Alpes*, I, Paris 1946, S. 263–64 (Château-Ville-Vieille).

[43] Sie wurden kenntlich gemacht und zum Teil erörtert bei Eliade, *Some Observations*, cit., S. 158 ff. Hinweise auf Fruchtbarkeit in einer von A. Helm im Anhang zu A. Brody, *The English Mummers and their Plays*, Philadelphia 1970, S. 165–66 beschriebenen Pantomime der *Călușari* von Slobozia.

[44] Vgl. Buhociu, *Le folklore*, cit., S. 250.

[45] Vgl. die reichhaltige Analyse von Buhociu, *Le folklore*, cit., S. 159–234. Zum Zusammenhang zwischen dem hl. Theodor und Pferden siehe auch T. A. Koleva,

Parallèles balkano-caucasiens dans certains rites et coutumes, in: »Ethnologia Slavica«, III (1971), S. 194 ff.

[46] Vgl. Eliade, *Notes on the Călușari*, cit., S. 121. Im orthodoxen Kalender gibt es drei mit dem Namen eines hl. Theodor verbundene Feste, die sich auf drei verschiedene Heilige beziehen.

[47] Vgl. vom Verf., *Charivari, Jugendbünde und Wilde Jagd*, dt. Übers., in: *Spurensicherungen*, Berlin 1983, S. 47–60. In seiner Kritik an meiner Interpretation hat H. Bausinger bemerkt, daß sie im wesentlichen jene von O. Höfler wiederaufnehme (*Traditionale Welten, Kontinuität und Wandel in der Volkskultur*, in: »Zeitschrift für Volkskunde«, 81, 1985, S. 178–79). Ich hätte dies hervorheben sollen – zusammen mit dem Umstand, daß Höfler seinerseits K. Meuli vorausgegangen war (*Die deutschen Masken*, cit., S. 96 ff.). Zu teilweise anderen Schlußfolgerungen gelangt J.-C. Schmitt (*Les masques*, cit., S. 87–119).

[48] Vgl. die bei A. Kuhn, *Wodan*, in: »Zeitschrift für deutsches Altertum«, XV (1845), S. 472–94 (der Robin Hood am Ende mit Wodan identifiziert) und bei R. Wolfram, *Robin Hood und Hobby Horse*, in: »Wiener Prähistorische Zeitschrift«, XIX (1932), S. 357–74 (der mit den Schlußfolgerungen des vorigen Aufsatzes zum Teil nicht übereinstimmt) zitierten Texte. Die mythischen Implikationen sind in den (im übrigen hervorragenden) Aufsätzen zum Charivari von N. Z. Davis (*The Reasons of Misrule*, in: *Society and Culture in Early Modern France*, Stanford (Cal.) 1975, S. 97–123; dt. Übers. in: *Humanismus, Narrenherrschaft und die Riten der Gewalt*, Frankfurt a. M. 1987, S. 106–35) und E. P. Thompson (»*Rough Music*« *oder englische Katzenmusik*, in: *Plebeische Kultur . . . S. 131–68*) vernachlässigt. Zu diesem siehe auch *Charivari, Jugendbünde*, cit. Zu Robin Hood vgl. jetzt P. R. Coss, *Aspects of Cultural Diffusion in Medieval England: the Early Romances, Local Society and Robin Hood*, in: »Past and Present«, 108 (August 1985), S. 35–79.

[49] Vgl. Meuli, *Bettelumzüge*, cit., S. 57–58, und ders., *Schweizer Masken*, cit., S. 179–80; allgemein siehe auch E. Hoffmann-Krayer, *Knabenschaften und Volksjustiz in der Schweiz*, in: »Schweizerisches Archiv für Volkskunde«, VIII (1904), S. 81–89, 161–78; G. Caduff, *Die Knabenschaften Graubündens*, Chur 1929.

[50] H. Jeanmaire schlug in einem wohlbekannten Aufsatz (*La cryptie lacédémonienne*, in: »Revue des études grecques«, 26, 1913, S. 121–50) als erster einen Vergleich mit Daten ethnologischer Provenienz zur Initiation der Jugendlichen vor. Siehe außerdem ebenfalls von Jeanmaire, *Couroi et Courètes*, Lille/Paris 1939, S. 540 ff.; J. Ducat, *Le mépris des Hilotes*, in: »Annales E. S. C.«, 29 (1974), S. 1451–64; P. Vidal-Naquet, *Le chasseur noir. Formes de pensée et formes de société dans le monde grec*, Paris 1981, S. 151 ff.; Bremmer, *The ›suodales‹*, cit. Auf einer allgemeineren Ebene siehe Lévi-Strauss, *Le Père Noël*, cit.

[51] Vgl. zu den einen wie den anderen L. Weniger, *Ferialis exercitus*, in: »Archiv für Religionsgeschichte«, 9 (1906), S. 201–47 (auf S. 223 eine antifranzösische, kriegshetzerische Abschweifung). Zum Initiationswert der Bemalung des Gesichtes mit Kreide (wie bei den Kureten im kretischen Mythos von der Kindheit des Zeus) vgl. J. Harrison, *Prolegomena to the Study of Greek Religion* (1903, 1907), London 1980, S. 491 ff.; ders., *Themis* (1911), London 1977, S. 1–29. Zu den Phokäern vgl. A. Brelich, *Guerre, agoni e culti nella Grecia arcaica*,

Bonn 1961, S. 46–52; unter einem anderen Gesichtspunkt P. Ellinger, *Le Gypse et la Boue: I. Sur les mythes de la guerre d'anéantissement*, in: »Quaderni urbinati di cultura classica«, 29 (1978), S. 7–35.

52 Vgl. H. Güntert, *Über altisländische Berserkergeschichten*, Beilage zum Jahresbericht des Heidelberger Gymnasiums 1912, Heidelberg 1912; Weiser, *Altgermanische*, cit., S. 47–82; W. Müller-Bergström, *Zur Berserkerfrage*, in: »Niederdeutsche Zeitschrift für Volkskunde«, 12 (1934), S. 241–44; G. Sieg, *Die Zweikämpfe der Isländersagas*, in: »Zeitschrift für deutsches Altertum und deutsche Literatur«, 95 (1966), S. 1–27; G. Dumézil, *Heur et malheur du guerrier*, Paris 1985², S. 208 ff.

53 Gasparini, *L'antagonismo dei ›Koledari‹*, cit., S. 111 u. *passim*, der einen (nicht belegten) Zusammenhang mit der ihrerseits an hypothetische matriarchalische Strukturen gebundenen Dorfexogamie vorschlägt. Siehe auch vom selben Verf., *Il matriarcato slavo*, Florenz 1973, insbes. S. 434 ff.

54 Zu all dem vgl. den (an Meuli orientierten) Aufsatz von H. Dietschy, *Der Umzug der Stopfer, ein alter Maskenbrauch des Bündner Oberlandes*, in: »Archives Suisses des traditions populaires« XXXVII (1939), S. 25–43; Meuli, *Schweizer Masken*, cit., S. 183–85. Bei Abfassung seiner *Rhaetiae Alpestris Topographica Descriptio* (erst 1884 veröffentlicht) ahmte D. Chiampel (Ulricus Chiampellus) in mehreren Punkten die lateinische Übersetzung des kleinen Werks von Tschudi nach, die Sebastian Münster 1538 veröffentlichte; aber die hinzugesetzten Einzelheiten sind offensichtlich ein Ergebnis direkter Beobachtung.

55 Als Tschudi im Jahr 1571 die Ausführungen über die *Stopfer* wiederaufnahm (*Gallia Comata*, gedruckt zwei Jahrhunderte später), bemerkte er, daß der Brauch seit einigen Jahren unüblich geworden sei; in Surselva hingegen wurde er noch praktiziert (vgl. Dietschy, *Der Umzug*, cit.).

56 Vgl. W. Hein, *Das Huttlerlaufen*, in: »Zeitschrift des Vereins für Volkskunde«, 9 (1899), S. 109–23, und, allgemein, Meuli, *Schweizer Masken*, cit.

57 Vgl. Meuli, *Bettelumzüge*, cit., S. 58; Dönner, *Tiroler Fasnacht*, cit., S. 137–84.

58 Vgl. die umfassende vergleichende Übersicht, die G. Gugitz, *Die alpenländischen Kampfspiele und ihre kultische Bedeutung*, in: »Österreichische Zeitschrift für Volkskunde«, 55 (1952), S. 101 ff. skizziert (es fehlt jedoch jeglicher Hinweis auf die »Punchiadurs«).

59 Die bereits von Caduff (*Die Knabenschaften*, cit., S. 99–100) vorgeschlagene Analogie wird von Dietschy, *Der Umzug*, cit., S. 34 ff. entfaltet. Meuli fragte sich, ob jene der »Punchiadurs« bewaffnete Tänze oder richtiggehende rituelle Kämpfe waren (*Schweizer Masken*, cit., S. 184): Das friaulische Belegmaterial legt die zweite Alternative nahe.

60 Auch H. Dietschy ruft die Erzählungen des alten Thiess in Erinnerung (*Der Umzug*, cit., S. 37, Anm. 1), wobei er sie anscheinend, wie bereits Meuli, in rituellem anstatt in mythischem Sinn interpretiert. Meuli seinerseits nahm an (*Schweizer Masken*, op. cit., S. 185), die Riten der »Punchiadurs« seien alemannischen Ursprungs.

61 Zu all dem verweise ich auf den überaus gehaltvollen Aufsatz von R. Bleichsteiner, *Masken- und Fasnachtsbräuche*, cit. Zum Verfasser – einem originellen und zurückgezogen arbeitenden Gelehrten – siehe Nachruf

und Bibliographie von L. Schmidt, in: »Archiv für Völkerkunde«, IX (1954), S. 1–7.

62 Vgl. G. Charachidzé, *Le système religieux de la Géorgie païenne*, Paris 1968, S. 266 ff.

63 Vgl. Bleichsteiner, *Masken- und Fasnachtsbräuche*, cit., S. 11 ff u. 42 ff.

64 Vgl. Eliade, ›*Chamanisme‹*, cit.: Es handelt sich um eine Annahme von V. Diószegi, den in den Schlußfolgerungen des Aufsatzes dann als gesichertes Faktum genommen wurde, welches angeblich die Inexistenz von Formen des »Schamanismus« im rumänischen Raum beweise (siehe jedoch im weiteren, Anm. 66).

65 Vgl. das von W. Muster, *Der Schamanismus und seine Spuren in der Saga, im deutschen Märchen und Glauben*, Diss. Graz 1957 (die ich dank Dr. Pietro Marsilli konsultieren konnte) gesammelte Material und vor allem den nützlichen Überblick bei A. Closs, *Der Schamanismus bei den Indoeuropäern*, in: »Innsbrucker Beiträge zur Kulturwissenschaft«, 14 (1968), S. 289 ff. Ebenfalls Closs (vgl. *Die Ekstase des Schamanen*, in: »Ethnos«, 34, 1969, S. 70–89, insbes. S. 77) führt die an die Perchten gebundenen Rituale »auf einen mehr oder weniger para-schamanistischen Religiositätskomplex« zurück, trotz des Fehlens von Ekstase oder Trance.

66 In ›*Chamanisme‹ chez les Roumains?* (cit., 1968) begnügte sich Eliade in bezug auf die *Căluşari* mit einem kurzen Hinweis. In *Notes on the Căluşari* (cit., 1973) ließ er sich ausführlich über sie aus, wobei er ihre Tänze als »para-schamanistisch« bezeichnete und sie in Anbetracht der fehlenden Hinweise auf die Ekstase aus dem eigentlichen »Schamanismus« ausschloß. In *Some Observations on European Witchcraft* (cit., 1975) brachte er die *Căluşari* mit den Benandanti in Verbindung und akzeptierte für die letzteren die von mir vorgeschlagene Analogie mit der schamanistischen Ekstase. Eliade sah im Lauf der Jahre unverändert in der Ekstase das kennzeichnende Merkmal des Schamanismus: Aber die Erkenntnis ekstatischer Charakteristika an den rumänischen *Strigoi* (ebd., S. 159) hat den im Aufsatz von 1968 gezeichneten Überblick implizit modifiziert.

67 Vgl. E. T. Kirby, *The Origin of the Mummers' Play*, in: »Journal of American Folklore«, 84 (1971), S. 275–88. Zur Gefahr, den Begriff des »Schamanismus« ungebührlich auszudehnen, vgl. H. Motzki, *Schamanismus als Problem religionswissenschaftlicher Terminologie*, Köln 1977 (der auf S. 17 eine im Jahr 1903 von Van Gennep formulierte Aufforderung zur Vorsicht anführt).

68 Zu den (nicht initiierten) Kindern als Repräsentanten der (hyper-initiierten) Toten vgl. Lévi-Strauss, *Le Père Noël*, cit., S. 1586.

69 Vgl. die berühmten Ausführungen von M. Granet, *Danses et légendes de la Chine ancienne*, Paris 1926, I, S. 298 ff.; siehe außerdem D. Bodde, *Festivals in Classical China*, Princeton 1975, S. 75–138; J. Lévi, *Aspects du mythe du tigre dans la Chine ancienne. Les représentations de la sauvagerie dans les mythes et le rituel chinois*, thèse de 3ᵉ cycle (masch. schriftl.), S. 133 ff. Die in ein Bärenfell gehüllte Person mit vier metallenen Augen wird von C. Lévi-Strauss mit den vielfachen Masken der Eskimos und Kwakiutl in Verbindung gebracht (*Anthropologie structurale*, cit., S. 288): vgl. auch R. Mathieu, *La patte de l'ourse*, in: »L'homme«, XXIV (1984), S. 23, der in diesem Zusammenhang – unter Hinweis auf C. Hentze – an das Vermögen, alles zu sehen, erinnert, das die Ugrer der Ob-Gegend dem Bären zuschreiben.

[70] Vgl. M. Eliade, *Le mythe de l'éternel retour*, Paris 1969 (1. Aufl. 1949; dt. Übers. Frankfurt a. M. 1984), insbes. S. 83 ff. Es sei daran erinnert, daß Eliade im Vorwort zu einem Nachdruck der englischen Übersetzung (*Cosmos and History. The Myth of Eternal Return*, New York 1959, S. VIII–IX) den Terminus »Archetyp« in ontologischen, nicht psychologischen Begriffen neu zu definieren versuchte und sich damit von Jung distanzierte. In diesem Buch (seinem bei weitem originellsten) griff Eliade eine Reihe von Elementen auf, die bereits Frazer herausgestellt hatte (vgl. zum Beispiel *The Golden Bough*, IX: *The Scapegoat*, New York 1935, S. 328), und verschmolz sie mit den Totenthemen, die aus den Untersuchungen von G. Dumézil (*Le problème des Centaures*, cit.), O. Höfler (*Kultische Geheimbünde*, cit.) und einem Anhänger des letztgenannten, von A. Slawik, hervorgegangen waren. Das Pathos der Niederlage regte Eliade, auf dem eine faschistische und antisemitische Vergangenheit lastete (vgl. Furio Jesi, *Kultur von Rechts*, dt. Übers., Frankfurt a. M. 1984, S. 48 ff.), zur Theoretisierung der Flucht aus der Geschichte an. Zu entgegengesetzten Schlußfolgerungen, jedoch von einer teils analogen Überlegung zu den Themen der Krise und des Neubeginns ausgehend, war E. De Martino in *Il mondo magico* (1948) gelangt.

[71] Vgl. Eliade, *Le mythe*, cit., S. 87, der die Schlußfolgerungen von A. Slawik aufgreift (zugleich aber erklärt, sich nicht mit der Entstehung der mythisch-rituellen Formen zu befassen), beziehungsweise V. Lanternari, *La grande festa*, Bari 1976, S. 538 ff. (wo die ahistorische und mystifizierende Sicht Eliades kritisiert wird).

[72] Vgl. H. Ehelolf, *Wettlauf und szenisches Spiel im hethitischen Ritual*, in: »Sitzungsberichte der preußischen Akademie der Wissenschaften«, XXI (1925, S. 267–72; W. Schubart, *Aus den Keilschrift-Tafeln von Boghazköi*, in: »Gnomon«, 2 (1926), S. 63 (er schlägt eine etwas andere Übersetzung als die vorige Arbeit vor); A. Lesky, *Ein ritueller Scheinkampf bei den Hethitern*, in: »Archiv für Religionswissenschaft«, 24 (1926–27), S. 73 ff. (nimmt an, daß es sich um einen nicht mehr verstandenen und deshalb auf ein historisches Ereignis zurückgeführten Vegetationsritus handle; auf S. 77 verweist er auf die Stelle über die *Stopfer* bei G. Tschudi); A. Götze, *Kulturgeschichte des alten Orients*, in: *Handbuch der Altertumswissenschaft*, III, 3, München 1933, S. 152 (bestreitet, daß es sich um einen Ritus handelt). Vgl. H. Usener, *Heilige Handlung*, Teil II: *Caterva*, in: *Kleine Schriften*, IV, Leipzig u. Berlin 1913, S. 435–47 (wie stets reich an überaus scharfsinnigen Anregungen). Vgl. auch Van Gennep, *Le Folklore des Haute-Alpes*, cit., I, S. 62-63.

[74] Gegen diese mehrfach vorgebrachte Interpretation vgl. G. Dumézil, *Religion romaine archaique*, Paris 1974², S. 225 ff., und ders., *Fêtes romaines d'été et d'automne*, Paris 1975, S. 181 ff. (besonders überzeugend – auf S. 204–10 – die Darlegung der retrospektiven und nicht optativen Bedeutung der Worte des Festus *ob frugum eventum*).

[75] Vgl. Dumézil, *Religion romaine*, cit., S. 352 ff. (mit Bibliographie) u. 371–72. Diesen Punkt hebt W. H. Roscher (*Das von der ›Kynanthropie‹*, cit.,) stark hervor; vgl. auch E. Rohde, *Kleine Schriften*, cit., II, S. 222–23.

[76] Vor Jahren ergriff E. Leach, nachdem er zunächst Symbolisten (Frazer, Freud, Cassirer der einen Art) und Funktionalisten (Durkheim und seine Nachfolger, J. Harrison, Malinowski und Cassirer der anderen Art) einander gegenübergestellt hatte, resolut für die zweiten Partei und erklärte: Viele der von Frazer vorgeschlagenen Vergleiche seien wahrhaft bedeutsam, aber da in ihnen der Kontext systematisch ignoriert werde, befehle das funktionalistische Dogma, ihre Implikationen außer acht zu lassen (*Lévi-Strauss in the Garden of Eden: An Examination of Some Recent Developments in the Analysis of Myth*, in: »Transactions of the New Academy of Sciences«, F. II, Bd. 23, 1961, S. 387). Leachs Gebot zu übertreten heißt jedoch nicht notwendig, zu Frazer zurückzukehren. Einige Fragen Frazers kann man erneut stellen, ohne seine Antworten zu akzeptieren (mein Frazer hat Wittgenstein gelesen).

Hans Baldung (Gen. Grien), *Drei Hexen* (Anwendung der Hexensalbe), Helldlunkelzeichnung, 1514

DRITTER TEIL

EURASISCHE KONJEKTUREN

Zwei bärtige, Dolche schwingende Männer greifen einander mit erhobenen Schilden an. Einer trägt einen Helm, der andere ist barhäuptig. Sie tragen Waffenröcke, um die Taille gegürtet, und weite, bestickte Hosen. Zwischen ihnen ergreift ein berittener Mann, die Brust von einem Schuppenharnisch bedeckt, eine kurze Lanze und wendet sich gegen einen der beiden stehenden Männer. Auch er trägt Hosen, allerdings enger anliegende. Auf dem Boden liegt rücklings hingestreckt ein Pferd. Die Bärte, die Haare, die Schuppen des Harnischs, die Stickereien auf den Kleidern, die muskulösen Leiber des toten wie des lebenden Pferdes erstrahlen in einem einheitlichen goldenen Glanz. Fünf winzige zusammengekauerte Löwen tragen die Krieger. Vom Sockel, auf dem die Löwen sitzen, gehen lange, parallele Kammzinken aus. Auch die Löwen und die Zinken des Kamms sind aus Gold (vgl. Abb. S. 206).

Drei Jahrhunderte vor Christus ziselierte und goß ein griechischer Künstler, der wahrscheinlich in einer Stadt an der Schwarzmeerküste lebte, diesen Kamm für die Braut, Konkubine oder Tochter irgendeines skythischen Häuptlings. Die Details der auf dem Griff – er ist wenig höher als fünf Zentimeter – dargestellten Szene sind eingraviert, um eine deutlichere Ausführung zu erreichen. Aber die Gesamtwirkung ist, trotz der so zierlichen Dimensionen, majestätisch. Die Sprache der griechischen Monumentalplastik wurde hier für die Darstellung fremder Wirklichkeiten gewonnen[1]. Vielleicht spielte die den Kamm zierende Schlachtszene auf eine skythische Legende an, die der anonyme Auftraggeber dem Künstler vorgeschlagen haben mag. Ohne Frage haben die Hosen der drei Krieger nichts Griechisches an sich.

2. Als »Skythen« bezeichneten die Griechen eine Gruppe von Völkern, Nomaden und Halbnomaden, mit denen sie in der Gegend des Schwarzen Meeres in Berührung gekommen waren. Die Skythen kannten keine Schrift. Was wir über sie wissen, geht auf Ausgrabungen von Archäologen und auf Beschreibungen

Goldkamm aus der Grabstätte von Solocha, Melitopol (Ukraine). Wahrscheinlich 4. Jh v. Chr.; von einem griechischen Künstler für eine Skythin ziseliert; wie ihre Kleidung beweist, sind die dargestellten Personen Skythen.

von außenstehenden Beobachtern zurück, in erster Linie auf Herodot. In der Masse von Gegenständen, die in den Gräbern gefunden wurden, stehen skythische Erzeugnisse (Beschläge, Wagenschmuck, Tassen) neben solchen von griechischer Hand. Zu diesen gehört der Goldkamm mit der Kampfszene. Der Kontrast zwischen Stil und dargestellter Realität erinnert unmittelbar an die Erzählungen und Beschreibungen im vierten Buch Herodots, das eben den Skythen gewidmet ist[2].

Daß jede Beschreibung kulturell konditioniert und folglich nicht neutral ist, versteht sich von selbst. Die unersättliche Neugier Herodots wurde beim Sammeln und Darlegen von Informationen und Neuigkeiten von wirksamen – und potentiell deformierenden –, wenn auch oft unbewußten Schemata und Kategorien geleitet. Dies nicht zur Kenntnis zu nehmen, wäre naiv; aber daraus abzuleiten, daß es unmöglich sei, den Horizont des Textes von Herodot zu überschreiten, wäre einfach absurd. So brachte etwa ein Vergleich der im vierten Buch Herodots enthaltenen Beschreibungen mit anderen Belegreihen, die durch Zufall oder durch andere kulturelle und mentale Schemata als die seinigen ausgewählt worden sind, kostbare Wissensfragmente zutage: so der Vergleich mit archäologischen Funden einerseits, andererseits der mit Traditionen eines Volkes iranischer Sprache wie der Osseten, Nachfahren der wiederum von den Skythen abstammenden Alanen und Rossolanen. Hier wie auch anderswo wird die Ojektivität der Rekonstruktion durch eine – nicht immer Übereinstimmung ergebende – Kreuzung verschiedener Zeugnisse gewährleistet[3].

3. Herodot berichtet (IV, 73–75), daß sich die Skythen folgendermaßen reinigen, wenn sie ihre Toten bestattet haben: Sie lehnen drei Stangen aneinander, spannen Filzdecken darüber und setzen sich darunter, rings um ein Becken voller glühender Steine, auf die sie ein wenig Hanfsamen gestreut haben. Der aromatische Rauch, den der Hanf verströmt, läßt sie heulen vor Lust. Ein Vergleich zwischen dieser Stelle und den von Reisenden und Ethnographen abgefaßten Beschreibungen ähnlicher sibirischer Zeremonien hat zu der Annahme geführt, daß es bei den Skythen, die in der Gegend nördlich des Schwarzen Meeres ansässig waren, schamanistische Praktiken zur Herbeiführung ekstatischer Zustände gab[4]. Zur Stützung dieser Hypothese kann man einen außerordentlichen archäologischen Beleg anführen. In Pazyryk, in den Bergen des östlichen Altai, hat man einige Hügelgräber ans Licht gebracht, die auf das zweite oder dritte vorchristliche Jahrhundert zurückgehen und sich unter dem Eis erhalten haben. In ihnen fand man, neben einem Pferd mit aufgesetztem Rentiergeweih, einige Hanfsamen sowohl der Sorte *Cannabis sativa* (Marihuana) als auch der Sorte *Cannabis ruderalis Janisch*. Ein Teil davon war in einem Lederbeutel aufbewahrt, ein Teil befand sich, geröstet zwischen Steinen, in einem Bronzebecken mit kegelförmigem Fuß und mit Birkenrinde umwickelten Griffen. Im selben Grab fand man eine Trommel und ein Saiteninstrument, ähnlich jenen, wie sie zweitausend Jahre später von den sibirischen Schamanen benutzt wurden[5].

4. Vom 8. Jahrhundert v. Chr. an begannen aus Zentralasien stammende Nomadenvölker Streifzüge an die Grenzen der iranischen Hochebene im Westen und

in den Gürtel zwischen der Mongolei und China im Osten zu unternehmen. Wodurch diese zweifache, in entgegengesetzte Richtungen verlaufende Wanderungswelle quer durch den eurasischen Kontinent – die erste sicher belegte einer ganzen Reihe solcher Bewegungen, die sich zweitausend Jahre hindurch in unregelmäßigen Abständen wiederholen sollten – ausgelöst wurde, ist unklar[6]. Man hat angenommen, daß eine längere Dürreperiode um das Jahr 1000 v. Chr. in einem Großteil Zentralasiens zur Aufgabe des weniger ertragreichen Ackerlandes geführt und dadurch einer bis dahin nur latenten Lebensform nomadischen Hirtentums zum Durchbruch verholfen habe[7]. Zu diesen Nomadenvölkern zählten die Skythen, die zwischen 800 und 700 v. Chr. ihre Herrschaft auf der iranischen Hochebene errichteten. Dann drängte sie der Aufstieg des Mederreiches zum Kaukasus und zum Schwarzen Meer. Bei ihnen kauften die Griechen Gold, Ambra und Pelze.

Es kann sein (ist aber nicht sicher), daß sich unter den Skythen auch Gruppen mongolischer Abstammung befanden[8]. Jedenfalls sollen die schamanistischen Elemente, die man sowohl in der Religion der Skythen als auch – doch hier sind die Meinungen denkbar kontrovers – in jener des Zarathustra ausgemacht hat, von Kontakten mit den Kulturen der Steppen Zentralasiens herrühren[9]. Wir wissen, daß es bei den Skythen spezialisierte Wahrsager gab, die mit Weidenruten oder Lindenrinden die Zukunft vorhersagten. Diese wurden, so Herodot (IV, 67; I, 105), *Enarer* genannt, das heißt Nicht-Männer, Mann-Frauen: eine Benennung, die an Transsexualismus und Travestie hat denken lassen, wie sie bei den sibirischen Schamanen häufig sind[10]. Ergiebigere, wenn auch doppelt indirekte Angaben sind durch die Legenden um einen Griechen vom Hellespont überliefert, Aristeas von Prokonnesos (einer kleinen Insel im Marmarameer), der wahrscheinlich im 7. vorchristlichen Jahrhundert lebte. In einer Dichtung, den *Arimaspischen Gesängen,* von denen nur wenige Verse erhalten sind, hatte er erzählt, wie er, von Apoll ergriffen, zu den menschenfressenden Issedonen zog, bei denen er Nachrichten über noch weiter im Norden lebende Wesen einholte: über die einäugigen Aramasper, die schatzhütenden Greifen, die Hyperboreer. Herodot (IV, 13–16), der diese Reise als reale vorführt, schreibt Aristeas wunderbare Züge zu: so den Tod in der Werkstatt eines Walkers, auf den das mysteriöse Verschwinden des Leichnams und eine doppelte Auferstehung folgten, sechs Jahre später auf Prokonnesos und sogar zweihundertvierzig Jahre später in Metapont. Dort hatte sich Aristeas ein Standbild neben jenem Apolls errichten lassen, den er in Gestalt eines Raben zu begleiten pflegte. In der späteren Tradition wurden diese magischen Charakteristika noch weiter ausgeschmückt. Nach Maximus von Tyros (2. Jahrhundert n. Chr.) hatte die Seele des Aristeas zeitweilig den Körper verlassen, um wie ein Vogel durch die Himmel zu fliegen: die aus der Höhe gesehenen Länder, Flüsse und Völker gaben später den Gegenstand seiner Dichtung ab. Plinius (*Naturalis Historia,* VII, 174) erwähnt eine Statue, die Aristeas darstellte, wie er gerade seine Seele in Gestalt eines Raben aus dem Munde entweichen ließ. Anderen Zeugnissen zufolge war Aristeas fähig, in Katalepsie zu fallen, wann immer er wollte; wenn er von diesen ekstatischen Reisen wieder zu sich kam, sagte er Pestseuchen, Erdbeben, Überschwemmungen voraus[11]. All dies zeigt, daß die seit dem 7. Jahrhundert v. Chr. an den Ufern des Schwarzen

Meeres ansässigen griechischen Kolonien einige schamanistische Züge angenommen hatten, wie sie in der skythischen Kultur vorhanden waren[12].

Wir haben gesehen, daß es noch am Ende des vergangenen Jahrhunderts bei den Osseten, fernen Abkömmlingen der Skythen, Individuen – die *Burkudzäutä* – gab, die in regelmäßigen Abständen in Ekstase fielen und sich im Geist in die Welt der Toten begaben[13]. Das Jenseits, zu dem Soslan, einer der Protagonisten der ossetischen Nartendichtung, vordringt, erinnert in beeindruckender Weise an jenes, das in den Sagen der altaischen Völker (Tataren, Burjaten) beschrieben wird. In beiden Zyklen entdecken der Held und die Heldin eine Reihe von Personen, die unverständlichen Beschäftigungen nachgehen, die später als Strafen oder Belohnungen für auf der Erde begangene Taten entziffert werden. Manchmal stimmen sogar Einzelheiten miteinander überein: Eheleute etwa, die im Zwist lebten, streiten sich um eine Decke aus Ochsenhaut; die glücklichen Eheleute ruhen friedlich auf Hasenfellen aus[14]. So genaue, wenn auch aus spätem Belegmaterial stammende Konvergenzen bestätigen, daß die Skythen lange Zeit hindurch in engem Kontakt mit den Nomadenvölkern Zentralasiens lebten, ehe sie ihre Wanderung nach Westen aufnahmen (im 8. Jahrhundert v. Chr.). In der Kultur dieser Hirten, wie in jener der weiter nördlich, in der mit Tannen und Birken bewachsenen sibirischen Taiga ansässigen Jäger, hatten schamanistische Praktiken einen wichtigen Platz[15].

5. Um die volkstümlichen Wurzeln des Hexensabbat zu rekonstruieren, waren wir von den Zeugnissen zum ekstatischen Kult der geheimnisvollen nächtlichen Göttin ausgegangen. Die geographische Streuung dieser Belege schien auf den ersten Blick ein keltisches Phänomen zu umreißen. Diese Interpretation war jedoch angesichts einer Reihe von exzentrischen Zeugnissen mediterraner Provenienz hinfällig geworden. Neue Hypothesen waren aufgetaucht. Anomale Details wie die Auferstehung aus den Knochen hatten die Möglichkeit nahegelegt, daß in der Physiognomie der nächtlichen Göttin, und allgemeiner noch in der vielgestaltigen, später in das Sabbatstereotyp eingeflossenen Glaubensschicht, sehr viel ältere Elemente eingelagert sein könnten, überkommen von den Nomadenvölkern Zentralasiens, die wiederum mit den Kulturen der in den Gegenden des extremen Nordens ansässigen Jäger in Zusammenhang stehen. Auch Phänomene wie die in Ekstase ausgetragenen Kämpfe für den Wohlstand der Gemeinschaft oder die auf Tiermaskenzügen basierenden jahreszeitlichen Riten überschritten die Grenzen des indogermanischen Sprachraums. Berührungszonen kamen zum Vorschein – Lappland, Ungarn –, die gleichwohl nicht imstande schienen, die frühe und verstreute Präsenz schamanistischer Züge auf dem europäischen Kontinent zu erklären.

Je mehr sich der Untersuchungsraum ausweitete, der schließlich auffällig heterogene Zeiten, Orte und Kulturen umfaßte, desto schwieriger wurde die Möglichkeit, eine historische Perspektive einzunehmen. Sich auf eine rigoros morphologische Analyse zu beschränken, war offenbar der einzig gangbare Weg. Nun läßt die Verbindung von Skythen und zentralasiatischen Nomadenvölkern endlich die Möglichkeit aufscheinen, die bisher gesammelten Daten in einen plausiblen, wenn auch nur fragmentarisch bekannten historischen Zusammenhang einzuordnen.

6. Zu Beginn des 6. Jahrhunderts v. Chr. verließen größere Gruppen von Skythen die Schwarzmeerküste und drangen nach Westen vor. Nachdem sie den Dnjestr und die Donau überschritten hatten, ließen sie sich fest in der Dobrudscha nieder. Die dort lebenden Thraker erkannten die Oberhoheit der Skythen an. Die Gegend – eine teils mit Sümpfen bedeckte Ebene – wurde daher »Kleinskythien« genannt. Hierher strömten zu Beginn des 4. Jahrhunderts keltische Völkerschaften, mitgerissen von einem expansionistischen Schub, der zunächst einen Teil der Balkanhalbinsel überrollte und schließlich mit der Gründung galatischer Kolonien in Kleinasien endete. Man kann sich fragen, ob das Zusammentreffen von Thrakern (oder Thrako-Geten), Skythen und Kelten in der Gegend der niederen Donau – der äußersten Grenze des Steppenkorridors, der Asien mit Europa verbindet – nicht vielleicht einen Schlüssel bietet, um zum einen die Physiognomie der Göttin an der Spitze der Schar der toten Seelen und zum anderen die geographische Streuung ihres ekstatischen Kultes zu erschließen[16].

Im vielgestaltigen Bild der nächtlichen Gottheit hatten wir eine komplexe kulturelle Schichtung erkannt. Hinter der in den frühmittelalterlichen Bußbüchern erwähnten Diana und Herodias waren die Protagonistinnen einer Reihe von lokalen Kulten zum Vorschein gekommen – Bensozia, Oriente, Richella usw. –, in denen keltische Gottheiten wie Epona, die *Matres*, Artio nachklangen. Die Abbildungen von Epona aber, der berittenen keltischen Göttin, erinnern an jene der thrakischen Göttin Bendis – wahrscheinlich jener »königlichen« Göttin, die Herodot an Artemis annäherte. Bendis wurde in Athen zusammen mit einer thrakisch-phrygischen Göttin verehrt, mit Adrasteia, der Namensschwester einer der kretischen Ammen des Zeus, die Diodorus Siculus mit den Muttergöttinnen von Engyon gleichsetzte. Diese wurden mit den Nymphen keltischen Gepräges in Verbindung gebracht, die man im thrakischen Heiligtum von Saladinovo verehrte[17]. Man hat angenommen, daß Brauron, das Heiligtum, in dem Artemis von als Bärinnen verkleideten jungen Mädchen verehrt wurde, ein thrakischer Name sei[18]. Artemis Agrotera (d. h. die Wilde) hatte einige Züge einer weiblichen Gottheit ererbt, einer in prähistorischer Zeit an der Nordküste des Schwarzen Meeres verehrten »großen Göttin«: Diesen Kult hatten sich die Kimmerier zu eigen gemacht, die zu Beginn der Eisenzeit in diese Gegend eingedrungen waren[19]. Die Skythen, die um das Jahr 700 v. Chr. wiederum die Kimmerier aus Südrußland vertrieben und nach Westen abdrängten, verehrten eine Göttin, die halb Frau, halb Schlange und von Schlangenpaaren umgeben war: ein Bild, das sich unmittelbar mit jenem der sogenannten »Herrin der Tiere« – wie ein Epitheton der Artemis in der *Ilias* lautet – vergleichen läßt[20]. Dieses Geflecht von Annäherungen, Synonymien und Hybridisierungen scheint die bereits früher vorsichtig aufgestellte Hypothese zu bekräftigen, daß das uralte Gepräge der Artemis, wie es in der homerischen Benennung »Herrin der Tiere« zum Ausdruck kommt, eurasischer Herkunft sei[21]. Die mittelöstlichen und mediterranen Darstellungen einer oft halb tierischen, fast immer von Paaren von Pferden, Vögeln, Fischen, Schlangen umgebenen Gottheit hat man mit der »Mutter der Tiere« in Verbindung gebracht, die einige sibirische Völker (Jakuten, Tungusen) in Gestalt eines Vogels, eines Elchs oder Rehs verehren und die ihnen als Urmutter der Schamanen gilt[22].

In der halbtierischen oder von Tieren umgebenen nächtlichen Göttin, die im Zentrum eines ekstatischen Kultes schamanistischen Typs stand und von Kanonisten und Inquisitoren mit Diana gleichgesetzt wurde, hatten wir eine entfernte Erbin der eurasischen Schutzgottheiten der Jagd und des Waldes erkannt[23]. Diese Verbindung, die auf einen Schlag zweitausend Jahre und Tausende von Kilometern in Taiga und Steppe überwindet – jener Steppe, die, wie gesagt, eint und nicht trennt –, war auf rein morphologischer Basis formuliert worden. Nun sehen wir die Möglichkeit, sie in eine historische Sequenz zu übersetzen: Steppennomaden-Skythen-Thraker-Kelten. Wir haben gesehen, daß schamanistische Themen wie die Ekstase, der magische Flug, die Tierverwandlung sowohl im skythischen als auch im keltischen Umkreis präsent waren. Selbst die Krähe, die den Körper der in »exstaseis and transeis« gefallenen schottischen Hexen verließ, könnte mit dem Raben in Verbindung gebracht werden, der die Seele des Aristeas darstellte[24]. Fraglos war der Rabe ein Tier, das Apoll, der Gottheit, mit der sich Aristeas eng verbunden zeigt, heilig war[25]. Das in den schottischen Hexenprozessen beschriebene Elfenreich hat freilich genauso unbestreitbar ein keltisches Gepräge. Die Präsenz von Varianten oder Ausarbeitungen, die an spezifische kulturelle Kontexte gebunden sind, bildet keinen Widerspruch zur Hypothese eines gemeinsamen Schemas: jenes der ekstatischen, in der Regel in Tiergestalt zurückgelegten Reise in die Welt der Toten.

7. Auf Individuen, die sich in Vögel zu verwandeln vermochten, wies, mit ostentativer Ungläubigkeit, Ovid hin (*Met.* XV, 356 ff.): Er siedelte sie im Raum einer nördlichen Landschaft an, in der verschiedene Gegenden miteinander verschmolzen und die Halbinsel Chalkidike (Pallene) an Thrakien (den See Triton) und Skythien erinnerte: »In dem hyperboreischen Lande Pallene, so heißt es, gebe es Männer: wenn die im tritonischen Teiche sich neunmal untergetaucht, überziehe der Leib sich mit duftigem Flaume; aber ich glaube es nicht; man berichtet von skythischen Frauen, daß sie durch Reiben mit magischen Säften dasselbe erreichen«[26]. Das neunmalige, wahrscheinlich rituelle Eintauchen in einen thrakischen See erinnert an jenes ebenfalls rituelle Eintauchen der Werwölfe in einen Teich Arkadiens, ehe sie auf neun Jahre Tiergestalt annehmen. Im übrigen waren die Neuren, denen man – wie wir aufgrund von Herodots skeptischem Hinweis wissen – traditionell die Fähigkeit zuschrieb, sich in regelmäßigen Abständen in Wölfe zu verwandeln, vielleicht ein thrakisches Volk[27].

Von den Ebenen Thrakiens könnten sich diese Glaubensvorstellungen schamanistischen Charakters nach Westen und Norden verbreitet haben. Man weiß sicher, daß die Skythen bis zum Baltikum gelangten, und zwar über Rumänien, Ungarn, Schlesien, Mähren und Galizien – das die Spur der im 3. Jahrhundert v. Chr. erfolgten gallischen, das heißt keltischen Kolonisierung noch im Namen trägt[28]. Auf die Berührung zwischen Skythen und Kelten im niederen Donaugebiet und in Mitteleuropa könnten vielleicht anders nicht leicht erklärliche Phänomene zurückgeführt werden, so etwa, daß in Irland zahlreiche mit Werwölfen verknüpfte Legenden verbreitet sind; daß in einigen keltischen Sagen schamanistische Elemente zum Vorschein kommen; daß es Konvergenzen zwischen der ossetischen Heldendichtung und den Artusromanen gibt[29]. Vor diesem Hintergrund erscheint auch die Analogie zwischen den von den ossetischen *Burkudzäutä* und livländischen Werwölfen in Ekstase ausgefochtenen Kämpfen weniger unerklärlich.

8. Zur Hypothese eines eurasischen Kontinuums, das neben tungusischen Schamanen, lappischen *No'aidi* und ungarischen *Táltos* auch Personen aus dem indogermanischen Kulturraum wie *Kresniki*, Benandanti, weibliche Anhängerinnen der nächtlichen Göttin u. a. m. umfaßt, waren wir auf rein morphologischem Weg gelangt. Wir rekonstruierten die Serie mittels Vergleichung, wobei wir ein Ensemble von Merkmalen – die Ekstase, Kämpfe um Fruchtbarkeit, Vermittlung zur Totenwelt, die Überzeugung, es gebe von Geburt an mit besonderen Kräften ausgestattete Individuen – auswählten. Keines dieser Merkmale war spezifisch; spezifisch war ihre (manchmal nur partielle) Kombination. Analoge Klassifikationsformen wurden bereits im sprachwissenschaftlichen Bereich vorgeschlagen[30]. Die Sequenz sibirische Nomaden-Skythen-Thraker-Kelten führt nun aber in eine Darstellung, die bisher vorsätzlich achronisch blieb, nicht nur ein zeitliches, sondern auch ein genetisches Moment ein[31]. Angesichts kultureller Konvergenzen des beschriebenen Umfangs gibt es theoretisch drei mögliche Erklärungen: *a)* Verbreitung; *b)* Ableitung aus einer gemeinsamen Quelle; *c)* Ableitung aus strukturellen Merkmalen des menschlichen Geistes[32]. Was wir beschrieben haben, fällt unter die Kategorie *(a):* Die Präsenz schamanistischer Glaubensvorstellungen im europäischen Raum wird auf einen Verbreitungsprozeß zurückgeführt. Handelt es sich um eine akzeptable Erklärung?

9. Ehe wir darauf antworten, ist es notwendig, etwas zur Beschaffenheit des Belegmaterials zu sagen. Glaubensvorstellungen und Praktiken der Volkskultur zu klassifizieren, die durch indirekte, zufällige, oft stereotype Zeugnisse bekannt sind, zwischen denen wiederum Lücken klaffen und Schweigen liegt, ist, wie wir gesehen haben, schwierig. Diese Klassifikationen jedoch in historische Begriffe zu übertragen, erweist sich in vielen Fällen als unmöglich. Eine Reihe von Übereinstimmungen zwischen der Volkskultur der rumänischen Karpaten und jener des Kaukasus haben zum Beispiel zu der Annahme geführt, daß die Beziehungen zwischen den beiden Gegenden früher einmal sehr intensiv gewesen sein dürften: aber wann? Zu Beginn dieses Jahrhunderts, als die Hirten aus den Karpaten zahlreiche Herden auf der Krim besaßen? Oder in sehr viel früherer Zeit, durch indirekte Kontakte? Und falls dem so war, wer waren die Vermittler? Vielleicht die Alanen, von denen im 13. Jahrhundert ein Teil die Steppen verließ, um nach Westen zu ziehen[33]? Unsicherheiten dieser Tragweite sind keineswegs außergewöhnlich. Freilich erlauben sprachliche Zeugnisse bisweilen, zu genaueren Schlußfolgerungen zu gelangen. Auch hier wollen wir uns auf ein Beispiel beschränken. Daß es im Ungarischen Lehnwörter aus dem Ossetischen gibt, setzt voraus, daß die beiden, heute getrennten Sprachgemeinschaften früher einmal geographisch aneinander grenzten. Wann dies der Fall war, wissen wir nicht. Aber auf Grund der Merkmale der Lehnwörter hat man vermutet, daß es zu Kontakten mit einer Bevölkerung kam, deren Sprache einem der ossetischen Dialekte, nämlich *Digor*, ähnlich war: den Alanen[34]. Die von ihnen eingenom-

mene kulturelle Mittlerfunktion erscheint in diesem Fall ziemlich begründet. Es ist nicht ausgeschlossen, daß sprachliche Indizien auch dem Versuch, die Verbreitung von Glaubensvorstellungen schamanistischen Typs zu rekonstruieren, eine solidere Basis liefern können. Wie man sah, waren solche Glaubensvorstellungen Völkern sowohl indogermanischer als auch uralischer Sprachzugehörigkeit gemeinsam. Das Beispiel des Ungarischen und Ossetischen zeigt, daß dies sprachlichen Austausch nicht ausschloß. Zusammen mit den Wörtern konnten auch Glaubensvorstellungen, Riten, Bräuche zirkulieren[35]. Und natürlich Sachen.

10. Einen Weg, das Hindernis zu umgehen, das die Spärlichkeit datierter (oder mit Sicherheit datierbarer) Angaben über schamanistische Glaubensvorstellungen und Praktiken darstellt, bieten uns eben die Sachen, genauer: Erzeugnisse des Tierstils oder der Steppenkunst. Mit diesen Begriffen bezeichnet man gemeinhin Gegenstände, die, oft mit Tierabbildungen verziert, aus einem geographischen Raum zwischen China und der skandinavischen Halbinsel und aus der Zeit zwischen 1000 v. Chr. und 1000 n. Chr. stammen[36]. Chinesische Amulette aus der Chou-Zeit, Verzierungen von Zeremonienstöcken aus der inneren Mongolei, Goldarmbänder aus Zentralasien oder Sibirien, iranische Broschen, thrako-getische Silbergefäße, verzierte keltische Wurfscheiben (phalerae), westgotische und langobardische Gewandschnallen (vgl. Abb. S. 215) – sie alle weisen, jenseits der sie unterscheidenden Eigenheiten, sowohl unter stilistischem als auch unter ikonographischem Gesichtspunkt eine verwirrende Familienähnlichkeit auf[37].

Vom mittelalterlichen Europa werden wir damit abermals in die endlos weite, von berittenen Nomaden durchkreuzte eurasische Steppe zurückgedrängt. Wir sehen eine langwährende Geschichte verwickelten kulturellen Austausches sich abzeichnen: aber seit wann fand er statt, und von wo ging er aus? Die Diskussion über den Ursprung des Tierstils ist nach wie vor äußerst lebhaft; doch die auch in diesem Fall von den Skythen erfüllte Funktion einer Brücke zwischen Asien und Europa steht außer Frage[38]. Die Kontakte der Skythen zur Kunst des mittleren Ostens, namentlich des Iran, sind offensichtlich. Kontroverser, aber wahrscheinlich, ist die Hypothese, daß sie auch solche bildlichen Themen und Schemata verwendeten, die aus den Steppen Zentralasiens oder vielleicht sogar aus den Wäldern Nordsibiriens stammten[39]. Durch direkte oder indirekte Vermittlung der Skythen wanderten Elemente der Steppenkunst möglicherweise in die sarmatische, skandinavische und keltische Kunst[40]. Von all diesen Kontakten erscheinen jene zwischen der thrakischen (oder der in den Ebenen Thrakiens herausgebildeten) und der keltischen Kultur als besonders eng. Es ist bezeichnend, daß man den Herkunftsort des berühmten Kessels von Gundestrup (2.–1. Jahrhundert v. Chr.) abwechselnd in Thrakien und Nordgallien gesucht hat[41].

Sibirische Jäger, Nomadenhirten aus den zentralasiatischen Steppen, Skythen, Thraker, Kelten: die Kette, die wir zur Erklärung der Streuung von schamanistischen Glaubensvorstellungen von Asien bis nach Europa, von den Steppen bis zum Atlantik vorgeschlagen haben, ist auch – keineswegs unwidersprochen – für die Erklärung der Verbreitung von Themen und Formen des Tierstils in Anspruch genommen worden. Auch hier handelt es sich um eine teilweise auf Mutmaßungen gestützte Rekonstruktion, die eine Reihe von formalen Ähnlichkeiten in historischen Begriffen zu rechtfertigen sucht. Zweifellos stellt die Summe zweier Hypothesen – und seien es auch zwei konvergierende, von verschiedenen Belegreihen nahegelegte Hypothesen – noch keinen Beweis dar. Hervorzuheben ist jedoch, daß es sich bei den Erzeugnissen des sogenannten Tierstils im Unterschied zu den Zeugnissen über schamanistische Glaubensvorstellungen um eine direkte Quelle handelt, die aus erster Hand stammt und nicht gefiltert ist durch ihr äußerliche Blickwinkel oder kulturelle Schemata (außer den unsrigen, versteht sich). Sie bestätigen, daß die historische Übertragung, die wir hypothetisch gesetzt haben, wenn nicht sicher, so doch zumindest wahrscheinlich ist. Nicht nur das. Es ist möglich, daß die Verknüpfung zwischen den beiden Bereichen – jenem der Gegenstände und jenem der Glaubensvorstellungen – noch enger war. Tatsächlich hat man vorgeschlagen, in den Kämpfen zwischen wirklichen oder imaginären Tieren (Bären, Wolfen, Hirschen, Greifen), wie sie in der Kunst der Nomadenvölker dargestellt sind, eine Abbildung des Kampfes zwischen den in Tiere verwandelten Seelen der eurasischen Schamanen – denen wir im europäischen Raum die ungarischen *Táltos* oder die balkanischen *Kresniki* zur Seite stellen könnten – zu erkennen. Mit einer kräftigen Dosis Vereinfachung hat man versucht, den Tierstil auf eine schamanistische Ideologie zurückzuführen[42].

11. Wir sind zu einem ersten Schluß gelangt: Die Serie, die wir auf der Grundlage rein morphologischer Betrachtungen konstruiert haben, ist vereinbar mit einem dokumentierten Geflecht historischer Beziehungen. Die Entlehnungshypothese wäre dem Anschein nach bestätigt. »Vereinbar« bedeutet allerdings nicht »faktisch verknüpft«. Im Fall der hier betrachteten Phänomene ist das Verhältnis von existenten Zeugnissen, möglichen Zeugnissen und bezeugten Wirklichkeiten größtenteils vom Zufall abhängig. Beredt ist das Beispiel des außerordentlichen Erfolges eines ikonographischen Motivs: des sogenannten »fliegenden Galopps«, der Abbildung eines Pferdes mit hängendem, fast gegen den Boden gedrückten Bauch. Dieses Motiv ziert Gegenstände verschiedenster Herkunft und Erscheinung: eine mykenische, mit Gold überzogene Holzkiste (16. Jahrhundert v. Chr.), eine skythische Gewandschnalle (8.–7. Jahrhundert v. Chr.) (vgl. Abb. S. 215), eine sibirische Goldplatte (6.–4. Jahrhundert v. Chr.), eine Gemme aus dem Persien der Sassaniden (3. Jahrhundert v. Chr.), eine chinesische Vase aus der Ming-Periode (1500 n. Chr.) u. a. m. Wir wissen mit Sicherheit, daß das Motiv des »fliegenden Galopps« um die Mitte des 18. Jahrhunderts ins Abendland zurückkehrte, vermittelt durch Giuseppe Castiglione, einen genuesischen Maler und Jesuiten, der es aus der chinesischen Kunst übernahm und an Stubbs und Géricault weitergab[43]. Wir wissen hingegen nicht, wo und wann der »fliegende Galopp« seinen Ursprung hatte und wie er sich verbreitete. Natürlich läßt sich die Möglichkeit nicht ausschließen, daß das Motiv mehrmals, in verschiedenen Gesellschaften, unabhängig voneinander erfunden wurde. Aber was zur gegenteiligen Annahme geführt hat, ist seine Konventionalität: Es handelt sich um eine

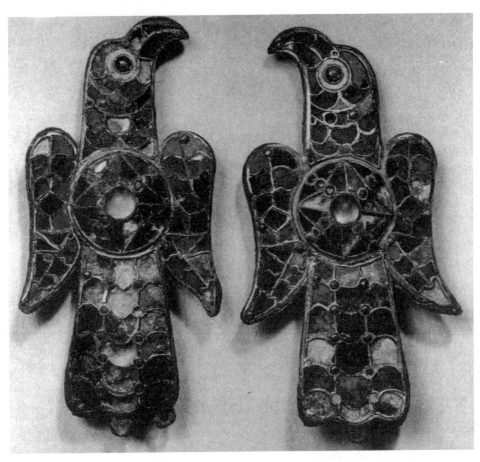

Wisigotische Fibeln, aufgefunden in Badajoz (Spanien), 550–600 n. Chr.

Skythische Fibel, 8.–7. Jh. v. Chr.

Formel, die zugleich extrem wirkungsvoll und ohne Entsprechung in der Wirklichkeit ist[44]. Die grundsätzliche Analogie zu den Fragen, wie sie die bisher untersuchten Mythen und Riten aufwerfen – Sind sie unabhängig voneinander entstanden? Haben sie sich von einem ganz bestimmten Zeitpunkt und Ort aus verbreitet? –, ist offensichtlich. Doch zu dieser Analogie kommt noch eine weitere, spezifischere hinzu, die mit der Präsenz des »fliegenden Galopps« im Tierstil zusammenhängt. Daß die Verbreitung – wenn es denn eine Verbreitung gegeben hat – von Westen nach Osten, von Kreta und Mykene nach Asien, erfolgte, wie man angenommen hat, scheint recht wenig wahrscheinlich[45]. Die Daten der bis zu uns gelangten Zeugnisse haben einen relativen Wert. Ältere Gegenstände, vor allem, wenn sie aus leicht verderblichen Materialien (Holz, Leder, Filz) gefertigt waren, mögen zerstört worden sein. Könnten die Völker, die sich, von Osten kommend, in der Bronzezeit in Griechenland niederließen, nicht ähnliche und ebenso zerbrechliche Gegenstände wie jene der Steppenkunst mitgebracht haben?[46] Eine solche Möglichkeit würde eine Umkehrung der Verbreitung des »fliegenden Galopps« implizieren – von Osten nach Westen statt von Westen nach Osten. Auf jeden Fall gibt sie erneut eine sehr viel allgemeinere Hypothese zu bedenken: daß nämlich die schwer faßbaren, langlebigen Kulturen der Steppennomaden in anderen, uns näheren Kulturen, angefangen bei der griechischen, möglicherweise eine tiefe, wenn auch schwer belegbare Spur hinterlassen haben. Vielleicht wurde die Zirkulation von Bildern und von Glaubensvorstellungen, die wir skizziert haben, durch eine bereits vorhandene Sedimentierung ermöglicht.

12. Verlegt man sich nach und nach auf eine immer fernere Vergangenheit, so neigt man dazu, von einer Erklärung in Begriffen der Entlehnung und Verbreitung *(a)* unmerklich zu einer Erklärung in Begriffen der Ableitung aus einer gemeinsamen Quelle *(b)* überzugehen. Dieser zweite Vorschlag ist alles andere als neu. Rein hypothetisch hat man eine indo-uralische Sprachschicht postuliert, um eine Reihe von Übereinstimmungen zwischen indogermanischen und uralischen Sprachen zu erklären[47]. Völlig unabhängig davon und ebenfalls hypothetisch wurde die Präsenz von schamanistischen, den sibirischen gleichenden Zügen in den vedischen Dichtungen einer sehr weit zurückliegenden Phase kultureller Kontakte zugeschrieben, an denen, in einem aller Wahrscheinlichkeit nach in der Steppe nördlich des Schwarzen Meers, zwischen dem Dnjepr und dem Kaukasus gelegenen Gebiet, Völker sowohl proto-uralischer als auch proto-indogermanischer Sprachzugehörigkeit teilgehabt haben sollen[48]. Eine teils ähnliche Hypothese legte der Vergleich zwischen griechischen, die Figur des Prometheus betreffenden Mythen und kaukasischen Mythen nahe, die um einen anderen wegen seiner Herausforderung der Gottheit bestraften Helden kreisen: um Amirani. Die Ähnlichkeiten (und Unterschiede) zwischen beiden Serien wurden auf die dauerhaften Beziehungen zurückgeführt, die sich in einer Zeit vor dem 2. Jahrtausend v. Chr. zwischen indogermanischen Sprachgemeinschaften, zu denen auch die Vorfahren der Griechen zählten, und ganz anderen Sprachgemeinschaften, zu denen auch die Urahnen der heutigen Bewohner des südlichen Kaukasus gehörten, angesponnen haben müssen[49]. Man kann beobachten, daß

gerade ein sprachlich heterogenes Gebiet wie der Kaukasus das einzige zu sein scheint, in dem drei Gruppen von wesentlich isomorphen Phänomenen gleichzeitig vorhanden sind[50] (vgl. Karte 3). Vorwiegend weibliche, mit den Totenprozessionen verknüpfte ekstatische Erfahrungen; vorwiegend männliche, mit den nächtlichen Kämpfen für die Feldfruchtbarkeit verknüpfte ekstatische Erfahrungen; sowohl mit den Totenprozessionen als auch mit den Kämpfen um Fruchtbarkeit verknüpfte männliche Rituale – könnten sie nicht alle von ein- und derselben Keimzelle ausgehende Ausformungen sein?

Hinter einer solchen Hypothese, genauso wie hinter jenen, die wir angeführt haben, erkennen wir den Reiz und die Gefahren eines eher noch romantischen als positivistischen Modells: jenes des Stammbaums. Nachdem die Illusion, wirkliche Sprachstufen in nächster Nähe zur ursprünglichen Sprache erreichen zu können, die Erfolge der vergleichenden indogermanischen Sprachwissenschaft angeregt hatte, speiste sie zu guter Letzt deren Exzesse. Man vertrat die Ansicht, durch Klassifizierung der sprachlichen Phänomene nach gesonderten Einheiten (den Sprachen), die durch genealogische Beziehungen vertikalen Typs miteinander zusammenhingen, sei es möglich, auf immer ältere und immer weniger bezeugte Schichten zurückzugehen. Doch je weiter man sich von den belegten Wirklichkeiten (den Ästen des Stammbaums) entfernte, desto stärker tendierte die Rekonstruktion dazu, in völlig konjekturalen Proto-Sprachen zu verschwimmen. Es ist bemerkt worden, daß die meisten Versuche, kulturelle und religiöse Phänomene zu rekonstruieren, die einer sehr fernen, nur indirekt dokumentierten Vergangenheit angehören, dieses, seit über einem Jahrhundert wiederholt kritisierte Modell explizit oder implizit nachgeahmt haben[51]. Doch auf der Grundlage der vorhandenen Materialsammlung rein hypothetisch die Existenz bestimmter historischer Beziehungen zu postulieren, ist offensichtlich ein durchaus anderes Verfahren[52]. Innerhalb dieser Grenzen scheint eine vorsichtige Inanspruchnahme des chronologischen Regresses bei den Phänomenen, mit denen wir uns hier befassen, unvermeidlich.

13. Wie man sieht, stoßen sowohl die Erklärungen in Begriffen der Verbreitung als auch jene in Begriffen der Ableitung auf beträchtliche Schwierigkeiten. Hinzuzufügen ist, daß den einen wie den anderen die Tendenz gemeinsam ist, die Beschreibung von Phänomenen der einen oder anderen Art mit einer Erklärung der weitgehend unerforschten Prozesse kultureller Assimilation zu verwechseln. Die Verbreitung ist jedoch eine Tatsache, keine Erklärung[53]. Dieser Mangel der Analyse erscheint dann als besonders schwerwiegend, wenn sich, wie in den hier besprochenen Fällen, das verbreitete Merkmal (eine Glaubensvorstellung, ein Ritus, eine ikonographische Formel) als eines erweist, das zugleich über sehr lange Zeiträume hin (Jahrhunderte, sogar Jahrtausende) erhalten bleibt und über extrem heterogene Zusammenhänge (Gesellschaften von Jägern, von Nomadenhirten, von Ackerbauern) verstreut ist.

Um die Gründe dieses doppelten Kennzeichens – Bestand in der Zeit, Streuung im Raum – zu verstehen, ist es offenbar notwendig, einem anderen Weg zu folgen: dem dritten (c) der oben angegebenen. Es gibt aber keinen Grund zu der Annahme, diese Perspektiven schlössen sich gegenseitig aus. Deshalb werden wir versuchen, die äußeren historischen Daten und die inneren, strukturellen Charakteristika des überlieferten Phänomens in die Analyse miteinzubeziehen[54]. Wir werden dies in kleinerem Rahmen tun, indem wir aus der Gesamtheit der bisher untersuchten Phänomene ein bestimmtes Element herausgreifen – ein kleines Detail.

[1] Vgl. M. Artamonow, *Goldschatz der Skythen in der Ermitage*, Prag 1970, S. 46 u. Taf. 147, 148 u. 150; *L'oro degli Sciti*, Venedig 1975, Legende zu Abb. 26.

[2] Vgl. in diesem Sinne bereits P. Jacobsthal, *Early Celtic Art*, Oxford 1944 (Nachdr. 1969), S. 161.

[3] F. Hartog nahm sich in seinem *Le miroir d'Hérodote*, Paris 1980, vor – wobei er sich eher an R. Barthes und vor allem an M. de Certeau als an Rostovtzev oder an Dumézil orientierte (S. 24–25) –, nicht die Skythen, sondern die »Skythen Herodots« in bezug auf »le savoir partagé« der Griechen im 5. Jahrhundert zu analysieren (S. 27; der Begriff erinnert an jenen des »Erwartungshorizonts«, den der auf S. 14 erwähnte H. R. Jauss ausgearbeitet hat). Dieses Programm war offensichtlich nicht imstande, die Last des Untertitels des Buches (*Essai sur la représentation de l'autre*) zu tragen: von daher der gelegentliche, aber unvermeidliche Vergleich zwischen Herodot-Stellen und anderem Belegmaterial (vgl. S. 98 ff. zum Dionysoskult im Schwarzmeergebiet; S. 130 ff. zum Schwurritual; S. 141 ff. zur Divination); vgl. auch G. Dumézil, *La courtisane et les seigneurs colorés*, Paris 1983, S. 129. Zu den hier angedeuteten Fragen allgemeiner Natur siehe vom Verf., *Prove e possibilità*, im Anhang zu N. Z. Davis, *Il ritorno di Martin Guerre*, Turin 1984, S. 143–45 (Die dt. Übers. *Beweise und Möglichkeiten*, in: *Die wahrhafte Geschichte von der Wiederkehr des Martin Guerre*, München/Zürich 1984, S. 202–05 weist mehrere sinnentstellende Mängel auf. A. d. Ü.).

[4] Vgl. den grundlegenden Aufsatz von K. Meuli, *Scythica* (1935), mit Verbesserungen und Ergänzungen wiederveröffentlicht in *Gesammelte Schriften*, cit., S. 817–79. Weitere, teils strittige Ausführungen bei E. R. Dodds, *Die Griechen und das Irrationale*, dt. Übers., Darmstadt 1970, S. 72–91 (siehe auch die Einleitung zur ital. Ausg., *I greci e l'irrazionale*, Florenz 1959, von A. Momigliano, S. XI). Meulis Hypothesen zu den schamanistischen Wurzeln der griechischen epischen Dichtung werden mit weniger Vorsicht wieder aufgegriffen von A. T. Hatto, *Shamanism and Epic Poetry in Northern Asia*, in: *Essays on Medieval German and Other Poetry*, Cambridge 1980, S. 117–38. Für (meines Erachtens nicht überzeugende) Widerlegungen Meulis vgl. K. Dowden, *Deux Notes sur les Scythes et les Arimaspes*, in: »Revue des études grecques«, 93 (1980), S. 486–92, und Bremmer, *The Early Greek Concept*, cit., S. 25 ff. Festzuhalten ist, daß zu Beginn des 19. Jahrhunderts bereits J. Potocki die sibirischen Schamanen mit den von Herodot beschrie-

benen skythischen Wahrsagern in Verbindung gebracht hatte (*Histoire primitive des peuples de la Russie*, cit., S. 128). Und den Kern von Meulis Aufsatz (auch hier in bezug auf Herodot IV, 75) hatte bereits Niebuhr vorweggenommen: vgl. *Untersuchungen über die Geschichte der Skythen, Geten und Sarmaten. (Nach einem 1811 vorgelesenen Aufsatz neu gearbeitet 1828)*, in: *Kleine historische und philologische Schriften*, Bonn 1828, I, S. 352–98, insbes. S. 361–62. Aber all dies schmälert die Originalität von Meulis Aufsatz nicht.

[5] Vgl. M. P. Griaznov, *The Pazirik Burial of Altai*, in: »American Journal of Archaeology«, 37 (1933), S. 30–45 (dieser Aufsatz ist Meuli entgangen); ausführlicher S. I. Rudenko, *Frozen Tombs of Siberia*, engl. Übers., Berkeley and Los Angeles 1970, S. 284–85 (der Meuli nicht erwähnt). Allgemein vgl. G. Azarpay, *Some Classical and Near Eastern Motifs in the Art of Pazyryk*, in: »Artibus Asiae«, 22 (1959), S. 313–39. Siehe auch F. Hančar, *The Eurasian Animal Style and the Altai Complex*, ebd., 15 (1952), S. 180 ff.; Balázs, *Über die Ekstase*, cit., S. 71 ff.; G. M. Bongard-Levin u. E. A. Grantovskij, *De la Scythie à l'Inde*, frz. Übers., Paris 1981, S. 91. Die in Sibirien und Zentralasien gefundenen Steinplatten in Widderform (vgl. den sehr schönen Aufsatz von A. Tallgren, *Some North-Eurasian Sculptures*, in: »Eurasia Septentrionalis Antiqua«, XII, 1938, S. 109 ff.) waren vielleicht tragbare Altäre, die zum Abbrennen von Hanfsamen dienten: vgl. K. Jettmar, *The Slab with a Ram's Head in the Rietberg Museum*, in: »Artibus Asiae«, 27 (1964–65), S. 291–300, insbes. S. 295.

[6] Vgl. W. Watson, *Cultural Frontiers in Ancient East Asia*, Edinburgh 1971, S. 96 ff. Siehe auch R. Heine-Geldern, *Das Tocharerproblem und die Pontische Wanderung*, in: »Saeculum«, II (1951), S. 225 ff.; H. Kothe, *Die Herkunft der kimmerischen Reiter*, in: »Klio«, 41 (1963), S. 5 ff. (in Polemik gegen den vorausgehenden Aufsatz); G. Vernadsky, *The Eurasian Nomads and Their Impact on Medieval Europe*, in: »Studi medievali«, 3. F., IV, (1963), S. 401–35, insbes. S. 403; K. Jettmar, *Die Entstehung der Reiternomaden*, in: »Saeculum«, II (1966), S. 1–11. Zur (heute weitgehend in Frage gestellten) Hypothese, im 2. Jahrtausend v. Chr. hätten Wanderungen von Nomadenvölkern aus Zentralasien nach Westen stattgefunden, vgl. A. M. Tallgren, *La Pontide pré-scythique après l'introduction des métaux*, in: »Eurasia Septentrionalis Antiqua«, II (1926), S. 214 ff.; J. Wiesner, *Fahren und Reiten in Alteuropa und im alten Orient*, Leipzig 1938 (»Der

alte Orient«, 38, Heft 2–4), S. 46 ff.; S. Gallus – T. Horváth, *Un peuple cavalier préscythique en Hongrie*, Budapest 1939 (»Dissertationes Pannonicae«, F. II, 9); W. Borgeaud, *Les Illyriens en Grèce et en Italie*, Genf 1943, S. 66, der den mutmaßlichen orientalischen Nomaden eine von schamanistischen Elementen durchdrungene Kultur zuschreibt. Die wichtigen Studien von A. Alföldi (hierzu siehe im weiteren S. 284, Anm. 208) gehen von teilweise ähnlichen Hypothesen aus.

[7] Vgl. A. M. Khazanov, *Nomads and the Outside World*, engl. Übers., Cambridge 1986, S. 85 ff.

[8] Diese These wurde erstmals von Niebuhr formuliert (*Untersuchungen*, cit., S. 352 ff.). Die spätere Diskussion wurde oft nicht nur durch die Unfähigkeit, zwischen der – im Fall der Skythen sicher dem iranischen Stamm angehörigen – Sprache und der ethnischen Zugehörigkeit zu unterscheiden, sondern auch durch offensichtliche ethnozentrische und rassistische Vorurteile beeinträchtigt. Zum gesamten Problem vgl. E. H. Minns, *Scythians and Greeks*, Cambridge 1913 (reprogr. Nachdr. New York 1965), S. 85, 97 ff. Später dann bestritt Minns die Präsenz von Völkern des mongolischen Stammes unter den Skythen (vgl. E. D. Phillips, *In memoriam Ellis Howell Minns*, in: »Artibus Asiae«, 17, 1957, S. 172), obgleich er mit immer größerer Überzeugtheit den sibirischen Ursprung der skythischen Kunst verfocht: vgl. O. Maenchen-Helfen, angeführt bei K. Jettmar, *In den Jahren 1955 bis 1962 erschienene Werke zur frühen Nomadenkunst der Asiatischen Steppen*, in: »Kunstgeschichtliche Anzeigen«, V (1961–1962), S. 194. Die Diskussion dauert noch fort: vgl. Gimbutas, *Bronze Age Cultures*, cit., S. 528 ff., insbes. S. 576–77 (zugunsten der These von der asiatischen Herkunft der Skythen); H. Kothe, *Pseudo-Skythen*, in: »Klio«, 48 (1967), S. 61–79 (dagegen).

[9] Vgl. H. S. Nyberg, *Die Religionen des alten Iran*, dt. Übers., Leipzig 1938, S. 167 ff. (der auf S. 177 Meulis Interpretation von Herodot IV, 75 aufnimmt), kritisiert von W. B. Henning, *Zoroaster, Politician or Witch-Doctor?*, Oxford 1951. Siehe A. Closs, *Iranistik und Völkerkunde*, in: »Acta Iranica«, 4 (1975), S. 111–21. Eine Vertiefung der These Nybergs bei P. Gignoux, ›*Corps osseux et âme osseuse‹: essai sur le chamanisme dans l'Iran ancien*, in: »Journal asiatique«, 267 (1979), S. 41–79. Und siehe bereits W. Nölle, *Iranisch-nordostasiatische Beziehungen im Schamanismus*, in: »Jahrbuch des Museums für Völkerkunde zu Leipzig«, XII (1953), S. 86–90.

[10] Vgl. Meuli, *Scythica*, cit., S. 824 ff; G. Dumézil, *Les énarées scythiques et la grossesse de Narte Hamyc*, in: »Latomus«, 5 (1946), S. 249–55. Siehe außerdem W. R. Halliday, in: »The Annual of the British School of Athens«, XVII (1910–11), S. 95–102.

[11] Ich folge in allem Meuli, *Scythica*, cit., S. 853 ff.; siehe auch W. Burkert, *Weisheit und Wissenschaft. Studien zu Pythagoras, Philolaos und Platon*, Nürnberg 1962, S. 124–25. Die von J. D. P. Bolton, *Aristeas of Proconnesus*, Oxford 1962 und von Bremmer, *The Early Greek Concept*, cit., S. 24 ff. erhobenen Einwände scheinen mir nicht überzeugend; zu Bolton siehe auch Eliade, *De Zalmoxis*, cit., S. 45, Anm. 44. Ein Versuch, die von Aristeas erwähnten Völker zu identifizieren bei E. D. Phillips, *The Legend of Aristeas: Fact and Fancy in Early Greek Notions of East Russia, Siberia and Inner Asia*, in: »Artibus Asiae«, 18 (1955), S. 161–77; ders., *A Further Note on Aristeas*, ebd., S. 159–62. Siehe auch Bongard-Levin u. Grantovskij, *De la Scythie*, cit. S. 28 ff.

[12] Zur griechischen Kolonisation des Schwarzen Meeres vgl. A. J. Graham, *The Date of the Greek Penetration of the Black Sea*, in: »Bulletin of the Institute of Classical Studies of the University of London«, 5 (1958), S. 25–42; R. Drews, *The Earliest Greek Settlements on the Black Sea*, in: »Journal of Hellenic Studies«, 96 (1976), S. 18–31. Zu den Vorschlägen, den Beginn des griechischen Vordringens auf das 11. Jahrhundert zurückzudatieren, siehe G. Charachidzé, *Prométhée ou le Caucase*, Paris 1986, S. 326 ff.

[13] Vgl. oben, S. 165–66.

[14] Vgl. Harva (Holmberg), *Les représentations*, cit., S. 247–51, der jedoch die wahrscheinlich zentralasiatische Herkunft der fernen Vorfahren der Osseten – der Skythen – vernachlässigt. Nur schwerlich wird die Konvergenz daher, wie Harva vertritt, den generell »internationalen Charakter« der von ihm aufgewiesenen Themen belegen können. Ein Vergleich mit der Sage von Soslan im Land der Toten zeigt, daß es sich vielmehr um einen vollkommen spezifischen Zusammenhang handelt: vgl. Dumézil, *Il libro degli Eroi*, cit., S. 107–31. Man beachte jedoch, daß Dumézil hier (und an anderen Stellen) dazu tendiert, die Kultur der Osseten in einer ausschließlich indogermanischen Perspektive zu betrachten. Es ist bezeichnend, daß Dumézil die Lektüre von Meulis Aufsatz (*Scythica*, 1935) mit gut vierzigjähriger Verspätung und überdies in etwas verkürzenden Begriffen vermerkt: vgl. *Romans de Scythie*, cit., (1978), S. 214, Anm. 2. Doch ein indirektes Echo der Forschungen Meulis scheint in einer anderen, fast gleichzeitig (1977) geschriebenen Ausführung Dumézils vernehmbar: »Marcel Granet, der treffende Zusammenfassungen schätzte, sagte, daß es von den Küsten Irlands bis zu den Küsten der Mandschurei nur eine Kultur gegeben habe. Mit diesen Worten brachte er die Idee zum Ausdruck, daß seit der Urgeschichte kein natürliches Hindernis die eruptive oder osmotische Verständigung vom einen zum anderen Ende der langen Ebene Nordeurasiens, die nur von den kaum überwindlichen Gebirgskette des Urals durchschnitten wird, verhindert hat. Was die Indogermanen betrifft, so ist es ein Faktum, daß die nördlichen Zweige der Familie im Vergleich zu den südlichen mehr ursprüngliche Züge aufweisen, die an das erinnern, was man bei den Ugro-Finnen bis hin zu den Tungusen feststellt. Beeindruckend ist vor allem die Bedeutung, die mehr oder minder reine Formen des Schamanismus annehmen…« (*Les dieux souverains*, cit., S. 183). Mit diesen Ausführungen (die eigentlich in voller Länge zitiert werden sollten) revidierte Dumézil implizit bestimmte früher formulierte Urteile wie die Leugnung schamanistischer Züge in der Figur Odins (siehe oben, S. 152, Anm. 109). Allgemeiner gesagt, steht die Hypothese eines durch die Präsenz (doch Dumézil spricht von »Eindringen«) schamanistischer Formen charakterisierten »nordeurasischen Kontinuums« im Widerspruch zur These von der indogermanischen kulturellen und religiösen Spezifität, wie er sie – allerdings ohne Argumente – auch in der Diskussion mit Abaev über die trifunktionale Ideologie (siehe im weiteren, S. 285, Anm. 229) vertritt. Der Versuch, die Spuren dieses eurasischen Kontinuums auf Nordeuropa zu beschränken, ist, wie ich in diesem Buch zu zeigen versuche, unhaltbar. In bezug auf den Kaukasus siehe die Untersuchungen von G. Charachidzé (*Prométhée*, cit.; und siehe im weiteren, S. 257 ff.). Im Bereich

der bildenden Kunst wurde die Existenz eines eurasischen Kontinuums von Leroi-Gourhan, *Documents*, cit., nachgewiesen.

[15] Vgl. Harva (Holmberg), *Les représentations*, cit., S. 13 ff.

[16] Strabo weist wiederholt auf es hin: VII, 3, 2; VII, 4, 5; VII, 5, 1. Auch Poseidonios spricht von einer »skythisch-keltischen Gegend«, die durch eine »mittlere Gegend« von der »äthiopischen Gegend« getrennt ist (*ebd.*, II, 3, 2). Vgl. allgemein Hoddinott, *The Thracians*, cit., S. 89 ff.

[17] Siehe oben, S. 126.

[18] Vgl. Chirassi-Colombo, *The Role of Thrace*, cit., S. 71 ff., insbes. S. 77–78.

[19] Vgl. M. Rostovtzeff, *Le culte de la Grande Déesse dans la Russie méridionale*, in: »Revue des études grecques«, XXXII (1914), S. 462–81.

[20] Vgl. das Bild auf dem Stirnriemen eines Pferdegeschirrs, der in der Eremitage aufbewahrt wird (auch hier handelt es sich um eine von Skythen bei griechischen Künstlern in Auftrag gegebene Goldarbeit): *L'oro degli Sciti*, cit., Abb. 24. Vgl. Dumézil, *La Courtisane*, cit., S. 90–96, der diese Parallelen jedoch nicht diskutiert.

[21] In einer Reihe von Randnotizen zu seinem Aufsatz *Die Baumbestattung und die Ursprünge der griechischen Göttin Artemis* (*Gesammelte Schriften*, cit., S. 1083 ff.), die er zwei Jahre vor seinem Tod niederschrieb, erklärte K. Meuli, die Auffindung von *historischen Zwischengliedern* zwischen der griechischen Artemis und der von den Ethnologen postulierten (vielleicht prähistorischen) »Tierherrin« sei eine »Aufgabe der Zukunft« (S. 1116). Diesen Weg hat W. Burkert, *Heracles and the Master of the Animals*, in: *Structure and History in Greek Mythology and Ritual*, Berkeley 1979, S. 78–98 u. 176–87 eingeschlagen. Zur »Herrin der Tiere« im ethnologischen Umkreis siehe die in Bremmer, *The Early Greek Concept*, cit., S. 129 angeführte Bibliographie, der Brelich, *Paides*, cit., S. 132, Anm. 49 hinzuzufügen wäre. Zu den Bildzeugnissen vgl. B. Goldman, *Some Aspects of the Animal Deity: Luristan, Tibet and Italy*, in: »Ars orientalis«, 4 (1961), S. 171–86, vorweggenommen bereits bei Leroi-Gourhan, *Documents*, cit., S. 82–84; vgl. insbes. Leroi-Gourhan, Abb. 335 (kaukasische Bronze), und Goldman, Abb. 9 (etruskische Bronze). Der Erfolg eines verwandten Themas im christlichen Bereich wurde erforscht bei W. Deonna, *Daniel, le »maître des fauves« . . .*, in: »Artibus Asiae«, 12 (1949), S. 119–40 u. 347–74.

[22] Vgl. R. Bleichsteiner, *Zum eurasiatischen Tierstil. Verbindungen zwischen West und Ost*, in: »Asien Arbeitskreis«, Heft 2, Juni 1939, S. 9–63, insbes. S. 36 u. 25.

[23] Ein solcher Zusammenhang wird in bezug auf die eurasischen Schamanen implizit vorgeschlagen von J. Haekel, *Idolkult und Dualsystem bei den Ugriern (Zum Problem des eurasiatischen Totemismus)*, in: »Archiv für Völkerkunde«, I (1946), S. 95–163, insbes. S. 156, der die in der vorigen Anmerkung angeführten Hypothesen von R. Bleichsteiner weiterentwickelt und eine kulturelle Verbreitung von Westen nach Osten annimmt.

[24] Vgl. oben, S. 101.

[25] Vgl. Bremmer, *The Early Greek Concept*, cit., S. 35.

[26] »Esse viros fama est in Hyperborea Pallene / Qui soleant levibus velari corpora plumis / Cum Tritoniacum noviens subiere paludem. / Haud equidem credo: sparsae quoque membra veneno / Exercere artes Scythides memorantur easdem« (*Met.* XV, 356 ff.; die Stelle

im laufenden Text ist zitiert nach der Übersetzung von H. Breitenbach, Zürich u. Stuttgart 1958. (A. d. Ü.)). In diesem Zusammenhang führte Georg Sabinus außer der Herodot-Stelle über die Neuren den jüngsten Fall eines angeblichen Werwolfes an, den eine Gruppe von Bauern festgenommen hatte und den der Herzog von Preußen hatte einkerkern lassen (P. Ovidius Naso, *Metamorphoseon libri XV... quibus nunc demum accessit Georgii Sabini interpretatio*, II, Lipsiae 1621, S. 353). Ein Hinweis auf die Werwölfe findet sich auch bei F. Taeger, *Charisma*, II, Stuttgart 1957, S. 170, Anm. 228. Allgemein vgl. den Kommentar von F. Bömer zu den Büchern XIV–XV der *Metamorphosen*, Heidelberg 1986, S. 346–48.

[27] Vgl. Hoddinott, *The Thracians*, cit., S. 96.

[28] Vgl. Vernadsky, *The Eurasian Nomads*, cit., S. 82 ff.

[29] Zu den Werwölfen in Irland siehe oben, S. 158. Zu den schamanistischen Elementen in den keltischen Sagen vgl. Beneš, *Spuren*, cit. Zu den Konvergenzen zwischen Artusromanen und ossetischer Heldendichtung vgl. Grisward, *Le motif de l'épée*, cit., S. 476–77, der der Niederlassung von Gruppen von Alanen (Nachkommen der Skythen) in Armorica im 5.–6. Jahrhundert n. Chr. geringe Bedeutung beimißt: hierzu vgl. B. Bachrach, *The Alans in Gaul*, in: »Traditio«, 23 (1967), S. 476–89; ders., *A History of the Alans in the West*, Minneapolis 1973, S. 110 ff. Ausgehend von denselben Konvergenzen hat man eine Ableitung der Artusepik von ossetischen Traditionen vorgeschlagen, die um 175 v. Chr. durch Truppen sarmatischen Ursprungs nach Britannien gebracht worden sein sollen: vgl. C. Scott Littleton u. A. C. Thomas, *The Sarmatian Connection. New Light on the Origin of the Arthurian and Holy Grail Legend*, in: »Journal of American Folklore«, 91 (1978), S. 513–27; C. Scott Littleton, *The Cauldron of Annwyn and the Nartyamonga. A Further Note on the Sarmatian Connection*, ebd., 92 (1979), S. 326-33; ders., *From Swords in the Earth to the Sword in the Stone . . .*, in: *Hommage à Georges Dumézil*, hg. v. E. C. Polomé, »Journal of Indo-European Studies Monographs«, Nr. 3, o. O. 1982, S. 53–67. Die Unhaltbarkeit der Hypothese wurde nachgewiesen von R. Wadge, *King Arthur: A British or Sarmatian Tradition?*, in: »Folklore«, 98 (1987), S. 204–15.

[30] Vgl. den berühmten, 1936 abgefaßten Aufsatz von N. S. Trubetzkoy, *Gedanken über das Indogermanenproblem*, in: »Acta Linguistica«, 1 (1939), S. 81 ff. Unter Hinweis auf die damals verbreiteten rassistischen Verzerrungen bezeichnete Trubetzkoy Ausdrücke wie »indogermanische Völker«, »ursprüngliche Heimat der Indogermanen« usw. als regelrecht absurde Begriffe (diese Anmerkungen sind immer noch aktuell). Die Übereinstimmung zwischen diesen Ausführungen Trubetzkoys und den morphologischen Überlegungen, die in Wittgensteins fast gleichzeitigen Notizen zu Frazer enthalten sind (vgl. Einleitung, S. 22–23) scheint mir bezeichnend: Ich weiß nicht, ob sie sich auf direkte oder indirekte Berührung zurückführen läßt.

[31] Vgl. U. Drobin, *Indogermanische Religion und Kultur?*, Auszug aus »Temenos«, 16 (1980), S. 10, der im zitierten Aufsatz von Trubetzkoy neben einer Polemik gegen die Exzesse der genealogischen Methode den – in Wirklichkeit nicht deutlich bekundeten – Vorsatz sieht, die Legitimität der genetischen Perspektive zu retten. Die Unterscheidung zwischen Genealogie und Genese wird hingegen explizit formuliert bei E. Pulgram, *Proto-Indo-*

European Reality and Reconstruction, in: »Language«, 35 (1959), S. 421–26 (bei Drobin ebenfalls erwähnt), der sich zum Teil von Trubetzkoy distanziert.

[32] Im Rahmen der Schlußbetrachtung eines wichtigen Buches (*Prométhée ou le Caucase*, cit), das in einem anderen Bereich und in einer anderen Perspektive teils ähnliche Probleme wie die hier diskutierten angeht, listet G. Charachidzé vier Möglichkeiten auf, um eine Reihe von Konvergenzen zwischen griechischen und kaukasischen Mythen zu erklären: »1) gemeinsames Erbe; 2) von ein- und demselben, (beiden) fremden Modell ausgehende Ausarbeitung; 3) Zufall oder typologische Konvergenz; 4) Entlehnung in der einen oder anderen Richtung« (S. 322). Meines Erachtens kann (2) als ein Sonderfall von (1) betrachtet werden, wenn man »Erbe«, diesen zweideutigen, da zugleich biologischen und kulturellen Begriff, durch »Herleitung« ersetzt; der Ausdruck »strukturelle Merkmale des menschlichen Geistes« ist dem der »typologischen Konvergenz« vorzuziehen, den Charachidzé selbst für unklar hält (S. 323).

[33] Vgl. O. Buhociu, *Thèmes mythiques carpato-caucasiens et des régions riveraines de la Mer Noire*, in: »Ogam – Tradition celtique«, VIII (1956), S. 259–78. Man nahm an, daß auch die *Kralijce* (hierzu siehe oben, S. 190) aus dem pontisch-iranischen Kulturraum stammten: vgl. M. Gušic, zitiert bei Kuret, *Frauenbünde*, cit., S. 344.

[34] Vgl. B. Munkácsi, *Alanische Sprachdenkmäler im ungarischen Wortschatze*, in: »Keleti Szemle«, 5 (1904), S. 304–29; H. Sköld, *Die ossetischen Lehnwörter im Ungarischen*, Lund u. Leipzig 1924 (den ich nicht eingesehen habe); ders., *Woher stammen die ossetischen Lehnwörter im Ungarischen?*, in: »Zeitschrift für Indologie und Iranistik«, 3 (1925), S. 179–86; J. Harmatta, *Studies in the History and Language of the Sarmatians*, Szeged 1970, S. 62, der auf die Studien von V. Miller und V. I. Abaev hinweist.

[35] Siehe zum Beispiel die Beziehungen zwischen den religiösen Anschauungen der Alanen und jenen eines Volkes kaukasischer Sprache wie der Swanen, die von G. Charachidzé analysiert werden (*La mémoire indo-européenne du Caucase*, Paris 1987).

[36] Zur ersten Orientierung vgl. den von M. Bussagli besorgten Artikel »Steppe, culture« in: *Enciclopedia Universale dell'Arte*, XII, Venedig u. Rom 1964, Sp. 905–44 (mit ausführlicher Bibliographie); K. Jettmar, *Die frühen Steppenvölker. Der eurasiatische Tierstil*, Baden-Baden 1964. Spezialstudien werden im weiteren nach und nach zitiert.

[37] Die Beispiele sind entnommen aus E. C. Bunker, C. B. Chatwin u. A. R. Farkas, ›*Animal Style‹ Art from East to West*, New York 1970, Abb. 69, 89, 40, 11, 139, 142, 143, 144 und jeweilige Legenden. Wenngleich überholt durch nachfolgende Entwicklungen der Forschung, bleibt das von M. I. Rostovtzev in *The Animal Style in South Russia and China*, Princeton 1929, gezeichnete Bild außerordentlich suggestiv.

[38] Dies bestätigt die lexikologischen Hypothesen von V. Brøndal, *Mots »scythes« en nordique primitif*, in: »Acta Philologica Scandinavica«, III (1928), S. 1 ff.

[39] Daß der Tierstil seinen Ursprung in Nordsibirien habe, vermutete G. Borovka, *Scythian Art*, London 1928, S. 30 ff., der sogar von »skythisch-sibirischem Tierstil« sprach (S. 40). Zu denselben Schlüssen gelangte E. H. Minns, *The Art of the Northern Nomads*, in: »Proceedings of the British Academy«, 1942, S. 47–93; siehe auch

Hančar, *The Eurasian Animal Style*, cit. und, auf der Grundlage stilistischer Argumente, O. Sudzuki, *Eastern Origin of Scythian Art*, in: »Orient«, 4 (1967), S. 1–22. Siehe jetzt E. Jacobson, *Sibirian Roots of the Scythian Stag Image*, in: »Journal of Asian History«, 17 (1983), S. 68–120. K. Jettmar, der früher einmal die Mittlerer-Orient-Hypothese vertrat (vgl. *Ausbreitungsweg und sozialer Hintergrund des eurasiatischen Tierstils*, in: »Mitteilungen der Anthropologischen Gesellschaft, Wien«, XCII, 1962, S. 176–91), hat sich auf Grund neuerer Ausgrabungen zugunsten eines Ursprungs in Zentralasien erklärt: vgl. E. C. Bunker, in ›*Animal Style‹*, cit., S. 13. Die Frage ist noch offen.

[40] An der Bedeutung des Zusammenhangs Skythen-Kelten (die bereits bei N. Kondakov, J. Tolstoï u. S. Reinach, *Antiquités de la Russie méridionale*, Paris 1891, S. 330–31 und bei M. Rostovtzev, *The Animal Style*, cit., S. 65 angedeutet wurde) hielt Minns, *The Art of the Northern Nomads*, cit., S. 79 ff. fest. P. Jacobsthal bezeichnete die Entstehung der keltischen Kunst als »Rätsel« und hob einige unerklärliche Ähnlichkeiten nicht so sehr mit der skythischen Kunst im eigentlichen Sinn, als vielmehr mit jener des Altai, Sibiriens und Chinas hervor (*Early Celtic Art*, cit., S. 158; siehe auch S. 51, 156 ff. u. 162). Zu Jacobsthals Unzufriedenheit mit der Art, in der er das Problem in Angriff genommen hatte, siehe das Zeugnis von C. Hawkes in *Celtic Art in Ancient Europe. Five Protohistoric Centuries. Proceedings of the Colloquy held in 1972...*, hg. v. P.-M. Duval u. C. Hawkes, London/New York/San Francisco 1976, S. 58–59. Vgl. auch Bunker, ›*Animal Style‹*, cit., S. 153–55.

[41] Vgl. jeweils T. G. E. Powell, *From Urartu to Gundestrup: the Agency of Thracian Metal-Work*, in: *The European Community in Later Prehistory. Studies in Honour of C. F. C. Hawkes*, hg. v. J. Boardman, M. A. Brown u. T. G. E. Powell, London 1971, S. 183–210; G. S. Olmsted, *The Gundestrup Cauldron*, Brüssel 1979, der die Ikonographie der auf dem Kessel dargestellten Szenen auf keltische Legenden zurückzuführen versucht.

[42] Vgl. A. Aföldi, *Die theriomorphe Weltbetrachtung in den hochasiatischen Kulturen*, in: »Jahrbuch des deutschen archäologischen Instituts«, 46 (1931), Sp. 393–418, insbes. Sp. 400 ff. Den symbolischen Wert dieser Darstellungen hatte F. Fettich, *Die Tierkampfszenen in der Nomadenkunst*, in: *Recueil d'études dédiées à la mémoire de N. P. Kondakov*, Prag 1926, S. 81–92, insbes. S. 84 angedeutet. Der Zusammenhang zwischen Schamanen und Tierstil wird in wenig kritischer Weise wiederaufgenommen von C. B. Chatwin, *The Nomadic Alternative*, in: ›*Animal Style‹*, cit., S. 176–83; siehe aber die nüchternen Hinweise von E. C. Bunker, in: *ebd.*, S. 13–15.

[43] Vgl. den sehr schönen Aufsatz von S. Reinach, *La représentation du galop dans l'art ancien et moderne*, Paris 1925 (ursprünglich erschienen in »Revue archéologique«, 1900–1901); E. C. Bunker, *The Anecdotal Plaques of the Eastern Steppe Regions*, in: *Arts of the Eurasian Steppelands*, hg. v. P. Denwood, London 1977, S. 121–42, vor allem S. 123; I. B. Jaffe (mit G. Colombardo), *The Flying Gallop: East and West*, in: »The Art Bulletin«, LXV (1983), S. 183–200 (mit neuen Elementen, vor allem zur Rückkehr des Motivs in den Westen).

[44] Dieses, durch den Vergleich mit den photographischen Untersuchungen von E. Muybridge (*Animal Locomotion*, Philadelphia 1872–87) nachgewiesene Element wurde von Reinach stark betont.

⁴⁵ Vgl. Reinach, *La représentation*, cit., S. 82–83 zur Präsenz von mykenischen Motiven in der Kunst des Kimmerischen Bosporus. Aber siehe Charachidzé, *Prométhée*, cit., S. 334–35 zu den sprachlichen Elementen, die zur Annahme einer Homogenität zwischen »ägäischem« Substrat und kaukasischer Kultur geführt haben.

⁴⁶ Vgl. M. J. Mellink, *Postcript on Nomadic Art*, in: *Dark Ages and Nomads c. 1000 B. C. Studies in Iranian and Anatolian Archaeology*, hg. v. M. J. Mellink, Istanbul 1964, S. 63–70, insbes. S. 67–68 (aber der ganze Band ist wichtig).

⁴⁷ In einer Reihe von äußerst sorgfältig durchgeführten Studien versuchte B. Collinder, der sich auch die Wahrscheinlichkeitsrechnung zunutze machte, zu zeigen, daß sich die Affinitäten zwischen indogermanischen und uralischen Sprachen nicht dem Zufall verdanken und daß es folglich – auf einer rein sprachlichen Ebene – legitim ist, eine »indo-uralische« Hypothese einzuführen: vgl. *Indo-Uralisches Sprachgut. Die Urverwandtschaft zwischen der Indoeuropäischen und der Uralischen (Finnischugrisch-Samojedischen) Sprachfamilie*, Uppsala 1934; ders., *Sprachverwandtschaft und Wahrscheinlichkeit*, hg. v. B. Wickman, Uppsala 1964. Zur Geschichte dieser Frage vgl. A. J. Joki, *Uralier und Indogermanen. Die älteren Berührungen zwischen den uralischen und indogermanischen Sprachen*, Helsinki 1973, S. 373–74, der zuletzt jedoch die Grenzen des linguistischen Terrains überschreitet, wenn er auf ziemlich schwach anmutenden lexikalischen Grundlagen Hypothesen über die Beziehungen zwischen Völkern uralischer und indogermanischer Sprachzugehörigkeit aufstellt. In einer nicht sehr viel anders angelegten Perspektive verfährt auch P. Aalto, *The Tripartite Ideology and the ›Kalevala‹*, in: *Studies in Finno-Ugric Linguistics in Honor of Alo Raun*, hg. v. D. Sinor, Bloomington (Indiana) 1977, S. 9–23.

⁴⁸ Vgl. Bongard-Levin u. Grantovskij, *De la Scythie à l'Inde*, cit., die eine zu Beginn des Jahrhunderts von Bal Gangadhar Tilak aufgestellte These in anderer und weniger abenteuerlicher Weise erneut formulieren (siehe S. 12–14). Tilak engagiert sich nicht nur stark im Kampf für die nationale Unabhängigkeit Indiens (für eine apologetische Biographie vgl. D. V. Athalye, *The Life of Lokamanya Tilak*, Poona 1921), sondern schrieb auch zwei Bücher, in denen er a) das allgemein akzeptierte Abfassungsdatum der *Veden* anhand von darin enthaltenen astronomischen Hinweisen um zwei Jahrtausende (bis zum Jahr 4500 v. Chr.) zurückdatierte; und b) vertrat, daß die alten Arier aus einer Zone in der Nähe des arktischen Polarkreises stammten, wo sie in der Interglazialzeit gelebt hätten (*The Arctic Home in the Vedas, Being also a New Key to the Interpretation of Many Vedic Texts and Legends*, Poona/Bombay 1903, dem *Orion, or Researches into the Antiquity of the Vedas*, 1893, das ich nicht gesehen habe, vorausging). Eine analoge Hypothese war weniger bestimmt bereits von J. Rhŷs, *Lectures on the Origin and Growth of Religion…*, London 1898, formuliert worden, der eine andere, nämlich die um einiges erstaunlichere Hypothese von W. F. Warren (*Paradise Found. The Cradle of the Human Race at the North Pole*, London 1885, mehrfach nachgedruckt) weiter ausführte, nach der die polaren Regionen in der seligen Interglazialzeit die Wiege des gesamten Menschengeschlechts gewesen sein sollen. Warren versuchte, das Alte Testament und die Naturwissenschaft – nament-

lich jene botanischen Forschungen, die, orientiert an den Arbeiten O. Heers, in den arktischen Regionen den Ursprungsort aller auf dem Erdball existierender Pflanzen annahmen – gegen Darwin miteinander zu versöhnen. Die Stellungnahme zu dieser Frage zogen sich etliche Jahre hin, wie das (auf jenes von Tilak gestützte) Bändchen von G. Biedenkapp, *Der Nordpol als Völkerheimat*, Jena 1906, zeigt. Später wurde die Theorie vom nordischen Ursprung der Indogermanen in nazistischen Weisen wiederaufgegriffen. Unlängst hat sie J. Haudry, *Les Indo-Européens*, Paris 1981, S. 119–121 (unter Berufung auf Tilak) erneut zu bedenken gegeben. Hierzu siehe das strenge Urteil von B. Sargent, *Penser – et mal penser – les Indo-Européens*, in: »Annales E. S. C.«, 37 (1982), S. 669–681, insbes. S. 675. Jedenfalls ist die Vorstellung, daß der Ursprung der Kultur im Norden lokalisiert werden müsse, daß Inder und Griechen (in einer ersten Fassung nur die Griechen) ihr kulturelles Vermögen also von einem äußerst zivilisierten Volk ererbten, das in fernsten Zeiten Zentral – oder Nordasien bewohnte, sehr alt. Zu ihren Ausformulierungen im 18. Jahrhundert (F. Bailly, C. Dupuis, u. a.) vgl. C. Dionisotti, *Preistoria del pastore errante*, in: *Appunti sui moderni*, Bologna 1988, S. 157–77. Bailly wiederum (vgl. *Histoire de l'astronomie ancienne…*, Paris 1775, S. 323 ff.) griff mit anderen Zielsetzungen auf die imposante Materialsammlung zurück, die O. Rudbeck (*Atlantica*, Uppsala 1679–1702, 4 Bde) angelegt hatte, um zu beweisen, daß Atlantis in Schweden, vielmehr in Uppsala gelegen habe (vgl. J. Svenbro, *L'idéologie ›gothisante‹ et l'›Atlantica‹ d'Olof Rudbeck*, in: »Quaderni di storia«, 11, 1980, S. 121–56). Ein Echo auf Rudbeck kommt wieder bei Rhys, *Lectures*, cit., S. 637 zum Vorschein. Die ganze Diskussion kann als Seitenzweig zu jener über Atlantis betrachtet werden: vgl. Vidal-Naquet, *L'Atlantide et les nations*, in: *Représentations de l'origine*, »Cahiers CRLHCIRAOI«, 4 (1987), S. 9–28 (dt. Übers. in: »Lettre international«, 3, 1988, S. 72–76).

⁴⁹ Vgl. Charachidzé, *Prométhée*, cit., S. 323 ff.; auf S. 340, Anm. 1 wird bemerkt, daß diese Hypothese durch die linguistischen Forschungen von T. Gamkrelidze und V. Ivanov (1984) bestärkt wird. Man beachte, daß V. Brøndal die Existenz eines »carrefour mondial« vermutet hatte, an dem kulturelle und sprachliche Elemente aus Zentralasien und der Ägäis zusammengekommen sein sollen, die sich später zu den ugro-finnischen und den nord- und mitteleuropäischen Völkern hin verbreitet haben sollen (*Mots ›scythes‹*, cit., S. 22).

⁵⁰ Siehe oben, S. 195 (es handelt sich natürlich um eine provisorische Schlußfolgerung, die durch weitere Forschungen widerlegt werden könnte.)

⁵¹ Vgl. den scharfsinnigen Aufsatz von Drobin, *Indogermanische Religion und Kultur?*, cit., der das konzeptionelle Gerüst, auf das sich unter anderem die (auf S. 3 erwähnten) Forschungen von G. Dumézil stützen, auf J. Schleichers Stammbaumtheorien zurückführt.

⁵² Vgl. die oben in Anm. 47 angeführten Studien von B. Collinder.

⁵³ Vgl. C. Renfrew, *L'Europa della preistoria*, ital. Übers., Bari 1987, S. 109 ff.; ders., *The Great tradition versus the Great Divide: Archaeology as Anthropology?*, in: »American Journal of Archaeology«, 84 (1980), S. 287–98, insbes. S. 293. Diese Ausführungen, in denen subtil argumentiert wird, wären den etwas summarischen Ausbrüchen der Ungeduld wie etwa dem auf den

Begriff der »Verbreitung« bezogenen Adjektiv *meaningless* vorzuziehen (*Approaches to Social Anthropology*, Cambridge (Mass.) 1984, S. 114).

⁵⁴ Siehe in diesem Zusammenhang die luziden Bemerkungen von C. Lévi-Strauss, *Le dédoublement de la représentation dans les arts de l'Asie et de l'Amérique*, in: *Anthropologie structurale*, cit., S. 269–94, insbes. S. 284: »même si les reconstructions les plus ambitieuses de l'école diffusioniste étaient vérifiées, il y aurait encore un problème essentiel qui se poserait, et qui ne relève pas de l'histoire. Pourquoi un trait culturel, emprunté ou diffusé à travers une longue période historique, s'est-il maintenu intact? Car la stabilité n'est pas moins mystérieuse que le changement. (...) Des connexions externes peuvent expliquer la transmission; mais seules des connexions internes peuvent rendre compte de la persistance. Il y a là deux ordres de problèmes entièrement différents, et s'attacher à l'un ne préjuge en rien de la solution qui doit être apportée à l'autre«. Zu der von Lévi-Strauss im zitierten Aufsatz behandelten Frage – die Analogien zwischen der archaischen chinesischen Kunst und jener der amerikanischen Nordwestküste – haben nacheinander, eben in diffusionistischer Perspektive, Badner, *The Protruding Tongue*, cit., und Heine-Geldern, *A Note on Relations*, cit., Stellung genommen. Der letztgenannte bezieht sich auf einen unveröffentlichten Vortrag, den Lévi-Strauss auf dem 29. Amerikanistenkongreß (1949) hielt, während er *Le dédoublement* (erschienen 1944–45) seltsamerweise nicht anführt.

Hexenhammer, (Höllendarstellung), Holzschnitt, Köln, 1511

KNOCHEN UND HÄUTE

Ein französischer Anthropologe, der eine große Tetralogie über die indianischen Mythen schreibt, bemerkt, fast in der Mitte des Werkes angelangt, daß er etwas übersehen hat[1]. Im vorhergehenden Band hatte er unter unzähligen anderen einen Mythos eines Indianerstammes aus Amazonien, der Tereno, erzählt und analysiert, wobei er jedoch ein Detail weggelassen hatte, dessen Bedeutung er nun auf einen Schlag begreift. (Der Mythos war durch einen dreifachen, immer indirekteren Filter zu ihm gelangt: einen deutschen Ethnographen, der in portugiesischer Sprache schrieb, einen eingeborenen Übersetzer, der Portugiesisch und Tereno sprach, einen eingeborenen Informanten, der nur Tereno sprach[2].) Es handelt sich um ein »minimales« Detail: Infolge verhexender Machenschaften seiner Frau wird der Protagonist eines Mythos vom Ursprung des Tabaks lahm. Der Anthropologe bemerkt, daß das Hinken auch in einem Ritual der Tereno auftaucht, und nicht nur dort, sondern in einer großen Zahl von Mythen und vor allem Riten, die in beiden amerikanischen Kontinenten, in China, in Kontinentaleuropa, im Mittelmeerraum belegt sind. Alle – so scheint ihm – sind mit dem Wechsel der Jahreszeit verknüpft. Ein transkultureller Zusammenhang, der einen so endlos weiten Bereich abdeckt, kann offensichtlich nicht auf besondere erklärende Ursachen zurückgeführt werden. Wenn man den Ritus des hinkenden Tanzes nicht auf das Paläolithikum zurückführen will – was, wie der Anthropologe bemerkt, zwar seine geographische Streuung, nicht aber sein Überleben erklärte –, muß man, zumindest hypothetisch, nach einer Erklärung strukturaler Ordnung suchen[3]. Der Anthropologe wagt eine solche Erklärung – obwohl er sich der Dürftigkeit des amerikanischen Belegmaterials durchaus bewußt ist. Wenn das in diesen Riten gestellte Problem jenes sei, eine Jahreszeit zugunsten einer anderen abzukürzen (écourter), um den Übergang zu beschleunigen, dann liefere der hinkende Tanz ein perfektes Bild oder vielmehr Diagramm des erwünschten Ungleichgewichtes. War Montaigne in seinem berühmten Essay über die Hinkenden nicht genau von der Reform des Kalenders ausgegangen, mit der Papst Gregor XIII. die Dauer des Jahres verkürzt hatte?[4]

2. Ein vom Mittelmeerraum bis nach Amerika belegtes Phänomen mit Hilfe eines Montaigne-Zitats erklären zu wollen, heißt, sich eine Freiheit herauszunehmen, die die Güte der Methode in Verruf bringen könnte – bemerkt, nicht ohne Koketterie, der Anthropologe. Doch wenn seine Argumentation auch offenkundig unangemessen erscheint, so ist doch die Frage, die sie auf den Plan gerufen hat – weshalb kommen mit dem Hinken zusammenhängende Mythen und Riten in so verschiedenen Kulturen vor? – durchaus real. Eine befriedigendere Antwort auf eine solche Frage zu suchen, bedeutet, sich erneut mit einer Reihe von Schwierigkeiten auseinanderzusetzen, die im Lauf der hier durchgeführten Untersuchung ungelöst geblieben sind. Themen, denen wir bereits begegnet sind, werden uns schlagartig in einem neuen Licht erscheinen.

3. Der Anthropologe, der die transkulturelle Bedeutung des mythischen und rituellen Hinkens hervorgehoben hat, hielt es nicht für angebracht, in diesem Zusammenhang den Mythos von Oidipus zu erwähnen. Gleichwohl hatte er, wenn nicht als erster, so fraglos mit besonderem Nachdruck, die Bedeutung der Anspielung auf einen Gehfehler betont, die im Namen des Oidipus – genauso wie in jenem von dessen Großvater, Labdakos, »der Lahme« – enthalten ist[5].

Eine Prophezeiung besagt, der Sohn des Laios, des Königs von Theben, werde seinen eigenen Vater erschlagen und sich mit seiner eigenen Mutter vermählen. Um dieses verhängnisvolle Geschick abzuwenden, wird das Kind gleich nach seiner Geburt ausgesetzt; zuvor werden ihm aber noch die Knöchel durchbohrt – von daher der Name Oidipus, das heißt »Schwellfuß«[6]. Diese Erklärung wurde von der Antike an formuliert. Aber schon damals hielten sie manche nicht für ausreichend. Warum hatte man sich an einem Neugeborenen, das offensichtlich nicht zu fliehen vermochte, so grausam vergangen? Der Verfasser eines Scholion zum *König Oidipus* des Sophokles nahm an, das Kind sei verunstaltet worden, damit niemandem in den Sinn käme, es zu sich zu nehmen[7]. Dies ist eine rationalistische Vermutung, die dem Geist des Mythos zweifellos fremd ist. Noch weniger akzeptabel ist die Hypothese, das unverständliche Detail der verstümmelten Füße sei ein späterer Zusatz, den der Name »Oidipus« nahegelegt habe[8].

Zweifellos ein eigenartiger Name, der sich weder für einen Helden noch für einen Gott besonders eignet. Man hat ihn neben jenen des Melampus, »Schwarzfuß«, des Wahrsagers und Heilers aus Thessalien gestellt. Ein Mythos lautete, er sei gleich nach seiner Geburt in einem Wald ausgesetzt worden, wo ihm die Sonne die nackten Füße verbrannt habe – von daher das Epitheton[9]. Zwischen den Gestalten des Oidipus und Melampus und den Unterweltsgottheiten hat man einen Zusammenhang gesehen; in den Entstellungen, die sie charakterisieren, euphemistische Anspielungen auf den schwarzen, aufgeschwollenen Leib des typischsten aller chthonischen Tiere, der Schlange. Diese letzte Hypothese ist offensichtlich absurd[10]. Aber es steht außer Zweifel, daß Oidipus und Melampus, abgesehen davon, daß beide Wahrsager sind, auch eine durch ihre Aussetzung verursachte Verkrüppelung der Füße miteinander gemein haben. Diese Konvergenzen sind, wie wir sehen werden, nicht zufällig[11].

Wir wollen Melampus vorerst beiseite lassen und uns wieder Oidipus zuwenden. Sein Name und seine Funktion als unbewußtes Werkzeug des Unheils seiner Eltern sind als Überbleibsel eines halb ausgelöschten Märchenkerns gedeutet worden[12]. In ihm hat man einen elementaren Handlungsgang erkannt, wie er für Zaubermärchen typisch ist: Nachdem der Held mit außergewöhnlichen Mitteln eine schwierige Aufgabe gelöst hat, heiratet er die Prinzessin (manchmal, nachdem er den alten König getötet hat). In der Version des Mythos, die uns überliefert ist, geht die Ermordung des Königs, des Laios, der schwierigen Aufgabe voraus: der Lösung des von der Sphinx gestellten Rätsels[13]. Außerdem kehrt der Held und Findling, statt in ein fremdes Königreich zu gelangen, nach Hause zurück – was wiederum den Vatermord und Inzest impliziert. Diese Abwandlung, in der wir heute den eigentlich »ödipalen« Kern erkennen, soll ein späterer Zusatz sein, der in der Ausarbeitung der tragischen Dichter die ältere Märchenhandlung schließlich tiefgreifend verändert habe[14].

Der Versuch, innerhalb eines Mythos verschiedene Schichten zu unterscheiden, stützt sich fast zwangsläufig auf Mutmaßungen. Es gilt jedoch hervorzuheben, daß »älter« weder »authentischer« (da der Mythos von der Kultur, die ihn sich zu eigen macht, immer en bloc angenommen wird) noch »ursprünglich« heißt (denn der Ursprung eines Mythos ist definitionsgemäß unerreichbar)[15]. Aber wenn wir zugeben, daß eine Unterscheidung zwischen verschiedenen Schichten im Prinzip möglich ist, scheinen die verstümmelten Füße des Oidipus zum Märchenkern, nicht zu den nachfolgenden Überlagerungen zu gehören. Obwohl in sehr vielen Kulturen verbreitet und auf den Menschen im allgemeinen bezogen, gewann das Rätsel der Sphinx (welches Lebewesen geht am Morgen auf vier Beinen, am Mittag auf zweien, am Abend auf dreien?) in dem Augenblick eine besondere Bedeutung, als es jemandem wie Oidipus gestellt wurde, dessen Füße verunstaltet waren und der sich im Alter auf den Blindenstock stützen sollte[16]. Im *König Oidipus* des Sophokles wird allerdings eher indirekt an die Verkrüppelung erinnert: in der schrittweisen Enthüllung der wahren Identität des Helden ist sie von nebensächlicher Bedeutung[17]. Vielleicht verdankt sich diese langsame, einkreisende dramatische Strategie nicht nur einer künstlerischen Entscheidung, sondern auch der Schwierigkeit, ein aus der mythischen Tradition ererbtes, aber bereits unverständlich gewordenes Detail zu erklären.

In diesem, so hat man angenommen, sei das Echo eines fernen Initiationsritus vernehmbar, bei dem der Novize zuerst symbolische Verletzungen, dann eine Zeit der Absonderung zu gewärtigen hatte: zwei Phasen, die im Fall des Oidipus den durchbohrten Knöcheln und der unter Hirten verbrachten Kindheit entsprächen[18]. In Griechenland blieben von solchen Bräuchen nur schwache oder indirekte Spuren[19]. Aber ihre Verbreitung in den verschiedensten Kulturen hat in den Zaubermärchen eine unauslöschliche Spur hinterlassen. In diesen hat man eine immer wiederkehrende Struktur entziffert: Nachdem sich der Held in die Welt der Toten begeben hat – die mythische Entsprechung zu den Initiationsriten –, kehrt er auf die Erde zurück, um die Königin zu heiraten. Wir können annehmen, daß die Verletzung der Füße, die Aussetzung, die auf den wilden Höhen des Kithairon, an den Rändern der Welt der *Polis* verbrachte Zeit und der – später zur Lösung des Rätsels abgeschwächte – Kampf mit der Sphinx in der älteren Version des Oidipus-Mythos (in der man, wie gesagt, ein Zaubermärchen erkannt hat) die Etappen einer Initiationsreise ins Jenseits markieren[20]. Diese Interpretation würde – ergänzend und korrigierend – jene bereits erwähnte bestätigen, die in Oidipus einen chthonischen Helden sieht, der mit Höllengottheiten wie den zwielichtigen, glück- und todbringenden Erinnyen in Verbindung steht[21]. Unter den Epitheta der Erinnyen sind jene, die auf – *pous* enden, besonders häufig. Es wurde bemerkt, daß sich Oidipus in den *Phönikierinnen* des Euripides (V. 1543–45) nach seiner Blendung mit einem Gespenst, einem Toten vergleicht[22]. Und die Sphinx ist zweifellos ein Totentier[23].

4. Diese Hypothesen erklären jedoch nicht die besondere Form von Verstümmelung, die Oidipus vor seiner Aussetzung zugefügt wird[24]. Sie wird indirekt erhellt durch eine andere Interpretation, die, im Unterschied zur vorigen, den Mythos in seiner Gesamtheit betrachtet, das heißt, auch den Vatermord und den Inzest einschließt[25]. Die Geschichte des Oidipus wird damit in eine ganze Gruppe von Mythen und Sagen einbezogen, die ein überaus großes geographisches Gebiet abdecken: von Europa bis Südostasien über Nordafrika, mit Ausläufern vom Nordpolarmeer bis nach Madagaskar[26]. Ihnen liegt eine im wesentlichen analoge Struktur zugrunde. Ein alter König erfährt von einem Orakel, daß ihn ein junger Fürst – dessen Vater, Großvater, Onkel, Adoptiv- oder Schwiegervater er, je nach Fall, ist – töten wird, um seine Nachfolge anzutreten. Um die Prophezeiung abzuwenden, wird der Junge gezwungen, seine Heimat zu verlassen: nach etlichen Proben kehrt er zurück, tötet (willentlich oder unfreiwillig) den alten König und tritt seine Nachfolge an, in der Regel, indem er sich mit dessen Tochter oder Frau vermählt. Die griechischen Mythen, die diese Sequenz ganz oder zum Teil aufweisen, kann man vier Gruppen zuordnen, von denen sich zwei wiederum in jeweils zwei Untergruppen unterteilen lassen:

I.1 *(willentlicher Vatermord, wenn auch in abgeschwächter Form):* Kronos (der Uranos kastriert) und Zeus (der Kronos entthront oder kastriert);I.2 *(unfreiwilliger Vatermord):* Oidipus (der Laios tötet), Theseus (der den Selbstmord von Aigeus auslöst), Telegonos (der Odysseus tötet);

II.1 *(willentliche Ermordung des Onkels):* Iason (der in der ursprünglichen Version des Mythos Pelias ermordete), Aigisthos (der Atreus, den Bruder seines Vaters Thyestes tötet), Telephos (der die Brüder seiner Mutter Auge tötet), die Söhne von Tyro und deren Onkel Sisyphos (die Salmoneus, den Bruder ihres Vaters und Vater ihrer Mutter töten[27]);

II.2 *(unfreiwillige Ermordung des Onkels):* Perseus (der Akrisios tötet, welcher manchmal als Bruder seines Vaters Proitos bezeichnet wird);

III. *(Ermordung des Großvaters):* nochmals Aigisthos (der Atreus, den Vater seiner Mutter, Pelopeia, tötet), und nochmals Perseus (der Akrisios tötet, der gemeinhin als Vater seiner Mutter, Danae, präsentiert wird);

IV. *(Ermordung des künftigen Schwiegervaters):* Pelops (der Oinomaos, den Vater der Hippodameia tötet) und noch einmal Zeus (der einer anderen, konjekturalen Version zufolge Kronos entthront, nachdem er sich mit seiner Schwester Rhea vermählt hat).

Wie man sieht, sind die Mythen dieser (nicht erschöpfenden) Reihe durch eine ähnliche Struktur gekennzeichnet, die sich in einer Reihe von Substitutionen, oder besser von Abschwächungen, artikuliert, ausgehend von einer radikalen hypothetischen Version, die den willentlichen Vatermord und den willentlichen Inzest mit der Mutter vorsehen würde[28]. Die Kastration oder der Verlust der Macht von – definitionsgemäß unsterblichen – Himmelsgöttern können tatsächlich, genauso wie die anderen aufgelisteten Alternativen, als abgeschwächte Varianten des willentlichen Vatermordes angesehen werden. Analog dazu stellen Oidipus, der sich unfreiwillig mit Iokaste vereint; Telephos, der es im letzten Augenblick vermeidet, die Ehe mit Auge zu vollziehen; Telegonos, Sohn der Kirke, der sich mit seiner Stiefmutter Penelope vermählt (während sein Double, Telemach, Sohn der Penelope, sich mit Kirke vermählt), immer weiter abgeschwächte Versionen des freiwilligen Inzests mit der Mutter dar[29]. Diese Mythen erscheinen folglich durch ein sehr dichtes Geflecht von Ähnlichkeiten strukturaler Ordnung, die manchmal noch durch spezifischere Konvergenzen verstärkt werden, miteinander verbunden. Ein Beispiel mag hier genügen. Als sich Oidipus, bereits blind, nach Kolonos begibt, wird er von Theseus aufgenommen und beschützt, der sich der von beiden in der Verbannung zugebrachten Kindheit erinnert. Auch hier aber streift die Ausarbeitung des Sophokles nur die Elemente, die beiden Mythen gemeinsam sind. Ihre Protagonisten sind aus der Überschreitung eines – bei Laios absoluten, bei Aigeus zeitweiligen – Zeugungsverbots hervorgegangen. Beide wurden zur Abwendung der verhängnisvollen Weissagung aus dem Vaterhaus verstoßen. Beide haben die Begegnung mit Ungeheuern wie der Sphinx oder dem Minotaurus siegreich überstanden. Beide haben, ohne es zu wollen, den Tod ihres jeweiligen Vaters verursacht. Beide geben den Fluch, der sie getroffen hat, der eigenen männlichen Nachkommenschaft weiter[30]. Weitere Konvergenzen hat man zwischen dem Mythos von Perseus und jenem von Telephos erkannt: die zur Abwendung der üblichen Weissagung abgesonderten Mütter, die, (von Zeus beziehungsweise Herakles) verführt, ins Meer geworfen werden (in einem versiegelten Kasten oder Korb)[31]. Die Tiere (Bienen, Bärinnen, Ziegen), die den kleinen Zeus in den Höhlen von Kreta aufziehen und ihn dadurch der väterlichen Anthropophagie entziehen, haben in der Hindin, die Telephos säugt, wie auch in der Ziege *(aix)*, die Aigisthos nährt, eine genaue Parallele. Und mehr noch ließe sich anführen.

5. Vor diesem Hintergrund von Ähnlichkeiten hebt sich eine ab, auf die bisher nur beiläufig und ansatzweise hingewiesen worden ist: Mehr als die Hälfte der Helden dieser mythischen Serie sind durch Besonderheiten gekennzeichnet, die mit dem Gehen verbunden sind[32]. Neben Oidipus mit seinen durchbohrten Füßen finden wir Iason, der, die Weissagung erfüllend, mit nur einer Sandale vor den Usurpator Pelias, seinen Onkel, tritt; Perseus, der vor seinem Kampf gegen Gorgo eine der Sandalen des Hermes erhält; Telephos, der, nachdem er die Söhne seines Onkels Aleos umgebracht hat, von Achill am linken Bein verletzt wird; Theseus, der unter einem Felsblock nicht nur das Schwert, sondern auch die goldenen Sandalen des Aigeus findet, die es ihm erlauben, bei seiner Rückkehr in die Heimat erkannt zu werden; Zeus, dem der grauenerregende Typhoeus mit der Sichel die Sehnen aus den Händen und Füßen herausschneidet und sie in einer Höhle versteckt (wo sie später wiedergefunden werden)[33].

Wir sehen uns also Figuren gegenüber, die *a)* durch Verkrüppelungen oder Verletzungen an den Füßen oder Beinen, *b)* durch nur eine Sandale, *c)* durch zwei Sandalen gekennzeichnet sind. Das erste Charakteristikum, das manchmal durch andere körperliche Mängel (Einäugigkeit, Zwergwuchs, Stottern) begleitet oder ersetzt wird, war bei den griechischen Heroen besonders häufig: Diese Beobachtung findet sich bereits in einem kurzen, Lukian von Samosata zugeschriebenen parodistischen Drama, der *Tragodopodagra*[34]. Auf das zweite Kennzeichen werden wir gleich zurückkommen. Das letzte scheint auf den ersten Blick einer normalen Situation zu entsprechen, an der die möglichen Abweichungen zu ermessen sind.

Tatsächlich aber hat das Detail der Sandalen im Theseus-Mythos komplexere Implikationen. Das Hochheben des Felsblocks, durch das Theseus in den Besitz der väterlichen Sandalen gelangt, stellt einen regelrechten Initiationsritus dar, der seinen Eintritt in das Erwachsenenalter markiert[35]. Man wird sich daran erinnern, daß auch den durchbohrten Füßen des Oidipus eine initiatorische Bedeutung zugeschrieben wurde. Im weiteren werden wir sehen, daß die eine Sandale, die Iason und Perseus tragen, dieselbe Bedeutung hat. Die Stufen der Initiation, die man in der Geschichte des Oidipus erkannt hat – die symbolischen Verletzungen, die Aussetzung in der Wildnis, der Kampf gegen Ungeheuer –, kommen in mehr oder weniger modifizierter Form auch in den anderen Mythen der Serie vor.

In einigen dieser Mythen finden wir auch die höchste Probe, von der im Oidipus-Mythos nur unmerkliche Spuren übriggeblieben sind: die Reise in die Welt der Toten[36]. In den von Aigeus unter dem Felsen hinterlegten Sandalen samt Schwert hat man nämlich ein Märchenthema erkannt: das der Zaubermittel, die es dem Helden ermöglichen, sich ins Jenseits zu begeben. Unter den Proben, die Theseus in der mythischen Tradition zugeschrieben werden, befindet sich auch die Reise in den Hades, durch die er die vom Unterweltsgott geraubte Persephone auf die Erde zurückzuholen versucht[37]. Nachdem Iason nur mit einer Sandale dem Fluß Anauros entstiegen ist, unternimmt er, auf der Suche nach dem Goldenen Vlies, die Expedition nach Kolchis, in deren Verlauf er mit Hilfe der Zauberin Medeia in die Unterwelt hinabsteigt[38]. Perseus, der, gerüstet mit der magischen Sandale, die Hermes ihm geschenkt hat – deswegen wurde er »monokrepis«, das heißt *monosandalos* genannt –, den Kampf gegen die entsetzliche Gorgo aufnimmt, ist ebenfalls mit der Unterwelt verbunden[39].

6. Der dreifache Nexus zwischen unheilbringendem Kind, mit dem Gehen verbundenen Besonderheiten und Totenwelt findet eine überaus klare Bestätigung in der Figur des Achill. Ein Mythos präsentiert ihn als Kind, an dem ein Unheilsbringer verloren gegangen ist: Zeus hatte beschlossen, sich nicht mit Thetis zu vereinigen, da der von ihr geborene Sohn der Weissagung zufolge mächtiger als sein Vater geworden wäre[40]. Das Epitheton, mit dem Thetis bezeichnet wurde – »Silberfuß« –, erinnerte an die Verkrüppelung, die Hephaistos, der Gott und Schmied mit den krummen Füßen, ihr zugefügt hatte: Als er ihr nachsetzte, um sie zu vergewaltigen, hatte er mit einem Hammer nach ihr geworfen[41]. Diese Verdichtung von Anomalien des Gehens bereitet die Verletzung vor, die dem

Sohn der Thetis, Achill, genannt »schneller Fuß«, gleich nach der Geburt zugefügt wird. Die Eltern machen ihn, wenn auch nur teilweise, unverwundbar, indem sie ihn in die Wasser des Styx tauchen oder – einer anderen Version zufolge – ins Feuer halten: die von den Flammen verzehrte Ferse wird durch die eines pfeilschnellen Riesen ersetzt[42].

Die Totenkonnotationen, die die Verbindung mit dem Styx, dem unterweltlichen Fluß, nahelegt, werden durch weitere Zeugnisse bestätigt. Hinter dem Heros Achill, den eine Homer unbekannte Tradition auf der Insel Leuke (der heutigen Schlangeninsel), gegenüber von Olbia an der nördlichen Schwarzmeerküste gelegen, begraben wissen wollte, hat man tatsächlich einen älteren Achill erkannt, einen Totengott. Olbia war eine griechische Kolonie in einem von Skythen bewohnten Gebiet. Am Ende des 7. Jahrhunderts v. Chr. nannte Alkaios Achill in einem Gedicht, von dem nur ein Vers erhalten ist, »Herr der Skythen«. Im Antlitz des verwundeten Patroklos, den der Maler Sosias neben Achill, der ihn versorgt, auf einem berühmten Pokal dargestellt hat, wollte man skythische Züge erkennen[43]. Auf jeden Fall bringt der Vers des Alkaios in das übliche Bild des Achill, des typischsten aller griechischen Helden, eine überraschende Note.

7. Das Eintauchen des kleinen Achill ins Feuer hat man mit zwei Riten in Verbindung gebracht: der erste wird in der homerischen Hymne an Demeter beschrieben (V. 231–55); der zweite wurde zu Beginn des 17. Jahrhunderts auf der Insel Chios effektiv praktiziert. Demeter wollte den kleinen Demophon unsterblich machen, indem sie ihn mehrmals ins Feuer hielt und mit Ambrosia, der Götterspeise, salbte; doch angesichts der Angst seiner Mutter hatte sie das Kind in einer Aufwallung von Wut in den menschlichen Stand zurückversetzt[44]. Wir erwähnten bereits, daß Leone Allacci zufolge die Einwohner von Chios den zwischen Weihnachten und Epiphanias geborenen Kindern die Fußsohlen zu verbrennen pflegten, damit sie keine *Kallikantzaroi* würden – ungestalte Geister, die zur selben Zeit im Jahr die Unterwelt verließen und sich auf der Erde herumtrieben[45]. Wenn wir die Hypothese akzeptieren, daß diese Figuren aus dem griechischen Volksglauben von den alten Kentauren hergeleitet sind, werden die Analogien zu Achill – dem von dem Kentauren Chiron großgezogenen Sohn einer Göttin mit vereinzelten Merkmalen eines Pferdes wie Thetis – leicht verständlich[46]. In dem Versuch, den Kindern von Chios ein unheilvolles Schicksal zu ersparen, erahnen wir die Neuinterpretation eines Ritus, der früher ein Versöhnungsritus mit Initiationscharakter gewesen sein dürfte, darauf angelegt, den ihm Ausgesetzten einen übermenschlichen Status zu verleihen. Auch hier zeichnen Gehbehinderungen oder aufs Gehen bezogene Ungleichmäßigkeiten die zwischen der Welt der Toten und der der Lebenden schwebenden Wesen (Götter, Menschen, Geister) aus.

8. Daß Iason wie Achill vom Kentauren Chiron erzogen wurde, kann an diesem Punkt nicht mehr als zufällige Koinzidenz angesehen werden. Die symbolische Äquivalenz zwischen geschwollenen, verkrüppelten, verbrannten oder auch nur unbeschuhten Füßen findet eine Vielzahl von Bestätigungen auch außerhalb des Kreises von Mythen, innerhalb dessen wir uns bisher bewegt haben.

Zu Beginn des 19. Jahrhunderts wurde in Damaskus eine Bronzestatue gefunden, die eine nackte Göttin mit einer Sandale an einem Fuß darstellt. Einige Jahrzehnte später identifizierte man sie mit einer Totengöttin, mit Aphrodite Nemesis: daß in anderen Kulten oder Mythen nur eine einzige Sandale vorkam, wurde aber, wie dies damals obligatorisch war, auf die Sonnenmythologie zurückgeführt[47]. Später vergaß man diese ikonographische Eigenheit. In den ersten Jahren dieses Jahrhunderts kam sie in einem anderen Zusammenhang, und unabhängig davon, wieder zum Vorschein. In Rom fand man beim Tunnelbau durch den Quirinal eine antike Statue, die einen Jüngling, nur unwesentlich kleiner als von Lebensgröße, darstellte. Im Museum des Konservatorenpalastes machte man eine Kopie minderer Qualität ausfindig, die auf die Zeit der Antoninen zurückgehen soll: Hier hält der Jüngling ein Ferkel im Arm (das heute, da es sich dabei um einen späteren Zusatz handelte, entfernt, aber in ähnlichen Plastiken vorhanden ist). Daß sich im Fall der ersten Statue auf dem Stützpfeiler eine Myrthe, in dem der zweiten ein Ferkel findet – beides ist der Demeter heilig –, ließ erkennen, daß es sich bei dem Jüngling um einen Initianden der Kulte von Eleusis handelte. Doch während bei der am Quirinal gefundenen Statue der einzige erhaltene Fuß (der rechte) bloß ist, hat der Jüngling in der Kopie des Konservatorenpalastes einen bloßen Fuß und trägt am anderen (dem linken) eine Sandale (vgl. Abb. S. 233). Man nahm an, daß der Brauch, nur einen Schuh zu tragen, an rituelle Situationen gebunden sei, in denen man durch einen unmittelbaren Kontakt mit dem Boden mit den Mächten der Unterwelt in Verbindung treten wollte. Die Hypothese schien durch einige literarische Zeugnisse bestätigt zu werden. Dido, die, von Aeneas verlassen, sich zu töten anschickt, zieht eine Sandale aus (»unum exuta pedem vinclis«, *Aen.* IV, 517); dasselbe tut Medeia, als sie eine mit der Unterwelt verbundene Göttin, Hekate, anruft (»nuda pedem«, *Met.* VII, 182)[48]. Servius, der die Vergil-Stelle kommentierte, vermutete zwar eine Geste sympathischer Magie: die Sandale binden und lösen, um eines anderen Willen zu binden und zu lösen[49]. Doch die Reihe insgesamt läßt eher an einen Todeskontext denken. Die Initiation war ein ritueller Tod: In der Initiationsszene auf den Fresken der Mysterien-Villa von Pompeji ist der rechte Fuß des zurückgelehnten Dionysos bloß (vgl. Abb. S. 234)[50].

Doch weitere mediterrane Beispiele von Monosandalismus komplizieren das Bild. Thukydides berichtet (III, 2), daß die Plataier im Winter des Jahres 428 v. Chr. in einer mondlosen Nacht einen Feldzug gegen die Spartaner unternahmen, wobei sie nur an einem Fuß (dem linken) Schuhe trugen. In einem überkommenen Fragment des *Meleagros* von Euripides werden die Heroen aufgezählt, die sich zur Jagd auf den Eber von Kalydon versammelten: darunter der Sohn des Thestios, der nur eine Sandale am rechten Fuß trägt[51]. Vergil (*Aen.* VII, 678 ff.) beschreibt Caeculus, den mythischen Gründer von Praeneste, an der Spitze eines bewaffneten Zuges; der linke Fuß ist nackt, während der rechte von rohem Schuhwerk bedeckt ist. Die Dunkelheit dieser Stellen wird durch die erläuternden Randbemerkungen, die die Autoren selbst oder ihre antiken Kommentatoren hinzugesetzt haben, eher verstärkt als gemildert. Thukydides behauptete, die Plataier hätten mit ihrem einzigen Schuh versucht, »im Schlamm sicherer voranzukommen«: Weshalb aber hatten sie sich dann nicht dafür ent-

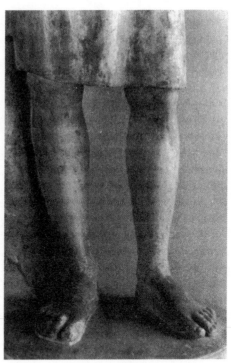

Standbild eines Jünglings, eines Initianden der Kulte von Eleusis, 1. Jh. n. Chr. (römische Kopie eines griechischen Originals aus dem 5. Jh. v. Chr.), Ausschnitt.

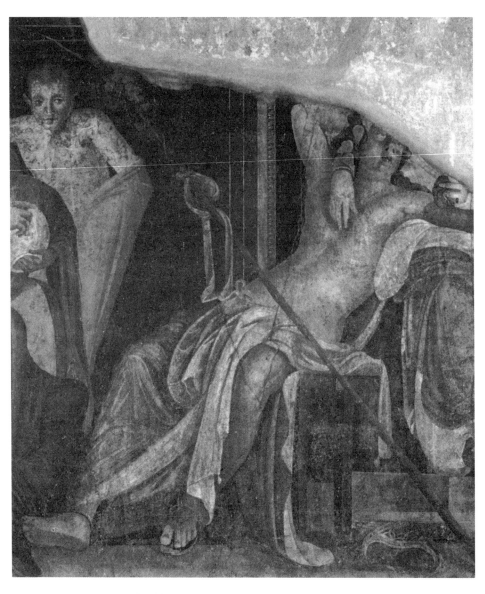

Fresko der Mysterienvilla bei Pompeji, 1. Jh. n. Chr., mit einer Initiationsszene: der zurückgelehnte Dionysos, Ausschnitt.

schieden, ganz barfuß zu gehen? Euripides zufolge folgten die Söhne des Thestios einem bei den Aitolern eingebürgerten Brauch, das Bein beweglicher zu machen: aber schon Aristoteles erhob den Einwand, daß der beschuhte Fuß in diesem Fall der linke hätte sein müssen[52]. Servius bemerkte in seinem Vergil-Kommentar, man trete mit dem linken Fuß zuerst in die Schlacht: im Unterschied zum rechten sei er durch den Schild geschützt und komme daher ohne Schuhwerk aus. Macrobius schlug in seinem Kommentar zu diesen Stellen (*Saturn.*, V, 18) eine andere, ethnische Erklärung vor: Sowohl die von Euripides beschriebenen Aitoler als auch die Herniker, die Nachkommen des Caeculus, des Gründers von Praeneste, seien pelasgischen Ursprungs (die Thukydides-Stelle über die Plataier war ihm nicht bekannt). In Wirklichkeit waren die Söhne des Thestios, Plexippos und Toxeus, Kureten, nicht Aitoler wie Meleagros, ihr Neffe und Mörder[53]. Aber es ist offensichtlich, daß die Zweifel, rationalen Erklärungsversuche oder Verweise auf alte Traditionen die Unfähigkeit zu erkennen geben, einen mythischen und rituellen Inhalt zu entziffern, der bereits im 5. Jahrhundert v. Chr. unverständlich erschien.

Dabei mag es nicht nur um einen, sondern vielleicht auch um mehrere Inhalte gehen. Aber auch die Möglichkeit, daß sich in all diesen Fällen eine analoge Bedeutung verbirgt, läßt sich nicht a priori ausschließen. Man hat versucht, den vermutlich rituellen Monosandalismus der Plataier zu klären, indem man ihn dem mythischen des Iason angenähert hat: Beide scheinen von einem Modell ephebischen Verhaltens inspiriert zu sein, das jenem der erwachsenen Soldaten, der Hopliten, fern ist[54]. Obwohl diese Annäherung überzeugend ist, verlagert sie die Lösung der Schwierigkeit nur: Weshalb trug der Ephebe Iason nur eine Sandale (die linke)[55]? Man kann nach einer Antwort suchen, indem man ihn in eine umfassendere Serie mythischer Gestalten einreiht, die nicht nur durch eine Sandale, sondern allgemeiner durch Eigenheiten des Gehens gekennzeichnet sind[56]. Die Symmetrien zwischen Iason und Philoktet sind sogleich augenfällig[57]. Nachdem er an der (von Iason geführten) Expedition der Argonauten teilgenommen hatte, war Philoktet auf der Insel Lemnos gelandet: Als er sich hier dem (von Iason errichteten) Altar der Göttin Chryse näherte, biß ihn eine Schlange in den Fuß. In der gleichnamigen Tragödie des Sophokles erzählt Philoktet, daß seine Gefährten, außerstande, den Gestank, den sein infizierter Fuß verströmt, zu ertragen, ihn auf der wüsten Insel Lemnos im Stich gelassen, ja »ausgesetzt« haben, »wie ein von der Amme verlassenes Kind« (V. 5 u. 702–03). Dort landet Odysseus in Begleitung von Neoptolemos, dem jungen Sohn Achills, um mit List den Bogen des Philoktet an sich zu bringen, mit dem der Weissagung zufolge die Griechen den trojanischen Krieg würden gewinnen können. Den Zustand des Philoktet auf der Schwelle zwischen Leben und Tod, zwischen Menschsein und Tiersein hat man mit der ephebischen Initiation des Neoptolemos verglichen; die Wiedereingliederung in das zivile Leben des einen mit dem Erreichen des Erwachsenenalters des anderen[58]. Gehen wir nun zu Iason über. Im vierten Siegesgesang der *Pythia* von Pindar (V. 108–16) erzählt er, gleich nach seiner Geburt hätten seine Eltern, um ihn der Gewalt des Usurpators, seines Onkels, zu entziehen, so getan, als beweinten sie seinen Tod; dann hätten sie ihn klammheimlich dem Kentauren Chiron in Obhut gegeben. Als er mit einem nackten linken Fuß dem Anauros entsteigt, läßt der Ephebe Iason einen vorgetäuschten Tod hinter sich, auf den eine bei einem halb tierischen, halb menschlichen Wesen in einer Höhle verbrachte Kindheit und frühe Jugend gefolgt waren. Wie der verwundete Fuß des Philoktet deutet die eine Sandale des Iason auf eine Initiation und also, symbolisch, auf den Tod hin.

Auch Caeculus war ein Totengott. Tertullian (*Adv. nat.* 2, 15) äußert, seine Augen seien so schrecklich, daß sie allen, die ihn betrachteten, die Sinne raubten. Die Identität zwischen diesem Gott und seinem Namensvetter, Caeculus, dem Gründer von Praeneste, ist gesichert[59]. In der *Aeneis* sind die Häupter der von Caeculus geführten Herniker von Mützen aus rötlichem Wolfsfell bedeckt, ähnlich jener, die Hades, der etruskische Unterweltsgott, der Tradition nach trägt[60]. Der unmittelbar darauf folgende Hinweis auf den nackten linken Fuß scheint die Darstellung einer wahrhaftigen Totenschar zu besiegeln, vergleichbar dem *exercitus ferialis*, das Tacitus in Hinblick auf den germanischen Stamm der Hatter heraufbeschwören sollte[61]. Es ist nicht ausgeschlossen, daß der nackte Fuß der von Thukydides beschriebenen Plataier ähnliches bedeutete.

9. Die Legenden zur Kindheit des Caeculus berichten, daß er ein Ausgesetzter war wie Romulus – oder Oidipus. Der erste Vergleich ist unumgänglich: die Mythen von Caeculus, dem Sohn einer durch einen aus dem Herd fliegenden Funken befruchteten Frau, daher Sohn des Vulcanus genannt, dem Kopf einer Räuberbande, dem Gründer einer Stadt (Praeneste), machen aus ihm eine Konkurrenzfigur zu Romulus[62]. Der zweite hingegen mag generisch scheinen. Dem ist nicht so.

Die Legenden zur Kindheit des Caeculus, des Gründers von Praeneste, erinnern aus nächster Nähe an jene, die die Kindheit des Kyros, Moses, Romulus, ja in mancher Hinsicht des Jesus und vieler anderer Gründer von Städten, Reichen und Religionen umgeben. Die Ähnlichkeiten zwischen diesen Erzählungen sind mehrmals analysiert worden, unter verschiedenen, in der Regel nicht miteinander verbundenen Gesichtspunkten: psychoanalytisch, mythologisch, historisch, zuletzt auch narratologisch[63]. Unter den in diesen Biographien am häufigsten wiederkehrenden Elementen finden wir: die Weissagung von der Geburt, die häufig als Unheil für den regierenden Herrscher, mit dem der Held manchmal verwandtschaftlich verbunden ist, dargestellt wird; die vorsorgliche Absonderung der in der Weissagung angegebenen Mutter an geschlossenen oder gar heiligen Orten (so daß die trotz allem erfolgende Geburt nicht selten einem Gott zugeschrieben wird); die Aussetzung oder versuchte Tötung des Neugeborenen, das an wilden, unwirtlichen Orten im Stich gelassen wird; das schützende Eingreifen von Tieren, Hirten oder beiden, die das Kind nähren und großziehen; die von außerordentlichen Leistungen begleitete Rückkehr ins Vaterland; den Triumph, das Eintreffen eines widrigen Geschicks, schließlich den Tod, auf den in manchen Fällen noch das Verschwinden des Leichnams des Helden folgt. Mythen wie jene von Oidipus, Theseus, Telephos geben dieses Schema zum Teil wieder[64]. Solche Konvergenzen konnten zu propagandistischen Zwecken benutzt werden. Die Analogien zwischen Telephos und Romulus wurden in der Zeit der Freundschaft zwischen Rom und Pergamon (3.–2. Jahrhundert v. Chr.) hervorgehoben[65]. Plutarch schrieb, die von Fabius Pictor verfaßte Erzählung der Entstehung Roms lasse, möglicherweise durch Vermittlung eines verlorenen griechischen Geschichtsschreibers (Diokles von Peparetos), eine ebenfalls verlorene Tragödie des Sophokles, *Tyro,* anklingen. In dieser wurde die Geschichte der Söhne von Tyro und dem Gott Poseidon erzählt, der Zwillige Neleus und Pelias: Wie Romulus und Remus waren sie den Wassern eines Flusses übergeben worden, bis eine Hündin und eine Stute sie schließlich aufsammelten und großzogen[66]. Auch die Geburt Jesu von einer Jungfrau, wie es die Propheten verheißen hatten; der Zorn des Herodes gegen den zum König der Juden bestimmten Knaben; der Mord an den unschuldigen Kindern; die Flucht nach Ägypten sind Ereignisse, die sich in ein zwischen der iranischen Hochebene und dem Mittelmeerraum weit verbreitetes Erzählschema einfügen.

10. Wir haben drei Zusammenhänge zum Vorschein kommen sehen, bestehend aus

a) Mythen vom unheilbringenden Sohn (oder Neffen, Enkel oder Schwiegersohn);
b) Mythen und Riten, die in irgendeiner Weise mit dem Gehen zusammenhängen;
c) Mythen und Legenden von der Geburt des Helden.

Obwohl sie sich nur zum Teil decken, sind diese Mythen durch ein dichtes Netz von Ähnlichkeiten miteinander verknüpft, die möglicherweise durch das Vorhandensein eines gemeinsamen Leitfadens bedingt sind: die Initiation, verstanden als symbolischer Tod[67]. Geben wir ein Beispiel. Wie »Schwellfuß« Oidipus Theben von der Bedrohung durch die Sphinx befreit, so befreit Meleagros Kalydon von der Bedrohung durch einen scheußlichen Eber. Wie der *monosandalos* Iason, wie der später an einem Bein verletzte Telephos erfüllt Meleagros die Weissagung, indem er seine Onkel tötet, als das Fleisch des erlegten Ebers verteilt wird. Um ihre ermordeten Brüder zu rächen, wirft Althaia, die Mutter des Meleagros, ein erloschenes Holzscheit, mit dem das Leben ihres Sohnes seit seiner Geburt verbunden war, ins Feuer – gewissermaßen in Umkehrung des Feuerbades von Demophon und Achill, denen dadurch zur Unsterblichkeit verholfen werden sollte. Euripides, Aristoteles und ein Scholiast Pindars (*Pyth.,* IV, 75) stimmen in der Behauptung überein, daß die Aitoler nur eine Sandale zu tragen pflegten. Auch der junge Sohn des Königs der Aitoler, Meleagros, fällt also unter die Reihe der Helden, die durch Ungleichgewichte oder Mißbildungen der Füße gekennzeichnet sind.

In den Legenden über die Kindheit der Gründer von Reichen oder Religionen tauchen diese Kennzeichen sehr selten auf[68]. Aber es scheint nicht zufällig, daß Jakob aus dem nächtlichen Kampf mit einem nicht näher bestimmten Wesen (Jahwe? einem Engel? einem Dämon?) am Flusse Jabbok (*Gen.* 32, 23–33) hinkend hervorgeht, mit einem ausgerenkten Hüftgelenk und einem neuen Namen: Israel[69]. Wenn wir lesen, daß die Gefolgschaft des Caeculus (und, folgerichtig übertragen, auch er selbst) mit einem nackten Fuß marschierte, erlangt dieses scheinbar unerhebliche Detail im Licht des Zusammenhangs, den wir nach und nach sich abzeichnen sahen, ein unerwartetes Gewicht. Ein Held mit nur einem Schuh und schwachen Augen (wie sein Name, Caeculus, besagt) kann als abgeschwächte Entsprechung eines hinkenden und blinden Helden aufgefaßt werden: des Oidipus[70].

11. Ehe Kyros sein Reich an sich brachte, erzählt Strabo, hatte er unter Räubern *(kardakes)* gelebt; Romulus, den eine Tradition übereinstimmend als von Gesetzesbrechern und Übeltätern *(latrones)* umringt darstellt, wird von Eutropius (I, 1, 2) als Viehdieb beschrieben. In dieser Konvergenz (einer von vielen) zwischen den beiden Legendenzyklen hat man einen Beweis für die Bedeutung gesehen, die die Männerbünde auf der iranischen Hochebene und in Latium erlangt hatten[71]. Dem mag so sein: jedenfalls handelt es sich um ein Detail, das mit einem verbreiteten Erzählschema verknüpft ist, wie auch aus einem Hinweis des Euripides (*Die Phönikierinnen*, 32 ff.) auf den Diebstahl der Pferde des Laios durch Oidipus zu ersehen ist[72]. In der legendären Biographie des jungen Helden stellten die gemeinsam mit Gleichaltrigen begangenen Viehdiebstähle eine obligatorische Etappe dar, gleichsam einen Initiationsritus. Dieser ahmte ein uraltes mythisches Modell nach, das im indogermanischen Kulturraum in großem Umfang belegt ist: die Reise ins Jenseits, um das Vieh, das einem Ungeheuer gehört, zu rauben[73].

Man hat vorgeschlagen, in diesem Mythos eine Ausarbeitung der ekstatischen Reisen in die Totenwelt zu sehen, wie sie die Schamanen vornahmen, um die Gemeinschaft mit Jagdbeute zu versorgen[74]. Zu einem ähnlichen Schluß waren wir bei unserer Analyse der nächtlichen Heldentaten der ossetischen *Burkudzäutä*, der baltischen Werwölfe und friaulischen Benandanti gelangt, die den Zweck verfolgten, den Toten oder Hexern die Weizenkeimlinge oder eine reiche Ernte abzuringen. Eine vermutlich in einer Gesellschaft von Jägern entstandene mythische Struktur wurde von sehr verschiedenen, auf Viehzucht oder Ackerbau gestützten Gesellschaften übernommen (und zum Teil abgewandelt). Die Glieder dieser kulturellen Tradierung entziehen sich uns. Aber vielleicht ist es nicht belanglos, daß Herakles, der Hauptprotagonist dieses Mythenzyklus auf griechischem Boden, sich in mehrerer Hinsicht als mit der skythischen Welt verbunden erweist. Einem von Herodot berichteten Mythos zufolge (IV, 8–10) geriet Herakles, nachdem er die Rinder des Geryoneus an sich gebracht hatte, in das damals öde Skythien, vereinigte sich dort mit einer lokalen Gottheit, die halb Frau, halb Schlange war, und zeugte die Skythen. Sein Lehrer, der Bogenschütze Teuthares (ursprünglich war Herakles mit einem Bogen, nicht mit einer Keule bewaffnet), wird manchmal in skythischer Tracht dargestellt. Die Präsenz eines mythischen Helden in China, dem analoge Heldentaten wie Herakles zugeschrieben wurden, hat man, mit Vorbehalten, auf eine skythische Vermittlung zurückgeführt[75].

12. Auch die Gewinnung der Rinder des Iphikles durch Melampus (*Od.* XI, 287–98; XV, 225 ff.) hat man den Mythen vom Viehdiebstahl aus dem Jenseits angenähert[76]. Melampus, der von Iphikles gefangengesetzt wird, gelingt es, dem Einsturz des Gefängnisses zu entkommen, da er mit seinem feinen Gehör das

Geräusch der Holzwürmer vernimmt, die die Balken zernagen. Dies ist eines der vielen Märchenelemente, die die Figur des Melampus charakterisieren. Von ihm hieß es etwa, zwei Schlangen hätten ihm mit ihren Zungen die Ohren gereinigt, so daß er die Sprache der Vögel verstehen konnte. Dieselbe Fähigkeit besaß Teiresias, der blinde Seher, der sieben Jahre lang in eine Frau verwandelt war, weil er der Paarung zweier Schlangen beigewohnt hatte.

Wir haben gesehen, welche Analogien Oidipus »Schwellfuß« und Melampus »Schwarzfuß« miteinander verbinden. Jene zwischen Melampus und Teiresias und zwischen Teiresias und Oidipus (drei Sehern) sind ebenso offensichtlich. In einer berühmten Szene des König Oidipus des Sophokles zieht sich Oidipus schaudernd zurück, als er durch Teiresias die bis dahin verborgene Identität dessen erfährt, der durch seine Schuld die Seuche über Theben gebracht hat. Der Dialog der beiden wird von einem Gegensatz beherrscht, der eine bevorstehende Symmetrie in sich birgt. Auf der einen Seite steht der wissende blinde Seher, auf der anderen der unwissende Schuldige, dem bestimmt ist, aus der metaphorischen Finsternis des Nichtwissens herauszutreten, um in die reale der Blindheit zu stürzen. Der schwankende Schritt, mit dem Oidipus, der Weissagung des Teiresias zufolge, verbannt und bettelnd, auf einen Stab gestützt, in fremdes Land ziehen wird, gemahnt an jenen des Teiresias selbst, der sich auf den Seherstab, ein Geschenk der Athene, stützt[77].

Teiresias und mehr noch Melampus sind die mythischen Prototypen jener griechischen iatrischen Gestalten – Heilkundiger, Wahrsager, Zauberer, Ekstatiker – die man den Schamanen Zentral- und Nordasiens zur Seite gestellt hat[78]. Unter ihnen finden wir Personen, die wirklich gelebt haben, doch in ein legendäres Licht getaucht sind: Pythagoras mit dem goldenen Schenkel, Empedokles, der im Ätna verschwindet und nur eine Spur zurückläßt – eine vom Grund des Kraters hochgeschleuderte Bronzesandale[79]. Dies sind scheinbar unerhebliche Details, die, berührt vom Zauberstab des Vergleichs, plötzlich ihre geheime Physiognomie zu erkennen geben[80].

13. In Griechenland war das Geh-Ungleichgewicht in besonderer Weise mit einer Gottheit verbunden: mit Dionysos, dessen Kult Herodot zufolge (II, 49) durch Melampus eingeführt worden war[81]. Es hieß, Dionysos sei aus dem Schenkel des Zeus geboren[82]. Im Heiligtum von Delphi wurde ein Dionysos *Sphaleotas,* »der schwanken macht«, verehrt. Ein Mythos veranschaulichte dieses Epitheton. Die Flotte der Griechen war auf der Reise nach Troja irrtümlich in Mysien gelandet. Im Verlauf einer Schlacht stieß Achill mit dem Herrscher jener Gegend, Telephos, zusammen. Dionysos, erzürnt, weil man ihm in Mysien nicht ausreichende Ehre bezeigte, bewirkte, daß sich Telephos in einer Weinranke verfing, stolperte und stürzte: Achill verwundete ihn an einem Bein. Der Held mit der verletzlichen Ferse, der Held mit dem verwundeten Bein, der Gott, der schwanken macht oder stolpern läßt: in der Physiognomie der drei Protagonisten dieses Mythos erkennen wir Brechungen ein- und desselben symbolischen Merkmals. Wir kennen eine rituelle Entsprechung dazu: den *askōliasmos,* ein – an den Festen zu Ehren des Dionysos Leneos vollführtes – Spiel, das darin bestand, auf einem Bein zu hüpfen und sich im Gleichgewicht zu halten[83].

Mit dem Ausdruck *askōliazein* bezeichnete man die Gewohnheit der Kraniche, aufrecht auf einem Bein zu stehen[84]. Rituelle Implikationen fehlten auch in diesem Fall nicht: Ein »Kranichtanz« wurde nachts auf Delos und auf Kreta aufgeführt; Plutarch spricht im 2. Jahrhundert n. Chr. davon wie von einem noch lebendigen Brauch. Der Tradition zufolge ahmte der Tanz, an dem Jünglinge und Mädchen teilnahmen, den gewundenen Pfad durch das Labyrinth nach, aus welchem Theseus dank der Künste der Ariadne herausfand, nachdem er den Minotaurus getötet hatte. Man hat angenommen, der Name des Tanzes unterstreiche die Ähnlichkeit zwischen den Bewegungen der einzelnen Tänzer und der Gehweise der Kraniche[85]. Ein solcher Ritus scheint sich mit dem, was bereits zum Initiationscharakter der Heldentaten des Theseus gesagt wurde, vereinbaren zu lassen. Daß das Labyrinth die Welt der Toten symbolisiere und Ariadne, Herrin des Labyrinths, eine Totengöttin sei, sind überaus wahrscheinliche Vermutungen[86]. Die Hochzeit zwischen Dionysos und Ariadne wurde in Athen jedes Jahr am zweiten Tag der Anthesterien gefeiert: einem alten Frühlingsfest, das mit der regelmäßigen Wiederkehr der toten Seelen auf die Erde zusammenfiel, jener zwielichtigen Bringer von Wohlstand und schädlichen Einflüssen, die man mit Gaben von Wasser und gekochtem Getreide besänftigte[87]. Wir wissen, daß sich der Kranichtanz auf Delos um den Tempel des Apoll herum abspielte, jenes Gottes, der zu Dionysos in engster, bald symmetrischer, bald antithetischer Beziehung stand[88]. Um 300 v. Chr. weihte genau auf Delos ein gewisser Karystios dem Dionysos eine Marmorstele, die einen Kranich unter einem Phallus darstellte[89].

Die Zusammenhänge zwischen Dionysos und dem Kranichtanz sind nur hypothetisch. Hingegen scheint es nicht zu gewagt, das Stolpern und Hüpfen mit den unterweltlichen Aspekten und Todeskonnotationen der Figur des Dionysos in Verbindung zu bringen. »Dasselbe sind Hades und Dionysos«, hatte Heraklit gelehrt[90].

14. Im China des 4. Jahrhunderts v. Chr., in der Zeit der streitenden Reiche, beschrieb der taoistische Philosoph Ko Hong in einem Traktat eingehend den sogenannten »Yu-Schritt«: einen Tanz, der darin bestand, bald mit dem linken, bald mit dem rechten Bein voranzuschreiten und das jeweils andere nachzuziehen, so daß der Körper in einen hüpfenden Gang verfiel. Der mythische Heros, von dem der Tanz seinen Namen hatte, Yu der Große, Priester und Begründer einer Dynastie, war halbseitig gelähmt. Ihm wurden Fähigkeiten schamanistischer Art zugeschrieben, etwa die, sich in einen Bären zu verwandeln oder die Überschwemmungen zu beherrschen. In einigen Gegenden Chinas gab es bis vor nicht allzu langer Zeit Schamaninnen, die, das Gesicht mit einem Tuch bedeckt, den Yu-Schritt tanzten, bis sie in Trance fielen[91]. Ursprünglich gehörte dieser zu einem (vielleicht mit dem Affen zusammenhängenden) Tiertanz, vergleichbar jenen ebenso asymmetrischen Tänzen, die ihren Namen von einbeinigen mythischen Vögeln hatten: dem Pi-fang, Geist des Feuers; dem Chang-yang, Geist des Regens; dem Fasanen mit menschlichem Antlitz, in dem man eine Art symbolisches Korrelativ zu Yu erkannt hat[92].

Wir wissen nicht, ob auch der alte chinesische »Tanz der weißen Kraniche« diese asymmetrischen Charakteristika hatte. Eine Legende erzählt, daß die Tochter von Ho-lu, des Königs von Wu (514–495 v. Chr.), sich den Tod gab, verletzt, weil ihr Vater ihr einen Fisch angeboten hatte, den er bereits zur Hälfte gegessen hatte. Ho-lu hatte seine Tochter in einem Grab beisetzen lassen, zu dem man durch einen unterirdischen Gang Zugang hatte. Am Ende des Tanzes der weißen Kraniche hatte er die Tänzer und Zuschauer in den unterirdischen Gang treten lassen und sie dort lebendig begraben[93]. Wie im kretischen Mythos ist der Tanz der Kraniche auch hier mit einem unterirdischen Gang und einem Menschenopfer verknüpft: zu wenig vielleicht, um zwei so weit voneinander entfernte Phänomene voneinander abzuleiten oder eine ihnen gemeinsame Entstehung anzunehmen[94]. Einzelne Übereinstimmungen mögen rein zufällig sein. Mehrfache Parallelen, denen ein tiefer Isomorphismus zugrunde liegt, werfen beunruhigendere Fragen auf. Den Yu-Schritt hat man mit den zweifarbigen, halb schwarzen und halb roten Gewändern in Zusammenhang gebracht, wie sie die Teilnehmer an der Zeremonie trugen, mit der das neue Jahr eröffnet wurde, in einer Zeit, die den Geistern der Toten geweiht war: an der Vertreibung der Zwölf Tiere, die die Dämonen und Krankheiten symbolisierten[95]. In beiden Fällen erscheint das Geh-Ungleichgewicht im Zusammenhang einer Kommunikation mit der Totenwelt. Nun, auch in Europa glaubte man, die Seelen der Toten gingen vor allem zwischen dem Ende des alten und dem Beginn des neuen Jahres, in den zwölf Nächten zwischen Weihnachten und Epiphanias, unter den Lebenden um[96]. Genau zu jener Zeit fanden, wie man sich erinnern wird, die Streifzüge der griechischen *Kallikantzaroi* und livländischen Werwölfe statt. Die einen wurden von einem hinkenden »großen *Kallikantzaros*« angeführt; die anderen von einem hinkenden Kind[97].

15. Auf den ersten Blick bringen die kalendarischen Umstände, an die sich diese chinesischen, griechischen, baltischen Phänomene gebunden zeigen, Elemente zugunsten der Hypothese bei, deren Begründung uns fraglich schien und die besagte, das mythisch-rituelle Hinken sei ein transkulturelles, mit dem Wechsel der Jahreszeit verbundenes Phänomen. In einigen Riten der europäischen Folklore scheint dieser Zusammenhang überaus deutlich zu sein: in der Mark Brandenburg etwa gibt derjenige, der den zu Ende gehenden Winter verkörpert, zu hinken vor; in Makedonien feiern Scharen von Kindern die Ankunft des März, indem sie den »hinkenden Februar« beschimpfen[98]. Aber eine solche Erklärung läßt sich nur dann akzeptieren, wenn wir einen Gegenstand (das mythische und rituelle Hinken) auf der Grundlage von unmittelbaren und folglich oberflächlichen Charakteristika isoliert betrachten[99]. Die Suche nach tiefer liegenden Isomorphismen ließ uns das Bild weiter fassen und scheinbar verschiedene Phänomene nebeneinanderstellen, denen ein realer oder symbolischer Bezug auf ein Geh-Ungleichgewicht gemeinsam ist: hinken, ein verwundetes Bein nachziehen, eine verwundbare Ferse haben, mit einem bloßen Fuß gehen, stolpern, auf einem Bein hüpfen. Diese Neudefinition der formalen Charakteristika des zu erklärenden Gegenstandes hat die alte interpretatorische Hypothese in den meisten Fällen unhaltbar werden lassen. Den hier analysierten Komplex von Mythen – angefangen bei jenem von Oidipus – mit dem Wechsel der Jahreszeiten in Verbindung bringen zu wollen, wäre offensichtlich absurd[100].

Im Geh-Ungleichgewicht, das Gottheiten wie Hermes oder Dionysos oder aber Heroen wie Iason oder Perseus charakterisiert, haben wir das Symbol eines radikaleren Überganges entziffert – einer ständigen oder zeitweiligen Verbindung zur Welt der Toten[101]. Sie wird auch durch die Totenkonnotationen der Zwölf Nächte bestätigt, in denen Werwölfe und *Kallikantzaroi* übers Land und durch die Dörfer streiften. Doch genügt es nicht, sich auf diese Feststellung zu beschränken. Wie ist es möglich, daß ähnliche Mythen und Riten mit solcher Beharrlichkeit in derart verschiedenen kulturellen Bereichen – von Griechenland bis nach China – wiederkehren?

16. Es gäbe eine griffige, naheliegende Antwort. Im mythisch-rituellen Hinken hat man einen Archetyp erkannt: ein elementares Symbol, das einen Teil des unbewußten psychologischen Erbguts der Menschheit ausmachen soll[102]. Zu ähnlichen Schlußfolgerungen ist auch ein anderer Versuch gelangt, durch die Streuung der ethnographischen Zeugnisse hindurch eine begrenzte Gruppe von Phänomenen zu ermitteln, die sich als kulturelle Universalien definieren lassen. So soll zum Beispiel der in den verschiedenartigsten Zusammenhängen bezeugte Mythos vom halbseitigen oder halbierten Menschen mit nur einem Bein, einem Arm, einem Auge usw. ein Archetyp sein, hervorgegangen aus einer unbewußten psychischen Veranlagung unserer Gattung[103]. Diesem kleinen Archetypenzug könnte jemand noch die *monosandaloi* oder die Hüpfer auf einem Bein hinzufügen. Offensichtlich ließe eine solche Wucherung die dem Begriff des Archetyps inhärenten theoretischen Ambitionen zunichte werden. Entstanden, um einige Grundkonstanten der menschlichen Psyche zu erfassen, zeigt er sich durch zwei entgegengesetzte Tendenzen bedroht: in allzu beschränkte Einheiten zu zerfallen, wie es bei den soeben beschriebenen Vorschlägen geschieht; oder sich in große Kategorien des Typs »Große Mutter« aufzulösen, wie sie durch eine ethnozentrische Psychologie inspiriert werden[104]. In beiden Fällen setzt er die Existenz von aus sich selbst verständlichen, universell verbreiteten Symbolen voraus – eben der Archetypen –, deren Bedeutung intuitiv zu erfassen sein soll.

Die Voraussetzungen der Untersuchung, die wir hier durchführen, sind völlig andere. Der Gegenstand der Untersuchung ist nicht gegeben, sondern muß anhand von formalen Affinitäten rekonstruiert werden; seine Bedeutung ist nicht durchsichtig, sondern muß durch die Erforschung des dazugehörigen Kontextes oder vielmehr der Kontexte entziffert werden. Freilich können verschiedene Methoden manchmal zu teilweise ähnlichen – wenn auch nicht gleichermaßen zwingenden – Ergebnissen gelangen. Die psychologische Untersuchung des mutmaßlichen Archetyps des Hinkens hat dessen initiatorische Komponente ins Licht gerückt. Im Rahmen der anthropologischen Untersuchung des halben Menschen wurde die Möglichkeit erörtert, daß dieser angebliche Archetyp in einem Gebiet, das Kontinentalasien, Borneo und Kanada umfaßt, vornehmlich die Vermittlung zwischen der Welt der Menschen und jener der Geister und Götter zum Ausdruck bringe. Doch zuletzt wurde diese interpretatorische Hypothese mit der Begründung zurückgestellt, weder eine vertiefte Analyse von Einzelfällen noch eine ausgedehntere Vergleichung seien imstande, eine einheitliche Interpretation des um den halben Menschen kreisenden mythisch-rituellen

Komplexes hervorzubringen[105]. Ein Archetyp, kurzum, ist ein Archetyp: was auf gleichsam intuitivem Wege erfaßt wird, kann keiner eingehenderen Analyse unterzogen werden.

In Wirklichkeit erlaubt die vergleichende Untersuchung, über eine derartig tautologische Schlußfolgerung hinaus zu gelangen. Bei den afrikanischen Ibo, den Miwok Kaliforniens, den Bororo Amazoniens verkörpern jene die Geister, die, den Körper der Länge nach halb schwarz, halb weiß bemalt, an einem Ritus teilnehmen. In Nordborneo ist der kulturelle Heros, der die Reispflanze entdeckt, nachdem er in den Himmel aufgestiegen ist, ein halber Mensch. Bei den sibirischen Jakuten spricht man von halbseitigen Schamanen[106]. Ebenfalls in Sibirien wird der Held eines außergewöhnlichen samojedischen Märchens, der viermal von einem mysteriösen Gegenspieler getötet wird, viermal von einem alten Mann auferweckt, der nur ein Bein, einen Arm, ein Auge hat und den Zugang zu einem unterirdischen Ort kennt, an dem Skelette und schweigsame Ungeheuer hausen: Dort schenkt eine alte Frau den Toten neues Leben, indem sie auf deren eingeäscherten Knochen schläft[107]. Die Gesamttendenz ist also klar. Ihr entspricht auch ein Zeugnis, das aus einer uns sehr viel näheren kulturellen Tradition stammt: aus dem arthurischen Roman. Der Mann mit nur einem, ganz silbernen, mit Gold und Edelsteinen besetzten Bein, auf den Gauvain – einer der Protagonisten des *Perceval* von Chrétien de Troyes – trifft, sitzt schweigend auf der Schwelle eines Schlosses, das von einem Fluß umgeben ist und in dem sich seit langem totgeglaubte Personen aufhalten[108]. Von Afrika bis nach Sibirien erscheint der halbseitige Mensch – genauso wie die Hinkenden, die *monosandaloi* usw. – als eine Mittlerfigur zwischen der Welt der Lebenden und jener der Toten und Geister. Man möchte meinen, ein Zwang formaler Ordnung forme denkbar disparate kulturelle Materialien und gieße sie in eine relativ spärliche Zahl vorgeordneter Modelle.

Laut einem Mythos über den Ursprung des Menschengeschlechts, den man auf der Insel Ceram (Molukken) aufgezeichnet hat, war es der Wille des Steins, daß die Menschen nur einen Arm, nur ein Bein, nur ein Auge hätten und unsterblich seien; der Wille des Bananenbaums war, daß sie zwei Arme, zwei Beine, zwei Augen hätten und zeugungsfähig seien. In diesem Streit gewann der Bananenbaum die Oberhand: doch der Stein verlangte, daß die Menschen dem Tod unterworfen würden. Der Mythos lädt uns dazu ein, in der Symmetrie ein Charakteristikum der Lebewesen zu erkennen[109]. Wenn wir zu diesem noch ein spezifischeres, wenn auch nicht ausschließlich menschliches Merkmal hinzufügen – den aufrechten Gang –, sehen wir uns einem symmetrisch gebauten, zweibeinigen Lebewesen gegenüber[110]. Die transkulturelle Verbreitung von Mythen und Riten, die um die Asymmetrie des Gehens kreisen, hat ihre psychologische Wurzel wahrscheinlich in dieser elementaren, minimalen Selbstwahrnehmung der menschlichen Gattung – der des eigenen Körperbildes. Was dieses Bild auf einer buchstäblichen oder einer metaphorischen Ebene verändert, erscheint daher in besonderem Maß geeignet, eine Erfahrung jenseits der Grenzen des Menschlichen zum Ausdruck zu bringen: die in Ekstase oder im Verlauf von Initiationsriten vollführte Reise in die Welt der Toten. Den Isomorphismus dieser Merkmale zu erkennen, heißt nicht, einen so disparaten Komplex von

Mythen und Riten einheitlich zu interpretieren. Es heißt jedoch, die Existenz vorhersehbarer Zusammenhänge hypothetisch anzunehmen. Wenn wir zum Beispiel lesen, daß Soslan, einer der Helden der ossetischen Epik, sich bei lebendigem Leib ins Jenseits begibt, können wir erwarten, daß sein Körper, bei der Geburt von den Zangen des Nartenschmieds gepackt, unverwundbar gemacht wurde, mit einer unglückseligen Ausnahme: jener des Knies (oder der Hüfte)[111].

17. Damit erfährt der Begriff des Archetyps eine radikale Umformulierung, da er fest im Körper, genauer gesagt, im Körperbild verankert wird[112]. Man kann die Hypothese aufstellen, daß dieses wie ein Schema wirkt, wie eine Vermittlungsinstanz formaler Art, durch welche Erfahrungen, die mit körperlichen Charakteristika der menschlichen Gattung verbunden sind, verarbeitet und in potentiell universelle symbolische Beziehungsgeflechte übertragen werden können[113]. Fassen wir das Problem in diesen Begriffen, werden wir den Irrtum vermeiden, in den, wie wir gesehen haben, die nach Archetypen Suchenden gewöhnlich verfallen: den Irrtum nämlich, mehr oder weniger verbreitete, spezifische Symbole zu isolieren und sie mit »kulturellen Universalien« zu verwechseln. Die Untersuchung, die wir hier durchführen, hat gezeigt, daß nicht die einzelnen Einheiten (die Hinkenden, die halben Menschen, die *monosandaloi*) das universelle Element darstellen, sondern die definitionsgemäß offene Serie, der sie zugehören. Genauer: nicht das konkrete Symbol, sondern die kategoriale Aktivität, die, wie wir sehen werden, in symbolischer Form konkrete – körperliche – Erfahrungen verarbeitet. Diesen muß man auch, ja vor allem, die Körpererfahrung am Nullpunkt zurechnen: den Tod[114].

18. Diese Definition ist wörtlich zu nehmen. Vom Tod läßt sich nicht aus direkter Erfahrung sprechen: wenn er da ist, sind wir nicht, und umgekehrt[115]. Doch Jahrtausende hindurch hat die Reise ins Jenseits Mythen, Dichtungen, Ekstasen, Riten genährt[116]. Um dieses Thema hat sich eine Erzählform herausgebildet, die auf dem gesamten eurasischen Kontinent, mit Ablegern auf beiden amerikanischen Kontinenten, verbreitet ist. Tatsächlich wurde gezeigt, daß die Grundstruktur der Zaubermärchen, die auf Wanderungen des Helden beruht, das Thema der Reise (der Seele, des Initianden, des Schamanen) in die Welt der Toten aufnimmt[117]. Dies ist derselbe mythische Kern, den wir in den ekstatischen Zügen im Gefolge der nächtlichen Göttin, in den in Ekstase ausgefochtenen Kämpfen um Fruchtbarkeit, in den Mythen und Riten um Hinkende, Träger nur eines Schuhs und halbe Menschen wiedergefunden haben. Alle Wege, die wir beschritten haben, um die volkstümliche Dimension des Sabbat zu erklären, treffen in einem Punkt zusammen: in der Reise in die Welt der Toten.

19. Die Behauptung, es gebe eine Ähnlichkeit zwischen den Zaubermärchen und den Geständnissen der Frauen und Männer, die als Hexen oder Hexer angeklagt werden, scheint auf den ersten Blick eine Selbstverständlichkeit zu sein. Gewöhnlich wird diese Ähnlichkeit einem Phänomen bewußter Imitation zugeschrieben. Von Folter oder dem durch die Richter ausgeübten Druck bedrängt, sollen die Angeklagten, aus Märchen schöpfend, die sie in ihrer Kindheit gehört, aus

Erzählungen, die sie in Plauderstunden vernommen haben usw., eine Reihe von Allgemeinplätzen zusammengestoppelt haben. Diese Hypothese, plausibel in einigen Fällen, hält nicht stand, wenn sich die Ähnlichkeiten auf eine tiefer liegende Ebene beziehen. Bei der Analyse der Mythen und Riten, die mit der später in den Sabbat eingeflossenen volkstümlichen Schicht verknüpft sind, haben wir eine grundsätzliche Unterscheidung zwischen einer Kampfversion (Kämpfe gegen Hexer, Tote usw.) und einer Version, in der der Kampf keine Rolle spielt (Züge umherstreifender Toter) entdecken können. Innerhalb einer gemeinsamen Struktur hat man eine analoge Zweiteilung erkannt: zwischen Zaubermärchen, die die Funktion »Kampf mit dem Gegner« miteinschließen, und solchen, die sie ausschließen[118]. Isomorphismen dieser Art einer improvisierten, oberflächlichen Verschmelzung zuschreiben zu wollen, wäre offensichtlich unsinnig. Zwischen dem Zaubermärchen und dem volkstümlichen Kern des Hexensabbat erahnen wir eine tiefere Affinität. Kann das eine den anderen erhellen?

20. Vor fast einem Jahrhundert hat man die universellen Merkmale der Märchen und einiger an Märchenelementen (vor allen anderen dem der Jenseitsreise) reichen Mythen auf die gleichfalls universelle Erfahrung der Verdoppelung zwischen Körper und Psyche zurückgeführt, zu der es im Traum kommt[119]. Man ist versucht, diese ein wenig vereinfachende Hypothese durch die Annahme eines Zwischengliedes zwischen Märchen und Traum – der schamanistischen Ekstase – neu zu formulieren[120]. Doch die Ähnlichkeit der Märchen auf dem ganzen Erdball bleibt bis heute ein entscheidendes – und ungelöstes – Problem[121]. In ihnen spitzt sich das Dilemma, in das unsere Untersuchung geraten ist, noch zu.

Es bleibt nichts übrig, als diese Herausforderung anzunehmen und ein bestimmtes Märchen zu analysieren: das Märchen vom Aschenputtel. Aufgrund seiner Charakteristika und seiner außergewöhnlichen Verbreitung (vgl. Karte 4) war diese Wahl nahezu unvermeidlich[122].

21. In der bekanntesten europäischen Fassung kann Aschenputtel, die schlecht behandelte Stieftochter, nicht auf den Ball des Prinzen gehen, weil die Stiefmutter es ihr untersagt hat (Verbot); sie erhält das Kleid, die Schuhe usw. (Schenkung der Zaubermittel durch den Helfer); sie begibt sich zum Palast des Prinzen (Überwindung des Verbots); sie flieht, verliert den Schuh, den anzuziehen ihr später, vom Prinzen dazu aufgefordert, gelingt (schwere Aufgabe, die zur Wiedererkennung der Heldin führt), während sich die Stiefschwestern vergeblich abmühen, dasselbe zu tun (der falsche Held macht unrechtmäßige Ansprüche geltend); sie entlarvt die gegnerischen Stiefschwestern und heiratet den Prinzen. Wie man sieht, verläuft die Handlung nach dem Schema, das in den Zaubermärchen ermittelt wurde. Eine seiner Funktionen – die Beibringung eines Kennzeichens am Körper des Helden oder der Heldin – läßt sich hier unschwer in dem wesentlichen Detail des verlorenen Schuhs erkennen[123]. Der Monosandalismus von Aschenputtel ist das Merkmal derer, die sich ins Totenreich (den Palast des Prinzen) begeben hat[124].

Aschenputtel:

Versionen, in denen der magische Helfer (Mutter, Patin, Tier) aufersteht,
nachdem er seine Knochen hat sammeln lassen. (Die Karte dient zur
Orientierung).

Bis hierher haben wir *Aschenputtel* als eine kompakte Einheit betrachtet und die überaus zahlreichen Varianten vernachlässigt. Wir wollen nun jene untersuchen, die sich auf die Figur des magischen Helfers beziehen, von dem die Heldin die Gaben erhält, die ihr den Besuch des Festes im Palast erlauben. In der Fassung von Perrault ist es eine Fee, Aschenputtels Patin. Häufiger werden die Helferfunktionen von einer Pflanze oder einem Tier wahrgenommen – einer Kuh, einem Schaf, einer Ziege, einem Stier, einem Fisch –, das die Heldin beschützt. Aus diesem Grund tötet die Stiefmutter es oder läßt es töten. Ehe es stirbt, vertraut es der Heldin seine Knochen an, bittet sie, diese zu sammeln, zu begraben und zu begießen. In einigen Fällen verwandeln sich die Knochen durch Zauber in die Gaben; in anderen findet die Heldin die Gaben auf dem Grab, auf dem manchmal ein Baum gewachsen ist[125]. In drei Versionen ersteht das helfende Tier – ein Schaf oder Lamm in Schottland, eine Kuh oder ein Fisch in Indien – aus den Knochen wieder auf und händigt der Heldin die Zaubermittel aus[126].

Mythen und Riten, in denen die von den Häuten umschlossenen Knochen benutzt werden, um die Auferstehung der getöteten Tiere zu erreichen, wurden, wie man sich erinnern wird, in einem überaus weiten und heterogenen geographischen Gebiet aufgespürt. Dieses umfaßt einen Großteil Europas (von den britischen Inseln bis zu den Alpen); einen Großteil Asiens (den subarktischen Gürtel von Lappland bis zur Bering-Straße, den Kaukasus, die iranische Hochebene); Nordamerika; Äquatorialafrika[127]. Aufgrund der Bedeutung, die der Verwesung des Leichnams beigemessen wird, ist dieser Komplex von Mythen und Riten im allgemeinen wiederum mit dem Brauch der zweifachen Bestattung verknüpft, der in einem noch größeren, auch den Pazifischen Ozean umfassenden Gebiet angetroffen wurde[128]. Spezieller noch ist das Sammeln der Knochen mit dem märchenhaften, vor allem eurasischen Thema des Zauberbaums, der auf dem Grab wächst, verbunden[129]. Im Märchen von Aschenputtel wechseln sich, wie wir sahen, die beiden Elemente (Knochen und Zauberbaum) ab. Fassungen, in denen die Knochensammlung vorkommt, sind in China, Vietnam, Indien, Rußland, Bulgarien, Zypern, Serbien, Dalmatien, Sizilien, Sardinien, in der Provence, der Bretagne, in Lothringen, Schottland, Finnland belegt[130]. Eine so weite und vielfältige Streuung läßt einen die Möglichkeit ausschließen, daß es sich bei der Präsenz des Knochenthemas in der Märchenerzählung um das Ergebnis einer zufälligen Aufpfropfung handle[131]. Man kann eine darüber hinausgehende Hypothese aufstellen: daß nämlich die Fassung, die die Auferstehung des getöteten Tieres enthält, die vollständigste sei, auch wenn sie nur in drei Fällen erhalten geblieben ist.

Zweifellos handelt es sich dabei um eine sehr alte Version. Um die Mitte des 18. Jahrhunderts erklärten, wie wir bereits sagten, die lappischen Schamanen (*No'aidi*) den dänischen Missionaren, man müsse die Knochen der Opfertiere sammeln und mit der größtmöglichen Sorgfalt ordnen: Horagalles, der Gott, an den sich das Opfer wandte, lasse sie dann auferstehen und mache sie noch kräftiger als zuvor. Wie man sich erinnern wird, hat man in Horagalles eine lappische Entsprechung zu Thor erkannt, dem keltisch-germanischen Gott, der einer berühmten Stelle der *Edda* zufolge einigen getöteten Ziegenböcken das Leben wiedergibt, indem er ihre Knochen aufsammeln läßt und sie mit seinem

Zauberhammer schlägt[132]. Doch ein Ziegenbock – so die Erzählung der *Edda* weiter – hinkt auf einem Bein: Thor bemerkt es und wirft den anwesenden Bauern vor, den Schenkelknochen des Tieres achtlos zerbrochen zu haben. In verschiedenen Alpenlegenden, von den Westalpen bis nach Tirol, kehrt dieselbe Geschichte wieder (nur der Name des Wundertäters ist ein anderer). Ihr kann man, wenngleich indirekter, Mythen und Riten zur Seite stellen, die in denkbar verschiedenen Kulturen bezeugt sind und die Vorkehrungen beschreiben, die zu treffen sind, um eine möglichst vollkommene Auferstehung von Tieren und Menschen zu gewährleisten. Im semitischen Bereich steht das Verbot, die Knochen des Osterlamms zu zerbrechen (*Exodus* 12, 46), das dann in der Erzählung vom gekreuzigten Christus nachklingt (*Johannes* 19, 36), zweifellos mit diesen Glaubensvorstellungen in Zusammenhang[133]. In einem ganz anderen Kontext, in der Lombardei des ausgehenden 14. Jahrhunderts, ersetzten die Anhängerinnen der Oriente die fehlenden Knochen der Ochsen, deren Fleisch sie bei den nächtlichen Banketten verzehrt hatten, durch Stückchen von Holunderholz. In einer Tiroler Sage wird ein Mädchen, das zuerst geschlachtet und dann, mit einem Erlenzweig anstelle einer Rippe, wieder auferweckt wird, »Erlenholzhexe« genannt. Die Abchasen des Kaukasus sagen, wenn Adagwa, der Waldgott, bemerke, daß er beim Verspeisen von Wild einen Knochen verschluckt habe, so ersetze er ihn durch ein Holzstückchen. Die Loparen Sibiriens ersetzen die fehlenden Knochen des erlegten Wilds durch die des Hundes, der sie aufgefressen hat. Die Ainu, die die nördlichen Inseln des japanischen Archipels bewohnen, berichten, wenn ein Bär einen Menschen fresse, werde er vom Oberhaupt der Bären gezwungen, ihn durch Lecken der Knochen wiederzuerwecken; sollte der Bär dem Menschen aber den Knochen des kleinen Fingers aufgefressen haben, müsse er diesen durch einen Zweig ersetzen[134]. In diese kulturell heterogene, doch morphologisch zusammenhängende Serie sind die beiden schottischen Fassungen des Aschenputtelmärchens einzuordnen, die sowohl die Knochensammlung als auch die nachfolgende Auferstehung enthalten. In beiden hinkt das auferstandene Tier (es handelt sich um eine Ziege beziehungsweise ein Lamm): Im ersten Fall hat die Heldin verabsäumt, die Hufe einzusammeln; im zweiten fehlt eines der Hinterbeine.

Die Ähnlichkeit mit Thors Ziegenbock ist offensichtlich[135]. Doch die keltische Variante des hinkenden Tiers reiht sich, wie wir gesehen haben, in einen sehr viel weiteren mythischen und rituellen Kontext ein. Dieser erlaubt es, die zu Beginn des 13. Jahrhunderts von Gervasius von Tilbury aufgezeichnete Glaubensvorstellung zu verallgemeinern, der zufolge ein Werwolf, dem man eine Pfote abschnitt, sogleich wieder seine menschliche Gestalt annahm[136]. Wer in die jenseitige Welt geht oder aus ihr zurückkommt – ob Tier, ob Mensch oder eine Mischung aus beidem – ist durch eine Asymmetrie des Gehens ausgezeichnet. Die Serie, die wir rekonstruiert haben, erlaubt uns, die symbolische Gleichwertigkeit zwischen dem Hinken des auferstandenen Tieres und Aschenputtels nachfolgendem Verlust des Schuhs zu erfassen. Zwischen dem Helfer – Tier, Patin-Fee oder gar Mutter – und der Empfängerin der Hilfe besteht eine heimliche Homologie[137]. Auch Aschenputtel kann – wie Thor, der heilige Germanus, Oriente – als eine Reinkarnation der »Herrin der Tiere« betrachtet werden[138]. Ihre mitleidigen Gesten gegenüber den Knochen (Begraben und Begießen) haben eine Wirkung, die der Zauberberührung mit dem Hammer des Thor oder dem Stab der Oriente entspricht. In einer Fassung des Märchens, die aus Split stammt und das Auferstehungsthema in abgeschwächter Form präsentiert, ist die Ähnlichkeit noch ausgeprägter: Die kleinste Tochter berührt das Tuch, in das die Knochen der getöteten Mutter gewickelt sind, mit einem Stab und gibt ihnen dadurch die Stimme wieder[139].

Das Lob der Zierlichkeit des weiblichen Fußes, das der Handlungsführung von *Aschenputtel* zugrunde liegt, hat man mit dem in den Oberschichten Chinas praktizierten Brauch, die Füße der Frauen von Kindheit an einzuschnüren, in Verbindung gebracht. Es handelt sich um eine plausible Vermutung[140]. Im übrigen weiß man, daß die älteste der bekannten Fassungen des Aschenputtelmärchens von einem gelehrten Beamten niedergeschrieben wurde, von Tuang Ch'eng Shih (800–863), der es einen seiner Diener, der aus Südchina stammte, erzählen hörte. Weil sie die Gräten eines Wunderfisches, den ihre Stiefmutter getötet hat, aufsammelt, erhält die Protagonistin – Sheh-Hsien – ein Paar goldene Sandalen und ein Kleid aus Möwenfedern, mit dem sie zu dem Fest geht, auf dem sie den König treffen wird. Man hat festgestellt, daß die Sandalen, die bei den eingeborenen Völkern Südchinas wahrscheinlich kaum verbreitet, hingegen ein typischer Bestandteil der Schamanenkleidung sind. Ferner nahm man an, sowohl das auf die Protagonistin bezogene Epitheton »schön wie ein Himmelswesen« als auch das Möwenfedernkleid, das sie auf dem Fest in der Grotte trägt, spiele auf ein aller Wahrscheinlichkeit nach aus Nordasien stammendes Märchen mit schamanistischem Hintergrund – jenes der Schwanenmädchen – an[141]. Diese vorsichtigen Hypothesen erscheinen noch überzeugender, wenn man sie neben den magischen Kern stellt, den wir ausgemacht haben. Zwar bleiben die Beziehungen zwischen der Heldin und der Mutter, der Stiefmutter, den Stiefschwestern und dem künftigen Bräutigam bei dieser Analyse außer Betracht, doch vielleicht sollte man die Hypothese, die in bezug auf den Oidipusmythos formuliert worden ist, auf das Aschenputtelmärchen ausdehnen: daß nämlich die Darstellung von Spannungen, die mit den Familienbeziehungen verknüpft sind, bereits in ferner Vergangenheit dem Erzählstamm eines Zaubermärchens aufgepfropft worden sei[142]. Diese Annäherung ist nicht ganz ungerechtfertigt, wie die Ähnlichkeiten zwischen der Handlungsführung von *Aschenputtel* und jener von *Eselshaut* zeigen[143]. Beide Protagonistinnen sind gezwungen, niedrige und mühselige Arbeiten zu verrichten: die erste, weil sie von der Stiefmutter schlecht behandelt wird; die zweite, weil ihr Vater sie mit seinen Heiratsanträgen derart belästigt, daß sie gezwungen ist, als Tier verkleidet aus dem Haus zu fliehen. Die Affinität der Ausgangssituation beider Märchen kann teilweise zu einer Deckungsgleichheit werden: In einer russischen Fassung von *Eselshaut* legt die Heldin die Tierhaut ab, die sie trägt (in diesem Fall eine Schweinshaut), geht zum Palast des Prinzen, wo sie ihren Schuh vergißt usw.[144]. Doch die Ausgangssituation von *Eselshaut* reproduziert in umgekehrter Form jene der Erzählung von Oidipus: Statt eines Sohnes, der sich ahnungslos mit seiner Mutter vermählt, steht hier ein Vater, der wissentlich versucht, seine Tochter zu heiraten. Dieses letzte Thema kehrt in abgeschwächter Form in einer anderen Erzählung wieder, die morphologisch sowohl mit *Eselshaut* als auch mit *Aschenputtel* verknüpft ist: Der Vater gibt den Töchtern einen Wettkampf auf, um in Erfahrung zu bringen, welche der Töchter ihn am meisten liebt (dies ist der Märchenkern von *King Lear*)[145].

22. Vom Hinken des Oidipus zum Schuh von Aschenputtel: ein gewundener Pfad, ja Zickzacklauf, bei dem wir von einer formalen Analogie geleitet wurden. Bei der Rekonstruktion der tiefen Verwandtschaft, die Mythen und Riten aus den unterschiedlichsten Zusammenhängen miteinander verbindet, ist es uns gelungen, anscheinend unerklärlichen oder marginalen Details, die uns im Lauf unserer Untersuchung begegnet sind, einen Sinn zu geben: dem hinkenden Kind, das die Schar der livländischen Werwölfe anführt, den Tieren, die Oriente auferweckt. Doch wenn wir damit beginnen, in diesen Komplex von Mythen und Riten eine geographische Unterscheidung einzuführen, und sei es nur in groben Zügen, sehen wir einen Gegensatz sich abzeichnen. Themen wie der halbseitige Mensch oder das Sammeln der Knochen, um die Auferstehung von getöteten Tieren zu erreichen, kommen in Eurasien, in Nordamerika und Kontinental-afrika vor. Dagegen scheint die Variante, die der fehlende, eventuell durch Holzstückchen oder andere Knochen ersetzte Knochen darstellt, in Kontinental-afrika überhaupt nicht vorhanden zu sein[146]. Eine Analyse der Verbreitung von *Aschenputtel* führt zum selben Ergebnis. Die unzähligen Varianten des Märchens decken ein Gebiet ab, das von den britischen Inseln bis nach China reicht, mit einem bedeutenden Anhängsel längs der Südküste des Mittelmeers, in Ägypten und Marokko (Marrakesch); vielleicht erreichen sie Nordamerika; Kontinental-afrika berühren sie nicht, mit wenigen Ausnahmen, die sich mit großer Wahr-scheinlichkeit auf Kontakte mit der europäischen Kultur in neuerer Zeit zurück-führen lassen[147]. Auch von einem anderen Phänomen, das wir noch nicht bespro-chen haben, wird Kontinentalafrika nicht tangiert: von der Skapulamantie, d. h. der Wahrsagung aus dem Schulterblatt von Opfertieren (Widdern vor allem). Sie findet sich in einem Gebiet, das im Osten von der Bering-Straße, im Westen von den britischen Inseln und im Süden von Nordafrika begrenzt wird[148].

Ein Märchen (*Aschenputtel*), ein Mythos (der fehlende Knochen), ein Ritus (die Skapulamantie). Im letztgenannten Fall hat man eine zentralasiatische, viel-leicht mongolische Herkunft vermutet[149]. Eine analoge, oder vielleicht noch weiter nördliche Herkunft ist auch für die anderen beiden wahrscheinlich. Doch daß so weit verbreitete und so eng miteinander zusammenhängende kulturelle Züge nicht nach Kontinentalafrika eingedrungen sind, kann kein Zufall sein. Wir schlagen vor, diesen Umstand mit einem anderen in Verbindung zu bringen: in Kontintalafrika fehlen nämlich auch ähnliche schamanistische Phänomene, wie man sie in Eurasien und, in abgeschwächter Form, in Nordamerika beobachtet hat. In Kontinentalafrika finden wir in der Tat Phänomene von Besessenheit: nicht aber die Ekstase, auf die die Reise des Schamanen ins Jenseits folgt. Der Schamane herrscht über die Geister; der Besessene ist in der Gewalt der Geister, wird von ihnen beherrscht[150]. Hinter diesem überaus deutlichen Kontrast erken-nen wir eine vermutlich sehr alte kulturelle Differenzierung.

23. Obwohl die Mythen und Riten um das Sammeln der Knochen des getöteten Tieres auch in Kulturen vorkommen, die keine schamanistischen Phänomene im engen Sinn kennen, scheinen sie den angstbesetzten inneren Weg nachzuahmen, auf dem der Schamane seine Berufung erkennt: die Erfahrung, in Stücke gehauen zu werden, das eigene Skelett zu betrachten, neu geboren zu werden[151]. Im eurasischen Raum umfaßt diese Sequenz ein weiteres Element von eindeutig (wenn auch nicht ausschließlich) schamanistischem Gepräge: die Rückkehr aus dem Jenseits, wie sie durch den fehlenden Knochen oder den verlorenen Schuh zum Ausdruck kommt. Es handelt sich dabei um eine Spur der Kontakte, die die Griechen, vermittelt über die Skythen, zu den Kulturen Zentralasiens unterhielten. Der rätselhafte Hinweis des Alkaios auf Achill als »Herrn der Skythen« ist in dieser Perspektive zu sehen[152]. Ein weiteres Beispiel liefert uns, zusammen mit der Verknüpfung von Skapulamantie und Auferstehung aus den Knochen, ein anderer Mythos: jener von Pelops[153].

Pelops war von Tantalos, seinem Vater, getötet worden, der ihn geschlachtet, in einem Kessel gekocht und den Göttern zur Speise vorgesetzt hatte, um deren Allwissenheit auf die Probe zu stellen. Nur Demeter war seiner List aufgesessen und hatte ein Schulterstück des Knaben verzehrt. Der Körper des Pelops war wieder zusammengesetzt und ins Leben zurückgerufen worden: das Schulterblatt hatte man durch ein Stück Elfenbein ersetzt. Die Analogie zu den eurasischen Mythen und Riten, in denen der fehlende Knochen durch Holzstückchen oder (seltener) durch andere Knochen ersetzt wird, ist offensichtlich[154].

Pelops zu Ehren wurde einmal im Jahr nach einem komplizierten Ritual ein schwarzer Widder geopfert. Der Ritus fand in Olympia anläßlich des Wagenrennens statt. Tatsächlich berichtete ein anderer Mythos, daß es Pelops gelang, Hippodameia zur Frau zu bekommen, indem er deren Vater Oinomaos in einem Wagenrennen besiegt und dessen Tod verursacht hatte. Wie man sich erinnern wird, hatte diese von einem Orakel vorausgesehene Ermordung des künftigen Schwiegervaters nahegelegt, auch Pelops in die Reihe der abgeschwächten Pendants des Oidipus aufzunehmen[155]. Seine Gestalt weist nur scheinbar keine auf den Gehapparat bezogenen Anomalien auf, wie sie andere unheilbringende Helden wie Oidipus, Iason oder Perseus kennzeichnen. Tatsächlich gibt es eine mythische Situation, in der das Fehlen des Schulterblattes zum Hinken führt: wenn nämlich das Opfer der Verstümmelung ein Vierbeiner ist. Zwischen Pelops und dem Widder, den man ihm zu Ehren in Olympia opferte, besteht unzweifelhaft eine Äquivalenzbeziehung[156].

24. Den Griechen waren zwei einander ähnliche Mythen bekannt: der von Tantalos und der von Lykaon. In beiden setzt ein Mann den Göttern das Fleisch des eigenen Sohnes vor, entweder allein oder mit Tierfleisch gemischt; in beiden durchschauen die Götter den Betrug, bestrafen den Schuldigen und rufen das zerstückelte menschliche Opfer ins Leben zurück. Sowohl die Tischgemeinschaft zwischen Menschen und Göttern als auch die Anthropophagie rufen als Kontrast einen dritten Mythos hervor: jenen von der Begründung des Schlachtopfers durch Prometheus[157]. Auch hier liegt, wie die *Theogonie* des Hesiod (V. 535–61) berichtet, ein Täuschungsversuch vor, der nur dem Anschein nach von Erfolg

gekrönt wird. Prometheus teilt den zum Opfer bestimmten mächtigen Ochsen in zwei Teile: in das Fleisch und die Eingeweide für die Menschen und in die Knochen, die auf dem Altar für die Götter verbrannt werden sollen. Als Zeus sieht, daß ihm die in schimmerndes Fett gewickelten Knochen vorgesetzt werden, gibt er vor, der Täuschung zu erliegen. Der Streit findet seine Fortsetzung im Ringen um das Feuer, das Prometheus für die Menschen stiehlt; in der Rache des Zeus, der Pandora, dies wunderschöne und unheilbringende Geschenk, auf die Erde sendet; schließlich in der Bestrafung des Prometheus, der an einen Felsen des Kaukasus geschmiedet wird, dem Adler zur Beute, der ihm seine Leber zerhackt (erst Herakles wird ihn, mit Einwilligung des Zeus, von dieser Qual befreien)[158].

Die Möglichkeit, daß die Opferteilung, die Prometheus Zeus vorschlägt, historisch von den lappischen, sibirischen oder kaukasischen Riten abgeleitet sein könnte, in denen die Knochen der getöteten Tiere den Göttern dargeboten wurden, damit diese sie wieder lebendig machten, wurde schon vor langem zu bedenken gegeben[159]. Noch plausibler wird sie nun durch die Darlegung der Beziehungen zwischen den griechischen Mythen um Prometheus und jenen, vor allem georgischen, um Amirani. Auf dieser Grundlage hat man, wie bereits gesagt, eine Reihe von Kontakten angenommen, die vor dem 2. Jahrtausend v. Chr. zwischen indogermanischen Sprachgemeinschaften und kaukasischen Sprachgemeinschaften bestanden haben sollen[160]. Doch diese hypothetischen Kontakte wurden aller Wahrscheinlichkeit nach in einer der unseren sehr viel näheren Zeit wiederbelebt. Reichliches archäologisches Material zeigt, daß die Skythen zwischen dem 7. und dem 4. Jahrhundert v. Chr. in Transkaukasien eindrangen: in West- und Mittelgeorgien, in die von Abchasen bewohnte Gegend wie auch in jene, in der noch heute Osseten iranischer Sprache siedeln[161]. Wenn der Vergleich zwischen den – eben in diesen Gegenden überlieferten – Legenden um den Helden Amirani und dem Prometheus-Zyklus auch auf den Mythos von der Begründung des Schlachtopfers ausgedehnt würde, erwiese sich die kulturelle Verflechtung zwischen kaukasischen Völkern, Skythen und Griechen wahrscheinlich als noch enger – und die Besonderheit der griechischen Ausarbeitung als noch bedeutender[162].

Etwas läßt jedoch auch die Erzählung Hesiods durchscheinen. Gewöhnlich geht man selbstverständlich davon aus, daß sich der in der *Theogonie* beschriebene Streit zwischen Prometheus und Zeus auf das griechische Ritual des Schlachtopfers bezieht. Und doch ist die Entsprechung zwischen dem Mythos und den rituellen Praktiken alles andere als vollkommen. Hesiod stellt Fleisch und Knochen einander gegenüber, ohne die Eingeweide *(splanchna)* zu erwähnen, die im Opfer hingegen eine wichtige Rolle spielten[163]. Außerdem findet die Geste des Prometheus, der »die Fleischstücke und die fettumgebenen inneren Teile *(enkata)* . . . in die Rindshaut« legt, nachdem er sie »mit dem Magen des Rinds« bedeckt hat[164], im Opferritual keinerlei Entsprechung – zumindest nicht im griechischen. Wenn wir jedoch das skythische Opfer als Vergleichsglied nehmen, sehen wir eine unvorhergesehene Konvergenz sich abzeichnen. Bei den Skythen, berichtet Herodot (IV, 61), »wird alles Fleisch in die Bäuche« des Rindes (oder jedes beliebigen anderen Tieres) gesteckt; wenn sie dann Wasser hinzugegossen haben, bringen sie es zum Kochen[165]. Dies ist ein weiterer Beweis der großen kulturellen Nähe zwischen den Skythen und den Nomadenhirten Zentralasiens. Tatsächlich pflegen auch die Burjaten die Tiere in ihre Haut gehüllt zu kochen, nachdem sie diese mit Wasser und glühenden Steinen gefüllt haben[166].

Zwei grundverschiedene Texte: der von Hesiod erzählt die mythische Begründung des griechischen Schlachtopfers; jener von Herodot beschreibt in einer Perspektive, die wir heute als ethnographische bezeichnen würden, das bei einer fremden, ja sogar nomadischen Bevölkerung praktizierte Opferritual. In der zweiten wie in der ersten Erzählung ist das griechische Opfer als bald bewußtes, bald unbewußtes Vergleichsglied stets präsent. Herodot wählt aus dem Spektrum möglicher Opfer das für ihn auf der Hand liegende, das Rind, gerade um der Eigentümlichkeit der skythischen Praktiken ein größeres Gewicht zu verleihen[167]. Doch die von den Skythen benutzte Technik zur Behandlung des Opferfleisches kann nicht einer Projektion Herodots zugeschrieben werden, da sich im Umkreis des griechischen Opfers nichts Ähnliches findet[168]. Andererseits schwächen Hesiods erzählerische Absichten die genaue Übereinstimmung mit Herodots Beschreibung nicht ab – und erklären sie auch nicht[169]. Die Schlußfolgerung ist unumgänglich. Die bis auf Hesiod gekommene Tradition bewahrte die Erinnerung an das skythische Opfer: aufgenommen allerdings in eine mythische Darlegung, die anhand des Streites zwischen Prometheus und Zeus die entscheidende Neuartigkeit des griechischen Opfers veranschaulichen sollte.

25. Das Schlachtopfer begründete eine klare und nicht umkehrbare Trennung zum einen zwischen Menschen und Göttern, zum anderen zwischen Menschen und Tieren. Auf der einen wie auf der anderen Seite sah sich die Religion der Stadt, deren Mittelpunkt das Opfer bildete, einer doppelten Anfechtung durch Formen radikaler Religiosität ausgesetzt, wie sie die Anhänger des Pythagoras beziehungsweise jene des Dionysos verfochten. Die erstgenannten verurteilten – bald mehr, bald weniger streng – den Fleischverzehr als Hindernis auf dem Weg einer Vervollkommnung, die die Menschen den Göttern annähern sollte. Die zweiten neigten zur Aufhebung der Distanz zwischen Menschen und Tieren durch das blutige Ritual der Homophagie, bei dem die Tiere zerstückelt und roh – fast noch lebendig – verschlungen wurden[170]. Im Gründungsmythos des Schlachtopfers, der eine Entscheidung zugunsten des gekochten Fleisches bedeutete (Prometheus beschenkt die Menschen auch mit dem Feuer), haben wir Spuren der Opferbräuche der Nomaden Zentralasiens erkannt, wenngleich sie in einen völlig anderen Zusammenhang aufgenommen worden sind. Eine analoge Ausarbeitung ist vielleicht auch in den in gewisser Hinsicht konvergierenden Positionen derer vorhanden, die sich dem traditionellen Opfer durch Ablehnung des ersten Bestandteils (des Fleisches) oder des zweiten (des Kochens) widersetzten.

Die Konvergenz zwischen beiden Positionen erklärt sich zum einen aus der belegten Präsenz von Orpheus in den dionysischen Ritualen; zum anderen aus dem hohen Stellenwert, der Dionysos in den sogenannten orphischen Büchern beigelegt wird. Eine orphische Sekte hat es nie gegeben: doch gab es, seit dem 6. Jahrhundert v. Chr., eine Reihe von pseudoepigraphischen Dichtungen, die von verschiedenen, sich hinter Namen und Autorität des Orpheus verbergenden Personen (darunter auch, wie es scheint, Pythagoras selbst) verfaßt wurden[171]. In einer dieser Dichtungen wurde ein Mythos wiedergegeben, den wir vornehmlich aus späten Zeugnissen christlicher Autoren kennen, sowohl griechischer (Clemens von Alexandria) als auch lateinischer (Firmicus Maternus, Arnobius). Gegenstand des Mythos war die Ermordung des – manchmal mit Zagreus, dem mythischen kretischen Jäger, identifizierten – Kindes Dionysos durch die Hand der Titanen. Mit kreidebeschmierten Gesichtern töten die Titanen Dionysos, nachdem sie ihn mit Kreiseln, Würfeln, einem Spiegel und anderem Spielzeug abgelenkt haben; dann zerstückeln sie ihn, sieden ihn in einem Kessel, rösten ihn auf einem Spieß, bis Zeus sie mit seinem Blitz erschlägt. Einige Fassungen setzen hinzu, daß Dionysos von den Titanen verschlungen wird. Andere, daß er aufersteht: aus dem Herzen, das Athene den Schlächtern entwendet hat, oder aber aus den Gliedern, die Demeter oder Rhea wieder zusammengesetzt haben[172].

Zerstückelung und anschließendes Eintauchen in einen Kessel mit siedendem Wasser sind die Mittel der Zauberin Medeia, um Iason zu verjüngen und mit einer List dessen Onkel, den Usurpator Pelias, zu töten[173]. Zerstückelung, Kochvorgang, Zusammensetzung der Glieder und Auferstehung folgen, wie man sich erinnern wird, in der Geschichte des Pelops aufeinander; dem Feuerbad als Mittel, einem Kind Unsterblichkeit zu verleihen, wurden Demophon und Achill erfolglos unterzogen. Die Ähnlichkeiten zwischen diesen Mythen und jenem von der Ermordung des Dionysos hat man auf ein gemeinsames Initiationselement zurückgeführt[174]. Es wurde der Einwand erhoben, daß diese Interpretation die Opferkonnotationen eines Mythos vernachlässigt, der – wie bereits ein pseudoaristotelisches Problem bemerkte – eine ausdrückliche Bezugnahme auf das traditionelle griechische Opfer enthält, wobei er dessen Reihenfolge umkehrt. Tatsächlich wird Dionysos zuerst gekocht und dann gebraten, während man beim Opfer zunächst die am Spieß gebratenen Eingeweide und dann das gesottene Fleisch verzehrte[175]. Doch die beiden Interpretationen sind nicht notwendigerweise unvereinbar: Im Fall des Dionysos kann das Schlachtopfer sehr wohl einen Initiationsablauf symbolisiert haben, da ihm eine Auferstehung folgte. In einigen Fassungen des Mythos wurde diese, wie gesagt, erreicht, indem das Herz des Opfers entwendet wurde; in anderen durch die Zusammensetzung der Glieder[176]. In diesem letzten Fall ist die Anspielung auf die Sammlung und Zusammensetzung der Knochen implizit, berücksichtigt man, daß der Leichnam des Dionysos im Mythos nicht nur zerstückelt, sondern zweimal gekocht und – in einigen Fassungen – sogar verschlungen wird[177].

Daß der orphische Mythos von Dionysos, in der Reihenfolge Ermordung – Zerstückelung – Kochen – Braten – Zusammensetzung der Knochen – Auferstehung, eurasische Mythen und Riten aufnimmt, ist nur eine Hypothese, oder besser: die Summe mehrerer Hypothesen. Wir wissen jedoch, daß es in Olbia, der griechischen Kolonie an der Schwarzmeerküste, dicht an dem von Skythen bewohnten Gebiet, seit dem 6. Jahrhundert v. Chr. ein Heiligtum des Dionysos gab. Herodot berichtet eine Geschichte (IV, 78–80), die Anziehung wie Abstoßung, die diese geographische und kulturelle Nähe verursachte, gut veranschaulicht. Skyles, der König eines skythischen Nomadenstammes, der jedoch von einer griechischsprachigen Mutter geboren war, pflegte über lange Zeiträume hinweg unterzutauchen, in denen er heimlich das Äußere der Griechen und deren Kulte annahm. An einem bestimmten Punkt wollte er in die Mysterien des Dionysos eingeweiht werden. Als die Skythen, durch einen Informanten davon in Kenntnis gesetzt, ihren König durch die Straßen von Olbia streifen sahen, unter der Menge der von dem Gott besessenen Anhänger des Dionysos Baccheios, entrüsteten sie sich und herrschten ihn an: »Es sei widersinnig, sagen sie, sich einen Gott vorzustellen, der die Menschen zur Raserei treibe«[178]. Der Kult, der Skyles in seinen Bann gezogen hatte, ist uns nicht ganz unbekannt. Unter den archäologischen Zeugnissen, die sowohl im Dionysos-Heiligtum in Olbia als auch in der Umgebung gefunden wurden, gibt es zahlreiche Knochentäfelchen von der Größe ungefähr einer Handfläche, die bald auf der einen, bald auf beiden Seiten poliert sind. Manchmal tragen sie Inschriften. Auf einem dieser Täfelchen, das auf das 5. Jahrhundert v. Chr. zurückgeht, ist zu lesen: »Tod – Leben – Tod / Wahrheit / – A – (zwei Zeichen in Zickzackform) – / Dio(nysos) – Orphiker«[179]. Es ist anzunehmen, daß ein solcher Gegenstand eine rituelle Funktion hatte. Welche genau, wissen wir nicht: aber die Annahme eines Zusammenhangs mit dem orphischen Mythos von Dionysos, dem getöteten und aus seinen gesammelten und zusammengesetzten Knochen neu geborenen Gott, scheint nicht allzu gewagt.

26. Das pseudo-aristotelische Problem, in welchem die Frage des Vorzugs des Gesottenen oder des Gebratenen im Opfer verhandelt wird, erwähnt auch den Titel der Orpheus zugeschriebenen Dichtung, in welcher der Mythos von der Ermordung des Dionysos erzählt wird: *Initiationsritus* (oder *–riten*) *(Teletē, Teletai)*[180]. Die Präsenz eines Initiationskernes in diesem Mythos kann nicht in Zweifel gezogen werden[181]. Dem Initianden schlugen die Anhänger des Pythagoras oder Dionysos Modelle individueller Askese vor, die zweifellos sehr unterschiedlich, doch der ausschließlich öffentlichen Dimension der Stadtreligion gleichermaßen fremd waren. In hellenistischer Zeit verstärkte sich das Interesse an diesen Formen religiöser Erfahrung wie auch der Impuls, sie in allegorischem Sinn neu zu interpretieren. Plutarch schrieb, die Erzählung von der Ermordung des Dionysos durch die Titanen sei »ein Mythos, der sich auf die Wiedergeburt bezieht *(eis tēn palinghenesian)*«, auf die innere Erneuerung[182]. Der Mythos und der möglicherweise mit ihm verbundene Ritus boten den Anhängern des Dionysos also die Möglichkeit, sich mit dem Tod und der Auferstehung ihres Gottes zu identifizieren.

Man hat angenommen, in diesem mythisch-rituellen Komplex klinge die schamanistische Initiation nach: ein Phänomen, mit dem die Griechen in Olbia und allgemeiner durch ihre Beziehungen mit den Skythen in Berührung kommen konnten[183]. Die Möglichkeit, daß die Wiedergeburt des Dionysos den eurasischen Ritus des Knochensammelns ausarbeitet, bekräftigt eine solche Hypothese. Gewiß, es handelte sich um schwierige Beziehungen. Die Entrüstung der Untertanen des Skyles, des Königs, der versucht hatte, sich in die Mysterien des Dionysos einweihen zu lassen, entsprang zweifellos einer Haltung der Intoleranz der Skythen gegenüber fremden Bräuchen (dafür gibt es noch weitere Beispiele)[184]. Außerdem vermittelt der Satz, den Herodot wiedergibt – »es sei widersinnig, sagen sie, sich einen Gott vorzustellen, der die Menschen zur Raserei treibe« –, ein Maß für die Distanz zwischen der schamanistischen Ekstase, wie sie die Skythen höchstwahrscheinlich kannten, und der dionysischen Besessenheit[185]. Doch eine Gestalt wie Aristeas von Prokonnesos läßt erkennen, daß es zwischen Griechen und Skythen nichtsdestotrotz zu religiösen Hybridisierungen, also Mischformen kommen konnte[186].

Meistens stammten solche schamanistischen Figuren aus entlegenen Gegenden wie dem Land der Hyperboreer oder einer halben Wildnis wie Thrakien. Dennoch zeigt gerade der Fall des Orpheus, des thrakischen Sängers, der die Sprache der Tiere und den Weg in die Unterwelt kannte, wie schamanistische Figuren und Themen, waren sie erst einmal auf griechischen Boden verpflanzt, eine völlig andere Physiognomie annahmen[187]. Zur Zeit Platons klopften Wanderprediger und Seher an die Türen der Wohlhabenden und verteilten Bücher, die Orpheus zugeschrieben wurden und in denen dargelegt wurde, wie Opfer zu praktizieren seien. In einen Bereich, der traditionell der mündlichen, überdies der Priesterkaste anvertrauten Überlieferung übertragen war, hielt die Schrift ihren Einzug[188].

27. Die religiösen Bewegungen und religiös-philosophischen Sekten, die im Lauf des 6. Jahrhunderts aufkamen, schlugen ihren Adepten je nach Fall Modelle der Askese oder der mystischen Exaltation vor. Die neue Bedeutung, die ein alter, mit der jenseitigen Welt in engem Kontakt stehender Gott wie Dionysos annahm, stand im Widerspruch zur Ablehnung des Todes, wie sie bei den homerischen Göttern zum Ausdruck kam. Vielleicht wurde dieser tiefgreifende Wandel auch durch die Begegnung mit Kulturen vorangetrieben, in denen es eine professionelle Mittlerfigur zum Jenseits gab[189]. Doch die Spuren dieser Kontakte sind rar und schwer faßbar. Die Wiederaufnahme schamanistischer Elemente in der griechischen Kultur wird in eher unscheinbaren Phänomenen zu suchen sein: darunter auch in der Asymmetrie des Gehens in Mythos und Ritus. Es ist bezeichnend, daß sie die Protagonisten jener griechischen Mythen auszeichnet, die von der Einsetzung des Schlachtopfers handeln – oder von dessen Ablehnung, wie sie, von entgegengesetzten Gesichtspunkten aus, formuliert wurde im Namen eines Gottes, »der wankt«, (Dionysos *Sphaleotas*) oder eines Philosophen und Magiers, dem die Überlieferung einen goldenen Schenkel zuschrieb (Pythagoras)[190].

Doch Prometheus, der dem Mythos zufolge das Schlachtopfer begründete, wankt nicht, hat keinen goldenen Schenkel und hinkt auch nicht. Dies ist richtig. Man muß jedoch festhalten, daß zwischen Hephaistos, dem Gott und Schmied, und Prometheus, dem Gott des Feuers, so enge Beziehungen bestehen, daß sie fast an eine Austauschbarkeit heranreichen. Man hat angenommen, Hephaistos habe, als er sich auf dem Olymp niederließ, Prometheus ersetzt (aber auch die umgekehrte Hypothese wurde formuliert)[191]. Könnte die Asymmetrie des Ganges von Hephaistos einen vernachlässigten oder latenten Zug der Gestalt des Prometheus deutlich gemacht haben? Zu Gunsten dieser auf den ersten Blick spitzfindigen Hypothese kann man ein unvermutetes Seitenstück ins Feld führen.

Eine Legende, die vor einem halben Jahrhundert bei den Swanen des Kaukasus aufgezeichnet wurde, bietet eine teils anomale Version der Heldentaten des Amirani (die, wie bereits gesagt, beträchtliche Ähnlichkeiten zu jenen des Prometheus aufweisen). An einem bestimmten Punkt fehlt Amirani das Feuer. Er entdeckt, daß weit und breit die einzigen, die es besitzen, eine Familie unterirdischer Dämonen, die Dew, sind: neun Brüder, deren einer lahm ist. Amirani betritt ihr Haus, mißhandelt sie alle außer dem Lahmen, nimmt das Feuer an sich und macht sich davon. Die Seltenheit der Lahmen in der kaukasischen Mythologie hat einen Vergleich mit dem Mythos nahegelegt, in dem Prometheus das Feuer aus der Schmiede des Hephaistos, des hinkenden Gottes, stiehlt. Eine so genaue und konkrete Übereinstimmung – so sagte man – stehe im Kontrast zu dem Abstraktionsgrad, der die Beziehungen zwischen dem kaukasischen Amirani-Zyklus und dem griechischen von Prometheus gewöhnlich kennzeichne. Daraus folge, daß a) die Lahmheit der beiden Diebstahlopfer sich zweifellos einer Entlehnung verdanke; b) die Richtung der Entlehnung zwangsläufig jene von Griechenland in den Kaukasus gewesen sei[192].

Beide Folgerungen muten fragwürdig an. Wenn wir erfahren, daß der Protagonist eines georgischen Mythos ein Schamane mit krummen Beinen ist, oder daß die Mythen um die neun Dew (darunter ein Lahmer) von Schamanen im Zustand der Trance offenbart werden, drängt sich uns der Gedanke auf, daß das Hinken in den Mythologien der kaukasischen Völker einen Stellenwert und eine Bedeutung haben, die den bisher rekonstruierten nicht unähnlich sind[193]. Wenn wir das Hinken in die umfassendere Serie der Geh-Asymmetrien aufnehmen, entdecken wir, daß auch Amirani unter sie fällt. Die bei den Swanen aufgezeichnete Legende besagt, daß er unmittelbar nach dem Raub des Feuers von einem Drachen verschlungen wird, der sich in die Erde hinabstürzt; es gelingt Amirani, aus dem Innern des Drachen zu entkommen; nach mehreren Abenteuern stößt er auf einen Adler, der sich für zwölf Paare Ochsen und eine entsprechende Menge Brot bereitfindet, ihn auf seinen Flügeln zur Erdoberfläche zurückzubringen. Der Adler fliegt in Spiralwindungen nach oben; am Ende jedes Kreises frißt er Fleisch und Brot. Schließlich fehlen noch zwei Kreise, als Amirani bemerkt, daß die Vorräte zur Neige gegangen sind. Daraufhin »schneidet er ein Stück aus seinem eigenen Fleisch heraus und legt es dem Adler in den Schnabel. Der Adler befindet es für ungleich schmackhafter als die vorigen und erreicht die Erde, ohne noch einmal anhalten zu müssen. Amirani steigt ab; der Adler gibt ihm ein Stück seines Flügels und heißt ihn, damit über seine Wunde zu streichen. Die Wunde verheilt sogleich«[194]. Zu Amiranis Selbstverstümmelung liefert die kaukasische Legende keine weiteren Einzelheiten. Um mehr darüber zu erfahren, müssen wir uns an ein mantuanisches Märchen wenden, das vor weniger als zwanzig Jahren aufgezeichnet wurde: *Sbadilon*[195].

Sbadilon ist ein Tagelöhner, der mit einer Schaufel über der Schulter durch die Welt zieht, zusammen mit zwei Gesellen. Nach verschiedenen Abenteuern geraten sie in ein Land, in dem die Prinzessin geraubt worden ist. Auf einer Wiese sehen sie einen Stein: Sbadilon hebt ihn mit zwei Fingern auf, entdeckt ein großes Loch und läßt sich an einem Seil hinab. Unter der Erde angekommen, tötet er fünf Zauberer durch Schaufelhiebe und findet die Prinzessin, die ihm aus Dankbarkeit verspricht, seine Frau zu werden. Sbadilon läßt sie von seinen beiden Gefährten hinaufziehen: doch kaum versucht auch er, sich hochzuziehen, schneiden die Gefährten das Seil durch und machen sich mit der Prinzessin auf und davon. »Sbadilon, der arme Kerl, wie er also da unten war, hat er eine andere Tür aufgemacht, und rausgekommen ist ein Adler: ›Oh, Giovanni, was machst du denn hier?‹ Da erzählt er ihm, daß er die Prinzessin gerettet hat und alles übrige, und fragt: ›Wie sollen wir jetzt hinaufkommen?‹ Sagt der Adler: ›Höre, wenn du Fleisch hast, bringe ich dich auch hinauf‹. ›Oh ja, ich habe welches! Magst du Zaubererfleisch?‹. ›Ja‹, sagt er. Und so hat er sich zwei oder drei Zauberer über die Schulter gelegt und auch noch welche auf den Rücken des Adlers. ›Und wenn ich dir jetzt sage, gib mir ein Stück Fleisch, dann gibst du mir ein Stück Fleisch‹. Und wirklich: ›Gib mir ein Stück Fleisch, gib mir ein Stück Fleisch‹, aber wie er fast oben ist, da gibt es keine Zauberer mehr, und als ihm der Adler wieder sagt: ›Gib mir ein Stück Fleisch‹, da sagt er nicht etwa ›Es ist keines mehr da‹, sondern schneidet sich ein Stück von der Ferse ab, und so haben sie es gerade noch geschafft, oben anzukommen. Wie er oben ist, sagt er: ›Herrgott aber auch, was brennt mich dieser Fuß da‹. Da sagt der Adler: ›Sei ruhig, sei ruhig, ich hab da ein Fläschchen mit etwas drin, was Fersen nachwachsen läßt‹. Und tatsächlich hat er das Fläschchen – das sind vielleicht Märchen, was?! – da hat er also das Fläschchen über ihn ausgegossen, und da ist ihm seine Ferse wieder gewachsen, und dann haben sie sich voneinander verabschiedet, er und der Adler...«[196].

28. »I è propria favoli neh?!«: das sind vielleicht Märchen, was? – so die Erzählerin aus Cesole im Mantuanischen, die sich damit einen Augenblick lang von dem wunderbaren Geschehen distanziert, von dem sie erzählt[197]. Sie kann nicht wissen, daß fast vierzig Jahre früher ein anderer Erzähler dieselbe wunderbare Geschichte erzählt hat, fast mit denselben Worten, Tausende von Kilometern entfernt, in den Bergen des Kaukasus, nach einem wahrscheinlich über tausend Jahre alten Schema. Aber gerade, weil es sich um Märchen handelt, um Erzählungen, die einer eigenen, aber unumstößlichen Logik gehorchen, können wir die Lücke, die Amiranis nicht näher bestimmte Verstümmelung darstellt, mit Sbadilons abgeschnittener Ferse schließen[198].

Die wesentliche Identität der beiden Episoden ist umso erstaunlicher, als sie nicht die Vermittlung durch Prometheus impliziert. Die Existenz eines Mythos, in dem Prometheus auf dem Rücken eines Adlers, den er mit seiner eigenen Ferse füttert, auf die Erde zurückkehrt, nachdem er in sie hinabgestiegen ist, ist von vornherein unwahrscheinlich, da der Adler im griechischen Zyklus stets eine negative Funktion hat (während im kaukasischen Zyklus das Gegenteil der Fall ist)[199]. Die vielen Märchenerzähler und Märchenerzählerinnen, die zwischen dem Kaukasus und der Poebene von Generation zu Generation in unzähligen Sprachen dieselbe Geschichte erzählt haben – oder besser dieselbe Episode, die in unzähligen, verschiedenen Geschichten vorkommt –, haben den Prometheus-Mythos nicht gekannt oder, wenn sie ihn denn gekannt haben, ihm nicht Rechnung getragen. Doch wenn wir uns von der Ebene der Identität auf jene des Isomorphismus begeben, ändern sich die Schlußfolgerungen. Es ist sehr wahrscheinlich (wir sagen nicht: sicher), daß Prometheus durch eine Asymmetrie des

Ganges ausgezeichnet war, die durch reinen Zufall in den bis auf uns gekommenen Zeugnissen nicht erscheint. Statt einer abgeschnittenen Ferse könnte Prometheus krumme Beine wie Hephaistos gehabt haben. Oder ein Knie mit der Kniescheibe eines Wolfs wie Amirani, der sie dazu benutzt, gewaltsam in einen Kristallturm einzubrechen, in dem ein toter Riese liegt[200]. Auch die abgeschnittenen Fersen von Amirani und Sbadilon sind, wie sich erkennen läßt, das Kennzeichen dessen, der die unterirdische Reise in die Welt der Toten (in die man im mantuanischen Märchen durch das Aufheben eines Steins gelangt) zurückgelegt hat. Es wurde bemerkt, daß Amirani einige schamanistische Züge besitzt[201]. Bei Prometheus – einem Gott, der als Mittler zwischen Zeus und den Menschen agiert – sind diese fast ausgelöscht. Doch sollten wir Vorsicht walten lassen und präzisieren: bei jenem Prometheus, den wir kennen.

Wir waren ausgegangen von der Symmetrie zwischen der Episode der kaukasischen Legende, in der Amirani das Feuer an sich bringt, ohne dem lahmen Dew ein Haar zu krümmen, und dem Mythos, in dem Prometheus dem hinkenden Hephaistos das Feuer stiehlt. Tatsächlich handelt es sich um eine doppelte Symmetrie, die nicht nur die Opfer, sondern auch die Urheber des Raubes betrifft: die einen wie die anderen erscheinen sogar durch eine spiegelbildliche Beziehung miteinander verknüpft[202]. Vereinfachend könnten wir sagen, daß es sich um vier, zu zwei Zweiergruppen zusammengeschlossene Spielarten ein- und derselben Figur handelt. Drei davon sind durch eine je verschiedene Asymmetrie des Ganges gekennzeichnet: Knie mit der Kniescheibe eines Wolfes (Amirani), Lahmheit (Dew), krumme Beine (Hephaistos). Was Prometheus angeht, müssen wir uns auf Vermutungen beschränken. Es ist jedoch bereits offensichtlich, daß die Lahmen, und allgemeiner die Personen, die durch Geh-Asymmetrien charakterisiert sind, nicht als ein oberflächliches Faktum, das folglich ohne weiteres einer Entlehnung zuzuschreiben wäre, angesehen werden können[203].

29. Bei der Erforschung der volkstümlichen Wurzeln des Sabbat sahen wir eine Reihe von Zeugnissen zum Vorschein kommen, in denen von Männern und Frauen die Rede war, die in Ekstase ähnliche Erfahrungen durchlebten wie die sibirischen Schamanen: den magischen Flug und die Verwandlung in Tiere. Abgesehen von den Fällen Lapplands und Ungarns, in denen der kulturelle und ethnische Zusammenhang mit Zentralasien offensichtlich war, ließen sich zur Erklärung der Präsenz dieser Phänomene auf europäischem Boden zwei Vermutungen formulieren. Die erste lautete, daß ein den Steppennomaden kulturell – außer in der Sprache – nahes Volk Mittlerfunktion übernommen habe: die Skythen, mit denen zuerst die Griechen (seit dem 7. Jahrhundert v. Chr.), dann die Kelten (seit dem 4. Jahrhundert v. Chr.) an der Schwarzmeerküste Handelsbeziehungen geknüpft hatten. Die zweite Vermutung ging dahin, daß die Kontakte zu den Skythen bei Griechen wie bei Kelten kulturelle Elemente habe wiederaufleben lassen, die latent, doch seit sehr langer Zeit – seit Jahrhunderten, vielleicht Jahrtausenden – sedimentiert waren. Im Unterschied zur ersten ruht diese Hypothese auf einer dokumentarischen Lücke. Was sie einen erneut, in der Form eines – als solches unbeweisbaren – Postulats, vorbringen läßt, ist die Schwierigkeit, die erstaunliche Verbreitung schamanistischer Züge auf dem

europäischen Kontinent, die später in das Sabbatstereotyp hineingezwungen wurden, auf die alles in allem begrenzten Kontakte zu den Skythen zurückzuführen. Die Hypothese einer langwährenden Nachbarschaft von Völkern indogermanischer Sprache und Völkern kaukasischer Sprache, in einer Gegend wahrscheinlich zwischen dem Schwarzen und dem Kaspischen Meer vor dem 2. Jahrtausend v. Chr., hat jene von einer oder mehreren Invasionen aus Zentralasien stammender schamanistischer Reiter abgelöst, die vor einiger Zeit im Schwange war[204]. Doch in beiden Fällen handelt es sich um Mutmaßungen.

Ganz anders belegt ist hingegen die untergründige Schicht einer einheitlichen eurasischen Mythologie, wie sie bei der Analyse von Mythen und Riten um die Geh-Asymmetrie sichtbar wurde. Wir könnten unsere Untersuchung fortsetzen und uns auf das mittelalterliche Europa konzentrieren, um zu zeigen, wie an die Stelle des Gänsefußes der mythischen Königin Pédauque, des überdimensionierten Fußes von »Berta dal gran piè« (einer Variante von Perchta), des handförmigen oder Eselsfußes der Königin von Saba (einer Oidipus umkehrenden Figur, die Salomon Rätsel aufgibt), des Knochenbeins der russischen Baba-Jaga usw. der Gänsefuß, der Pferdehuf oder das Lahmen des Teufels tritt (vgl. Abb. S. 262)[205]. In den vielerlei Varianten eines scheinbar nebensächlichen Details liegt eine Geschichte von Jahrtausenden beschlossen.

30. Von diesem Detail geleitet, sind wir erneut, durch eine Querverbindung, der Gestalt der nächtlichen Göttin und Erweckerin von Tieren (Teil II, Kap. I und II) begegnet. Ein ebenso peripherer Zugang wird es uns erlauben, Phänomene wie die nächtlichen Kämpfe und die rituellen Maskenumzüge (Teil II, Kap. III und IV) in einer anderen Perspektive zu sehen. Bisher haben wir ein mythisches und rituelles Element in kulturell extrem heterogenen Zusammenhängen analysiert und gezeigt, daß der Beständigkeit der Form eine wesentliche Beständigkeit der Bedeutung entsprach. Nun untersuchen wir den entgegengesetzten Sachverhalt, bei dem einer fast identischen Form verschiedene Inhalte entsprechen. Weshalb hat sich die Form erhalten?

Die Wogulen-Ostjaken, die heute in Westsibirien ansässig sind, besetzten bis ins 13. Jahrhundert ein weites Gebiet um Perm herum, am gegenüberliegenden Abhang des Ural. Ein Mythos berichtet, daß vor langer Zeit einige Jäger bei ihrer Rückkehr aus dem Wald Essen zubereiteten. Plötzlich bemerkten sie, daß sich ihnen eine Schar eines feindlichen Stammes näherte. Ein Teil der Jäger schnappte sich das noch rohe Fleisch und nahm Reißaus. Die übrigen blieben und begannen, das Fleisch in den Kesseln zu kochen: doch ehe es gekocht war, mußten sie sich einem feindlichen Angriff stellen, aus dem sie mit gebrochenen Nasen hervorgingen. Die Nachkommen der Esser des rohen Fleisches, *Mos-chum* genannt, das heißt götterähnliche Menschen, werden als intelligent, kultiviert, gutmütig angesehen; die Nachkommen der Esser des halb gekochten Fleisches, *Por-chum* genannt, werden hingegen für dumm, grobschlächtig, böse gehalten. Jede Gruppe hat ihre eigenen Kultorte und Zeremonien; Tiere und Pflanzen werden jeweils als *Mos* (zum Beispiel die Gans oder die Birke) oder als *Por* (beispielsweise der Bär oder die Lärche) klassifiziert. *Mos* und *Por* bilden zwei exogame Fratrien: man kann nur Mitglieder der anderen Gruppe heiraten. Im

Urs Graf, *Der hinkende Teufel*, Kupferstich, 1512.

Mythos ist auch von einem heldischen Brüderpaar die Rede, das mit diesem Dualsystem in Zusammenhang steht[206].

    An der Mittelmeerküste wird eine ähnliche Geschichte berichtet (Ovid, *Fasten,* 2, 361 ff.). Hier sind die beiden Brüder Romulus und Remus die Protagonisten. Dem Gott Faun werden dem Ritus gemäß einige Ziegen geopfert. Während die Priester die Opfergaben, aufgespießt auf Weidenruten, herrichten, legen Romulus und Remus die Kleider ab und messen sich im Wettkampf mit anderen Jünglingen. Plötzlich schlägt ein Hirte Alarm: Räuber tragen soeben die Kälber fort. Ohne erst zu den Waffen zu greifen, nehmen die Jünglinge die

Verfolgung auf. Remus kehrt mit der Beute zurück, nimmt das Fleisch, das brät, vom Spieß und ißt es, wobei er es mit den Fabii teilt: »Gewiß gebührt dies dem Sieger«. Romulus kehrt enttäuscht zurück, sieht die abgenagten Knochen (*ossaque nuda*) und fängt zu lachen an, betrübt über den Sieg des Remus und der Fabii und die Niederlage seiner Quintilii. Zum Gedenken an dies ferne Ereignis wurde in Rom am 15. Februar das Fest der *Lupercalia* begangen: *luperci Quinctiales* und *luperci Fabiani* wetteiferten miteinander, indem sie nackt um den Palatin rannten.

In einigen Legenden über die älteste Geschichte Roms ist von einem Opfer die Rede, das durch einen Kampf unterbrochen wird. Noch engere Analogien bestehen zwischen Ovids Erzählung und dem Mythos von Cacus, dem Räuber. Cacus stiehlt eine Viehherde; Herkules findet sie wieder, tötet Cacus und begründet einen Kult an der Ara maxima, wobei er die feierliche Verrichtung des Opfers den Vertretern zweier adliger Familien, der Potitii und Pinarii, anvertraut. Pinarius kommt zu spät, als die Gaben bereits aufgegessen sind, und wird, zusammen mit seinen Nachkommen, von der Ausübung des Kultes ausgeschlossen[207]. Doch all dies erhellt die wahrhaft erschütternden Analogien zwischen dem Mythos der Wogulen-Ostjaken und dem fast zweitausend Jahre zuvor aufgezeichneten über den Ursprung der *Lupercalia* nicht[208]. Daß die beiden Erzählungen von einer durch die Ankunft von Viehdieben unterbrochenen Mahlzeit (oder einem Opfer) das Ergebnis einer unabhängigen Konvergenz sind, erscheint sehr unwahrscheinlich. Übrig bleiben zwei Hypothesen: die Abstammung von einem gemeinsamen Modell oder die Entlehnung[209]. Beide implizieren, daß sich dieses Erzählschema eine lange Zeit hindurch unversehrt erhalten hat – Jahrhunderte, wenn nicht gar Jahrtausende lang. Die Analyse der jeweiligen Kontexte müßte uns zu verstehen erlauben, wie dies möglich war. Auf der einen Seite haben wir ein Gebiet, das sich im wesentlichen mit Zentralasien deckt, in dem *a)* viele Fälle von Doppelmonarchie oder Doppelherrschaft bekannt sind; *b)* es üblich ist, die Verwandtschaftsbeziehungen nach zwei großen Kategorien zu klassifizieren, deren eine mit dem »Knochen« (die väterliche Linie), die andere mit dem »Fleisch« (die mütterliche Linie) identifiziert wird; *c)* häufig ein Heiratssystem des generalisierten Tausches anzutreffen ist, welches die Ehe zwischen mütterlicherseits überkreuzten Cousins (der Sohn der Schwester, der die Tochter des Bruders heiratet) favorisiert[210]. Auf der anderen Seite haben wir Latium, wo *(a)* in Spuren vorhanden ist, während *(b)* und *(c)* völlig fehlen[211]. In beiden Mythen sind exogame Klassen und der Gegensatz Fleisch/Knochen getrennt: in jenem der Wogulen-Ostjaken finden wir nur die ersten, in der Erzählung Ovids nur den zweiten. Es wäre freilich absurd, in dieser Trennung den Beweis dafür zu sehen, daß es in protohistorischer Zeit auch in Latium ein auf exogamen Klassen basierendes System gegeben haben muß. Wahrscheinlicher ist die Annahme, daß beide Mythen die dualistischen Elemente deuteten, die in beiden Gesellschaften in sehr unterschiedlichem Maß vorhanden waren. Auch im Alten Testament antizipiert und rechtfertigt die Feindschaft zwischen Esau und Jakob jene zwischen den jeweiligen Nachkommen, den Edomitern und den Israeliten. Und auch in diesem Fall geht die Überlegenheit Jakobs mit einem Nahrungsverzicht einher: Esau wird für das Erstgeburtsrecht das Linsengericht überlassen (*Gen.*, 25, 29–34).

31. Eine große Zahl dualistischer Gesellschaften hat man in Asien, Amerika, Australien aufgefunden (in Afrika sind sie weit seltener). Unter den Charakteristika, die sie miteinander gemein haben, finden wir etliche Elemente, die auch im Gründungsmythos der Wogulen-Ostjaken vorkommen: die Präsenz exogamer Hälften, die nicht nur durch Heiratsbeziehungen miteinander verbunden sind, sondern auch durch ökonomische und zeremonielle; die oft matrilineare Deszendenz; der hohe Stellenwert, der in der Mythologie einem Brüder- oder Zwillingspaar zukommt; in vielen Fällen die Aufteilung der Macht zwischen zwei Oberhäuptern mit verschiedenen Funktionen; die Klassifikation der Lebewesen und Dinge in Gegensatzpaaren; Spiele oder Wettkämpfe, in denen die Beziehung zwischen exogamen Hälften zum Ausdruck kommt, die eine von Rivalität und zugleich Solidarität gekennzeichnete ist[212]. Die Streuung von Gesellschaften mit so ähnlichen Merkmalen hat man auf verschiedene Weisen interpretiert: die Anhänger der historischen These neigen der Verbreitung von einem bestimmten Punkt aus zu; die Anhänger der strukturalistischen These postulieren die unabhängige Wirksamkeit einer angeborenen menschlichen Tendenz. Aus diesen Gründen hat man den Ursprung der dualistischen Gesellschaften als einen exemplarischen Fall angesehen, um die Beziehung zwischen Geschichte und Struktur zu erörtern[213]. Wir finden hier das Thema wieder, das diese ganze Forschung durchzieht. Doch die bereits erreichten Ergebnisse zeigen uns eine Lösung auf. Selbst wenn der Beweis gelänge, daß sich die dualistischen Gesellschaften von einem bestimmten Punkt Zentralasiens aus verbreitet hätten (dies ist ein fiktives Beispiel), blieben die Gründe für ihre Verbreitung und Beständigkeit ungeklärt. Hier sind jene Überlegungen strukturalistischer Ordnung am Platze, welche die potentielle, nicht die aktuelle Existenz dualistischer Gesellschaften betreffen. Die dichotomische Physiognomie dieser Gesellschaften ist – so wurde gesagt – das Ergebnis der Wechselseitigkeit, einer komplementären Beziehung, die den Tausch von Frauen, ökonomischen Leistungen, Bestattungs- und anderen Zeremonien impliziert. Der Tausch wiederum entspringt aus der Formulierung einer Reihe von Gegensätzen. Und das Vermögen, biologische Beziehungen in der Form von Gegensatzsystemen zum Ausdruck zu bringen, stellt das spezifische Merkmal dessen dar, was wir Kultur nennen[214].

Die grundlegenden Merkmale dualistischer Gesellschaften haben, wie man sieht, Überlegungen sehr allgemeiner Natur angeregt. Doch in dieser Richtung läßt sich noch ein Stück weiter vorankommen.

32. Die ältesten Phasen der Menschheitsgeschichte werden traditionell anhand des Materials der benutzten Werkzeuge unterschieden: Stein (zersplittert oder poliert), Eisen, Bronze. Es handelt sich um eine konventionelle, auf äußere Elemente gestützte Klassifizierung. Es ist jedoch bemerkt worden, daß der Gebrauch von Werkzeugen, so entscheidend er auch sei, die menschliche Spezies nicht in spezifischer Weise auszeichnet. Nur die menschliche Gattung hingegen hat die Angewohnheit, Gegenstände zu sammeln, hervorzubringen, anzuhäufen oder – je nachdem – zu zerstören, die nur eine Funktion haben: nämlich die, zu bedeuten: so Gaben an die Götter oder die Toten, in die Gräber mitgegebene Gegenstände, Reliquien, in Museen oder Sammlungen aufbewahrte Kunstwerke

oder Kuriositäten der Natur. Im Unterschied zu den *Dingen* haben diese bedeutungstragenden Gegenstände oder *Zeichenträger* (wie man sie definiert hat) die Gabe, das Sichtbare mit dem Unsichtbaren in Verbindung zu bringen, das heißt mit in Raum und Zeit weit entfernten Ereignissen oder Personen, wenn nicht sogar mit Wesen, die außerhalb von beiden angesiedelt sind – mit Toten, Vorfahren, Göttern. Das Vermögen, den Bereich der unmittelbaren Sinneserfahrung zu überschreiten, ist im übrigen dasjenige Merkmal, welches die Sprache auszeichnet, und allgemeiner noch die menschliche Kultur[215]. Diese entsteht aus der Verarbeitung von Abwesenheit.

In der intellektuellen Entwicklung des menschlichen Wesens beginnt diese Verarbeitung bereits in der frühesten Kindheit, während des Prozesses der Konstruktion einer Objektwelt, und setzt sich in der Aktivität der Symbolbildung fort[216]. Fast wäre man versucht, die alte These neuerlich vorzuschlagen, das Individuum rekapituliere in seinem Wachstum die von der menschlichen Gattung durchlaufenen Etappen. Die Beobachtung der Gegenwart würde es demnach erlauben, eine anders unerreichbare Vergangenheit zu erfassen. In der Geste des achtzehn Monate alten Kindes, das (vielleicht) die Reaktionen durchlebt, die die Abwesenheit und die Rückkehr seiner Mutter in ihm auslösen, indem es eine mit Bindfaden umwickelte Holzspule weit von sich wirft, um sie voller Freude sogleich wiederzufinden, wurde ein Modell kontrollierter, nicht erzwungener symbolischer Wiederholung der Vergangenheit erkannt. Aber ist es zulässig, die Wurzeln des mythisch-rituellen Symbolismus in der Kindheitspsychologie zu suchen[217]?

Gestehen wir ruhig zu, daß das Kind die Holzspule als Bedeutungsträger gebraucht; daß die Holzspule die Mutter bezeichnet, die Mutter *ist*. Ein Beispiel mag genügen, um die Potenzen und die Grenzen der Analogie zwischen Individuum und Art zu veranschaulichen. Der Brauch, die Knochen von getöteten Tieren aufzusammeln, um sie wiederauferstehen zu lassen, ist gewiß sehr alt, wie die geographische Verbreitung der mythischen und rituellen Zeugnisse zu verstehen gibt (Eurasien, Afrika, Amerika). Versuchen wir a. eine Art von Lebewesen anzunehmen, die b. einen guten Teil ihres Lebensunterhalts aus der Tötung c. anderer Arten von Lebewesen bezieht, die d. mit Wirbeln versehen und e. in nicht unbegrenzter Zahl vorhanden sind. Eine große Wahrscheinlichkeit spricht dafür, daß diese Art früher oder später damit beginnt, die Knochen der getöteten Lebewesen als Zeichenträger zu benutzen[218]. Zu allen bereits angeführten Bedingungen muß jedoch noch eine entscheidende hinzukommen: die fragliche Art muß bereits über jene symbolischen Fähigkeiten verfügen, die wir ausschließlich der Gattung *homo sapiens* zuschreiben. Damit schließt sich der Kreis. Der Ursprung bleibt uns definitionsgemäß verschlossen[219].

Es ist im übrigen nicht einmal sicher, daß ein solches Ritual im Paläolithikum praktiziert wurde (wie man gleichwohl vermutet hat)[220]. Doch wer immer auch die Jäger gewesen sein mögen, die zum ersten Mal die Knochen eines getöteten Tieres aufsammelten, damit es auferstehe, so scheint die Bedeutung ihrer Geste doch klar: das Sichtbare mit dem Unsichtbaren in Verbindung zu bringen, die vom Mangel beherrschte Welt der sinnlichen Erfahrung mit der von Tieren bevölkerten Welt jenseits des Horizonts. Das Fortleben der Art über den Tod des einzelnen Individuums (des einzelnen Beutetiers) hinaus stellte die Wirksamkeit des magischen Rituals, dem das Knochensammeln zugrunde lag, unter Beweis. Jedes Tier, das am Horizont auftauchte, war ein auferstandenes Tier. Von daher die tiefe Identität zwischen Tieren und Toten: es handelte sich um zwei Ausdrücke des Andersseins. Das Jenseits war vor allem anderen, wörtlich, der andere Ort[221]. Der Tod kann als Sonderfall der Abwesenheit angesehen werden.

33. Diese – unvermeidlich eher mythopoetischen denn mythologischen – Überlegungen werfen ein Licht auf Verteilung und Beständigkeit der dualistischen Gesellschaften. In der Beziehung zwischen Initiierten und Nicht-Initiierten, ja in allen Situationen, in denen sich die Gesellschaft in zwei Gruppen teilt, hat man den Ausdruck des höchsten Gegensatzes, jenes zwischen Toten und Lebenden, erkannt[222]. Eine Behauptung von solch allgemeiner Tragweite mag vielleicht unvorsichtig scheinen. Doch die Untersuchung ekstatischer Phänomene in Europa hat uns genau zu denselben Schlußfolgerungen gelangen lassen. Hinter den Beschreibungen der Kämpfe, die Benandanti, *Burkudzäutä*, Werwölfe, *Táltos, Kresniki, Mazzeri* usw. in Ekstase oder im Traum ausfochten, erkannten wir eine untergründige Identität dieser Gestalten mit ihren Feinden. Auf der einen Seite Lebende, die in der Ekstase den Toten gleich werden; auf der anderen, je nach Fall, Tote, Hexer, andere Angehörige derselben Initiationsgruppe. Von den möglichen rituellen Entsprechungen dieser ekstatischen Kämpfe hatten wir die *Lupercalia* erwähnt: ein Fest, das während der Zeit im Jahr stattfand, die den Toten geweiht war, und einen Wettlauf zwischen zwei homologen Initiationsgruppen vorsah, der ausdrücklich dem Zweck diente, Fruchtbarkeit zu bewirken[223]. Homolog, doch nicht symmetrisch, wie uns die Erzählung vom unterbrochenen Opfer in Erinnerung bringt, die in den *Fasten* Ovids den Ursprung der *Lupercalia* illustriert. Die weniger begehrenswerten oder ungenießbaren Speisen – je nachdem rohes Fleisch oder Knochen – stehen den in der Hierarchie höher stehenden Wesen zu: bei den Wogulen-Ostjaken den *Mos-chum*, das heißt den götterähnlichen Menschen; in Latium Romulus, dem künftigen König, der nach seinem Tod als Quirinus vergöttert wird[224]. Wir haben bereits hervorgehoben, daß auch Jakob, der künftige Auserwählte Gottes, auf sein Linsengericht verzichtet; und daß das Opfer des Prometheus Fleisch und Eingeweide für die Menschen, die Knochen aber für die Götter vorsieht.

34. Wir haben Tiere und Tote als »zwei Ausdrücke des Andersseins« bezeichnet. Auch hier verweist die etwas kurze Formel auf bereits erreichte Ergebnisse. Auf den Todeskonnotationen halbtierischer Gottheiten wie Richella oder von Tieren umgebener Gottheiten wie Oriente – entfernte Erbinnen der uralten »Herrin der Tiere« – braucht man nicht weiter zu insistieren. Die Anhängerinnen der Diana, Perchta, Holda durchflogen die Himmel auf dem Rücken nicht näher bestimmter Tiere; die Benandanti ließen während ihrer Starre ihren Geist in Gestalt einer Maus oder eines Schmetterlings den leblosen Körper verlassen; die *Táltos* nahmen das Äußere von Hengsten oder Stieren an, die Werwölfe von Wölfen; Hexen und Hexer begaben sich auf dem Rücken von Ziegenböcken oder in Katzen, Wölfe, Hasen verwandelt zum Sabbat; die Teilnehmer an den Riten der Kalen-

den verkleideten sich als Hirsche oder Färsen; die Schamanen legten Federn an, um sich auf ihre ekstatische Reise vorzubereiten; der Held der Zaubermärchen bestieg Fortbewegungsmittel jeder Art und reiste in mysteriöse, entlegene Reiche – oder er ritt auch nur, wie in einer sibirischen Erzählung, auf dem Stamm eines umgeschlagenen Baumes und verwandelte sich beim Eintritt in die Totenwelt in einen Bären[225]. Verwandlungen, Ritte, Ekstasen, auf die der Auszug der Seele in Tiergestalt folgt, sind verschiedene Wege, die zu ein- und demselben Ziel führen. Zwischen Tieren und Seelen, Tieren und Toten, Tieren und dem Jenseits besteht ein tiefer Zusammenhang[226].

35. In seiner Dichtung *Argonautika* (um 250 v. Chr.) beschreibt Apollonios Rhodios (III, 200–09) die Landung der Gefährten Iasons an einem Gestade von Kolchis, das Kirkea genannt wurde. Dort wachsen Tamarisken und Weiden in Hülle und Fülle. In den Wipfeln der Bäume sind Leichen festgebunden. Noch heute, erklärt Apollonios, hängen die Einwohner von Kolchis, wenn ein Mann stirbt, seinen Leichnam an einen Baum außerhalb der Stadt, eingewickelt in eine ungegerbte Ochsenhaut; die Frauen hingegen werden begraben. Im Kaukasus (wo das alte Kolchis lag) und insbesondere bei den Osseten waren diese Bestattungsbräuche noch bis vor wenigen Jahrzehnten verbreitet. Einige Reisende des 18. Jahrhunderts zeichneten sie als bereits im Rückgang begriffene bei den Jakuten Zentralasiens auf[227].

Der Brauch, die Toten zu bestatten, indem sie auf eine erhöhte Plattform gelegt oder auf Bäume gehängt werden, ist in einem äußerst weiten Gebiet vorhanden, das große Teile Zentral- und Nordasiens wie auch Afrikas umfaßt[228]. Doch die (männlichen) Leichen in Tierhäute zu wickeln oder einzunähen, ist ein sehr viel spezifischerer Brauch. Die Parallele zum eurasischen Auferstehungsritus, dem das Aufsammeln der Knochen und deren Umhüllung mit der Haut der getöteten Tiere zugrunde liegt, ist offensichtlich. Sie erlaubt uns, ein anderes unverständliches Detail zu entziffern, das in einer Gruppe von kaukasischen Legenden auftaucht. Bei den Osseten wird erzählt, daß es Soslan gelingt, eine Stadt zu erobern, indem er sich in die Haut eines eigens geschlachteten Ochsen einnähen läßt und sich tot stellt. Dieses letzte Detail ist vielleicht eine Abschwächung. In den tscherkessischen Varianten derselben Legende wird Soslan brutal verhöhnt, als ob er tatsächlich tot wäre: »He, Magier mit den krummen Beinen, die Würmer wimmeln auf dir herum!« Soslan, dessen Knie infolge eines gescheiterten Versuchs, ihm im Kindesalter Unsterblichkeit zu verleihen, verwundbar sind, ist in der Tat ein Magier, eine Art Schamane, einer, der lebend ins Jenseits gelangen und wieder zurückkehren kann. Deshalb vermag er aus der Ochsenhaut, in die er gehüllt war, wieder aufzuerstehen[229].

Doch die Ähnlichkeit mit dem Ritual des Knochensammelns ist nicht ausreichend. Um die Bedeutung dieser Tierhaut zu dechiffrieren, müssen wir uns einer indirekteren, stärker einkreisenden Strategie bedienen, ähnlich jener, die wir bei den Hinkenden verfolgt haben.

36. Im *Islendigabók* (»Buch der Isländer«), das Ari der Weise um das Jahr 1130 schrieb, wird berichtet, daß der Gesetzgeber Thorgeir sich mit all seinen Lands-

leuten zum Christentum zu bekehren beschloß, nachdem er einen Tag und eine Nacht lang, ohne ein Wort zu sprechen, von einem Mantel bedeckt, dagelegen hatte: eine Geste, in der man ein schamanistisches Ritual erkannt hat[230]. Zusammen mit vielen anderen solchen Zügen finden wir sie in den Sagen wieder, die in Island zwischen dem 12. und dem 14. Jahrhundert abgefaßt wurden[231]. In der *Hávardar Saga* beispielsweise wird ein Krieger, der zu einer Gruppe von Zauberkundigen zählt, von einer plötzlichen Schläfrigkeit befallen, die ihn nötigt, sich auf den Boden zu legen und seinen Kopf mit seinem Mantel zu bedecken. Im selben Augenblick beginnt einer der Feinde, sich im Schlaf zu rühren und heftig zu seufzen. Zwischen den Seelen der beiden in Starre versunkenen Krieger findet ein Zweikampf statt, der mit dem Sieg des ersten endet[232]. Das Thema des Zweikampfes zwischen Schamanen, die gewöhnlich in Tiere verwandelt sind, ist zweifellos ein lappländisches[233]. Doch in Lappland wird die Ekstase durch pausenloses Schlagen der Schamanentrommel gesucht, und nicht, wie in Island, durch innere Konzentration im Schutz eines Tuches oder einer Tierhaut[234]. In anderen arktischen Regionen wurden beide Techniken miteinander kombiniert. Am 1. Januar 1565 wohnte der englische Kaufmann Richard Johnson, der sich auf seinen Erkundungsfahrten bis zu den Samojeden jenseits des Polarkreises vorgewagt hatte, an den Ufern des Flusses Pecora einem Zauberritual bei. Einige Zeit später beschrieb er es in einem Bericht: der Magier (der Schamane) schlug mit einem Hammer auf eine große, siebähnliche Trommel, stieß wilde Schreie aus, das Gesicht ganz mit einem Tuch bedeckt, das mit Tierknochen und -zähnen geschmückt war; plötzlich verlor er die Sinne und blieb für einige Zeit reglos, wie tot; dann kam er wieder zu sich, ordnete das Opfer an und begann zu singen[235]. Sich das Gesicht bedecken, in Lethargie fallen, der Eingebung folgend Taten vollbringen: es handelt sich um dieselbe Reihenfolge, die wir in den isländischen Sagen wiederfinden. Weshalb sich das Gesicht bedecken?

In Island (wie auch auf den nordfriesischen Inseln) wurden die in der Glückshaube Geborenen für Personen gehalten, die das zweite Gesicht hatten[236]. Als einzige vermochten sie die Kämpfe zu schauen, welche den isländischen Sagen zufolge von der *fylgia*, der äußeren Seele, die den Körper in Gestalt eines unsichtbaren Tieres verließ, »im Geiste« ausgetragen wurden[237]. Mit der Vorstellung der *fylgia* verknüpft ist jene, in gewisser Hinsicht parallele, der *hamingja*, der Lebenskraft: dieser Ausdruck stammt vielleicht von einem älteren *hamgengja* (das Vermögen, sich in Tiere zu verwandeln) ab und steht jedenfalls mit *hamr*, Hülle, in Beziehung, in der doppelten Bedeutung der in der Regel tierischen – Wolf, Stier, Bär, Adler – Seelengestalt, und der Hülle, die den Fötus umschließt, das heißt der Plazenta[238]. *Berserkir*, das heißt »Bärenhülle«, wurden die Krieger genannt, die – wie die Sagen erzählen – in regelmäßigen Abständen Anfälle bestialischer Wut hatten[239]. Dieses Bedeutungsgeflecht ist nicht allzu weit von der Glaubensvorstellung bei den Samojeden entfernt, derzufolge jene, die bekleidet (in eine Membran gehüllt) zur Welt kommen, Schamanen werden (das heißt, die Fähigkeit besitzen, in eine zweite Haut zu schlüpfen, indem sie sich in ein Tier verwandeln)[240].

Wir bewegen uns augenblicklich in einem sehr großen, kulturell aber relativ homogenen Bereich: in den Gegenden des hohen Nordens, von Island bis nach

Sibirien. Doch wie man sich erinnern wird, ist der Glaube an die schamanistischen Kräfte der in der Glückshaube Geborenen sehr viel weiter verbreitet. In Rußland werden sie zu Werwölfen, in Friaul zu Benandanti, in Dalmatien zu *Kresniki*. In den südlichen Regionen Schwedens vermeidet eine schwangere Frau, die nackt die Eihaut eines Fohlens mit Füßen stampft, die Geburtswehen, bringt aber einen Werwolf oder, wenn es sich um eine Tochter handelt, eine *Mara* zur Welt, ein Wesen, das eine zweite Gestalt, die eines Tieres oder eines Menschen, annehmen kann[241]. Diese Figuren, die mittels der Ekstase zeitweilig Zugang zum Totenreich haben, scheinen den Parallelismus von Schafshaut und Bahrtuch zu bestätigen[242].

Den Toten das Antlitz zu bedecken, scheint eine natürliche Geste zu sein und ist es doch nicht. Die Geste des Sokrates, Pompeius', Caesars, die sich das Haupt verhüllen, ehe sie sterben, hat man – vielleicht ein wenig vereinfachend – auf das Bedürfnis zurückgeführt, symbolisch das Heilige vom Profanen zu scheiden[243]. Verhüllt, weil den Toten angeglichen, waren jene, die nach dem alten, *ver sacrum* (heiliger Frühling) genannten italischen Brauch ausgesandt wurden, eine Siedlung zu gründen und damit ein zwanzig Jahre zuvor, bei ihrer Geburt, abgelegtes Gelübde zu erfüllen[244]. Im alten isländischen Recht traf jeden ein Bann, der nicht der Pflicht nachkam, das Antlitz eines Toten mit einem Tuch abzudecken[245]. In der griechischen wie in der germanischen Mythologie ist von Leder- oder Pelzmützen, von Helmen oder Umhängen die Rede, die ihren Trägern – Hades, Perseus, Odin-Wotan – die den Geistern eignende Unbsichtbarkeit sichern[246]. Wir sehen zwei Reihen symbolischer Äquivalenzen sich abzeichnen: a) Amnion oder Glückshaube – Tierhaut – Umhang oder Kappe oder Schleier, der das Gesicht bedeckt; b) Benandanti oder *Kresniki* – Werwölfe – Schamanen – Tote. »Du mußt mit mir kommen, dieweil du ein Ding von mir hast«, hatte dem Benandante Battista Moduco ein »im Traum« erschienenes »gewisses unsichtbar Ding..., das einem Mann ähnelte«, befohlen. Das »Ding von mir« war das »Hemdchen«, in dem Battista geboren worden war und das er um den Hals trug[247]. Das Amnion gehört der Totenwelt – oder jener der Ungeborenen – an[248]. Ein zwielichtiges, auf einer Schwelle angesiedeltes Ding, das Schwellenfiguren kennzeichnet.

Nicht allein Tierhäute also, sondern allgemeiner alles, was einhüllt, umschließt, einwickelt, wird innerhalb verschiedenartiger Kulturen in irgendeiner Weise mit dem Tod in Verbindung gebracht. Auf sprachlicher Ebene wurde dies ausgehend vom Namen der Kalypso, der von Odysseus geliebten Göttin, aufgezeigt: Kalypso, »die Bedeckende«, »die Verhüllende«[249]. Wir können ihr die geheimnisvolle Frau zur Seite stellen, die der dänische König Hadingus – es ist Saxo Grammaticus, der berichtet – beim Herdfeuer zusammengekauert sieht, mit einem Büschel frischer Schierlinge: als Hadingus sie verblüfft fragt, woher sie diese habe – es ist Winter –, hüllt ihn die Frau in ihren Umhang *(proprio obvolutum amiculo)* und bringt ihn lebend in die Unterwelt, in die Welt der Toten[250]. (Es versteht sich von selbst, daß Hadingus hinkt, und dazu noch hat er in einem Bein einen Ring eingenäht)[251]. Auch außerhalb des indogermanischen Sprachraums stoßen wir auf denselben Zusammenhang, wie er durch die Beziehung zwischen dem ungarischen *rejt* (verbergen) und dem alt-ungarischen *rüt, röt, röjt* (die Sinne verlieren, in Ekstase fallen) bezeugt wird: die *Regös* waren Gruppen von Jugendlichen (zwischen zwei oder drei und zwanzig oder dreißig Jahren), die während der Zwölf Tage zwischen Weihnachten und Epiphanias lärmend durch die Dörfer zogen, Nachrichten aus dem Jenseits brachten und die Wünsche der Toten übermittelten[252]. Eine weitere Bestätigung stellt der fast universale Zusammenhang zwischen Masken und Totengeistern dar. Das lateinische *larva* bezeichnet beide; im Mittelalter ist der *larvatus* jemand, der eine Maske trägt oder von Dämonen besessen ist. *Masca*, ein Ausdruck, der bereits im Edikt des Rothari (643 n. Chr.) gebraucht wird und später in die Dialekte Norditaliens Eingang fand, bedeutet Hexe[253].

37. In den Mythen und Riten, die sich auf den Tod beziehen, kehrt beharrlich die Idee wieder, ins Leben zurückgerufen, neu geboren zu werden. Begriffe wie »umhüllen« oder »verbergen« bringen die Annullierung durch uterine Metaphern zum Ausdruck. Auf dem Grund der Serie, die wir nach und nach zum Vorschein kommen sahen – in die Eihaut gehüllt, in einen Umhang gewickelt, in eine Ochsenhaut eingenäht, verkleidet, verschleiert usw. zu sein –, stoßen wir wiederum, wie im Fall des Hinkens, auf eine primäre Körpererfahrung.

Es ist wahrscheinlich, daß dieses potentiell transkulturelle, weil elementar menschliche Merkmal an der außerordentlichen Mitteilbarkeit dieser Familie von Mythen und Riten nicht unbeteiligt ist. Und dennoch wirft eine solche Schlußfolgerung sogleich eine Schwierigkeit auf. Im Bereich des individuellen Unbewußten kann man sich durchaus vorstellen, daß frühkindliche oder sogar vorgeburtliche Erfahrungen aufgrund einer Art von biologischem *imprinting* eine privilegierte Stellung einnehmen[254]. Wenn wir diese Hypothese auf die Mythen und Riten ausdehnen, befinden wir uns anscheinend an einem Scheideweg: entweder gilt es, den Mythen und Riten das Charakteristikum sozialer Phänomene abzusprechen oder die Existenz eines kollektiven Unbewußten zu postulieren[255]. Doch die bisher erreichten Ergebnisse erlauben uns, diese zweifache Falle zu umgehen. Die mythischen und rituellen Isomorphismen, von denen wir ausgegangen sind, verweisen, wie wir sahen, auf eine Reihe von Beziehungen, Austauschprozessen, Filiationen zwischen verschiedenen Kulturen. Diese historischen Beziehungen stellen eine notwendige Bedingung dafür dar, daß sich isomorphe Phänomene ergeben, jedoch keine hinreichende Bedingung dafür, daß sie sich ausbreiten und Bestand haben. Verbreitung und Erhaltung hängen auch von Elementen formalen Charakters ab, die die Dichte der Mythen und Riten gewährleisten. Die Ausformungen, denen diese von Mal zu Mal unterliegen, veranschaulichen deutlich diese Verflechtung von Geschichte und Morphologie. Der Erfindungsreichtum der sozialen Akteure, den wir in Folgen von Varianten wie Hinkende – Träger nur eines Schuhs – auf einem Bein Hüpfende usw. erkennen, stößt in der inneren Form des Mythos oder Ritus an klar festgelegte Grenzen. Ihre Übertragung ist, wie jene der Tiefenstrukturen der Sprache, unbewußt – doch ohne daß dies die Präsenz eines kollektiven Unbewußten bedeuten würde. Die durch historische Vermittlungen übertragenen Mythen oder Riten tragen implizit die formalen Regeln für ihre weitere Ausarbeitung in sich[256]. Unter den unbewußten Kategorien, die die symbolische Aktitivität regeln, hat die Metapher eine Stellung erster Ordnung inne. Metaphorischer Art sind die Beziehungen zwischen Geh-Asymmetrie und Rückkehr aus dem Jenseits, zwischen Sterben und Umhüllt-Werden, wie auch zwischen den einzelnen Varianten der beiden Serien: Hin-kende – *monosandaloi* – Hüpfende . . .; Amnion – Haut – Umhang – Maske . . . Nun hat die Metapher unter allen rhetorischen Figuren eine besondere Stellung, aus der sich die Unduldsamkeit erklärt, die in sämtlichen rationalistischen Poetiken ihr gegenüber an den Tag gelegt wird. Indem sie Phänomene gleichsetzt, die verschiedenen Erfahrungssphären und verschiedenen Kodices angehören, unterwandert die Metapher – die definitionsgemäß umkehrbar ist – die geordnete und hierarchisierte Welt der Vernunft. Wir können sie auf rhetori-scher Ebene als das Äquivalent des Symmetrie schaffenden Prinzips ansehen, das einen Einbruch der Logik des unbewußten Systems in die Sphäre der normalen Logik darstellt. Diesem Vorrang der Metapher entspringt die überaus enge Verwandtschaft zwischen Traum und Mythos, zwischen Dichtung und Mythos[257].

Das Belegmaterial, das wir zusammengetragen haben, beweist jenseits jeden vernünftigen Zweifels die Existenz einer untergründigen eurasischen Einheit mythologischer Vorstellungen, eines Ergebnisses von kulturellen Beziehungen, die sich in Jahrtausenden abgelagert haben. Unweigerlich hat man sich zu fragen, ob und bis an welchen Punkt die inneren Formen, die wir erkannt haben, imstande sind, auch innerhalb von historisch nicht miteinander verbundenen Kulturen isomorphe Riten und Mythen hervorzubringen. Leider ist dieser letzt-genannte Umstand (das Fehlen jeglicher Form von historischer Verbindung zwischen zwei Kulturen) definitionsgemäß unbeweisbar[258]. Von der menschli-chen Geschichte wissen wir und werden wir immer zu wenig wissen. In Ermange-lung eines Gegenbeweises bleibt nichts übrig, als hinter den Phänomenen kultu-reller Konvergenz, die wir hier untersucht haben, ein Geflecht aus Morphologie und Geschichte zu postulieren – eine Neuformulierung oder eine Spielart des alten Gegensatzes zwischen dem, was durch Natur, und dem, was durch Konven-tion ist.

[1] Vgl. C. Lévi-Strauss, *Du miel aux cendres* (»Mytholo-giques, II«), Paris 1966, S. 395 ff. (dt. Übers.: *Vom Honig zur Asche,* Frankfurt a. M. 1972, S. 507 ff.).

[2] Vgl. H. Baldus, *Lendas dos Indios Tereno,* in: »Revista do Museu Paulista«, N. F., IV (1950), S. 217 ff., insbes. S. 220–21 (dt. Übers. in: ders., *Die Jaguarzwillinge,* Kas-sel 1958, S. 132–35); Lévi-Strauss, *Das Rohe und das Gekochte,* cit., S. 137.

[3] Ders., *Vom Honig,* cit., S. 511 f., wo fast wörtlich eine zwanzig Jahre zuvor geschriebene Stelle wiederaufge-nommen wird (siehe oben, S. 223, Anm. 54).

[4] Vgl. Michel de Montaigne, *Essais,* hg. v. A. Thibau-det, Paris 1950, S. 1150 ff. (III, 11: »Des boyteux«).

[5] Vgl. C. Lévi-Strauss, *La structure des mythes,* in: *Anthro-pologie structurale,* cit., S. 227–55, insbes. S. 236 (wo ange-nommen wird, daß dasselbe Element auch im Namen des Laios, »der Linkshändige«, durchscheine: aber siehe im weiteren). Für weitere Stellungnahmen von Lévi-Strauss zu diesem Thema, auch bezüglich Mythen des Typs »Perceval«, vgl. *Das Feld der Anthropologie* (1959), in: *Strukturale Anthropologie II,* cit., S. 31 ff.; *Le Graal en Amérique* (1973–74), in: *Paroles données,* cit., S. 129 ff.; zuletzt, in fast paradoxaler Sicht, *Die eifersüch-tige Töpferin,* dt. Übers., Nördlingen 1987, S. 314 ff. Der erste angeführte Aufsatz (*La structure des mythes*) hat anhaltendes Echo gefunden: doch die Interpreta-

tion des Oidipus-Mythos als Versuch, den Widerspruch zwischen Autochthonie und geschlechtlicher Zeugung aufzulösen, ist einmütig abgelehnt worden. Auf den Gehschwierigkeiten der Labdakiden hatte in einer anderen Perspektive bereits M. Delcourt, *Œdipe ou la légende du conquérant*, Lüttich 1944, S. 16 ff. insistiert (erwähnt bei Lévi-Strauss); und siehe bereits C. Robert, *Oidipus*, I, Berlin 1915, S. 59. Vgl. zuletzt J.-P. Vernant, *Le Tyran boiteux: d'Œdipe à Périandre* (1981), jetzt in: J.-P. Vernant u. P. Vidal-Naquet, *Œdipe et ses mythes*, Paris 1988, S. 54–86; M. Bettini, *Edipo lo zoppo*, in: *Edipo. Il teatro greco e la cultura europea*, Rom 1986, S. 215 ff.

6 Über diese Etymologie herrscht weitgehend Einigkeit: vgl. O. Höfer, »Oidipus«, in: W. H. Roscher, *Ausführliches Lexikon der griechischen und römischen Mythologie*, III, 1, Hildesheim 1965 (reprogr. Nachdr. der Ausgabe von 1897–1902), Sp. 700–46, insbes. 740–43. Dasselbe gilt für Labdakos (»der Lahme«). Jene von Laios –»der Linkshändige« –, die Lévi-Strauss mit Vorbehalten vorschlug, ist hingegen inakzeptabel: Höfer (»Oidipus«, cit., Sp. 742) bringt »Laios« (»öffentlich«) mit einem der Beinamen des Hades, »Agesilaos« (»der viele Menschen um sich schart«), in Verbindung.

7 *Ebd.*, Sp. 741–42.

8 Vgl. hingegen in dieser Richtung L. Edmunds, *The Cults and Legends of Œdipus*, in: »Harvard Studies in Classical Philology«, 85 (1981), S. 221–38, insbes. S. 233.

9 Vgl. D. Comparetti, *Edipo e la mitologia comparata*, Pisa 1867, S. 81–82, der bemerkt, daß Oidipus und Melampus Helden sind, denen Intelligenz gemein ist. Delcourt, *Œdipe*, cit., S. 166–67 hält die Analogie zwischen den beiden Namen für »bien obscure«. Edmunds, *The Cults*, cit., S. 230–31 hält beide Etymologien für unwahrscheinlich, vertieft die Frage aber nicht. Zu Melampus vgl. Wilamowitz-Moellendorff, *Isyllos von Epidauros*, cit., S. 177 f., Anm. 33; K. Hanell, *Megarische Studien*, Lund 1934, S. 101–5; Nilsson, *Geschichte*, cit., S. 613, Anm. 2; J. Schwartz, *Pseudo-Hesiodeia*, Leiden 1960, S. 369–77 u. 546; J. Löffler, *Die Melampodie*, Meisenheim am Glan 1963, S. 30 ff.; P. Walcot, *Cattle Raiding, Heroic Tadition and Ritual; the Greek Evidence*, in: »History of Religions«, 18 (1979), S. 326–51, insbes. S. 342–43.

10 Vgl. P. Kretschmer, *Die griechischen Vaseninschriften...*, Gütersloh 1894, S. 191, Anm. 3; ders., *Oidipus und Melampus*, in: »Glotta«, XII (1923), S. 56–61, dem sich Höfer, »Oidipus« cit., Sp. 741 ff. anschließt; dagegen L. R. Farnell, *Greek Hero Cults and Ideas of Immortality*, Oxford 1921, S. 332, Anm. Die chthonische Interpretation des Oidipus hatte C. Robert vorgeschlagen.

11 Wehrli, *Oidipus*, in: »Museum Helveticum«, 14 (1957), S. 122 schlägt einen Vergleich zwischen Oidipus als Rätsellöser und dem in der verlorenen Dichtung *Melampodia* beschriebenen Wettstreit zwischen den beiden Wahrsagern Kalchas und Mopsus vor. Man beachte, daß beide Namen (*Melam-pous, Oidi-pous*) nur auf einen Fuß hinweisen. Eine analoge Asymmetrie scheinen Epitheta wie das auf Thetis bezogene *argyropeza* (mit dem silbernen Fuß) zu implizieren (siehe weiter unten, Anm. 41). Zum Vergleich zwischen Oidipus und Melampus siehe jetzt Bettini, *Edipo lo zoppo*, cit., S. 231 (der von einem teils ähnlichen Problem wie dem hier gestellten ausgeht, jedoch zu anderen Schlüssen gelangt).

12 Als erster bemerkte dies Comparetti, *Edipo*, cit.,

S. 63 ff., den M. P. Nilsson, *Der Oidipusmythos*, in: *Opuscula selecta*, cit., I, S. 335–48 nicht anführt (wie L. Edmunds, *The Sphinx in the Œdipus Legend*, in: *Œdipus: a Folklore Casebook*, hg. v. L. Edmunds u. A. Dundes, New York u. London 1981, S. 149 bemerkt). Von Comparetti als einem Vorgänger Propps spricht C. Ossola in seiner Einleitung zu E. Tesauro, *Edipo*, Padua 1987, S. 13–14.

13 Manchmal wird Oidipus abgebildet, wie er die Sphinx tötet: vgl. Höfer, »Oidipus«, cit., Sp. 715 ff. In einem widersprüchlichen, aber an Anregungen reichen Aufsatz (*The Sphinx ...*, cit.) hat L. Edmunds vertreten, die Sphinx sei eine spätere Zugabe – tatsächlich aber zeigt er, daß sie ihr das vom Helden besiegte Ungeheuer und die zur Braut versprochene Königin (wie sie in Märchen des Typs »Turandot« den Bewerbern Rätsel aufgibt) miteinander verschmelzen.

14 Vgl. V. J. Propp, *Edipo alla luce del folclore* (1944), in der gleichnamigen Sammlung, ital. Übers., Turin 1975, S. 85 ff. (aber siehe bereits im selben Sinne Comparetti, *Edipo*, cit. und Nilsson, *Der Oidipusmythos*, cit.). Ich sehe hier über den schwächsten Teil des Aufsatzes von Propp hinweg, nämlich den stark von Frazer beeinflußten Versuch, das Thema des Vatermords mit angeblich uralten Bräuchen in Verbindung zu bringen, die die Thronfolge geregelt haben sollen.

15 Diese Unterscheidungen kennt die streng synchronische Perspektive von Lévi-Strauss nicht, der alle Versionen eines Mythos auf derselben Ebene betrachtet und a priori jeden Versuch ablehnt, eine Version »authentique ou primitive« zu unterscheiden (*Anthropologie structurale*, cit., S. 240).

16 Auf dem ersten Punkt besteht scharfsinnig J.-P. Vernant, *Ambiguïté et renversement. Sur la structure énigmatique d' Œdipe-Roi*, in: J.-P. Vernant u. P. Vidal-Naquet, *Mythe et tragédie en Grèce ancienne*, Paris 1972, S. 113–14; vgl. auch Edmunds, *The Sphinx*, cit., S. 18–19. Ähnliche Rätsel wie das der Sphinx sind äußerst verbreitet: vgl. A. Aarne, *Vergleichende Rätselforschungen*, II, Helsinki 1919 (FF Communications Nr. 27), S. 1 ff.

17 Vgl. Vernant, *Ambiguïté*, cit., S. 114. Siehe auch P. G. Maxwell-Stuart, *Interpretations of the Name Œdipus*, in: »Maia«, 27 (1975), S. 37–43.

18 Vgl. Propp, *Edipo*, cit., S. 103–04, der die These von C. Robert zurückweist, derzufolge die durchbohrten Füße des Oidipus erfunden worden sein sollen, um die Wiedererkennung zu erklären.

19 Vgl. Brelich, *Paides e Parthenoi*, cit.; hierzu siehe, neben Calame, *Philologie et anthropologie structurale*, cit., die sehr kritische Rezension von C. Sourvinou-Inwood in: »The Journal of Hellenic Studies«, XCI (1971), S. 172–78. Allgemein vgl. L. Gernet, *Anthropologie de la Grèce*, cit., S. 188–90 u. *passim*.

20 Ich ziehe V. J. Propp, *Die historischen Wurzeln der Zaubermädchen (Le radici storiche*, cit.) heran, um die (seltsamerweise nicht bis zu Ende geführten) Schlußfolgerungen des zwei Jahre zuvor erschienenen Aufsatzes über Oidipus zu vervollständigen. Bekanntlich stützte sich Propp bei seiner Untersuchung auf eine Reihe von russischen Märchen aus der Sammlung von Afanasjew: aber sowohl das Material, das er zu ihrer Interpretation heranzog, als auch die Schlußfolgerungen, zu denen er gelangte, erhoben sehr viel umfassendere, ja sogar universelle Ansprüche.

21 Nach A. L. Brown, *Eumenides in Greek Tragedy*, in: »The Classical Quarterly«, 34 (1984), S. 260 ff., insbes.

S. 276 ff., wären die Eumendiden des *Oidipus auf Kolonos* weder mit den Erinnyen zu identifizieren noch mit der Unterwelt verbunden.

[22] Vgl. Edmunds, *The Cults and the Legend*, cit., S. 229 ff.

[23] Vgl. Delcourt, *Œdipe*, cit., S. 108–9 u. 119 ff., der auf L. Malten, *Das Pferd im Totenglauben*, in: »Jahrbuch des deutschen archäologischen Instituts«, XXIX (1914), S. 179–255 hinweist.

[24] Dies unterstreicht auch Edmunds, *The Sphinx*, cit., S. 22, der jedoch, wie wir sehen werden, eine grundlegend andere Interpretation vorschlägt.

[25] Zum Folgenden vgl. den glänzenden Aufsatz von S. Luria, »*Ton sou huion phrixōn*« (*Die Oidipussage und Verwandtes*), in: *Raccolta di scritti in onore di Felice Ramorino*, Mailand 1927, S. 289–314 (doch die grundlegende Bedeutung des Themas vom »enfant fatal« hatte bereits Comparetti, *Edipo*, cit., erkannt). Zu Luria vgl. A. Momigliano, *Terzo contributo alla storia degli studi classici e del mondo antico*, II, Rom 1966, S. 797 ff. Obgleich oft zitiert, hat die Schrift von Luria ein sehr beschränktes Echo gefunden (vgl. Edmunds, *The Sphinx*, cit., S. 22–23). Sie hält eine streng morphologische Perspektive durch, die in vielerlei Hinsicht – auch in der Art der formalisierten Notation – der von V. Propp in der *Morphologie des Märchens* eingenommenen ähnelt. Diese erschien ein Jahr später, nach einer langen Reifezeit (siehe die vom 15. Juli 1927 datierende Einleitung). Wie Propp versucht auch Luria in Anlehnung an Goethe, die *Urform* oder *Urredaktion* des Mythos zu rekonstruieren, die er einer *Urzeit* der Menschheitsgeschichte zuschreibt. Doch die Inanspruchnahme der Ethnologie, Religionsgeschichte und Psychoanalyse wird von vornherein verworfen: der einzige von Teufelskreisen freie Weg ist Luria zufolge jener, den immanente historisch-mythische Kategorien bieten. In dieser Erklärung vernimmt man das Echo des Formalismus (die »reine Wörtlichkeit«) und vielleicht auch die durch seinen Schüler Gustav Špet vermittelte Präsenz von Husserl in der russischen Kultur jener Jahre: vgl. P. Steiner, *Russian Formalism*, Ithaca, New York 1984, S. 18, und E. Holenstein, *Jakobson and Husserl: A Contribution to the Genealogy of Structuralism*, in: »The Human Context«, 7 (1975), S. 62–63. Man beachte, daß unabhängig davon auch J.-P. Vernant in bezug auf die Freudsche Interpretation des Königs Oidipus von einem »Teufelskreis« gesprochen hat: vgl. *Œdipe sans complexe*, in: Vernant u. Vidal-Naquet, *Mythe et tragédie*, cit., S. 78. In seinem Aufsatz über Oidipus (1944) – erschienen in einem völlig anderen politischen und kulturellen Klima – ging Propp von den Untersuchungen Lurias aus, die er in merkwürdig unvollständiger Weise zitierte (vgl. *Edipo*, cit., S. 91): »Bereits Luria hat bemerkt, daß im Folklore die Weissagungen immer erfüllt werden«: dieser Satz verweist implizit auf ›Ton sou huion‹, cit., S. 290. Ein weiterer, in *Edipo*, cit., Anm. 42 erwähnter Aufsatz von Luria, *Das Haus im Wald*, wird in *Le radici storiche*, cit., S. 87–88 diskutiert.

[26] Vgl. Luria, ›Ton sou huion‹, cit., S. 292. Die Verbreitung oidipischer Themen in Ozeanien wurde von W. A. Lessa, *Tales from Ulithi Atoll: A Comparative Study in Oceanic Folklore*, Berkeley und Los Angeles 1961, S. 49–51 u. 172–214 vertreten (siehe auch *Œdipus: a Folklore Casebook*, cit., S. 56 ff.): aber siehe die Einwände von R. E. Mitchell, *The Œdipus Myth and Complex in Oceania with Special Reference to Truk*, in: »Asian Folklore Studies«, 27

(1968), S. 131–45. Man beachte, daß in dem von W. A. Lessa analysierten Mythos das Thema der erfüllten Weissagung fehlt.

[27] Es handelt sich um eine Ergänzung des Mythos, der (wegen einer Lücke in der handschriftlichen Überlieferung) von Hyginus in unvollständiger Form berichtet wird (*Fabulae*, rec. H. J. Rose, Lugduni Batavorum 1963, Nr. LX, S. 47; siehe auch Roscher, *Ausführliches Lexikon*, cit., IV, Sp. 962).

[28] Einzelne Analogien zwischen dem einen oder anderen Mythos der Serie und dem Oidipusmythos wurden bereits vor Luria vorgeschlagen (vgl. Comparetti, *Edipo*, cit., S. 75: Oidipus und Telephos) oder unabhängig von ihm, Hinweisen von C. Robert nachgehend: vgl. Delcourt, *Œdipe*, cit., S. 85 (Oidipus und Zeus); F. Dirlmeier, *Der Mythos von König Oedipus*, Mainz-Berlin 1964[2], S. 15 ff. (Oidipus und Zeus, Oidipus und Kronos, Oidipus und Telephos). Auch der Mythos von Katraeus, König von Kreta, der nach dem Willen der Weissagung von seinem Sohn Althemenes getötet wurde (Apollodor, *Bibliothek*, III, 2, 1; Diodorus Siculus, *Historische Bibliothek*, V, 59, 1–4), wurde mit jenem von Oidipus (vgl. C. Robert, *Die griechische Heldensage*, I, Berlin 1920, S. 371–72) und jenem von Theseus (vgl. C. Sourvinou-Inwood, *Theseus as Son and Stepson*, London 1979, S. 14 ff.) in Verbindung gebracht. Zum Meleagros-Mythos siehe im weiteren.

[29] Eine rumänische Version des Oidipus-Mythos endet, wie im Fall des Telephos und seiner Mutter, mit einem unterbliebenen Inzest (vgl. Vernant, *Le Tyran boiteux*, cit., S. 79–86). Von Telephos als »abgeschwächtem« Oidipus spricht Bettini, *Edipo lo zoppo*, cit., S. 219.

[30] Vgl. A. Green, *Thésée et Œdipe. Une interprétation psychoanalytique de la Théséide*, in: *Il mito greco*, cit., S. 137–89 (doch die Schlußfolgerungen sind haltlos).

[31] Vgl. J. Schmidt, in: Roscher, *Ausführliches Lexikon*, cit., V, Sp. 275.

[32] Vgl. O. Gruppe, *Griechische Mythologie und Religionsgeschichte*, München 1906, S. 1332–1333 u. Anm. 4. Die negativen Fälle sind jene von Kronos, Telegonos, Aigisthos und der ungenannten Söhne von Tyro und Sisyphos. Es sei jedoch darauf hingewiesen, daß der römische Gott Saturn, der mit Kronos identifiziert wird, oft mit einem Holzbein dargestellt wird: E. Panofsky, F. Saxl u. R. Klibansky (*Saturn and Melancholy*, London 1964, S. 206–7; dt. Übers., *Saturn und Melancholie*, Frankfurt a. M. 1989) nehmen, ohne Beweise anzuführen, an, es handle sich um ein Detail, das aus nicht näher bestimmten östlichen Quellen stamme, in denen ein unbewußtes Echo der Kastration von Kronos zutage getreten sei. Vielleicht ist es aber nicht irrelevant, daß der letztgenannte von Lukian (*Saturnalien*, 7) als gichtkranker Alter *(podagros)* beschrieben wird. Von den Söhnen der Tyro und des Sisyphos ist nichts bekannt, von Telegonos äußerst wenig. Zu Pelops siehe weiter unten, S. 252. Auf eine Hypertrophie der Gliedmaßen und folglich in letzter Konsequenz auf eine Anomalie des Gehens scheint der Tritt hinzuweisen, mit dem Althemenes, der unfreiwillige Vatermörder, seine von Hermes vergewaltigte Schwester Apemosyne tötet (Apollodor, *Bibliothek*, II, 2, 1; und siehe oben, Anm. 28).

[33] Vgl. Apollodor, *Bibliothek*, I, 6, 3; doch siehe bereits Hesiod, *Theogonie*, V. 820 ff. (vielleicht eine antike Interpolation). Es handelt sich um Ausarbeitungen hethiti-

scher (in denen der Gott jedoch des Herzens und der Augen beraubt wird) und churritischer Mythen: vgl. W. Porzig, *Illujankas und Typhon*, in: »Kleinasiatische Forschungen«, I (1930), S. 379–86; P. Meriggi, *I miti di Kumarpi, il Kronos currico*, in: »Athenaeum«, 31 (1953), S. 101–57; F. Vian, *Le mythe de Thypée et le problème de ses origines orientales*, in: *Éléments orientaux dans la religion grecque ancienne*, hg. v. F. Vian, Paris 1960, S. 17–37; und siehe auch die Stellungnahme von C. Brillante in: *Edipo. Il teatro greco*, cit., S. 231–32. Die Serie, der hier die Verkrüppelung des Oidipus zugerechnet wird, gibt, wenn ich nicht irre, eine Antwort auf die Fragen, die M. Delcourt, *Héphaistos ou la légende du magicien*, Paris 1957, S. 122 ff. u. 136, gestellt hat.

34 Für diese letzte Beobachtung vgl. A. Brelich, *Gli eroi greci*, Rom 1958, S. 243–48 u. 287–290. Mit oberflächlichem Anachronismus wurde das Hinken des Oidipus hingegen als »Opferpriesterzeichen« gedeutet (Girard, *Le bonc émissaire*, cit., *passim*). Die Tatsache, daß, wie J. Bremmer hervorhebt *(Medon, the Case of the Bodily Blemished King*, in: *Perennitas. Studi in onore di Angelo Brelich*, Rom 1980, S. 67–76), der König im indogermanischen Kulturraum keine körperlichen Unvollkommenheiten aufweisen durfte, gibt erneut die Bedeutung der Mythen zu bedenken, denen die entgegengesetzte Situation zugrunde liegt. Die Zuschreibung der *Tragodopodagra* an Lukian wird von P. Maaß, in: »Deutsche Literaturzeitung«, 1909, Sp. 2272–76 verworfen; heute überwiegt die entgegengesetzte These, die bereits G. Setti, *La »Tragodopodagra« di Luciano*, in: »Rivista di filologia«, XXXVIII (1910), S. 161–200, formuliert hat. Man beachte, daß wir in Analogie zu den anderen Mythen einen hinkenden Telegonos erwarten würden: hingegen finden wir in der Aufzählung der *Tragodopodagra* Odysseus (V. 262 ff.), dessen Fuß von einem Rochenstachel durchbohrt wird. Nach A. Roemer, *Zur Kritik und Exegese von Homer etc.*, in: »Abhandlungen der philosophisch-philologischen Klasse der königlichen bayerischen Akademie der Wissenschaften«, 22 (1905), S. 639, Anm. 1, starb Odysseus in einem anderen Mythos durch einen Pfeil des Telegonos, der ihn an einem Fuß traf: siehe jedoch A. Hartmann, *Untersuchungen über die Sagen vom Tod des Odysseus*, München 1917, S. 161–62. Aus Gründen, die noch dargelegt werden, überrascht es nicht, daß Odysseus, der sich an die Schwellen des Hades begibt, um die Toten anzurufen, eine Narbe am Bein hat (vgl. *Odyssee*, XIX, 386 ff.).

35 Diese Interpretation bildet keinen Widerspruch zum präjuridischen Element, das E. Cassin, *Le semblable et le différent*, Paris 1987, S. 298 ff. (der sich auf L. Gernet beruft) in den Sandalen des Theseus erkannt hat. Zu den initiatorischen Implikationen des Theseus-Zyklus vgl. Jeanmaire, *Couroi et Couretes*, cit., S. 227 ff., der auch P. Saintyves [É. Nourry], *Les contes de Perrault et les récits parallèles* (wiederaufgenommen von Propp, *Le radici storiche*, cit., S. 86 u. *passim*) heranzieht. »Weshalb hinkt der Initiand? weshalb werden die Novizen ›beschlagen‹?« so fragte sich M. Riemschneider: aber die simplizistische Identifikation des Fußes mit einem »verschleierten Ausdruck der Fruchtbarkeit« ließ sie zu absurden Schlußfolgerungen gelangen (vgl. *Miti pagani e miti Cristiani*, ital. Übers., Mailand 1973, S. 99 ff.).

36 Zu Telephos und Pelops siehe im weiteren. Zur Sphinx als Todestier vgl. Delcourt, *Œdipe*, cit., S. 109 ff.

37 Vgl. Gruppe, *Griechische Mythologie*, cit., S. 585.

38 Vgl. *ebd.*, S. 1332–33, insbes. Anm. 4, und allgemein die weiter unten, Anm. 48 angeführten Studien über die *monosandaloi*.

39 Vgl. J. H. Croon, *The Mask of the Underworld-Daemon. Some Remarks on the Perseus-Gorgon Story*, in: »Journal of Hellenic Studies«, 75 (1955), S. 9 ff., der einen Hinweis von F. Altheim, *Persona*, in: »Archiv für Religionswissenschaft«, XXVII (1929), S. 35 ff., weiterentwickelt. Zu Merkur »monokrepis« vgl. K. Schauenburg, *Perseus in der Kunst des Altertums*, Bonn 1960, S. 13; S. Reinach, *Catalogue illustré du Musée des Antiquités Nationales au Château de Saint-Germain-en-Laye*, II, Paris, 1921, S. 168 (gallo-romanische Statuette, gefunden in St. Séverin, Nièvre).

40 Vgl. B. K. Braswell, *Mythological Innovation in the ›Iliad‹*, in: »The Classical Quarterly«, N. F. XXI (1971), S. 23. Einer anderen Weissagung zufolge (Hesiod, *Theogonie*, 894–98) hätte der Sohn von Metis und Zeus seinen Vater entmachtet; aus diesem Grunde verschlang Zeus Metis.

41 Dieser Mythos wird in einem Scholion zu *Alexandra* von Lykophron (V. 175) berichtet: vgl. U. Pestalozza, *Religione mediterranea*, Mailand 1970 (Nachdr.), S. 96, Anm. 30. Die Analogie zur Ferse des Achill (und zu anderen Mythen, auf die wir noch kommen werden) wird von V. Pisani, *Ellēnokeltikai, cit.*, S. 145–48 hervorgehoben, der sie als »nicht ganz klar« beurteilt.

42 Vgl. Dumézil, *Le problème des Centaures*, cit., S. 185, Anm. 3; siehe auch Cassin, *Le semblable*, cit., S. 301–02, Anm. 57.

43 Vgl. B. Bravo, *Une lettre sur plomb de Berezan. Colonisation et modes de contact dans le Pont*, in: »Dialogues d'histoire ancienne«, I (1974), S. 111–87, insbes. S. 136–37 (zum Vers des Alkaios). Allgemein vgl. H. Hommel, *Der Gott Achilleus*, »Sitzungsberichte der Heidelberger Akademie der Wissenschaften«, 1980, I; Ergänzungen in: ders., *Sebasmata*, I, Tübingen 1983, S. 209; G. Ferrari Pinney, *Achilles Lord of Scythia*, in: *Ancient Greek Art and Iconography*, Madison 1983, S. 127–46. Die Todescharakteristika des Achill wurden bereits, auf rein etymologischer Grundlage, von P. Kretschmer, *Mythische Namen, I: Achill*, in: »Glotta«, IV (1913), S. 305–08 glänzend erfaßt.

44 Vgl. Jeanmaire, *Couroi et Couretes*, cit., S. 297 ff.; ders., *Dionysos. Histoire du Culte du Bacchus*, Paris 1978², S. 387–88; *The Homeric Hymn to Demeter*, hg. v. N. J. Richardson, Oxford 1974, S. 231 ff. Man beachte, daß Apollonios Rhodios (*Argonautika*, IV, 868 ff.) denselben Mythos mit Achill anstelle von Demophon, Thetis anstelle von Demeter, Peleus anstelle der Mutter von Demophon erzählt.

45 Vgl. W. R. Halliday, *Note on the Homeric Hymn to Demeter, 239 ff.*, in: »The Classical Review«, 25 (1911), S. 8–11; Dumézil, *Le problème des Centaures*, cit., S. 185–86; C.-D. Edsman, *Ignis divinus*, Lund 1949, S. 224–29.

46 Die von Lawson formulierte Hypothese (siehe oben, S. 141–172) wird unter anderen von Dumézil, *Le problème des Centaures*, cit., S. 53, und von Gernet, *Anthropologie*, cit., S. 170 akzeptiert. Hier ist daran zu erinnern, daß der Begriff *kentauros* vielleicht skythischen Ursprungs ist, und daß der Kentaurenmythos möglicherweise das Bild der aus den zentralasiatischen Steppen stammenden, zu Pferde sitzenden Nomaden ausarbeitete: vgl. J. Knobloch, *Der Name der Kentauren*, in: *Serta*

Indogermanica. Festschrift für Günter Neumann zum 60. Geburtstag, hg. v. J. Tischler, Innsbruck 1982, S. 129–31.

⁴⁷ Vgl. L. Mercklin, *Aphrodite Nemesis mit der Sandale*, Dorpat 1854; diese Studie ist H. Usener, *Kallone*, in: »Rheinisches Museum« XXIII (1868), S. 362–63, entgangen. Zu der im Symbol der einzigen Sandale impliziten Polarität von Eros und Tod finden sich oberflächliche Anmerkungen bei S. Eitrem, *Hermes und die Toten*, Christiania 1909, S. 44–45; zum Zusammenhang Persephone-Aphrodite vgl. Zuntz, *Persephone*, cit., S. 174–75. Doch zur ganzen Frage siehe jetzt den schönen Aufsatz von W. Fauth, *Aphrodites Pantoffel und die Sandale der Hekate*, in: »Grazer Beiträge«, 12–13 (1985–86), S. 193–211.

⁴⁸ Zu all diesem vgl. W. Amelung, *Di alcune sculture antiche e di un rito del culto delle divinità sotteranee*, in: »Dissertazioni della Pontificia Accademia Romana di Archeologia«, F. II, IX (1907), S. 115–35, immer noch grundlegend: vgl. W. Helbig, *Führer durch die öffentlichen Sammlungen klassischer Altertümer in Rom*, II, Tübingen 1966, S. 318–19. Amelungs Aufsatz ist zu ergänzen durch Gruppe, *Griechische Mythologie*, cit., S. 1332–33, insbes. Anm. 4 (ein Jahr früher erschienen). Jedoch ist die von Amelung vorgeschlagene Identifikation der sogenannten »Flehenden Barberini« mit Dido zu korrigieren: es handelt sich vielmehr um Kallisto, wie J. N. Svoronos (*Explication de la ›suppliante‹ Barberini*, in: »Journal international d'archéologie et numismatique«, XVI, 1914, S. 255–78) unter Ausschluß des Monosandalismus zeigte. Der von Amelung vorgeschlagenen chthonischen Interpretation (dem es jedoch nicht gelungen war, das Detail der einzigen Sandale zu erklären) schloß sich W. Deonna, *Essai sur la genèse des monstres dans l'art*, in: »Revue des études grecques«, 28 (1915), S. 288 ff. an; ders, *Monokrēpides*, in: »Revue de l'histore de religions«, 112 (1935), S. 50–72 (erw. Fassung des vorigen Aufsatzes), in Polemik gegen die oberflächliche Auslassung von J. Brunel, *Jason »monokrēpis«*, in: »Revue archéologique«, II (1934), S. 34 ff.; siehe auch O. Weinrich, in: »Archiv für Religionswissenschaft«, XXIII (1925), S. 70; W. Kroll, *Unum exuta pedem – ein volkskundlicher Seitensprung*, in: »Glotta«, XXV (1937), S. 152–58, ist Amelungs Interpretation erst zu-, dann abgeneigt. Weitere Angaben im Kommentar von A. S. Pease zum vierten Buch der *Aeneis* (Cambridge, Mass., 1935), S. 432–33. Wichtige Beobachtungen bei A. Brelich, *Les monosandales*, in: »La nouvelle Clio«, VII-IX (1955–57), S. 469–84; siehe auch P. Vidal-Naquet u. P. Lévêque, *Epaminondas pythagoricien ou le problème tactique de la droite et de la gauche*, in: *Le chasseur noir*, cit., S. 95 ff., insbes. S. 101–02 u. 115 ff. Eine Zusammenfassung des Problems mit weiteren bibliographischen Angaben bei L. Edmunds, *Thucydides on monosandalism (3.22.2)*, in: *Studies Presented to Stirling Dow on his Eightieth Birthday*, Durban (N. C.) 1984, S. 71–75 (doch auf interpretatorischer Ebene ist der Aufsatz nichtssagend). Zum Monosandalismus im Nahen Osten vgl. Cassin, *Le semblable*, cit., S. 67 ff. u. 294 ff.

⁴⁹ Vgl. *Servii Grammatici qui feruntur in Vergilii carmina commentarii recensuerunt G. Thilo et H. Hagen*, II, rec. G. Thilo, Lipsiae 1884, S. 183, wiederaufgenommen bei Frazer (*The Golden Bough*, III: *Taboo and the Perils of the Soul*, London 1911, S. 311 ff.), dem allerdings der Aufsatz von Amelung entging.

⁵⁰ Vgl. L. Curtius, *Die Wandmalerei Pompeijis*, Darmstadt 1960 (Nachdr. d. Ausg. v. 1929), S. 356, wiederaufgenommen bei Brelich, *Le monosandales*, cit. Passend erinnert L. Edmunds (*Thucydides*, cit., S. 72, Anm. 14) daran, daß auch der Protagonist von *Krieg und Frieden*, Pierre Bezuchov, sich während der Initiationszeremonie der Freimaurer einen Schuh ausziehen muß.

⁵¹ Vgl. *Euripidis Tragoediae*, hg. v. A. Nauck, III, Lipsiae 1912, Anm. 534. Zur Ermordung der Söhne des Thestios vgl. Ovid, *Met.* VIII, 434 ff.

⁵² Vgl. *Aristotelis qui ferebantur librorum fragmenta* collegit V. Rose, Lipsiae 1886, Anm. 74.

⁵³ Es handelt sich um kein nebensächliches Detail: dem Meleagros-Mythos liegt genau der Gegensatz zwischen horizontalen Bindungen (Mutter-Brüder) und vertikalen Bindungen (Mutter-Sohn) zugrunde, wie er in der Gegenüberstellung von Kureten und Aitolern zum Ausdruck kommt. Brunel, *Jason »monokrēpis«*, cit., erwähnt ein Scholion zu Pindar (*Pyth.* IV, 75), in dem im Zusammenhang mit Iason die Aitoler angeführt werden, die »wegen ihrer kriegerischen Natur alle nur eine Sandale tragen«. Vgl. auch R. Goossens, *Les Étoliens chaussés d'un seul pied*, in: »Revue belge de philologie et d'histoire«, 14 (1935), S. 849–54, wo auf die Thukydides-Stelle über die Plataier hingewiesen wird, die Brunel entgangen ist. Wenn ich recht gesehen habe, kommt der Monosandalismus auf den römischen Sarkophagen, auf denen der Meleagros-Mythos dargestellt ist, nicht vor (neben G. Koch, *Die mythologischen Sarkophage*, VI: *Meleager*, Berlin 1975, vgl. G. Daltrop, *Die kalydonische Jagd in der Antike*, Hamburg-Berlin 1968).

⁵⁴ Vgl. Vidal-Naquet u. Lévêque, *Epaminondas pythagoricien*, cit., S. 116–17, wo, in bezug auf Iason, auf *Le chasseur noir*, cit., S. 154–55 hingewiesen wird. Edmunds, *Thucydides*, cit., zufolge stellen die Plataier und die Herniker Fälle für sich dar.

⁵⁵ Pindar, *Pythia*, IV, 97.

⁵⁶ Diese Problemstellung hatte (nicht beschränkt auf den griechischen Raum) bereits Brelich, *Les monosandales*, cit., vorgeschlagen, zusammen mit einem nicht ebenso überzeugenden Entwurf einer Lösung (wonach die Personen mit nur einer Sandale den Kosmos gegenüber dem Chaos repräsentierten). In einer weniger strengen Perspektive sieht bereits Deonna, *Monokrēpides*, cit., insbes. S. 69. Brelichs Aufforderung zu einer weiter gefaßten Vergleichung wird wiederholt von Vidal-Naquet u. Lévêque in *Le chasseur noir*, cit., S. 102, Anm. 31. Keltische Parallelen, die mehr oder weniger direkt mit dem Übergang in eine Dimension jenseits der irdischen verknüpft sind, werden zitiert von P. Mac Cana, *The Topos of the Single Sandal in Irish Tradition*, in: »Celtica«, 10 (1973), S. 160–66 (mit weiterer Bibliographie). Ich danke Enrica Melossi für diesen Hinweis.

⁵⁷ Zu den Beziehungen zwischen Philoktet, Telephos (zu diesem siehe oben) und Iason vgl. Gruppe, *Griechische Mythologie*, cit., S. 635; L. Radermacher, *Zur Philoktetsage*, in: *Mélanges H. Grégoire*, I, Paris 1949, S. 503–09; K. Kerényi, *Die Mythologie der Griechen*, II, *Die Heroen-Geschichten*, München 1981⁵, S. 267. Durch eine Analyse von Texten und Dokumenten aus dem Vorderen Orient hat E. Cassin den engen Zusammenhang zwischen Lahmheit und Monosandalismus gezeigt (vgl. *Le semblable*, cit., S. 16 ff., 50 ff. u. 294 ff.), wobei sie die Verbindungen mit einer allgemeineren Auffassung von Asymmetrie hervorhob (siehe vor allem S. 84). Eine ana-

loge Schlußfolgerung siehe im weiteren, S. 243–44. Weitere symbolische Implikationen der Fußspur oder des Fußes siehe W. Speyer, *Die Segenskraft des ›göttlichen‹ Fußes*, in: *Romanitas und Christianitas. Studia Iano Henrico Waszink… oblata*, Amsterdam u. London 1973, S. 293–309.

58 Ich folge hier dem schönen Aufsatz von P. Vidal-Naquet, *Le ›Philoctète‹ de Sophocle et l'éphébie* (in: Vernant u. Vidal-Naquet, *Mythe et tragédie*, cit., S. 159–84), den ich zum Teil durch andere, oben in Anm. 48 angeführte Studien desselben Verfassers ergänze. M. Massenzio, *Anomalie della persona, segregazione e attitudini magiche. Appunti per una lettura del ›Filottete‹ di Sofocle*, in: *Magia. Studi di storia delle religioni in memoria die Raffaella Garosi*, Rom 1976, S. 177–95, unterstreicht den Zustand des Tiefschlafs – »wie von einem, der im Hades angelangt ist« (V. 861) –, in den Philoktet periodisch fällt. Diesen vergleicht er mit einem »Magier« – wobei er jedoch (S. 185, Anm. 2) auf spezielle Studien über den Schamanismus verweist.

59 Diese Identität wird von Wissowa bestritten (siehe das Stichwort »Caeculus« in Roscher, *Ausführliches Lexikon*, cit., I, Sp. 844). Vgl. hingegen W. F. Otto, *Römische ›Sondergötter‹*, in: »Rheinisches Museum«, 64 (1909), S. 453–54, und vor allem A. Brelich, *Tre variazioni romane sul tema delle origini*, Rom [1955], S. 9–47, insbes. S. 34 ff. Weitere Angaben bei A. Alföldi, *Die Struktur des voretruskischen Römerstaates*, Heidelberg 1974, S. 184–85 u. *passim*; ders., *Römische Frühgeschichte*, Heidelberg 1976, S. 25, wo die Beziehung zwischen Caeculus und Vulcanus (dem etruskischen *Velchanos*) als Beweis für die lange bestehende Herrschaft der Etrusker über Rom angesehen wird.

60 »Hunc (Caeculum) legio late comitatur agrestis (…) / Non illis omnibus arma / Nec clipei currusve sonant; / pars maxima glandes / liventis plumbi spargit, pars spicula gestat / bina manu, fulvosque lupi de pelle galeros / tegmen habent capiti; vestigia nuda sinistri / instituere pedis, crudus tegit altera pero«. Vgl. K. Meuli, *Altrömischer Maskenbrauch*, in: *Gesammelte Schriften*, cit., S. 269–70, der jedoch nur auf dem primitiven Charakter der von Caeculus geführten Schar insistiert. Der *galerus* entsprach der griechischen *kuneē*. Zur Kopfbedeckung des Hades vgl. oben, S. 158.

61 Siehe oben, S. 193.

62 Zu all diesem siehe A. Brelich, *Tre variazioni*, cit. Die Identität zwischen Caeculus und dem Räuber Cacus ist wiederholt diskutiert worden: Bibliographie bei J. P. Small, *Cacus and Marsyas in Etrusco-Roman Legend*, Princeton (N. J.) 1982, S. 33, Anm. 98 (der nicht dieser Meinung ist).

63 Vgl. vor allem O. Rank, *Der Mythus von der Geburt des Helden*, Leipzig–Wien 1909, repr. Nachdr., Nendeln/Liechtenstein 1970 (mehrmals mit Zusätzen nachgedruckt); Lord Raglan, *The Hero. A Study in Tradition, Myth and Drama*, London 1936; G. Binder, *Die Aussetzung des Königskindes. Kyros und Romulus*, Meisenheim am Glan 1964 (zu Caeculus S. 30–31). Über die ersten beiden Studien, die unabhängig voneinander sind, vgl. den scharfsinnigen Aufsatz von A. Taylor, *The Biographical Pattern in Traditional Narrative*, »Journal of the Folklore Institute«, I (1964), S. 114–29, der auch Propps *Morphologie des Märchens* in der Diskussion berücksichtigt (aber beispielsweise den zitierten Aufsatz von Luria außer acht läßt). Sehr oberflächlich hingegen D. Skeels, *The Psychological Patterns Underlying the Morphologies of Propp*

and Dundes, in: »Southern Folklore Quarterly«, 31 (1967), S. 244–61.

64 Dies bemerkte bereits Lukian, der in diesem Zusammenhang die Geschichte des von einer Hündin aufgezogenen Kyros erwähnte (*Über die Opfer*, 5). Ausführlicher siehe auch Claudius Aelianus, *Varia Historia*, II, 42. Zum Zusammenhang Oidipus-Moses siehe die Mutmaßungen von S. Levin, *Jocasta and Moses' Mother Jochebed*, in: »Teiresias«, Suppl. 2 (1979), S. 49–61; allg. vgl. M. Astour, *Hellenosemitica*, Leiden 1965, S. 152–59 u. 220–24.

65 Vgl. I. Kertész, *Der Telephos-Mythos und der Telephos-Fries*, in: »Oikumene«, 3 (1982), S. 203–15, insbes. S. 208–09.

66 Vgl. Apollodor, *Bibliothek*, I, 9, 8; Binder, *Die Aussetzung*, cit., S. 78 ff., der sich auf C. Trieber, *Die Romulussage*, in: »Rheinisches Museum«, 43 (1888), S. 569–82 stützt (und vgl. Momigliano, *Terzo contributo*, cit., I, S. 62). Siehe auch Pauly-Wissowa, *Real-Encyclopädie*, cit., Artikel »Romulus«, Sp. 1090.

67 Zur Königskindheit als einem mythischen Modell für die Epheben vgl. Jeanmaire, *Couroi et Curetes*, cit., S. 371 ff. (auf den P. Vidal-Naquet, *Le ›Philoctète‹*, cit., S. 173 hinweist). Zum Zusammenhang zwischen der Kindheit des Oidipus und den Mythen über die Kindheit des Helden vgl. Propp, *Edipo*, cit., S. 104–05 u. 116. Zu den Analogien zwischen der Geschichte von Kyros und jener von Kypselos (welche wiederum mit der des Oidipus verwandt ist: vgl. Vernant, *Le tyran boiteux*, cit.) vgl. Wehrli, *Oidipus*, cit., S. 113–14, der vermutet, daß die erste entweder früher ist oder beide von einem früheren Modell abhängen.

68 Eine Überprüfung der Quellen, die extrem verstreut sind, wird vielleicht die flüchtigen Hinweise auf Körperfehler bei Rank, *Der Mythus*, cit., S. 89, und Binder, *Die Aussetzung*, cit., S. 15, vervollständigen können. Der letztgenannte bemerkt, daß in den Mythen die Kinder häufiger ausgesetzt wurden als in der Wirklichkeit; hierzu siehe jetzt W. V. Harris, *The Theoretical Possibility of Extensive Infanticide in the Greco-Roman World*, in: »Classical Quarterly«, 32 (1982), S. 114–16, mit weiterer Bibliographie.

69 Eine oberflächliche Diskussion bei S. Sas, *Der Hinkende als Symbol*, Zürich 1964, S. 117–20. Zu den folkloristischen Implikationen dieser Episode vgl. E. Meyer, *Die Israeliten und ihre Nachbarstämme*, Halle a. S. 1906, S. 51 ff. In derselben Richtung siehe H. Gunkel, *Jakob*, in: »Preußische Jahrbücher«, 176 (1919), S. 339 ff., insbes. S. 349; ders., *Das Märchen im alten Testament*, Tübingen 1921, S. 66 ff., der ein bosnisches Märchen über einen Mann anführt, der drei Stunden lang bis zum Hahnenschrei mit einem Vampir kämpft und krank nach Hause zurückkehrt. Die von Gunkel betonten ätiologischen Implikationen (Verbot, den Hüftnerv zu essen: *Gen.* 32, 33) vermögen die Bedeutung der Erzählung nicht auszuschöpfen. Zum Vergleich mit 1 *Könige*, 18, 26 (dem hinkenden Tanz der Propheten des Baal) vgl. W. O. E. Oesterley, *The Sacred Dance. A Study in Comparative Folklore*, New York 1923, S. 11–114. Andere Studien unterstreichen die komplexe Schichtung des Textes: vgl. z. B. F. van Trigt, *La signification de la lutte de Jacob près du Yabboq …*, in: »Oudtestamentische Studien«, XII (1958), S. 280–309. Weitere bibliographische Hinweise bei R. Martin-Achard, *Un exégète devant ›Genèse‹ 32, 23–33*, in: *Analyse structurale et exégèse bibli-*

que, Neuchâtel 1971, S. 41–62. Es ist bezeichnend, daß R. Barthes im selben Band (S. 27–39) in der biblischen Erzählung problemlos Propps Kategorien wiederfindet. Ich danke Stefano Levi Della Torre, der mir einige seiner Überlegungen zu Jakob im voraus dargelegt hat.

70 Servius (*Commentarii*, cit., S. 181) führt den Namen des Caeculus auf die Umstände seiner Geburt zurück (»quia oculis minoribus fuit: quam rem frequenter efficit fumus«). Zum strukturellen Zusammenhang zwischen einäugigem Helden (Horatius Cocles) und Helden mit verkrüppelter Hand (Mucius Scaevola) vgl. zuletzt G. Dumézil, ›*Le Borgne*‹ *and* ›*Le Manchot*‹: *The State of the Problem*, in: *Myth in Indo-European Antiquity*, hg. v. G. J. Larson, Berkeley 1974, S. 17–28. Zur Beziehung zwischen Caeculus und Cocles (der ein Standbild auf dem Volcanal, dem Heiligtum des Vulcanus, hatte) vgl. Brelich, *Tre variazioni*, cit., S. 34 ff. Es ist mir nicht bekannt, daß je ein Vergleich zwischen Caeculus und Oidipus vorgeschlagen worden wäre.

71 Vgl. A. Alföldi, *Königsweihe und Männerbund bei den Achämeniden*, in: *Heimat und Humanität. Festschrift für Karl Meuli zum 60. Geburtstag*, Basel 1951, S. 11–16 (der auf die Studien über die *Männerbünde* von O. Höfler, L. Weiser-Aall u. a. hinweist; zu diesen siehe oben, S. 177, Anm. 2). Ihm folgt Binder, *Die Aussetzung*, cit.; siehe außerdem Bremmer, *The* ›*suodales*‹, cit., S. 144–46 u. *passim*; weitere nützliche Angaben bei A. Napoli, *I rapporti tra Bruzi e Lucani*, in: »Studi e materiali di storia delle religioni«, XXXVII (1966), S. 61 ff. (gefolgt von D. Briquel, *Trois études sur Romulus*, in: *Recherches sur les religions de l'antiquité classique*, hg. v. R. Bloch, Genf 1980, S. 289).

72 Dieses Detail, das auch bei Nikolaus von Damaskus wiederkehrt, spielt implizit auf die *Odyssee*, XI, 287 ff. an (hierzu im weiteren): vgl. W. Pötscher, *Die Oidipus-Gestalt*, in: »Eranos«, 71 (1973), S. 23–25. Die Ratlosigkeit, die J. Rudhardt, *Œdipe et les cheveaux*, in: »Museum Helveticum«, 40 (1983), S. 131–39 an den Tag legt, scheint also unangebracht.

73 Vgl. Gernet, *Anthropologie*, cit., S. 154–71, zum nächtlichen Spähgang des Dolon ins griechische Lager (10. Gesang der *Ilias*); man wird sich jedoch die Bemerkungen von A. Schnapp-Gourbeillon, *Lions, héros, masques*, Paris 1981, S. 112 ff. vor Augen zu halten haben. Siehe außerdem H. J. Rose, *Chthonian Cattle*, in: »Numen«, 1 (1954), S. 13–27; C. Gallini, *Animali e al di là*, »Studi e materiali di storia delle religioni«, XXX (1959), S. 65 ff., insbes. S. 81; B. Lincoln, *The Indo-European Cattle-Raiding Myth*, in: »History of Religions«, 16 (1976), S. 42–65; Walcot, *Cattle Raiding*, cit.; B. Bravo, *Sulan*, in: »Annali della Scuola Normale Superiore di Pisa«, Classe di lettere etc., III, 10 (1980), S. 954–58; F. Bader, *Rhapsodies homériques et irlandaises*, in: *Recherches sur les religions*, cit., S. 9–83.

74 Vgl. Burkert, *Heracles and the Master of Animals*, cit., S. 78 ff.

75 Vgl. O. Maenchen-Helfen, *Herakles in China*, in: »Archiv Orientalní«, 7 (1935), S. 29–34.

76 Vgl. Burkert, *Heracles*, cit., S. 86–87.

77 Vgl. *König Oidipus*, V. 300–462. Zum Stock des Teiresias vgl. Kerényi, *Die Mythologie*, cit., II, S. 85.

78 Zu Melampus vgl. Nilsson, *Geschichte*, cit., S. 615 ff. Zur Möglichkeit, von einem griechischen Schamanismus zu sprechen, vgl. Meuli, *Scythica*, cit.,; E. R. Dodds, *Die Griechen und das Irrationale*, cit., S. 72 ff. u. 216 ff.

Vorsichtiger W. Burkert, *GOES. Zum griechischen Schamanismus*, in: »Rheinisches Museum«, 105 (1962), S. 36–55; ders., *Weisheit*, cit., S. 123 ff. u. *passim*. Eindeutig kritisch ist Bremmer, *The Early Greek Concept*, cit. Eine Zwischenstellung, der Burkerts ähnlich, nimmt I. P. Couliano, *Esperienze dell'estasi dall'Ellenismo al Medioevo*, ital. Übers., Bari 1986, S. 19 ff. ein. Es ist der Mühe wert, hier daran zu erinnern, daß der Oidipus Lévi-Strauss' von G. Steiner (*After Babel*, Oxford 1975, S. 29) als »hinkender Schamane« bezeichnet wurde.

79 Vgl. Diogenes Laertios, *Leben der Philosophen*, VIII, 11 u. VIII, 69. Die hier skizzierte Interpretation entwickelt jene, die in bezug auf Pythagoras W. Burkert vorschlägt (vgl. *Weisheit*, cit., S. 134, wo ein Zusammenhang mit der Geburt des Dionysos aus dem Schenkel des Zeus angenommen wird; vgl. hierzu weiter unten, Anm. 82); ders., *Das Proömium des Parmenides und die Katabasis des Pythagoras*, in: »Phronesis«, XIV (1969), S. 1–30, wo gezeigt wird, daß die Verletzungen am Schenkel, die häufig mit der phrygisch-anatolischen Großen Mutter in Zusammenhang stehen, wie die symbolische Zerstückelung der Schamanen einen initiatorischen Wert besitzen. Zu den schamanistischen Komponenten der Gestalt des Empedokles vgl. die widerstreitenden Meinungen von Dodds, *Die Griechen*, cit., S. 81 f. u. 226, und C. H. Kahn, *Religion and Natural Philosophy in Empedocles' Doctrine of the Soul*, in: »Archiv für Geschichte der Philosophie«, 42 (1960), S. 30–35. Siehe auch Couliano, *Esperienze*, cit., S. 26–27.

80 Das Bild stammt von M. Bloch, *Pour une histoire comparée des sociétés européennes*, in: *Mélanges historiques*, I, Paris 1963, S. 22.

81 In diesem Punkt greife ich hauptsächlich auf das Belegmaterial zurück, das M. Detienne, *Dioniso a cielo aperto*, ital. Übers., Bari 1987, S. 63–81, unter einer anderen Perspektive zusammengetragen hat. Siehe außerdem J.-P. Vernant, *Le Dionysos masqué des* ›*Bacchantes*‹ *d'Euripide*, in: »L'homme«, XXV (1985), S. 31–58.

82 Vgl. Burkert, *Weisheit*, cit., S. 134, Anm. 245, wo, analog zum Goldschenkel des Pythagoras eine Initiationsbedeutung vermutet wird. Diese Interpretation wird bekräftigt in ders., *Greek Religion*, cit., S. 165.

83 Vgl. K. Latte, *Askoliasmos*, in: »Hermes«, 85 (1957), S. 385–91 (herangezogen auch von M. Detienne). Vgl. auch W. Deonna, *Un divertissement de table* ›*à cloche-pied*‹, Brüssel 1959, S. 28–29 u. 36–39.

84 Vgl. Latte, *Askoliasmos*, cit., S. 385–86 (wo Aelianus, *De natura animalium*, 3, 13 angeführt wird).

85 Diese Hypothese deutet H. Diels an, *Das Labyrinth*, in: *Festgabe von Fachgenossen und Freunden A. von Harnack zum siebzigsten Geburtstag ...*, Tübingen 1921, S. 61–72, insbes. S. 67, Anm. 2. Siehe auch U. Wilamowitz-Moellendorff, *Griechische Verskunst*, Berlin 1921, S. 29, gefolgt von K. Friis Johansen, *Thésée et la danse à Délos*, Kopenhagen 1945, S. 12; P. Bruneau, *Recherches sur les cultes de Délos*, Paris 1970, S. 29 ff., insbes. S. 31. Vgl. auch H. von Petrikovits, *Troiaritt und Geranostanz*, in: *Beiträge zur älteren europäischen Kulturgeschichte. Festschrift für Rudolf Egger*, I, Klagenfurt 1952, S. 126–43. Viel Material, mit wenig Urteilsvermögen zusammengetragen, bei H. Lucas, *Der Tanz der Kraniche*, Emsdetten 1971. Wenig überzeugend die Gesamtinterpretation von M. Detienne, *La grue et le labyrinthe*, in: »Mélanges de l'École Française de Rome, Antiquité«, 95 (1983), S. 541–53.

86 Vgl. D. C. Fox, *Labyrinth und Totenreich*, in: »Pai-

deuma«, I (1940), S. 381–94. Sehr viel Material, vor allem ikonographisches, bei H. Kern, *Labirinti*, Mailand 1981.

[87] Vgl. Jeanmaire, *Dionysos*, cit., S. 48–56; Bremmer, *The Early Greek*, cit., S. 108–23; Burkert, *Greek Religion*, cit., S. 187–98.

[88] Zur Präsenz des Dionysos im Heiligtum von Delphi und allgemein zu den Beziehungen zwischen den beiden Göttern vgl. Jeanmaire, *Dionysos*, cit., S. 187–98.

[89] Vgl. Lucas, *Der Tanz*, cit., S. 6 u. Abb. 1.

[90] Vgl. *I presocratici*, hg. v. A. Pasquinelli, Turin 1958, S. 189–90: siehe Jeanmaire, *Dionysos*, cit., S. 48–56. Über das Stolpern als Vorzeichen des Todes in der skandinavischen Kultur vgl. B. Almqvist, *The Death Forebodings of Saint Oláfr, King of Norway, and Rögnvaldr Brúsason, Earl of Orkney*, in: »Béaloideas«, 42–44 (1974–76), S. 1–40 (mangelhaft). Völlig unabhängig sieht C. Lévi-Strauss im Stolpern einen Kommunikationsfehler (*Mythe et oubli*, in: *Le regard éloigné*, cit., S. 253 ff., insbes. S. 259).

[91] Vgl. M. Granet, *Remarque sur le Taoïsme ancien*, in: »Asia Major«, 2 (1925), S. 146–51; ders., *Danses et légendes de la Chine ancienne*, Paris 1926, II, S. 466 ff. u. 549 ff.; M. Kaltenmark, *Ling-Pao: Note sur un terme du Taoïsme ancien*, in: *Mélanges publiés par l'Institut des Hautes Études Chinoises*, II, Paris 1960, S. 559–88, insbes. S. 572–73; ders., *Les danses sacrées en Chine*, in: *Les danses sacrées*, Paris 1963, S. 444; W. Eberhard, *The Local Cultures of South and East China*, 2. durchges. Aufl., Leiden 1968, S. 72–80, insbes. S. 74–75. Zum Brauch, sich während des schamanistischen Ritus das Gesicht zu bedecken, siehe im weiteren, S. 267 ff.

[92] Vgl. Granet, *Danses*, cit., II, S. 550, Anm. 3, 552 ff. u. 575–76; Eberhard, *The Local Cultures*, cit., S. 74.

[93] Vgl. Granet, *Danses*, cit., I, S. 221–22.

[94] Heine-Geldern, *Das Tocharerproblem*, cit., S. 252, hat ernsthafter eine diffusionistische Hypothese erneut vorgebracht, die in oberflächlicher Manier von E. A. Armstrong, *The Crane Dance in East and West*, in: »Antiquity«, 17 (1943), S. 71–76 formuliert worden war. Unlängst hat Lévi-Strauss zur Erklärung einiger Analogien zwischen griechischen Mythen (beispielsweise dem von Midas) und japanischen Legenden die Möglichkeit einer gemeinsamen Entstehung in Zentralasien suggeriert.

[95] Vgl. Granet, *Danses*, cit., I, S. 326, Anm. 1, und Kaltenmark, *Ling-Pao*, cit., S. 578; zur Zeremonie der Zwölf Tiere siehe oben, S. 197.

[96] Vgl. J. G. Frazer, *The Golden Bough*, IX: *The Scapegoat*, New York 1935, S. 324 ff. (mit Bibliographie), der der Theorie anhängt, in den zwölf Tagen sei eine Schaltzeit zwischen Mond- und Sonnenjahr zu sehen. A. Van Gennep, *Manuel de folklore français contemporain*, I, VII, 1: *Cycle des Douze Jours*, Paris 1958, S. 2856 ff., insbes. S. 2861–62, diskutiert die verschiedenen Interpretationen und beurteilt jene, die das Totenelement hervorheben, als einseitig, da sie den fröhlichen statt traurigen Charakter des Zyklus der zwölf Tage nicht erklären könnten. Eine so oberflächliche Bewertung, die die widersprüchlichen Charakteristika bewußt zu ignorieren scheint, welche den Toten, Bringern von Fruchtbarkeit und Unglück zugleich, gewöhnlich zugeschrieben werden, erklärt sich möglicherweise aus dem (bei Van Gennep üblichen) Mißtrauen gegenüber dem Begriff der Ambivalenz.

[97] Siehe oben, S. 157 u. 171. Die Analogie zwischen

beiden Phänomenen war B. Schmidt, *Das Volksleben der Neugriechen und das hellenische Alterthum*, I, Leipzig 1871, S. 154, Anm. 1 nicht entgangen.

[98] Man beachte die ungeordnet angehäuften Daten bei F. Sokoliček, *Der Hinkende im brauchtümlichen Spiel*, in: *Festgabe für Otto Höfler zum 65. Geburtstag*, II, Wien 1968, S. 423–32. Weiteres Material bei R. Stumpfl, *Kultspiele der Germanen als Ursprung des mittelalterlichen Dramas*, Berlin 1936, S. 325 ff., das eng von den Untersuchungen O. Höflers abhängt. Vgl. auch D. Strömbäck, *Cult Remnants in Icelandic Dramatic Dances*, in: »Arv«, 4 (1948), S. 139–40 (Tanz des lahmen Pferdes, bezeugt zwischen Ende des 17. und Beginn des 18. Jahrhunderts).

[99] Man könnte sagen, daß der Fehler von Lévi-Strauss beim Formulieren des Problems des mythischen und rituellen Hinkens paradoxerweise der gewesen ist, sich mehr an Frazer denn an sich selbst orientiert zu haben.

[100] Die Interpretation des Oidipus als *Jahresgott*, wie sie C. Robert formulierte, wurde von Nilsson, *Der Oidipusmythos*, cit., sogleich widerlegt.

[101] Es ist bezeichnend, daß R. Hertz die Kategorie der Übergangsriten durch die Analyse der Bestattungsriten entdeckt hat.

[102] Vgl. Sas, *Der Hinkende als Symbol*, cit. (explizit an Jungs analytischer Psychologie orientiert). Von einem ähnlichen Gesichtspunkt aus, doch unabhängig, rückt T. Giani Gallino, *La ferita e il re. Gli archetipi femminili della cultura maschile*, Mailand 1986, S. 37–46, das mythische Hinken in die Nähe der Menstruation, mit mehr als fragwürdigen Argumenten (siehe z. B. S. 43).

[103] Vgl. R. Needham, *Unilateral Figures*, in: *Reconnaissances*, Toronto 1980, S. 17–40, der Überlegungen fortentwickelt, die in *Primordial Characters*, Charlottesville 1978 dargelegt werden (auf S. 45–46 in nicht sehr überzeugender Versuch, die partiellen Divergenzen zu Jungs Ansatz zu umschreiben).

[104] Vgl. E. Neumann, *Die große Mutter*, Zürich 1956. Eine Kritik der empirischen Basis dieser Vorstellung bei P. Y. Ucko, *Anthropomorphic Figurines of Predynastic Egypt and Neolithic Crete . . .*, London 1968.

[105] Vgl. Needham, *Reconnaissances*, cit., S. 34 ff.

[106] *Ebd.* Von den bei Needham angeführten Studien habe ich gesehen: D. Zahan, *Colors and Body-Painting in Black Africa: The Problem of the ›Half Man‹*, in: »Diogenes«, 90 (1975), S. 100–19; A. Szabó, *Der halbe Mensch und der biblische Sündenfall*, in: »Paideuma«, 2 (1941–43), S. 95–100; A. E. Jensen, *Die mythische Vorstellung vom halben Menschen*, ebd., 5 (1950–54), S. 23–43. Die ersten beiden sind oberflächlich, der zweite und der dritte sind durch eine eurozentrische Metaphysik deformiert. Weiteres Material bei D. J. Ray, *Eskimo Masks*, 1967, S. 16 u. 187–88.

[107] Vgl. A. Castrén, *Nordische Reisen und Forschungen*, dt. Übers., IV, St. Petersburg 1857, S. 157–64 (Needham zitiert ihn über G. Hatt, *Asiatic Influences in American Folklore*, Kopenhagen 1949, S. 87–89). Die Möglichkeit, daß das Bild vom halbseitigen Menschen in bestimmten Kulturen eine andere Bedeutung haben kann, ist keineswegs ausgeschlossen. Doch eine psychoanalytische Deutung, wie sie J. Galinier vorgeschlagen hat (*L'homme sans pied. Métaphores de la castration et imaginaire en Mésoamérique*, in: »L'homme«, XXIV, 1984, S. 41–58), mißt beispielsweise dem Umstand wenig Bedeutung bei, daß für einen mexikanischen Stamm wie die Otomí diejeni-

gen, welche sich zeitweilig eines Beins entledigen, ehe sie sich in Frauen verwandeln und in der Gestalt von Vögeln davonfliegen (S. 45–46), eben Schamanen sind.

[108] Vgl. C. Foulon, *Un personnage mystérieux du roman de ›Perceval le Gallois‹: L'›eschacier‹ dans la seconde partie du ›Perceval‹*, in: *The Legend of Arthur in the Middle Ages. Studies Presented to A. H. Diverres*, hg. v. P. B. Grout u. a., Cambridge 1983, S. 66–75, der wirkungsvoll die Hypothese von R. S. Loomis, *Arthurian Tradition and Chrétien de Troyes*, New York 1949, S. 443–47, widerlegt, der zufolge *eschacier* (Mann mit nur einem Bein) ein Mißverständnis von *eschaquier* (Schachbrett) sein soll, das durch Chrétien oder seine Quelle eingeführt worden sei. Tatsächlich stellt dieser letzte Ausdruck eine *lectio facilior* dar, wie seine Präsenz (die Loomis anders interpretiert) in drei Handschriften des *Perceval le Galois* zeigt. Der Annahme von Loomis schließt sich Riemschneider, *Miti pagani*, cit., S. 34–35 an. Man beachte, daß der einbeinige Mann ein keltisches Motiv ist: vgl. S. M. Finn, *The ›Eschacier‹ in Chrétien's Perceval in the Light of Medieval Art*, in: »The Modern Language Review«, XLVII (1952), S. 52–55; P. Mac Cana, *Branwen*, Cardiff 1958, S. 39 ff.; J. Le Goff, *Il meraviglioso*, cit., S. 126, Anm. 73. H. Wagner, *Studies in the Origins of Early Celtic Civilisation*, in: »Zeitschrift für celtische Philologie«, 31 (1970), S. 26, Anm. 32, schlägt vor, den Kampf in den Lüften zwischen den Göttern und den mißgestalteten *Fomorians*, der in der Dichtung *Mag Tured* beschrieben wird, auf der Grundlage eines (von T. Lehtisalo mitgeteilten) samojedischen Mythos zu entziffern, in dem der Stier des Nordens, der Regen bringt, gegen die Dämonen mit nur einer Hand, einem Bein, einem Auge kämpft, die Dürre bringen (siehe in diesem Zusammenhang das oben, in Anm. 107 erwähnte samojedische Märchen). Die schamanistischen Implikationen des Mannes mit dem silbernen Bein werden scharfsinnig hervorgehoben bei C. Corradi Musi, *Sciamanesimo ugrofinnico*, cit., S. 60. Zum Thema der Jenseitsreise im Artusroman siehe oben, S. 111–113.

[109] Völlig abwegig die von A. Szabó (*Der halbe Mensch*, cit., S. 97) vorgeschlagene Annäherung an den von Platon im *Symposion* erzählten Mythos, in dem die Liebe als Wiedervereinigung zweier geteilter Individuen beschrieben wird.

[110] Von daher rühren die zwiespältigen Reaktionen, die andere des aufrechten Ganges fähige Arten, wie Affen oder Bären, in den Menschen auslösen.

[111] Vgl. Dumézil, *Romans de Scythie*, cit., S. 94. Das Pendant zu Soslan bei den Tscherkessen – eine Art Schamane, der jeglicher Verwandlung fähig ist – wird sarkastisch als »Magier mit den krummen Beinen« bezeichnet (*ebd.*, S. 277).

[112] Es sei daran erinnert, daß Benjamin in einem Brief an Scholem vom 5. August 1937 äußerte, er wolle der Jungschen Archetypenlehre, die er für »echtes und rechtes Teufelswerk« hielt, »mit weißer Magie zu Leibe (…) rücken« (W. Benjamin und G. Scholem, *Briefwechsel 1933–1940*, hg. v. G. Scholem, Frankfurt a. M. 1980, S. 247).

[113] Nützliche Denkanstöße zu all dem bei J. Fédry, *L'expérience du corps comme structure du langage. Essai sur la langue sàr (Tchad)*, in: »L'homme«, XVI (1976), S. 65–107. Allgemein vgl. G. R. Cardona, *I sei lati del mondo*, Bari 1985.

[114] Vgl. R. Jakobson, *Das Nullzeichen*, in: *Aufsätze zur Linguistik und Poetik*, hg. v. W. Raible, Frankfurt/Berlin/Wien 1979, S. 44–53.

[115] Man erinnere sich der herrlichen Verse von Lukrez, *De rerum natura*, III, V. 830 ff.

[116] Zum Zusammenhang zwischen dem Märchen und dem epischen Thema der Reise des Helden ins Jenseits vgl. L. Radermacher, *Das Jenseits im Mythos der Hellenen*, Bonn 1903, S. 28–29, Anm. 2 u. *passim*, und vor allem K. Meuli, *Odyssee und Argonautika. Untersuchungen zur griechischen Sagengeschichte und zum Epos*, 1921 (repr. Nachdr. Utrecht 1974), insbes. S. 22–23, der über A. Heusler (*Altnordische Dichtung und Prosa von jung Sigurd*, in: »Sitzungsberichte der preußischen Akademie der Wissenschaften«, phil.-hist. Klasse, 1919, I, S. 163) direkt aus dem weiter unten, in Anm. 119 angeführten Aufsatz von F. von der Leyen schöpft. Zur Beziehung zwischen Zaubermärchen und Mythos siehe, außer den Hinweisen von Propp, *Morphologie*, cit., S. 90 u. 99, die erhellenden Überlegungen von W. Benjamin, *Der Erzähler. Betrachtungen zum Werk Nikolai Lesskows*, in: *Gesammelte Schriften*, hg. v. R. Tiedemann u. H. Schweppenhäuser, Frankfurt a. M. 1980, Bd. II, 2, S. 457–59.

[117] Die Hypothese eines historischen Zusammenhangs zwischen der Struktur des Zaubermärchens und Vorstellungen von der Reise der Seele in die andere Welt, die Propp in *Morphologie*, cit., S. 105–06 formulierte, wurde in *Le radici storiche delle fiabe di magia*, cit., unter Betonung der Beziehungen zum rituellen Kontext weiterentwickelt. Dieser Perspektivwechsel ist vielleicht zumindest zum Teil dem politischen Klima zuzuschreiben, in dem das Buch erschien. Jedenfalls gehörten die beiden Bücher trotz all ihrer Verschiedenheit von Anfang an zu einem einzigen Projekt, wie auch aus den rückblickenden Bemerkungen im Anhang zur *Morphologie des Märchens* (die ursprünglich *Morphologie des Zaubermärchens* heißen sollte), cit., S. 222–24 (*Die Bedeutung von Struktur und Geschichte bei der Untersuchung des Märchens*) hervorgeht. Zu Propp vgl. R. Breymayer, *Vladimir Jakovlevič Propp (1895–1970). Leben, Wirken und Bedeutsamkeit*, in: »Linguistica Biblica«, 15–16 (April 1972), S. 36–77; I. Levin, *Vladimir Propp: an Evaluation on His Seventieth Birthday*, in: »Journal of the Folklore Institute«, 4 (1967), S. 32–49; A. Liberman, Vorwort zu V. Propp, *Theory and History of Folklore*, Minneapolis 1984. Die Präsenz von Initiationsthemen in einigen Märchen, die in *Le radici storiche* ausführlich erörtert wird, hatte – in einer Perspektive, die von einer schon damals altmodisch gewordenen Sonnenmythologie beeinflußt war – bereits P. Saintyves [É. Nourry], *Les contes de Perrault et les récits parallèles …*, Paris 1923, S. XX, 245 ff. (Däumling), 374 ff. (Blaubart) usw. vermutet. Propp, der dieses Buch las und zitierte, kannte hingegen das weit wichtigere von H. Siuts, *Jenseitsmotive in deutschen Volksmärchen*, Leipzig 1911, dem Anschein nach nicht, in dem einige Andeutungen von von der Leyen, *Zur Entstehung des Märchens*, cit., in origineller Weise weiterentwickelt werden.

[118] Vgl. Propp, *Morphologie*, cit., S. 99–102, wo die (selbstverständlich nicht nachweisbare) Möglichkeit nicht ausgeschlossen wird, daß die beiden Typen ursprünglich historisch voneinander unterschieden waren.

[119] Dies ist eine These von E. B. Tylor, die von der Leyen, *Zur Entstehung des Märchens*, cit. (erschienen in »Archiv für das Studium der neueren Sprachen und

Literatur«, 113 (1903), S. 249–69; 114 (1904), S. 1–24; 115 (1905), S. 1–21 u. 273–89; 116 (1906), S. 1–24 u. 289–300), untermauert durch viel Belegmaterial, erneut vorbringt. In diesem Aufsatz wie in einer früheren, sehr viel kürzeren Fassung (*Traum und Märchen*, in: »Der Lotse«, 1901, S. 382 ff., die ich nicht gesehen habe) erwähnt der Verfasser die *Traumdeutung* von Freud, mit dem er in Briefkontakt stand: vgl. *Sigmund Freud: Briefe an Wilhelm Fliess 1887–1904*, hg. v. J. Moussaieff Masson, Frankfurt 1986, S. 487–90 (Brief vom 4. Juli 1901). Von der Leyens These, angeregt durch Ideen, die E. Rohde (*Psyche*, Berlin 1893) und früher noch L. Laistner (*Das Rätsel der Sphinx*, 2 Bde, Berlin 1889) zum Ausdruck gebracht hatten, stützt sich zum Teil auf Material, das auch in diesem Buch diskutiert wird, angefangen bei der Sage von König Guntram (hierzu siehe oben, S. 144). Die Interpretation ist häufig zu eng gefaßt: das Bild von der Seele als Maus etwa wird auf die Etymologie des Wortes »Muskel« (von *mus*, Maus) zurückgeführt (*Zur Entstehung*, cit., 1904, S. 6).

120 Vgl. R. Mathieu, *Le songe de Zhao Jianzi. Étude sur les rêves d'ascension céleste et les rêves d'esprits dans la Chine ancienne*, in: »Asiatische Studien – Études asiatiques«, XXXVII (1983), S. 119–38.

121 So Propp, *Morphologie*, cit., S. 23–24.

122 Für eine bibliographische Übersicht vgl. den Artikel »Cinderella« in: *Enzyklopädie des Märchens*, cit., III, Sp. 39–57 (verf. v. R. Wehse). Unentbehrlicher Ausgangspunkt ist nach wie vor M. R. Cox, *Cinderella. Threehundred and Forty-five Variants*, London 1893 (mit einem Vorwort von A. Lang), zu ergänzen durch A. B. Rooth, *The Cinderella Cycle*, Lund 1951. Nützlich die Sammlung *Cinderella. A Casebook*, hg. v. A. Dundes, New York 1982: siehe vor allem die kartographische Übersicht von A. B. Rooth, *Tradition Areas in Eurasia* (S. 129–47) und die erläuterte Bibliographie von A. Taylor, *The Study of Cinderella Cycle*, S. 115–28. Von den Spezialstudien vgl. E. Cosquin, *Le ›Cendrillon‹ masculin*, in: »Revue des Traditions Populaires«, XXXIII (1918), S. 193–202; D. Kleinmann, *Cendrillon et son pied*, in: »Cahiers de Littérature orale«, 4 (1978), S. 56–88; B. Herrnstein Smith, *Narrative Versions, Narrative Theories*, in: »Critical Inquiry«, 7 (1980), S. 213–36.

123 Vgl. Propp, *Morphologie*, cit., S. 31 ff. Die Kennzeichnung entspricht der Funktion XVII (S. 54).

124 Mit außerordentlichem Scharfblick stellte H. Usener Aschenputtel neben die von Paris erwählte Aphrodite und betonte die Todescharakteristika beider Figuren (*Kallone*, cit., S. 362–63). O. Gruppe nahm Aschenputtel, dem von Usener gebahnten Weg folgend, in die Serie auf, die Perseus, Iason etc. umfaßte (*Griechische Mythologie*, cit., S. 1332, Anm. 4). In derselben Richtung auch R. Eisler, *Weltmantel und Himmelszelt*, I, München 1910, S. 166, Anm. 3. Soweit mir bekannt ist, haben die späteren Studien zu Aschenputtel diese interpretatorische Anregung ignoriert – mit nur einer möglichen Ausnahme. In einem wunderschönen Aufsatz erkannte Freud in Cordelia und in Aschenputtel zwei Inkarnationen der Todesgöttin, ähnlich der todumwobenen Aphrodite (*Das Motiv der Kästchenwahl*, in: *Gesammelte Werke*, cit., X, S. 23–37). Ein indirektes Echo der Seiten Useners könnte vielleicht über die Artikel des Mythologischen Lexikons von Roscher zu Freud gelangt sein (doch ist dies eine Vermutung, die zu überprüfen wäre). In einem Brief an Ferenczi vom 7. Juli 1913 deutete Freud die autobiographischen Implikationen seines Aufsatzes an (vgl. S Freud, *Briefe 1873–1939*, hg. v. E. u. L. Freud, Frankfurt a. M. 1968², S. 314; Anna, die Lieblingstochter, war die dritte – diejenige, welche im Mythos oder im Märchen den Tod ankündigt).

125 Nimmt man die von Cox analysierten Versionen des Aschenputtelmärchens als zwar unausgewogene, doch bezeichnende Stichprobe (und unterscheidet sie von den typologisch verwandten), ergibt sich, daß ungefähr ein Zwanzigstel (16) von 319 das Thema des Sammelns der Knochen des Helfers aufweisen.

126 Vgl. J. G. Campbell, *Popular Tales of the West Highlands*, Edinburgh 1862, II, S. 286 ff.; K. Blind, *A Fresh Scottish Ashpitel and Glass Shoe Tale*, in: »Archaeological Review«, III (1889), S. 24–27; *Aryan Folk-Lore*, in: »The Calcutta Review«, LI (1870), S. 119–21 (Zusammenfassung einer sehr viel längeren, in »The Bombay Gazette« erschienenen Version, die mir unerreichbar blieb), behauptet, daß diese Version mit der Kuh von Indien nach Indochina überging. Es handelt sich um eine unbewiesene Vermutung: in den indochinesischen wie den chinesischen Versionen wechseln Kuh, Vogel und Fisch (dieser taucht in der ältesten Fassung auf) einander ab: vgl. W. Eberhard, *Typen chinesischer Volksmärchen* (FF Communications, Nr. 120), Helsinki 1937, S. 52–54; A. Waley, *The Chinese Cinderella Story*, in: »Folk-Lore«, 58 (147), S. 226–38; Nai-Tung Ting, *The Cinderella Cycle in China and Indo-China*, (FF Communications, Nr. 213), Helsinki 1974, S. 47 ff.

127 Die Bibliographie ist sehr umfangreich. Den oben (S. 150, Anm. 78) angeführten Studien ist hinzuzufügen: A. Friedrich, *Die Forschung über das frühzeitliche Jägertum*, in: »Paideuma«, 2 (1941–43), S. 20–43; ders., *Knochen und Skelett in der Vorstellungswelt Nordasiens*, in: »Wiener Beiträge zur Kulturgeschichte und Linguistik«, 5 (1943), S. 189–247; H. Nachtigall, *Die kulturhistorische Wurzel der Schamanenskelettierung*, in: »Zeitschrift für Ethnologie«, 77 (1952), S. 188–97; Gignoux, ›*Corps osseux*‹, cit. Zu Nordamerika vgl. einen Hinweis von Hertz, *Contribution*, cit., S. 72. Friedrich, *Die Forschung*, cit., S. 28, erwähnt zwei Studien zu afrikanischem Belegmaterial, die mir unzugänglich geblieben sind.

128 Vgl. Hertz, *Contribution*, cit. Auf den Zusammenhang mit dem Thema des Knochensammelns weist C. Lévi-Strauss, *L'art de déchiffrer les symboles*, in: »Diogène«, Nr. 5 (1954), S. 128–35 hin (zum Buch von Rooth).

129 Vgl. V. Propp, *L'albero magico sulla tomba. A proposito dell'origine delle fiabe di magia* (1934), in: *Edipo alla luce del folklore*, cit., S. 3–39, der auf eine Präsenz dieses Themas in *Aschenputtel* hinweist.

130 Zu China vgl. Waley, *The Chinese Cinderella Story*, cit. Die folgenden, aus Cox, *Cinderella*, cit., entnommenen Angaben wurden überprüft. Vietnam: A. Landes, *Contes et légendes annamites*, Saigon 1886, Nr. XXII, S. 52–57; G. Dumoutier, *Contes populaires Tonkinois. Une Cendrillon annamite*, in: »Archivio per lo studio delle tradizioni popolari«, XII (1893), S. 386–91 (die Geschichte spielt zur Zeit des letzten Königs Hung, im 4. Jahrhundert v. Chr.); Indien (Kalkutta): *Aryan Folk-Lore*, cit.; Rußland: A. N. Afanasjew, *Antiche fiabe russe*, ital. Übers., Turin 1953, S. 515–17 (»Briciolina-trasandata«); Serbien: *Serbian Folklore*, hg. v. W. Denton, London 1874, S. 59–66; V. Karajich, *Serbian Folk-Tales*, Berlin 1854, Anm. XXXII; Sizilien: G. Pitré, *Fiabe, novelle e racconti popolari siciliani*, I, Palermo 1870, S. 366–67; Sardinien

(Nuoro): P. E. Guarnerio, *Primo saggio di novelle popolari sarde*, in: »Archivio per lo studio delle tradizioni popolari«, II (1883), S. 31–34; Provence (Menton): J. B. Andrews, *Contes ligures*, Paris 1892, S. 3–7; Bretagne: P. Sébillot, *Contes populaires de la Haute-Bretagne*, I, Paris 1880, S. 15–22; hier geht die Beerdigung jedoch nicht mit der Sammlung der Knochen einher; vgl. hingegen ebd., »La petite brebiette blanche«, S. 331–32; Lothringen: E. Cosquin, *Contes populaires de Lorraine*, I, S. 246–47 (hier fehlt die Episode mit dem verlorenen Schuh); Schottland (Glasgow): Blind, *A Fresh Scottish Ashpitel*, cit.; (West Highlands): Campbell, *Popular Tales*, cit. Siehe auch Saintyves, *Les contes*, cit., S. 142–51.

131 Durch eine andere Argumentation gelangt A. B. Rooth (*The Cinderella Cycle*, cit.) zu ähnlichen Schlüssen. Sie unterscheidet zwei Handlungsabläufe: *A*) Die Stiefmutter läßt die Kinder hungern, die heimlich durch das helfende Tier ernährt werden; als dieses getötet wird, sammeln die Kinder seine Knochen auf, verbrennen sie, füllen die Asche in einen Topf, aus dem eine Pflanze wächst, die sie ernährt (in einer anderen Version finden die Kinder im Innern des Tieres kostbare Gegenstände); *B*) ein verlorener und zufällig wiedergefundener Gegenstand (gewöhnlich ein Schuh) bringt den Helden auf die Spur der Heldin. Die Handlung *AB*, die dem Aschenputtelmärchen entspricht, ist früher als die beiden getrennten Handlungsabläufe (dieser Punkt wird von A. Dundes, Einleitung zu *Cinderella. A Casebook*, cit., mißverstanden). Es sei hervorgehoben, daß diese morphologisch rekonstruierte relative Chronologie nicht mit der absoluten Chronologie der Zeugnisse zusammenfällt: das älteste Zeugnis für *B* (die von Strabo erzählte Geschichte vom Adler, der von Naukratis nach Memphis fliegt und den jungen König den Pantoffel der Kurtisane Rhodopis in den Schoß wirft) geht der ersten Version von *AB*, die Tuang Ch'eng Shih (800–835) abgefaßt hat, um circa achthundert Jahre voraus. Dieser chinesische Text, den der japanische Volkskundler K. Minakata (1911) mit dem Aschenputtelmärchen in Verbindung gebracht hat, wurde zum ersten Mal von R. D. Jameson in eine westliche Sprache übertragen; Jameson stritt die rituellen Implikationen des Themas vom Knochensammeln explizit ab (*Cinderella in China*, in: *Three Lectures on Chinese Folklore*, Peiping (Peking) [1932], S. 45–85, insbes. S. 61, Anm. Für eine kartographische Übersicht über die Verbreitung der verschiedenen Motive vgl. Rooth, *Tradition Areas in Eurasia*, cit. (insbes. S. 137, Serie o, Karten A und B).

132 Siehe oben, S. 140.

133 Vgl. J. Henninger, *Zum Verbot des Knochenzerbrechens bei den Semiten*, in: *Studi orientalistici in onore di Giorgio Levi Della Vida*, Rom 1956, I, S. 448–58, wiederaufgen. und erweitert in ders., *Neuere Forschungen*, cit.

134 Vgl. zu den sibirischen Bräuchen vor allem V. Propp, *L'albero magico*, cit. (herangezogen auch von Bertolotti, *Le ossa*, cit.), und U. Harva (Holmberg), *Les représentations*, cit., S. 298–307. Siehe außerdem Mannhardt, *Germanische Mythen*, cit., S. 58, der den Mythos von Thor neben eine Sage aus Vorarlberg stellt; Röhrich, *Le monde surnaturel*, cit., S. 25 ff., Texte Nr. 13 (Alpe de la Vallée), Nr. 14–15 (Tirol); Dirr, *Der kaukasische Wild- und Jagdgott*, cit., S. 140; K. Meuli, *Griechische Opferbräuche*, in: *Gesammelte Schriften*, cit., S. 235, Anm. 5; Paproth, *Studien*, cit., S. 36 (zu den Ainu). Wenig hilfreich R. Bilz, *Tiertöter-Skrupulantismus. Betrachtungen über das Tier als*

Entelechial-Doppelgänger des Menschen, in: »Jahrbuch für Psychologie und Psychotherapie«, 3 (1955), S. 226–44.

135 Auf sie machte Campbell, *Popular Tales*, cit., aufmerksam; in jüngerer Zeit nahm sie L. Schmidt, *Der ›Herr der Tiere‹ in einigen Sagenlandschaften Europas und Eurasiens*, in: »Anthropos«, 47 (1952), S. 522 wieder auf. Vgl. S. Thompson, *Motif-Index of Folk Literature*, Kopenhagen 1955 ff.; E 32 (*Resuscitated eaten animal*); E 32, 3 (*Dismembered pigs come alive again if only bones are preserved*); E 33 (*Resuscitation with missing member*).

136 Vgl. Gervasius von Tilbury, *Otia imperialia*, in: *Scriptores rerum Brunsvicensium*, hg. v. G. G. Leibniz, I, Hanoverae 1707, S. 1003.

137 In einigen Versionen des Balkans gehören die wunderbaren Knochen der Mutter der Heldin, die von den Schwestern getötet und verschlungen worden ist (in einem Fall, nachdem sie in eine Kuh verwandelt worden ist): vgl. Cox, *Cinderella*, cit., Nr. 31, 53, 54 u. 124. Das Thema kommt auch in Griechenland vor: vgl. M. Xanthakou, *Cendrillon et les sœurs cannibales*, Paris 1988 (sehr mangelhaft).

138 Vgl. bereits Lévi-Strauss, *Anthropologie structurale*, cit., S. 250.

139 Vgl. Cox, *Cinderella*, cit., S. 416 ff. Auch die Kuh mit den goldenen Hörnern des sardischen Märchens bittet die Heldin, sie möge ihre Knochen in ein Taschentuch hüllen (Guarnerio, *Primo saggio*, cit., S. 33).

140 So schlägt P. P. Bourboulis vor, in: *Cinderella: a Casebook*, cit., S. 99 ff.

141 Vgl. zu all dem Waley, *The Chinese Cinderella*, cit. Eine chinesische Version (8. Jahrhundert n. Chr.) des Märchens von den Schwanenmädchen, das ebenfalls Waley vorgelegt hat, bildet den Ausgangspunkt für den Aufsatz (der die schamanistischen Züge stark unterstreicht) von A. T. Hatto, *The Swan-Maiden: a Folk-Tale of North-Eurasian Origin?*, in: *Essay*, cit., S. 267–97. Die Entdeckung der Ähnlichkeit zwischen der burjatischen und der chinesischen Fassung dieses Märchens geht auf U. Harva (Holmberg), *Les représentations*, cit., S. 318–19 zurück.

142 Siehe oben, S. 227. Für eine de facto auf die Oidipus-Elemente beschränkte Analyse des Märchens von Aschenputtel siehe den sehr oberflächlichen Aufsatz von D. Pace, *Lévi-Strauss and the Analysis of Folk-Tales*, in: *Cinderella: a Casebook*, cit., S. 246–58 (die Bezugnahme auf Lévi-Strauss ist völlig unberechtigt).

143 Sie entsprechen respektive den Nummern 501 A und 510 B der Klassifikation von Aarne-Thompson (vgl. S. Thompson, *The Types of the Folktale*, Helsinki 1967). Auf ihre typologische Affinität hatte bereits Cox, *Cinderella*, cit., aufmerksam gemacht.

144 Zu der von Afanasjew aufgezeichneten russischen Fassung von *Eselshaut* vgl. W. R. S. Ralston, *Cinderella*, in: *Cinderella: a Casebook*, cit., S. 44–45.

145 Vgl. A. Dundes, *›To Love My Father All‹: A Psychoanalytic Study of the Folktale Source of King Lear*, in: *Cinderella: a Casebook*, cit., S. 230 ff.

146 Vgl. Paproth, *Studien*, cit., S. 25 ff. (auf S. 36, Anm. 57 widerlegt er mit dem bereits angeführten Beispiel über die Ainu die Behauptung von Schmidt, *Der ›Herr der Tiere‹*, cit., der zufolge das Motiv des fehlenden Knochens in Ost- oder Nordostasien nicht zu finden sein soll).

147 Vgl. neben Rooth, *Tradition Areas*, cit., S. 137, Serie o, Karten A und B; W. Bascom, *Cinderella in Africa*, in:

Cinderella: a Casebook, cit., S. 148–168; D. Paulme, *Cendrillon en Afrique*, in: »Critique«, 37 (1980), S. 288–302. Die von Propp (*L'albero magico*, cit., S. 36) vorgeschlagene Definition *Aschenputtels* als eines ausschließlich indogermanischen Märchens ist auf der Grundlage der oben angeführten Aufsätze natürlich zu korrigieren. C. Lévi-Strauss (*L'art de déchiffrer*, cit.) hat Rooth kritisiert, weil sie die nordamerikanischen Fassungen (in denen Aschenputtel männlich ist) nicht miteinbezogen hat: doch soviel aus dem Schema hervorgeht, das er entworfen hat (*Anthropologie structurale*, cit., S. 250–51), enthalten sie das Thema des Schuhs nicht.

148 Vgl. R. Andree, *Scapulimantia*, in: *Boas Anniversary Volume*, New York 1906, S. 143–65; weiteres Material im Artikel »Spatulimantie« im *Handwörterbuch des deutschen Aberglaubens*, cit., VIII, Berlin u. Leipzig 1936–37, Sp. 125–40; und siehe auch R. Needham, Einleitung zu A. M. Hocart, *Kings and Councillors*, Chicago 1970 (1. Aufl. 1936), S. LXXIII f. Ein indirekter Hinweis auf die Bedeutung, die die Juden bei der Aufteilung des Opfermahls der Schulter beilegen, in *Gen.* 48, 22.

149 Vgl. Andree, *Scapulimantia*, cit.

150 Auf dieser Unterscheidung hat L. de Heusch, *Possession et chamanisme*, in: *Pourquoi l'épouser? et autres essais*, Paris 1971, S. 226–44, wirkungsvoll insistiert; später hat er sie erneut formuliert und dabei, nicht immer überzeugend, die Kontinuität zwischen beiden Phänomenen betont (*La folie des dieux et la raison des hommes*, in: *ebd.*, S. 245–85). Die größte Schwierigkeit stellt für den, der auf einen klaren Unterschied oder gar Gegensatz zwischen Schamanismus und Besessenheit erkennt, die (in der schamanistischen Sitzung auf die »kataleptische Trance« folgende) Phase der »dramatischen Trance« dar, in welcher der Schamane verschiedene Tiere verkörpert und seine Identität offenbar verliert, um eine andere anzunehmen (vgl. Lot-Falck, *Le chamanisme*, cit., S. 8; und siehe auch Eliade, *Shamanism*, cit., S. 85, 93, 99 etc.). Festzuhalten ist, daß bei den zuvor analysierten Phänomenen – Benandanti, *Táltos* etc. – die »dramatische Trance« völlig fehlt: daher ergibt sich eine Nähe zu Formen der Besessenheit erst gar nicht.

151 Zum Zusammenhang mit dem Schamanismus siehe Friedrich, *Knochen*, cit., S. 207 ff.; Nachtigall, *Die kulturhistorische*, cit.; K. Jettmar, *Megalithsystem und Jagdritual bei den Dard-Völkern*, in: »Tribus«, 9 (1960), S. 121–34; Gignoux, ›*Corps osseux*‹, cit. Vorsichtiger Eliade, *Shamanism*, cit., S. 160–65. Auch Meuli, *Die Baumbestattung*, cit., S. 1112–13, spricht in bezug auf Pelops von einem »typologischen Zusammenhang« mit dem Schamanismus.

152 Zu den lokalen Implikationen des Achill-Kultes auf der Insel Leuke vgl. bereits M. Rostovzev, *Skythen und der Bosporus*, I, Berlin 1931, S. 4 (der jedoch an die thrakische Kultur dachte).

153 Vgl. Burkert, *Homo Necans*, cit., S. 108–116.

154 Zur Verbreitung dieser Themen siehe die ausgezeichneten Aufsätze von L. Schmidt, *Pelops und die Haselhexe*, in: »Laos«, (1) 1951, S. 67 ff.; ders., *Der »Herr der Tiere«*, cit., S. 509–38. Allgemeiner gehalten ist der Hinweis von Burkert, *Homo Necans*, cit., S. 115.

155 Siehe oben, S. 228.

156 Auf den »merkwürdigen« Zusammenhang zwischen Pelops und dem ihm zu Ehren geschlachteten Widder weist Burkert, *Homo Necans*, cit., S. 115 ff. hin.

157 Zu Tantalos und Lykaon vgl. Burkert, *Homo Necans*, cit., S. 100 ff., der die Hypothese eines wechselseitigen Einflusses zwischen den beiden Mythen erwähnt (zu ihrer Verwandtschaft vgl. bereits H. D. Müller, *Mythologie der griechischen Stämme*, I, Göttingen 1857, S. 110 ff.). Zu den Opferkonnotationen der Anthropophagie Lykaons vgl. Detienne, *Dionysos*, cit., S. 211, Anm. 38.

158 Vgl. J.-P. Vernant, *À la table des hommes. Mythe de fondation du sacrifice chez Hésiode*, in Detienne u. Vernant, *La cuisine*, cit., S. 37–132.

159 Diese Forschungsrichtung wurde initiiert von A. Thomsen, *Der Trug des Prometheus*, cit. (Ausarbeitung eines 1907 in dänischer Sprache erschienenen Aufsatzes). Wichtige Weiterentwicklungen in Meulis Aufsatz *Griechische Opferbräuche*, in: *Gesammelte Schriften*, cit., S. 907–1021. Weitere Hinweise bei A. Seppilli, *Alla ricerca del senso perduto*, Palermo 1986, S. 61 ff. Fragwürdiger erscheint hingegen der von Meuli unternommene (und bei Burkert, *Homo Necans*, cit., nachhallende) Versuch, das Ritual des Knochensammelns in die Vorgeschichte zurückzuprojizieren: siehe weiter unten, Anm. 220. Für weitere Einwände gegen Meuli vgl. M. Detienne (oben, S. 25); P. Vidal-Naquet, *Chasse et sacrifice dans l'›Orestie‹ d'Eschyle*, in: *Mythe et tragédie*, cit., S. 137–38; G. S. Kirk, *Some Methodological Pitfalls in the Study of Ancient Greek Sacrifice (in Particular)*, in: *Le sacrifice dans l'antiquité*, hg. v. J. Rudhardt u. O. Reverdin, Genf 1980, S. 41 ff.

160 Vgl. Charachidzé, *Prométhée*, cit., S. 333 ff.

161 Vgl. M. N. Pogrebova, *Les Scythes en Transcaucasie*, in: »Dialogues d'histoire ancienne«, 10 (1984), S. 269–84.

162 G. Charachidzé kündigt einen – meines Wissens noch nicht erschienenen – Aufsatz an (*Prométhée*, cit., S. 335, Anm. 3), in welchem die Stelle der *Argonautika* des Apollonios Rhodios (IV, 463–81) im Licht georgischer Mythen und abchasischer Riten zum Thema der Zerstückelung gedeutet werden wird. (Die Interpretationsvorschläge von M. Delcourt, *Le partage du corps royal*, in: »Studi e materiali di storia delle religioni«, 34, 1963, S. 3–25, und H. S. Versnel, *A Note on the Maschalismos of Apsyrtos*, in: »Mnemosyne«, 26, 1973, S. 62–63, wirken nicht sehr überzeugend.) Eine Erörterung des Streites zwischen Prometheus und Zeus über die Einrichtung des Opfers (ein Thema, das im Buch von Charachidzé fast gar nicht auftaucht) scheint nicht vorgesehen. Zur Verbreitung der Legenden um Amirani vgl. *Prométhée*, cit., S. 14–16.

163 Vgl. Vernant, *À la table des hommes*, cit., S. 45; Anm.; und siehe bereits einen Hinweis bei J. Rudhardt, *Les mythes grecs relatifs à l'instauration du sacrifice: les rôles corrélatifs de Prométhée et de son fils Deucalion*, in: »Museum Helveticum«, 27 (1970), S. 5, Anm. 13.

164 Hesiod, *Theogonie*, V. 538–39 (übers. v. W. Marg, in: *Sämtliche Gedichte*, Zürich/Stuttgart 1970).

165 Herodot, *Historien* (übers. v. J. Feix, München 1963). Zu Herodot IV, 59–62, vgl. F. Hartog, *Le boeuf ›autocuiseur‹ et les boissons d'Arès*, in Detienne u. Vernant, *La cuisine*, cit., S. 251–69.

166 Vgl. K. Neumann, *Die Hellenen im Skythenlande*, I, Berlin 1855, S. 263–64, der eine lange Stelle aus der Mitte des 18. Jahrhunderts von J. G. Gmelin veröffentlichten Reisebericht zitiert. Die Bedeutung von Neumanns Buch erschöpft sich nicht in der These vom mongolischen Ursprung der Skythen, die man anneh-

men oder ablehnen kann (wie dies Dumézil, *Légendes*, cit., S. 161–62 implizit in bezug auf eine andere Stelle tut). Die von Neumann aufgezeigten kulturellen Zusammenhänge machen aus ihm einen Vorgänger von Meuli (der ihn offenbar kaum heranzog).

[167] Vgl. Hartog, *Le bœuf*, cit., S. 264.

[168] Bezüglich einiger kulinarischer Entsprechungen vgl. den Kommentar von M. L. West zur *Theogonie*, Oxford 1978, S. 319.

[169] Siehe hingegen Hartog, *Le bœuf*, cit., S. 262–63: »Sans doute Prométhée recouvre-t-il les chairs et les entrailles lourdes de graisse du ventre du bœuf, mais il s'agit d'une action de tromperie: donner à la part en fait la meilleure un aspect immangeable . . . .« Auf derselben interpretatorischen Linie, doch etwas vorsichtiger, bewegt sich auch Vernant: »Décrivant les modalités du sacrifice chez les Scythes, Hérodote nous apporte des informations qui, encore peut-être que sur les mœurs de ce peuple, nous éclairent sur l'imaginaire grec concernant la *gastér* . . .« (*ebd.*, S. 93).

[170] In all diesem folge ich der Einleitung von J.-P. Vernant zu M. Detienne, *Les jardins d'Adonis*, Paris 1972, jetzt in: *Mythos und Gesellschaft*, cit., S. 132–169, insbes. S. 163–66.

[171] Zu all dem vgl. M. L. West, *The Orphic Poems*, Oxford 1973, S. 1–26.

[172] Vgl. Jeanmaire, *Dionysos*, cit., S. 372–90; M. Detienne, *Dionysos orphique et le bouilli rôti*, in: *Dionysos*, cit., S. 161–217; West, *The Orphic poems*, cit., S. 140–75, wo unter anderem behauptet wird (S. 164–66), das Thema der Herkunft des Menschengeschlechts von den mordenden Titanen stelle eine späte neoplatonische Zugabe dar. Detienne, *Dionysos*, cit., S. 189 ff. zufolge ist es vielmehr integraler Bestandteil des orphischen Mythos.

[173] Vgl. die von A.-F. Laurens, *L'enfant entre l'épée et le chaudron. Contribution à une lecture iconographique*, in: »Dialogues d'histoire ancienne«, 10 (1984), S. 203–52, insbes. S. 228 ff. vorgelegten Zeugnisse.

[174] Vgl. Jeanmaire, *Dionysos*, cit., S. 387 ff., der auch Demophon und Achill erwähnt. Zu Pelias als Verdopplung von Pelops vgl. Gruppe, *Griechische Mythologie*, cit., I, S. 145. Zum Vergleich zwischen Pelops und dem Kind Dionysos vgl. Gernet, *Anthropologie*, cit., S. 75–76.

[175] An diesem Punkt macht sich die Interpretation von Detienne, *Le Dionysos orphique*, cit., fest (vgl. insbes. S. 182–83). Zur Frage im allgemeinen siehe auch Burkert, *Homo Necans*, cit., S. 104, Anm. 29.

[176] Die letztgenannte Version, die durch Philodemos von Gadara und Diodor überliefert ist, hat M. Detienne (*Le Dionysos orphique*, cit., S. 191) bewußt vernachlässigt. Siehe jedoch Jeanmaire, *Dionysos*, cit., S. 382–83.

[177] Nebenbei kann man daran erinnern, daß O. Rudbeck (zu ihm siehe oben, S. 222, Anm. 48) die Auferwekkung des Ziegenbocks durch Thor und jene des Dionysos durch Demeter in einer Auflistung von hyperboreischen Mythen, wie sie bei anderen Völkern verbreitet waren, nebeneinander stellte: vgl. *Atlantica*, cit., II, S. 30.

[178] Vgl. Jeanmaire, *Dionysos*, cit., S. 88–90; Hartog, *Le miroir*, cit., S. 81 ff.

[179] Vgl. West, *The Orphic Poems*, cit., S. 17–19; ders., *The Orphics of Olbia*, in: »Zeitschrift für Papyrologie und Epigraphik«, 45 (1982), S. 17–29, der drei Täfelchen analysiert. Auf der Vorderseite des ersten (des oben

besprochenen) ist zu lesen: »*bios – thanatos – bios – alētheia – A* – (zwei Zeichen in Zickzackform) – *Dionisos – orphikoi*«; auf S. 21–22 wird die Lesart der letzten beiden Buchstaben des Wortes *orphikoi* gerechtfertigt. Auf der Vorderseite des zweiten: »*eirēnē – polemos – alētheia – pseudos – Dio(nisos)* – (ein Zeichen in Zickzackform) – *A*« (Frieden – Krieg – Wahrheit – Trug – Dionysos – A). Auf der Vorderseite des dritten: »*Dio(nisos) – alētheia – (. . .)ia – psychē – A*« (Dionysos – Wahrheit – ? – Seele – A). West weist darauf hin, daß der Schreiber des ersten Täfelchens sich bemühte, die drei Begriffe *bios – thanatos – bios* in dieselbe Zeile zu schreiben, ohne eine neuen Absatz zu beginnen, offensichtlich um zu betonen, daß es sich um eine einzige Sequenz handelte. Die Beziehung zwischen dieser Dreiersequenz und den Gegensatzpaaren des zweiten Täfelchens ist unklar.

[180] Vgl. Detienne, *Le Dionysos orphique*, cit., S. 173 u. 210–11, Anm. 35.

[181] Konträrer Ansicht ist Detienne (*ebd.*, S. 183–84).

[182] Plutarch, *De esu carnium*, I, 996.

[183] Vgl. West, *The Orphic Poems*, cit., S. 143–50. Diese Interpretationsrichtung hatte Jeanmaire, *Dionysos*, cit., eingeschlagen: siehe die Rezension von Gernet, *Anthropologie*, cit., S. 89, in der die Präsenz von schamanistischen Elementen in der Figur des Dionysos hervorgehoben wird.

[184] Vgl. Dumézil, *Romans de Scythie*, cit., S. 352–359.

[185] Zu dieser Unterscheidung siehe, neben den oben (Anm. 150) angeführten Aufsätzen von L. de Heusch, spezieller Dodds, *Die Griechen*, cit., S. 76 u. 192, Anm.; Couliano, *Esperienze*, cit., S. 15–17; H. Jeanmaire erahnt die Bedeutung der Weigerung der Untertanen des Skyles (*Dionysos*, cit., S. 99), vertieft das Problem des skythischen Schamanismus aber nicht. Auch die Seiten von F. Hartog über die Skyles-Episode (*Le miroir*, cit., S. 82–102) werden durch die unterbliebene Diskussion der von Meuli gelieferten (siehe oben, S. 218, Anm. 4) Interpretation Herodots, IV, 73–75, beeinträchtigt.

[186] Siehe oben, S. 208.

[187] Soweit mir bekannt ist, war der erste, der Orpheus' Reise in die Unterwelt und die Ekstase der (in diesem Fall lappischen) Schamanen einander annäherte, Rudbeck: vgl. *Atlantica*, cit., III, S. 434.

[188] Vgl. Burkert, *Greek Religion*, cit., S. 296, der von »Revolution« spricht.

[189] Ich entwickle hier einen Hinweis, der in einer schönen Ausführung von L. Gernet (*Anthropologie*, cit., S. 68–69) enthalten ist. Für einen Überblick vgl. Burkert, *Greek Religion*, cit., S. 290 ff. Immer noch wertvoll Dodds, *Die Griechen und das Irrationale*, cit.

[190] Vgl. oben, S. 239.

[191] Zu all diesem vgl. Charachidzé, *Prométhée*, cit., S. 238–40.

[192] *Ebd.*, S. 249 ff.

[193] *Ebd.*, S. 260 u. 268–69. Aber siehe auch den ossetischen Helden Soslan (oben, S. 243–44).

[194] *Ebd.*, S. 251–52.

[195] Vgl. *Ventisette fiabe raccolte nel Mantovano*, hg. v. G. Barozzi, Mailand 1976, S. 466–73 (Erzählerin: Alda Pezzini Ottoni, die auf S. 463–65 ihre Lebensgeschichte berichtet). Ich danke Maurizio Bertolotti, der mich auf das Märchen von *Sbadilon* in diesem schönen Band aufmerksam gemacht hat.

[196] *Ebd.*, S. 473 (ich habe einen sachlichen Fehler in der Transkription verbessert).

[197] *Ebd.*, S. 469; und siehe G. Barozzi, *Esperienze di un ricercatore di fiabe*, in: *ebd.*, S. 22 (der eine geringfügig andere Transkription heranzieht).

[198] Es besteht jedoch noch eine andere Möglichkeit. Einer (russischen oder wogulisch-ostjakischen) Legende zufolge füttert der Bären-Held den Adler, der ihn auf seinen Schwingen trägt, mit einem Stück Fleisch, das er sich, als die Vorräte erschöpft sind, aus der Wade herausschneidet: vgl. W. Bogaras, *Le mythe de l'Animal – Dieux, mourant et ressuscitant*, in: *Atti del XXII congresso internazionale degli americanisti*, Rom 1928, S. 35 ff., insbes. S. 38, wo leider keine näheren geographischen Angaben gemacht werden. (Auf diese kleine, aber auffällige Bestätigung der kulturellen eurasischen Einheit hat mich, einmal mehr, Maurizio Bertolotti hingewiesen.)

[199] Vgl. Charachidzé, *Prométhée*, cit., insbes. die Zusammenfassung auf S. 287; im kaukasischen Zyklus findet man sehr oft keinen Adler, sondern einen geflügelten Hund. Man kann feststellen, daß die Heldentaten von Sbadilon wie die des Amirani ausschließlich auf körperlicher Stärke beruhen. Prometheus, »der Vorausschauende«, hat ganz andere Charakteristika.

[200] *Ebd.*, S. 33–34 (wo die initiatorische Note der Episode zu Recht hervorgehoben wird). Auch Ambri, der Riese, der weder tot noch lebendig ist, hat ein lahmes Bein (S. 50 ff.).

[201] *Ebd.*, S. 46–47.

[202] Hier wird ein tiefer mythischer Zug berührt (der dem Isomorphismus zwischen den beiden Scharen, die in den ekstatischen Schlachten um Fruchtbarkeit kämpfen, zur Seite zu stellen ist: siehe oben, S. 265–66).

[203] So hingegen Charachidzé, *Prométhée*, cit., S. 269. Die Geh-Asymmetrie des Prometheus wurde erahnt (doch in mehr als fragwürdiger Weise begründet) von C. A. P. Ruck, *Mushrooms and Philosophers*, in R. G. Wasson u. a., *Persephone's Quest*, New Haven u. London 1986, S. 151–77, auf Grund von Aristophanes, *Die Vögel*, 1553–64. Auf S. 174 werden die schamanistischen Charakteristika der Lahmheit im griechischen Bereich ausgemacht.

[204] Man hat angenommen, daß diese letzte Hypothese der politisch-ideologischen Atmosphäre der 40–50er Jahre, in denen sie formuliert wurde, nicht fremd war. Die erste Hypothese deutet auch S. Piggott in der Einleitung zu E. D. Philipps, *The Royal Hordes. Nomad Peoples of the Steppes*, London 1965, an, indem er an die Hirtenelemente in den ältesten keltischen Sagen erinnert.

[205] Zur Baba-Jaga vgl. Propp, *Le radici storiche*, cit., S. 323–29. Die anderen Figuren verschmolzen in der Volkstradition miteinander: vgl. J. Lebeuf, *Conjecture sur la Reine Pedauque*, in: *Histoire de l'Académie Royale des Inscriptions et Belles-Lettres*, XXIII (1756), S. 227–35; K. Simrock, *Bertha die Spinnerin*, Frankfurt a. M. 1853; W. Hertz, *Die Rätsel der Königin von Saba*, in: »Zeitschrift für deutsches Alterthum«, XXVII (1883), S. 1–33, insbes. S. 23–24; allgemein A. Chastel, *La légende de la reine de Saba*, mit Ergänzungen wieder abgedruckt in: *Fables, formes, figures*, Paris 1978, I, S. 53 ff. (der treffende Hinweis auf Oidipus findet sich auf S. 79). Zur Beständigkeit des Themas im folkloristischen Bereich vgl. C. u. D. Abry, *Des Parques aux fées et autres êtres sauvages ...*, in: »Le monde alpin et rhodanien«, 10 (1982), S. 258. Man beachte, daß in den französischen mittelalterlichen Texten *Berthe aux grands pieds* (die die mit der Mutter Karls des Großen gleichgesetzt wird) zwei mißgestaltete Füße hat: in den *Reali di Francia* (V, 1) nur einen. Dieses letztgenannte Detail stammt aus einer unbekannten, der Volkstradition sicher näheren Quelle (so P. Rajna, *Ricerche intorno ai Reali di Francia*, Bologna 1872, S. 238–39, der die Annäherung Berthe-Perchta jedoch zu Unrecht in Zweifel zieht). Siehe auch den Artikel »Fuß« im *Handwörterbuch des deutschen Aberglaubens*, III, Berlin u. Leipzig 1930–31, Sp. 225–26.

[206] Vgl. J. Haekel, *Idolkult und Dualsystem bei den Ugriern (zum Problem des eurasiatischen Totemismus)*, in: »Archiv für Völkerkunde«, I (1946), 95–163, insbes. S. 123 ff., zitiert zum Teil auch bei A. Alföldi, *Die Struktur*, cit., S. 146–47, zusammen mit einem Aufsatz von B. Munkácsi (den ich nicht gesehen habe).

[207] Vgl. Alföldi, *Die Struktur*, cit., S. 141–46; und siehe bereits den Kommentar von J. G. Frazer zu den *Fasten*, London 1929, II, S. 365. Siehe ferner J. Hubaux, *Comment Furius Camillus s'empara de Véius*, in: »*Académie Royale de Belgique. Bulletin de la classe de lettres etc.*«, F. 5, 38 (1952), S. 610–22; und ders., *Rome et Véies*, Paris 1958, S. 221 ff.; insbes. S. 279 ff.

[208] Als erster hat sie A. Alföldi (*Die Struktur*, cit., S. 141–46) nebeneinander gestellt. In diesem außergewöhnlichen (K. Meuli und M. Rostovzev gewidmeten) Buch arbeitet Alföldi Forschungen aus oder stellt sie häufiger noch gegeneinander, die er im Zeitraum von fünfzig Jahren durchgeführt hat. Sehr eindringliche Anregungen vermischen sich mit veralteten und untragbaren Ideen (so etwa jener vom Zusammenhang zwischen dreigeteilter Ideologie und matriarchalischen Gesellschaften, zweigeteilter Ideologie und patriarchalischen Gesellschaften). Siehe die sehr strenge Rezension von A. Momigliano, der eine vorläufige Niederschrift hingegen als »glänzende Studie« bezeichnet hatte (vgl. *Sesto contributo alla storia degli studi classici e del mondo antico*, Rom 1980, II, S. 682–85, über *Die Struktur*; *Quarto contributo ...*, Rom 1969, S. 629–31, über A. Alföldi, *Die trojanischen Urahnen der Römer*, Basel 1957).

[209] Alföldi, *Die Struktur*, cit., S. 146, spricht ein bißchen vage von »institutionellen Analogien«, die aus dem Vergleich zwischen den beiden Mythen ersichtlich würden: es handelt sich offensichtlich um eine Anspielung auf das Thema der Doppelmonarchie (S. 151–62). Später dann erkennt er in der indoiranischen Welt einen möglichen Berührungspunkt zwischen den eurasischen Steppen und dem Mittelmeerraum (S. 161), während er von den Skythen so gut wie gar nicht spricht; öfter beschwört er implizit die Hypothese einer gemeinsamen Entstehung, die die Ähnlichkeiten zwischen Gesellschaften Zentralasiens und antiker römischer Gesellschaft erklären soll. Diese Hypothese scheint sich implizit auf die ebenfalls hypothetischen Wanderungen zu berufen, die vor dem 1. Jahrtausend v. Chr. von Osten nach Westen stattgefunden haben sollen (vgl. oben, S. 218–19, Anm. 6). Festzuhalten ist, daß Alföldi, obwohl er generisch auf *Das Rohe und das Gekochte* von Lévi-Strauss verweist, die Diskussionen der Ethnologen über die dualistischen Systeme nicht zu kennen scheint. Siehe die kritischen Bemerkungen von J. Poucet, *Un héritage eurasien dans la Rome préétrusque?*, in: »L'Antiquité classique«, 44 (1975), S. 645–51, und von R. Werner, in: »Gymnasium«, 83 (1976), S. 228–38.

[210] Zum verallgemeinerten Tausch vgl. C. Lévi-Strauss, *Les structures élémentaires de la parenté*, Paris 1949,

S. 486–87 u. *passim*; zum Gegensatz »Knochen« und »Fleisch«, den man in Indien, Tibet, China, in der Mongolei und Sibirien antrifft, vgl. S. 459–502. Man hat angenommen, daß es zwischen diesen Ländern früher starke kulturelle Verbindungen gegeben haben muß (*ebd.*, S. 462–63). Möglicherweise dehnten sich diese sehr viel weiter nach Westen aus, da man auch bei den Osseten zwischen Verwandtschaften »desselben Knochens« (*ju staeg*) und solchen »desselben Blutes« (*ju tug*) unterscheidet: vgl. Vernadsky, *The Eurasian Nomads*, cit., S. 405, der die Bedeutung dieser Begriffe jedoch nicht erklärt. Man kann daran erinnern, daß auch eine Praktik wie die Skapulimantie, die den Knochen eine präzise kulturelle Bedeutung zuweist, in Zentralasien besonders verbreitet ist (siehe oben, Anm. 148). Vielleicht ist das Schlagwort von R. Needham: »if scapulimancy, why not prescriptive alliance?«, das auch im zweiten Fall eine historische Verbreitung vermutet (Einleitung zu A. M. Hocart, *Kings*, cit., S. LXXXV), weniger paradox, als es scheint.

211   Zum Fehlen der Exogamie in Latium siehe, entgegen der von Alföldi vorgebrachten Meinung, Momigliano, *Sesto contributo*, cit., S. 684.

212   Vgl. Lévi-Strauss, *Les structures*, cit., S. 87–88, den ich fast wörtlich wieder aufgreife.

213   Vgl. Needham, Einleitung zu Hocart, *Kings*, cit., S. LXXXIV–LXXXVIII. Die strukturale These wurde mit exemplarischer Klarheit von Hocart formuliert (S. 262–89).

214   Hier paraphrasiere ich eine sehr dichte Seite von C. Lévi-Strauss (*Les structures*, cit., S. 175), die sich gedrängt mit Frazer auseinandersetzt, gegen den Strich. Die Schlußfolgerung hallt in einem sehr viel jüngeren Text nach (*L'homme nu*, cit., S. 539–40). Man beachte, daß Hocart bereits betont hatte, daß die Interaktion die soziale Dichotomie erklärt, nicht umgekehrt (*Kings* cit., S. 289–90). In *Paroles données*, cit., hat Lévi-Strauss die Diskussion über die dualistischen Systeme zusammengefaßt (S. 262–67) und auf das »bereits strukturalistische Denken Hocarts« hingewiesen (S. 263).

215   Zum Vorigen siehe den wunderschönen Aufsatz von K. Pomian, *Collezione*, in: *Enciclopedia Einaudi*, 3, Turin 1978, S. 330–64.

216   Vgl. J. Piaget, *La construction du réel chez l'enfant*, Neuchâtel 1950, S. 36 ff.; ders., *La formation du symbole chez l'enfant*, Neuchâtel 1945. Eine mögliche Konvergenz zwischen diesen Ergebnissen und der psychoanalytischen Perspektive geht, wenn ich nicht irre, aus den überaus dichten Seiten von Freud mit dem Titel *Die Verneinung* (1925) hervor, wo unter anderem zu lesen ist: »Das ursprüngliche Lust-Ich will (…) alles Gute sich introjizieren, alles Schlechte von sich werfen. Das Schlechte, das dem Ich Fremde, das Außenbefindliche, ist ihm zunächst identisch. (…) Man erkennt (…) als Bedingung für die Einsetzung der Realitätsprüfung, daß Objekte verloren gegangen sind, die einst reale Befriedigung gebracht hatten« (in: *Gesammelte Werke*, cit., XIV, S. 9–15). Zu diesem Text siehe J. Hyppolite, *Gesprochener Kommentar über die ›Verneinung‹ von Freud*, in: J. Lacan, *Schriften* 3, dt. Übers., Olten 1980, S. 191–200.

217   Das Kind war ein Enkel Freuds: vgl. *Jenseits des Lustprinzips*, in: *Gesammelte Werke*, cit., XIII, S. 11–15, wo die Episode zur Veranschaulichung des Zwangs zur Wiederholung unangenehmer Situationen angeführt

wird. Daß es aus einem »Bemächtigungstrieb« heraus, »der sich davon unabhängig macht, ob die Erinnerung an sich lustvoll war oder nicht«, zur Geste kam, war Freud zufolge eine weniger wahrscheinliche Hypothese. E. De Martino entwickelte sie weiter, indem er implizit eine erneute Lektüre des Begriffs des »Präsenzverlusts« vorschlug, den er in *Il mondo magico* formuliert hatte (vgl. *Furore simbolo valore*, Mailand 1962, S. 20–22).

218   Die von Pomian vorgeschlagene Unterscheidung zwischen *Dingen* und *Zeichenträgern* ist auf begrifflicher Ebene sicherlich gültig, schließt die Existenz von dazwischen liegenden Fällen allerdings nicht aus: vor allem in einer Phase der Hervorbringung von Objekten, die nur den Zweck der Bedeutung haben.

219   [J. Potocki], *Essai sur l'histoire universelle et recherches sur celle de la Sarmatie*, Warschau 1789, S. 89: »ainsi le pilote qui sonde à des grandes profondeurs et voit sa corde filer jusqu'à la dernière brasse, n'en conclut point qu'il a trouvé le fond, mais qu'il ne doit point espérer de l'atteindre«.

220   Die Vorsicht von A. Leroi-Gourhan, *Les religions de la préhistoire*, Paris 1976, S. 15 ff. hallt auf einer speziellercn Ebene bei L. R. Binford, *Bones. Ancient Men and Modern Myths*, New York 1981, S. 35 ff. nach (über die Schwierigkeit, den menschlichen Eingriff an den Haufen zersplitterter Tierknochen aus dem Paläolithikum nachzuweisen). Allgemein siehe H.-G. Bandi, *Zur Frage eines Bären- oder Opferkultes im ausgehenden Paläolithikum der alpinen Zonen*, in: *Helvetia Antiqua (Festschrift Emil Vogt)*, Zürich 1966, S. 1–8.

221   »Die Tiere kamen aus dem Land hinter dem Horizont. Sie gehörten *dorthin* und auch *hierher*. Sie waren ebenso sterblich wie unsterblich. Das Blut eines Tieres floß wie Menschenblut, aber seine Gattung starb nicht aus, jeder Löwe war LÖWE und jeder Ochse war OCHSE. Dies – vielleicht der erste existentielle Dualismus – spiegelte sich im Umgang mit den Tieren. Sie wurden unterworfen *und* verehrt, gezüchtet *und* geopfert.« (J. Berger, *Das Leben der Bilder oder die Kunst des Sehens*, dt. Übers., Berlin 1980, S. 10; es folgt eine Stelle über die Ambivalenz der Bauern ihren Tieren gegenüber).

222   Vgl. Lévi-Strauss, *Le Père Noël supplicié*, cit.; und siehe oben, S. 199, Anm. 11.

223   Siehe oben, S. 198.

224   Vgl. G. Dumézil, *La religion romaine*, cit., S. 257 ff. Unhaltbar die Interpretation von R. Schilling, *Romulus l'élu et Rémus le réprouvé*, in: »Revue des études latines«, 38 (1960), S. 182–99, der zufolge das Verhalten des Remus ein Sakrileg darstellen soll, das ihn Ovids Absicht nach in ein schlechtes Licht rücke und damit seine Ermordung rechtfertige.

225   Vgl. L. Delaby, *Mourir pour vivre avec les ours*, in: *L'Ours, l'Autre de l'homme*, »Études mongoles«, 11 (1980), S. 17–45, insbes. S. 28 ff.

226   Vgl. die Bemerkungen von Propp, *Le radici storiche*, cit., S. 11 ff. u. 120 ff. Weiteres Material bietet, in einer Perspektive der vergleichenden Religionsgeschichte, Gallini, *Animali e aldilà*, cit.

227   Vgl. M. Marconi, *Usi funerari nella Colchide Circea*, in: »Rendiconti del R. Istituto Lombardo di scienze e lettere«, LXXXVI (1942–43), S. 309 ff. Zur angeführten Bibliographie hinzuzufügen ist J. Jankó, in: E. de Zichy, *Voyages au Caucase et en Asie centrale*, Budapest 1897, I, S. 72–73, über den Brauch der Osseten, die in

Ochsen- oder Büffelhäuten eingenähten toten Männer aufzuhängen. Zu den Jakuten vgl. J.-P. Roux, *La mort chez les peuples altaïques anciens et médiévaux*, Paris 1963, S. 138. In seiner Diskussion mit V. I. Abaev (vgl. Anm. 229) kommentiert G. Dumézil auch die Stelle bei Apollonios Rhodios, ohne jedoch diesen Studien Rechnung zu tragen (*Romans de Scythie*, cit., S. 280).

228 Vgl. H. Nachtigall, *Die erhöhte Bestattung in Nord- und Hochasien*, »Anthropos«, 48 (1953), S. 44–70; siehe auch Propp, *Le radici storiche*, cit., S. 363–69; Meuli, *Die Baumbestattung*, cit.; Roux, *La mort*, cit., S. 137 ff. Eine Präsentation der afrikanischen Daten bei P. M. Küsters, *Das Grab der Afrikaner*, in: »Anthropos«, 16–17 (1921–22), S. 927–33.

229 Vgl. V. I. Abaev, *Le cheval de Troie. Parallèles Caucasiens*, in: »Annales E. S. C.«, 18 (1963), S. 1041 ff., der das schamanistische Element betont; Dumézil, *Romans de Scythie*, cit., S. 275–82, der es abstreitet. (Eine neue Stellungnahme von Dumézil, *Encore la peau de bœuf*, in: *La Courtisane*, cit., S. 139–46, berührt einen nebensächlichen Punkt). Das auf der Knochensammlung basierende Auferstehungsritual, das beide Gelehrte außer acht lassen, gibt einerseits Abaev vollauf recht und hebt andererseits die Bedeutung der von Dumézil erwähnten Stelle bei Apollonios Rhodios (III, 200–09) hervor. Generischer ist Abaevs Berufung auf die Tierverkleidungen der eurasischen Jäger (zu ihrer Verbreitung jenseits der Bering-Straße seit dem Paläolithikum vgl. B. Anell, *Animal Hunting Disguises among the North American Indians*, in: *Lapponica*, hg. v. A. Furumark u. a., Lund 1964, S. 1–34). Daß der von Apollonios beschriebene Brauch auf die Auferstehung des Verstorbenen abzielte, hatte bereits S. Ferri, *Kirke I Kirke II Kirke III. Mitologia lessicale o psicologia ›medievale‹?*, in: *Letteratura comparate, problemi e metodo. Studi in onore di Ettore Paratore*, I, Bologna 1981, S. 57–66, insbes. S. 60 hervorgehoben; siehe auch ders., *Problemi e documenti archeologici II (XI). Stele daunie – Una nuova figurazione di Erinni*, in: »Accademia dei Lincei. Rendiconti della classe di scienze morali«, F. VIII, XXVI (1971), Heft 5–6; S. 341 ff.

230 Vgl. J. Hnefill Aoalsteinsson, *Under the Cloak. The Acceptance of Christianity in Iceland …*, Uppsala 1978, S. 80–123 (nur die zweite Version der *Islendigabók* ist erhalten geblieben). Die bei J. Lindow (»Ethnologia Scandinavica«, 1979, S. 178–79) diskutierte Hypothese, der zufolge die Meditation unter dem Umhang nichts anderes als eine Inszenierung gewesen sei, ist schwer zu überprüfen; in jedem Fall wird die oben dargelegte Interpretation dadurch nicht berührt.

231 Vgl. H. R. Ellis (später Ellis Davidson), *The Road to Hel*, Cambridge 1943, S. 126; P. Buchholz, *Schamanistische Züge in der altisländischen Überlieferung*, Bamberg 1968; H. R. Ellis Davidson, *Hostile Magic in the Icelandic Sagas*, in: *The Witch Figure*, hg. v. V. Newall, London 1973, S. 20–41.

232 Vgl. Ellis Davidson, *Hostile Magic*, cit., S. 32; D. Strömbäck, *The Concept of the Soul in the Nordic Tradition*, in: »Arv«, 31 (1975), S. 5–22, der auf seine grundlegende Studie *Sejd* (1935) verweist; Hnefill Aoalsteinsson, *Under the Cloak*, cit., S. 119–21.

233 Siehe oben, S. 173–74.

234 Vgl. Ellis Davidson, *Hostile Magic*, cit., S. 37, wo auf E. Holtved, *Eskimo Shamanism*, in: *Studies in Shamanism*, cit., S. 26 hingewiesen wird.

235 Vgl. R. Hakluyt, *The Principal Navigations, Voyages,*

Traffiques and Discoveries of the English Nation …, I, London 1599, S. 283–85. Die von T. Lehtisalo (*Entwurf einer Mythologie*, cit., S. 157–58) aufgezeigte Stelle wird kommentiert bei J. Balázs, *Über die Ekstase des ungarischen Schamanen*, in: *Glaubenswelt*, cit., S. 70 ff.

236 Vgl. M. Bartels, *Isländischer Brauch und Volksglaube in Bezug auf die Nachkommenschaft*, in: »Zeitschrift für Ethnologie«, 32 (1900), S. 70–71.

237 Vgl. Boyer, *Le monde*, cit., S. 39 ff. Noch nützlich sind M. Rieger, *Über den nordischen Fylgienglauben*, in: »Zeitschrift für deutsches Altertum und deutsche Literatur«, 42 (1898), S. 277–90; W. Henzen, *Über die Träume in der altnordischen Sagalitteratur*, Leipzig 1890, S. 34 ff. Weitere Bibliographie bei E. Mundal, *Fylgjemotiva i norrøn litteratur*, Oslo 1974. Über die Sagen allgemein siehe die nützliche Übersicht von J. L. Byock, *Saga Form, Oral Prehistory, and the Icelandic Social Context*, in: »New Literary History«, XVI (1984), S. 153–73. Auf die *fylgia* als historischer Vorläufer des »zweiten Gesichts« weist W.-E. Peuckert, *Der zweite Leib*, in: »Niederdeutsche Zeitschrift für Volkskunde«, 16 (1938) S. 174–97 hin, der die ausschließlich psychologische Perspektive von K. Schmeing kritisiert: von diesem siehe ›Zweites Gesicht‹ und ›Zweiter Leib‹, ebd., 19 (1941), S. 85–87. (*Das Zweite Gesicht in Niederdeutschland*, Leipzig 1937, habe ich hingegen nicht gesehen.).

238 Vgl. Belmont, *Les signes*, cit., S. 52 ff., und G. Chiesa Isnardi, *Il lupo mannaro come superuomo*, in: *Il superuomo*, hg. v. E. Zolla, III, Florenz 1973, S. 33 ff., die von de Vries, *Altgermanische Religionsgeschichte*, cit., S. 222 ff. abhängen (aber siehe bereits E. Mogk, *Germanische Mythologie*, Leipzig 1907, S. 42–43). Siehe jetzt Boyer, *Le monde*, cit., S. 39 ff.

239 Vgl. Güntert, *über altisländische*, cit.; Dumézil, *Heur et malheur du guerrier*, cit.

240 Vgl. Lehtisalo, *Entwurf*, cit., S. 114. Auch bei den Cuna von Panama sind die *nele* (Seher) diejenigen, die mit dem Hemd (*kurkin*, »Haube«) geboren werden: vgl. C. Severi, *The invisible path. Ritual Representation of Suffering in Cuna Traditional Thought*, in: »RES, Anthropology and Aesthetics«, 14 (Herbst 1987), S. 71.

241 Vgl. C.-H. Tillhagen, *The Conception of the Nightmare in Sweden*, in: *Humaniora. Essays in Literature-Folklore-Bibliography Honoring Archer Taylor on His Seventieth Birthday*, hg. v. W. D. Hand u. G. O. Arlt, Locust Valley (N. Y.) 1960, S. 316–29; siehe auch Jakobson – Szeftel, *The Vseslav Epos*, cit., S. 61, Anm. 30.

242 Die Stelle wird am Anfang des Buches von N. Belmont (*Les signes*, cit., S. 19) zitiert, wo auf diesen Punkt jedoch nicht eingegangen wird. Einen Hinweis auf die Analogie zwischen Windeln und Bahrtuch findet sich bei W. Deonna, *Les thèmes symboliques de la légende de Pero et de Micon*, in: »Latomus«, 15 (1956), S. 495.

243 Vgl. S. Reinach, *Le voile de l'oblation*, in: *Cultes, mythes*, cit., I, S. 298 ff. Und siehe im allgemeinen H. Freier, *Caput velare*, Tübingen 1963.

244 Vgl. J. Heurgon, *Le ›Ver sacrum‹ romain de 217*, in: »Latomus«, 15 (1956), S. 137–58. »Perductos in adultam aetatem velabant atque ita extra fines suos exigebant«, ist an einer Stelle von Verrius Flaccus zu lesen, die Festus mitteilt: vgl. Ferri, *Kirke I*, cit., S. 59 (aber der Hinweis auf den Orphismus wirkt nicht stichhaltig).

245 Vgl. Bartels, *Isländischer Brauch*, cit., S. 70–71; J. Hoops, *Das Verhüllen des Hauptes bei Toten, ein angelsäch-*

sisch-nordischer Brauch, in: »Englische Studien«, 54 (1920), S. 19–23.

[246] Vgl. Delcourt, *Héphaistos*, cit., S. 128–29, der einen Hinweis von H. Güntert, *Der arische Weltkönig und Heiland* (den ich nicht gesehen habe) weiterentwickelt. Zu *pilleus, galerus* etc. und ihren Implikationen vgl. K. Meuli, *Altrömischer Maskenbrauch*, in: *Gesammelte Schriften*, cit., II, S. 268–70. Einen Hinweis auf die Bedeutung dieser Themen im Zusammenhang der Glückshaubengeburt bei Belmont, *Les signes*, cit., S. 195. Umstritten ist der Fall des Telesphoros, der kleinen Figur mit Mütze vielleicht keltischen Ursprungs, die oft neben Asklepios dargestellt wird: zu den verschiedenen Interpretationen (phallischer oder Todesdämon, den Schlaf beschützender Genius) vgl. W. Deonna, *De Télesphore au ›moine bourru‹. Dieux, génies et démons encapuchonnés*, Brüssel 1955.

[247] Vgl. *Die Benandanti*, cit., S. 197.

[248] »Diesseitig bin ich gar nicht faßbar. Denn ich wohne grad so gut bei den Toten, wie bei den Ungeborenen«, ist auf dem Grab von Paul Klee zu lesen (es handelt sich um eine Stelle aus seinen *Tagebüchern*): vgl. F. Klee, *Paul Klee – Leben und Werk in Dokumenten ...*, Zürich 1960, S. 164. Auf das Jenseits als »Reich der Toten und der Embryonen« weist G. Lüling (*Die Wiederentdeckung des Propheten Muhammad*, Erlangen 1981, S. 297 ff.) hin, der bei der Analyse der symbolischen Bedeutung des Mantels von Mohammed, der auch mit dem Amnion verglichen wird, auf verschiedenen Pfaden zu ähnlichen Schlüssen wie den hier formulierten gelangt. (Für den Hinweis auf diese Seiten möchte ich D. Metzler herzlich danken.) Ein Vergleich mit der schamanistischen Ekstase wird explizit bei J. R. Porter, *Muhammad's Journey to Heaven*, in: »Numen«, XXI (1974), S. 64–80 vorgeschlagen.

[249] Vgl. Güntert, *Kalypso*, cit. (ein sehr gelehrtes und hochintelligentes Buch).

[250] Vgl. Saxo Grammaticus, *Gesta Danorum*, hg. v. J. Olrik u. H. Raeder, I, Hauniae 1931, S. 30 (I, 8, 14); zur möglichen Herleitung dieser Stelle von norwegischen oder isländischen Modellen: *ebd.*, S. XXIV–XXV (und siehe bereits den Kommentar von P. E. Müller, Hauniae 1858, S. 65–66). Die Präsenz, neben Reminiszenzen lateinischer Autoren (von Vergil bis Martianus Capella), Odinscher Themen in der Beschreibung des Jenseits betont P. Herrmann, *Die Heldensagen des Saxo Grammaticus*, II, Leipzig 1922, S. 102–03; in derselben Richtung siehe Dumézil, *Du mythe au roman*, cit., S. 107, Anm. 1. Die schamanistischen Implikationen der Unterweltsreise des Hadingus erkannte A. Closs, *Die Religion des Semnonenstammes*, in: »Wiener Beiträge zur Kulturgeschichte und Linguistik«, IV (1936), S. 667.

[251] Vgl. Saxo Grammaticus, *Gesta Danorum*, cit., I, 37; und siehe Riemschneider, *Miti pagani ...*, cit., S. 47 (doch die Gesamtinterpretation ist unhaltbar!).

[252] Vgl. Balázs, *Über die Ekstase*, cit., S. 56 ff.; Viski, *Volksbrauch der Ungarn*, cit., S. 15 ff. Zur Möglichkeit, in diesem Bereich auf eine prä-indogermanische Schicht zu schließen, siehe allgemein Güntert, *Kalypso*, cit., S. 44–54.

[253] Vgl. Meuli, *Altrömischer Maskenbrauch*, cit., S. 268 (und allgemein *Die deutschen Masken*, in: *Gesammelte Schriften*, cit., I, S. 69 ff.; und *Schweizer Masken und Maskenbräuche*, I, S. 177 ff.); F. Altheim, *Terra Mater*, Gießen 1931, S. 48–65; P. Toschi, *Le origini del teatro italiano*,

Turin 1976, S. 169–72; zu *masca* und *talamasca*: L. Lazzerini, *Arlechino, le mosche, le streghe e le origini del teatro popolare*, in: »Studi mediolatini e volgari«, XXV (1977), S. 141–44 (doch der gesamte Aufsatz ist überaus reich an Anregungen und Angaben). In diesem Kontext sind wahrscheinlich auch die Mützen der Schar des Harlekin miteinzubeziehen; hierzu vgl. Schmitt, *fes masques*, cit., S. 97–98. Die These eines notwendigen Zusammenhangs zwischen Maskeraden und dualistischen Organisationen wird widerlegt von A. Kroeber u. C. Holt, *Masks and Moieties as a Culture Complex*, in: »Journal of the Royal Anthropological Institute«, 50 (1920), S. 452–60: doch ein bezeichnendes Zusammentreffen dieser Phänomene (doppelt bezeichnend im Licht der oben angestellten Überlegungen) scheint unleugbar. In diesem Fall muß man im wesentlichen W. Schmidt (ebd., S. 553 ff.) Recht geben.

[254] Vgl. I. Matte Blanco, *L'inconscio come insiemi infiniti* (Orig.: *The Unconscious as Infinitive Sets*, London 1975), ital. Übers., Turin 1981, S. 201. Dieses Werk antwortet indirekt auf die Bitte, die J.-P. Vernant »an die Linguisten, Logiker und Mathematiker« richtete, nämlich dem Mythologen »das fehlende Werkzeug (zu) liefern: das strukturale Modell einer Logik, die keine binäre Logik, keine des Ja oder Nein wäre: kurz: eine andere Logik als die Logik des *logos*« (*Lektüren und Probleme des Mythos*, in: *Mythos und Gesellschaft*, cit., S. 242). Einen Versuch, die Forschungen von Matte Blanco anzuwenden, hat B. Bucher, *Ensembles infinis et histoire-mythe. Inconscient structural et inconscient psychanalytique*, in: »L'homme«, XXI (1981), S. 5–26 unternommen. Die oben zitierte Stelle von Vernant ist als Motto dem Aufsatz von J. Derrida, *Chôra*, in: *Poikilia*, cit., S. 265–96, vorangestellt.

[255] Vgl. Lévi-Strauss, *Die eifersüchtige Töpferin*, cit., S. 279 ff.

[256] Vgl. ders., *L'homme nu*, cit., S. 581–82: »s'il s'agit d'une application particulière d'un procédé tout à la fois fondamental et archaïque, on peut concevoir qu' il se soit perpétué, non par l'observation consciente des régles, mais par conformisme inconscient à une structure *mythique* intuitivement perçue d'après des modèles antérieur élaborés dans les mêmes conditions« (ich habe *mythique* an die Stelle von *poétique* gesetzt). Lévi-Strauss spricht von einer Schwierigkeit, die F. de Saussure in bezug auf seine eigene Theorie über die Bedeutung der Anagramme in der antiken Dichtkunst formuliert hat: das Fehlen expliziter Zeugnisse von Theoretikern oder Dichtern über ihre Praxis.

[257] Matte Blanco zufolge (*L'inconscio*, cit., S. 44–45 u. *passim*) wirkt im unbewußten System ein Prinzip, aufgrund dessen alle Beziehungen als symmetrische behandelt werden, z. B.: der Vater zeugt den Sohn, also zeugt der Sohn den Vater. In der klinischen Beobachtung findet dieses Prinzip allerdings stets in beschränktem Maß Anwendung: »Das Prinzip der Symmetrie tritt an bestimmten Punkten in Erscheinung und löst jede Logik in Reichweite, das heißt innerhalb des Terrains, wo sie angewandt wird, wie eine starke Säure auf. Der Rest der logischen Struktur bleibt jedoch intakt« (S. 62, die Hervorhebung findet sich im Text; diese Beobachtung ließe sich auf den Mythos ausdehnen). Die Analyse der symmetrischen Seinsweise (Bucher schlägt jedoch vor, von »symmetrisierender Tendenz« zu sprechen: *Ensembles*, cit., S. 21) erlaubt, wenn auch in notwendig unangemessenen Begriffen, eine Beschreibung der Funktionsweise des unbewußten

Systems. Zur Metapher vgl. *R. Jakobson, Zwei Seiten der Sprache und zwei Typen aphatischer Störungen*, in: *Aufsätze zur Linguistik und Poetik*, cit., S. 117–41, der den Gegensatz von metaphorischem Pol und metonymischem Pol (die Synekdoche inbegriffen) unter Hinweis auf Freud auch in den Träumen wiederfindet (S. 138). In der *Traumdeutung* erörtert Freud an einer bestimmten Stelle (*Gesammelte Werke*, cit., Bd. II/III, S. 350) das Beispiel eines Schriftstellers, der im Halbschlaf daran denkt, eine holprige Stelle in einem eigenen Aufsatz auszubessern, worauf er sich selbst ein Holzstück abhobeln sieht. Lévi-Strauss stellt bei der Diskussion dieser Stelle fest: »Die Metapher besteht in einem regressiven Verfahren, das vom wilden Denken vollzogen wird, wenn es einen Augenblick lang die Synekdochen annulliert, mittels deren das gezähmte Denken arbeitet.« (*Die eifersüchtige Töpferin*, cit., S. 310). Die Übereinstimmung mit der oben zitierten Stelle bei Matte Blanco ist vielleicht unfreiwillig, es sei denn, sie wäre indirekt durch den Aufsatz von B. Bucher, erschienen in »L'homme«, angeregt worden (*Ensembles*, cit.). Darin werden die Theorien von Matte Blanco als ein Weg aufgezeigt, den von Lévi-Strauss formulierten rigiden Gegensatz zwischen dem im mythischen Denken ausgedrückten Unbewußten und dem individuellen Unbewußten der Psychoanalyse zu überwinden.

[258] Es hätte im Paläolithikum Kontakte geben können, die keine dokumentarischen Spuren hinterlassen haben, wie C. Lévi-Strauss mehrmals bemerkt hat, wenn er sich solche Fragen stellte: vgl. z. B. *Paroles données*, cit., S. 134. Die negativen Antworten der Geschichte (vgl. *Le dédoublement*, cit., S. 273: »Si l'histoire, sollicitée sans trève (et qu'il faut solliciter *d'abord*), répond non...«) können nie absolut sein.

Schluß

Wir waren von einem Ereignis ausgegangen: dem Aufkommen des Bildes vom Sabbat in den westlichen Alpen in der zweiten Hälfte des 14. Jahrhunderts. Der Versuch, die volkstümlichen Komponenten dieses Bildes zu entziffern, hat uns sehr weite Wege in Zeit und Raum zurücklegen lassen. Aber nur so war es möglich zu zeigen, daß ein bedeutender Teil unseres kulturellen Erbes – vermittelt über Zwischenglieder, die uns zum Großteil nicht faßbar sind – von den sibirischen Jägern, den Schamanen Nord- und Zentralasiens, von den Steppennomaden stammt[1].

Ohne diese Sedimentierung, die eine lange Zeit in Anspruch nahm, hätte das Bild vom Sabbat nicht hervortreten können. Glaubensvorstellungen und Praktiken schamanistischer Prägung sind auch in der Alpengegend auffindbar. Von der Göttin, die Tiere wieder zum Leben erweckt, von den rituellen Schlachten für die Fruchtbarkeit, welche die *Punchiadurs* Graubündens austrugen, haben wir bereits gesprochen[2]. Zeugnisse, die Volkskundler im vergangenen und in unserem Jahrhundert sammelten, weisen darauf hin, daß in den waldensischen Tälern von Piemont neben Geschichten über Werwölfe, Feen, Totenprozessionen auch Varianten der Legende von König Guntram zirkulierten, die Paulus Diaconus berichtete. Das Insekt (Schmetterling, Hummel, Bremse), das in den Mund einer leblosen Person schlüpft und sie dadurch wieder ins Leben zurückruft, stellt ein schamanistisches Charakteristikum dar, das wahrscheinlich sehr alt ist[3].

Die Ankunft der – ebenfalls aus den zentralasiatischen Steppen stammenden[4] – Pestbazillen Mitte des 14. Jahrhunderts löste eine Reihe von Kettenreaktionen aus. Verschwörungsobsession, antihäretische Stereotypen und schamanistische Züge verschmolzen miteinander und brachten das bedrohliche Bild der Hexensekte hervor. Doch die diabolisierende Umwandlung der alten Glaubensvorstellungen nahm auf der ganzen Länge des Alpenbogens Jahrzehnte in Anspruch. Im Jahr 1438 setzte der Dominikaner Cristoforo da Luino in Morbegno im Veltlin Personen gefangen, die unter dem Verdacht standen, magische

Künste zu praktizieren und Beziehungen zur »guten Gesellschaft, das heißt dem Teufel« zu unterhalten. Im Jahr 1456 mußte sich ein reicher Arzt aus Chiavenna, Baldassare Pestalozzi, gegen den bereits vierundzwanzig Jahre zuvor gegen ihn erhobenen Vorwurf verteidigen, ein »Hexer« zu sein, »das heißt, wie man zu sagen pflegt, zur guten Gesellschaft zu gehen«[5]. Noch im Jahr 1480 wurden zwei »Zauberweiber« aus dem Veltlin, Domenega und Contessia, durch ein bewußt lakonisches Gerichtsurteil zum Pranger und zu anschließender dreijähriger Verbannung verurteilt, weil sie der namenlosen »Herrin des Spiels (domina ludi)« gehuldigt hatten[6].

2. Lange Zeit noch brachte man die Gesellschaft der Hexen mit den Gegenden in Verbindung, in der sie zuerst entdeckt worden war. Am 23. März 1440 verbreitete Papst Eugen IV. auf einer öffentlichen Sitzung des Konzils von Florenz eine Mahnung an den einige Monate zuvor erwählten Gegenpapst Felix V. (im weltlichen Leben Amadeus von Savoyen). In ihr wurde unterstellt, Amadeus habe sich gegen die Autorität der Kirche aufzulehnen gewagt, verführt durch die Bezauberungen »ruchloser Männer und Weiblein, die sich vom Heiland abgekehrt und sich, durch Vorspiegelungen der Dämonen verführt, Satan zugewandt haben: Hexchen (stregulae), Hexer oder Waudenses, wie sie in seiner Heimat besonders verbreitet sind«[7]. Die wörtliche Wiederaufnahme des Canon Episcopi (»retro post Sathanam conversi daemonum illusionibus seducuntur«) führte eine noch unbekannte Wirklichkeit vor, deren Gebundenheit an eine spezifische Situation durch den Gebrauch von Begriffen, in denen die Mundart anklang (Waudenses und der Diminutiv strigulae anstelle von strigae), betont wurde. Indessen hatte sich das Bild von der neuen Sekte bereits seit einigen Jahren auch außerhalb des Alpenraums zu verbreiten begonnen. Johannes Nider hatte seinen Formicarius vor den in Basel zum Konzil zusammengekommenen Vätern öffentlich vorgetragen[8]. Früher noch hatte der (später binnen kurzem heiliggesprochene) Minoritenbruder Bernardino von Siena seine unermüdliche, aufsehenerregende Aktivität entfaltet. Zur Verfolgung des Hexenwesens leistete er durch seine Wanderpredigertätigkeit einen entscheidenden Beitrag[9].

Ein Hinweis auf »vetule re(n)cagnate« (verhutzelte Vetteln), die behaupteten, »in cursio cum Heroyda in nocte Epiphanie« zu fahren, findet sich bereits in einer der Predigten der Sammlung De Seraphim, die Bernardino im Jahr 1423 in Padua hielt[10]. Diese Jüngerinnen der Heroyda (oder Herodias) sagten nicht nur Unglück voraus, sondern standen auch den verhexten Kindern, Gebärenden und Kranken bei. Ihre Fahrt »in cursio« war noch kein Synonym für die Fahrt zum Sabbat, auch wenn Bernardino auf den Spuren des Canon Episcopi (»retro post Sathanam conversae«) annahm, der Teufel habe sie unter sein Joch gebeugt. Zwei Jahre später (1425) stieß Bernardino von der Kanzel herunter nicht nur gelegentliche Beschimpfungen gegen die sienesischen Frauen aus, die ihm zuhörten (»und du verteufeltes Weib, das du nach Travale zur Zauberin gehst«), sondern widmete den Zauberinnnen und Zauberern auch eine ganze Predigt[11]. Aber noch handelte es sich um einzelne Personen, vorwiegend um Frauen. Kurz darauf, in einem kritischen Moment in Bernardinos Leben, sollte sich etwas ändern.

Die Andacht für den Namen Jesu, für deren Verbreitung Bernardino sich in seinen Predigten äußerst erfolgreich eingesetzt hatte, trug ihm von mehreren Seiten den Vorwurf der Ketzerei ein. Im Frühling des Jahres 1427 erhielt Bernardino, der sich gerade in Gubbio aufhielt, von Papst Martin V. den Befehl, das Predigen einzustellen und sich unverzüglich nach Rom zu begeben. Die Reise, die wahrscheinlich gegen Ende April stattfand, vollzog sich in einem äußerst angespannten Klima. »Die einen wollten mich gebacken, die anderen gebraten«, erinnerte sich Bernardino später ironisch. Seine Vernehmung vor dem Papst und den Theologen nahm einen günstigen Ausgang. Die Anschuldigungen wurden zurückgenommen; es wurde ihm wieder zu predigen erlaubt. Gleichwohl wies der Papst, wie aus einer kleinen polemischen Abhandlung des Augustiners Andrea Biglia (*Liber de institutis*) hervorgeht, Bernardino an, davon abzusehen, den Gläubigen Täfelchen mit dem gemalten Monogramm des Namens Jesu zur Verehrung vorzuhalten[12]. Die Frage war, kurzum, alles andere als beigelegt. Sie zu bereinigen kamen die Predigten gerade recht, die Bernardino in Rom hielt, wahrscheinlich von Anfang Mai bis Ende Juli des Jahres 1427[13]. Sie sind uns nicht erhalten, doch ihren Inhalt können wir zum Teil mit Hilfe der Andeutungen rekonstruieren, die Bernardino in seinen vom 15. August an auf der Piazza del Campo in Siena gehaltenen Predigten machte. In Rom hatte er sich wiederholt auf Hexen und Zauberer gestürzt und damit bei seinen Zuhörern Bestürzung und Fassungslosigkeit ausgelöst: »Wie ich von solchen Zaubereien, Hexen und Verwünschungen gepredigt hatte, dünkten sie meine Worte, als ob ich träumte«. Zuerst waren seine Ermahnungen, die Verdächtigen anzuzeigen, auf taube Ohren gestoßen: doch dann »sagte ich einmal, daß ein jeder, der einen oder eine kenne, die solcherlei zu vollbringen verstehe, in derselben Sünde befangen sei, wenn er sie nicht anzeige ... Und sobald ich gepredigt hatte, wurde eine große Zahl Hexen und Zauberer angezeigt«[14]. Nach einer Absprache mit dem Papst war beschlossen worden, nur jene vor Gericht zu stellen, denen schwerere Verbrechen zur Last gelegt wurden. Zu diesen gehörte Finicella, die auf den Scheiterhaufen kam, weil sie, wie in der Chronik des Stefano Infessura zu lesen ist, »auf teuflische Weise viele Leute umgebracht und viele Personen behext hatte; und ganz Rom lief, es zu sehen«[15]. Möglicherweise war sie die Hexe, von der Bernardino in seinen sienesischen Predigten sprach: »eine unter anderen (...) sagte und gestand ohne jede Folter, daß sie XXX Kinder gemordet, indem sie ihnen das Blut aussaugte; auch sagte sie, LX Kinder hätte sie freigelassen (...). Und ferner gestand sie, daß sie ihr eigenes Söhnlein ermordete und daraus ein Pulver machte, das sie zu gewissen Zwecken verabreichte«[16].

Indem er vom Angeklagten zum Ankläger abergläubischer Praktiken wurde, gelang es Bernardino, einen halben Sieg in einen Triumph zu verwandeln. Der Augustiner und Humanist Andrea Biglia, der unmittelbar nach jenen römischen Predigten schrieb, bemerkte, die durch Bernardino verbreitete Verehrung für den Namen Jesu bedeute, nicht anders als die Machenschaften von Magiern, Wahrsagern und Zauberern, eine frevlerische Vertauschung von Symbol und symbolisierter Wirklichkeit[17]. Fünfundzwanzig Jahre später erinnerte ein anderer, größerer Humanist – Nikolaus von Kues – die Gläubigen von Brixen daran, daß es bereits ein Akt der Idolatrie sei, wenn man sich an Christus und die

Heiligen wende, um sich materielle Vorteile zu verschaffen[18]. Die strenge, schwierige Religion, die sich hinter diesen Sätzen erkennen läßt, erklärt indirekt die Gründe für Bernardinos Erfolg. Er bekämpfte Magier und Zauberer auf deren eigenem Terrain, mit Waffen, die den ihrigen nicht unähnlich waren. Die »Brettspiele, Liederbücher, Amulette, Wahrsagebücher und falsche(n) Haare«, die er auf dem Kapitol verbrennen ließ[19], mußten dem Täfelchen mit dem Namen Jesu das Feld räumen.

Doch das große Staunen, von dem Bernardino spricht (»meine Worte dünkten sie, als ob ich träumte«), kann nicht nur durch die alles in allem traditionelle Polemik gegen Zauberinnen und Zauberer ausgelöst worden sein. Aus den sienesischen Predigten vom Sommer 1427 wissen wir, daß Bernardino brandneue Nachrichten über Orgien und makabre Riten vernommen hatte, wie sie eine unbekannte Sekte praktizierte: »Und solcherlei Leute gibt es hier, in Piemont; schon fünf Inquisitoren sind dorthin gegangen, um diesen Fluch fortzuheben, und sie wurden von diesen schlechten Leuten ermordet. Ja noch schlimmer: kein Inquisitor findet sich mehr bereit, dorthin zu gehen und etwas dagegen zu unternehmen. Und weißt du, wie sich diese Leute nennen? Sie nennen sich die vom Faß (barilotto). So heißen sie, weil sie einmal im Jahr ein Kindchen rauben und es sich dann so lange von Hand zu Hand zuwerfen, bis es stirbt. Wenn es tot ist, machen sie Pulver daraus und füllen das Pulver in ein kleines Faß, und aus diesem Faß geben sie jedem zu trinken; das tun sie, weil sie sagen, daß sie dann nichts von dem, was sie tun, verraten können. Wir haben einen Bruder in unserem Orden, der zu ihnen gehörte und mir alles berichtet hat, auch daß sie die unanständigsten Gepflogenheiten haben, die man, wie ich glaube, nur haben kann . . .«[20].

In dieser Beschreibung erkennen wir die Züge einer der »neuen Sekten und verbotenen Riten« wieder, auf deren Existenz in den Westalpen ein anderer Minorit, der Inquisitor Ponce Fougeyron, bereits im Jahr 1409 hingewiesen hatte[21]. Auch die erstaunlichen Informationen über Hexen, die den Körper mit Salben einrieben, worauf sie sich, vom Teufel betrogen, in Katzen zu verwandeln glaubten, hatten höchstwahrscheinlich denselben Ursprung[22]. Mit solchen, so mahnte Bernardino, dürfe man kein Erbarmen haben: »Und deshalb sage ich, wo immer man auch eine findet, die eine Zauberin oder ein verhexendes Weib ist, oder Zauberer oder Hexen, sorgt dafür, daß sie ausgerottet werden, damit kein Samen von ihnen übrigbleibt . . .«[23]. In Bernardinos Augen waren Hexen und die Sekte vom Faß noch voneinander geschiedene Realitäten. Wenig später verschmolzen sie endgültig miteinander. Am 20. März 1428 wurde in Todi Matteuccia di Francesco, wohnhaft in Ripabianca bei Deruta, als Hexe verbrannt. In dem langen Urteil, das der Stadthauptmann Lorenzo de Surdis niederlegen ließ, finden sich Sprüche gegen Geister (»Omne male percussiccio / omne male stravalcaticcio / omne male fantasmaticcio etc.«); Sprüche gegen körperliche Schmerzen (»Schnecke Schnirkelschnecke / hältst Herz und Seele / hältst Lüngelchen / hältst Leberchen etc.«); Zaubersprüche, um Impotenz herbeizuführen oder eine Schwangerschaft zu vermeiden. Plötzlich kommt im Geständnis dieser ländlichen Hexe ein fremdes Bruchstück zum Vorschein: nachdem sie sich mit Geierfett, Käuzchenblut und Säuglingsblut eingerieben hatte, rief Matteuccia den Dämon

Lucibello an, der ihr in Gestalt eines Ziegenbocks erschien, sie, in eine Fliege verwandelt, aufsitzen ließ und sie mit Blitzesschnelle zum Nußbaum von Benevent brachte, wo unzählige Hexen und Dämonen unter dem Vorsitz des großen Luzifer versammelt waren[24]. Hier haben sich die unschuldig magischen Züge der Diana-Gesellschaft bereits in die makabren und aggressiven der Sekte vom Faß aufgelöst. Die Beifügung »crudelissimae«, die sich in einer sicher später als 1429 gehaltenen Predigt von Bernardino auf die Jüngerinnen Dianas bezieht, registriert diesen Wandel[25]. Er entsprach jenem, der sich in den westlichen Alpen bereits vollzogen hatte. Im Jahr des Prozesses von Todi (1428) hatte der Luzerner Chronist Johann Fründ in seine Chronik eine im wesentlichen ähnliche Beschreibung des Sabbat aufgenommen, die sich auf Hexenprozesse stützte, welche in den Tälern von Henniviers und Hérens abgehalten worden waren[26]. Aber auch im Fall von Todi vernehmen wir das Echo der Worte Bernardinos. Zweimal hebt das Urteil hervor, daß Matteuccia ihre Zaubereien vollführt hatte, ehe er, im Jahr 1426, in Todi predigte[27].

Es ist wahrscheinlich, daß Bernardinos Predigten den Richtern den Inhalt der Fragen suggerierten, die den künftig der Hexerei Angeklagten zu stellen waren. Und vielleicht wird es auch in Todi – möglicherweise nach einem ersten Schrecken, wie in Rom – Personen gegeben haben, die, sich der Befehle des Bruders erinnernd, beschlossen, Matteuccia anzuzeigen oder gegen sie in den Zeugenstand zu treten. Die Anstiftung zur Ausrottung der Hexen konnte Wurzeln schlagen, weil sie, nicht nur bei den Obrigkeiten, auf günstigen Boden fiel.

3. Im Bild vom Sabbat hatten wir zwei kulturelle Schichten verschiedener Provenienz unterschieden: zum einen das von Inquisitoren und Laienrichtern ausgearbeitete Thema vom Komplott, das eine Sekte oder feindliche soziale Gruppe geschmiedet haben soll; zum anderen Elemente schamanistischer Provenienz, die in der Volkskultur bereits fest verwurzelt waren, so etwa den magischen Flug und die Tierverwandlungen. Doch diese Gegenüberstellung ist zu schematisch. Es ist nun an der Zeit, anzuerkennen, daß die Verschmelzung so fest und dauerhaft war, weil zwischen beiden Schichten eine wesentliche, untergründige Affinität bestand.

In einer Gesellschaft von Lebenden – so wurde behauptet – können die Toten nur durch Personen verkörpert werden, die unvollkommen in den sozialen Körper eingefügt sind[28]. Dieses Prinzip wird durch den Bestattungsritus Doghi, wie ihn die Chewsuren des Kaukasus begehen, perfekt veranschaulicht: in ihm sind Frauen und Tote stillschweigend einander angeglichen, da beide zugleich innen und außen stehen, zum Clan gehören und ihm fremd sind[29]. Doch Marginalität, unvollkommene Assimilation, kennzeichnet auch die Figuren, die auf der Seite des Komplotts wie auf jener der schamanistischen Vermittler die historischen Vorläufer der Hexen und Hexer darstellen. Klappern, farbige Schildchen, Schafshäute, überzählige Zähne gaben Leprakranke, Juden, Ketzer, Benandanti, *Táltos* und andere als Wesen zu erkennen, die, je nachdem, auf der Grenze zwischen sozialem Zusammenleben und Internierung, zwischen wahrem Glauben und Irrglauben, zwischen der Welt der Lebenden und jener der Toten angesiedelt waren. Den Leprakranken wurde im Jahr 1321 die Absicht unterstellt, die Gesunden anzustecken, um diesen ihre Verachtung zu vergelten. Zwei Jahre früher ließ der *Armier* Arnaud Gélis verlauten, die Toten, mit denen er sich zu unterhalten pflegte, wollten, daß alle lebenden Männer und Frauen tot wären[30]. Dem Bild von der Verschwörung lag, wenn auch in neue Begriffe gefaßt, ein uraltes Thema zugrunde: jenes der Feindseligkeit des unlängst Verstorbenen – des Schwellenwesens par excellence – gegenüber der Gesellschaft der Lebenden[31].

In zahlreichen Kulturen ist die Vorstellung vorhanden, daß bestimmte Tiere – Tauben, Uhus, Wiesel, Schlangen, Eidechsen, Hasen usw. – den Kühen oder Ziegen (gelegentlich auch den Frauen) die Milch aussaugen. In Europa werden diese Tiere in der Regel mit den Hexen oder Feen in Verbindung gebracht. Doch hinter der Milch erkennen wir das Blut; hinter den Hexen oder Feen die Toten. Die Konvergenz zwischen dem deutschen Wort für den Ziegenmelker *(Hexe)* und der Überzeugung der Tukana in Südamerika, die toten Seelen, verwandelt in Ziegenmelker, saugten den Lebenden das Blut aus, läßt ein tief verwurzeltes Faktum zutage treten[32]. Wir finden es in der römischen Kultur wieder, wo die Feindseligkeit der Toten gegen die Lebenden, der Durst der Toten, die Darstellung der Seele in Gestalt eines Vogels (oder einer Biene, eines Schmetterlings) in der mythischen Vorstellung der *strix* miteinander verschmolzen, des schreienden Nachtvogels, den es nach Säuglingsblut dürstet[33]. Der Ausdruck *strix* wurde jedoch auch auf Frauen bezogen, die sich, wie die bei Ovid erwähnten skythischen Zauberinnen, in Vögel zu verwandeln vermochten[34]. Diese semantische Doppeldeutigkeit spiegelte eine Vorstellung wider, die uns bereits vertraut ist: um mit den Toten zu kommunizieren, mußte man, zumindest zeitweilig, einer der ihren werden. Wissenschaftliche oder religiöse Auffassungen arbeiteten das Bild aus (und komplizierten es). Zu Beginn des 13. Jahrhunderts sprach Gervasius von Tilbury von einem Volksglauben, dem die *lamiae* (oder *mascae*, oder *striae*) als Frauen galten, die durch die Häuser strichen und die Kinder aus den Wiegen raubten; er gab die gegenläufige Meinung von Ärzten wieder, der zufolge die Erscheinungen der *lamiae* reine Einbildungen waren; schließlich wies er auf gewisse Nachbarinnen hin, die, während sie bei ihren Männern schliefen, im Fluge mit dem Zug der Hexen *(lamiae)* pfeilschnell das Meer überquerten[35]. Einige Jahrzehnte später sprach Stefan von Bourbon von der *strix* als einem Dämon, der sich in Gestalt eines alten Weibes nachts auf dem Rücken eines Wolfes herumtrieb und Säuglinge mordete[36]. Wie bereits gesagt, wurde diese Vorstellung durch eine andere abgelöst, der zufolge die Hexen Frauen aus Fleisch und Blut waren, bewußte Werkzeuge des Teufels. Zur Durchsetzung einer solchen These trug wahrscheinlich auch die gegen die Juden gerichtete Anklage bei, zu rituellen Zwecken Kinderblut an sich zu bringen. Das von den weltlichen und kirchlichen Autoritäten vorgeschlagene Bild von der Verschwörung senkte seine Wurzeln zumindest zum Teil in die Volkskultur; hier lagen auch die Gründe für seinen außerordentlichen Erfolg.

Wenn wir zugestehen, daß die Bestattung auch ein Ritus *gegen* die Toten ist, können wir den Reinigungswert verstehen, der den Verbrennungen von Hexen und Hexern zugeschrieben wurde. Denen von Hexen vor allem, die bekanntlich weit häufiger waren – auch wenn der prozentuale Anteil der Frauen unter den

Angeklagten (oder Verurteilten) der Hexenprozesse je nach Gegend stark variierte[37]. Dieses Phänomen mit der Frauenfeindlichkeit der Richter erklären zu wollen, wäre vereinfachend; es mit einer verbreiteten, bereits in den Zeugenaussagen und Denunziationen erkennbaren Frauenfeindlichkeit zu erklären, hieße, in eine Tautologie zu verfallen. Gewiß fällt es nicht schwer, sich vorzustellen, daß in der Gruppe derer, die potentiell der Hexerei beschuldigt wurden, die Frauen, zumal wenn es sich um alleinstehende und folglich sozial ungeschützte Frauen handelte, als die Marginalsten unter den Marginalen erscheinen mußten. Doch abgesehen davon, daß diese Marginalität ein Synonym für Schwäche war, reflektierte sie vielleicht auch auf mehr oder minder obskure Weise die Wahrnehmung einer Nähe zwischen denen, die das Leben hervorbringen, und der gestaltlosen Welt der Toten und Ungeborenen[38].

4. Der von Bernardino von Siena in seinen römischen Predigten unternommene Versuch, das Bild von der Hexensekte gewaltsam zu verpflanzen, wiederholte sich innerhalb und außerhalb Europas mehr oder minder erfolgreich unzählige Male. Die Vermischungen mit schon existenten Glaubensvorstellungen, von denen wir in verschiedenen und weit auseinander liegenden Gegenden Spuren aufgefunden haben, sind vergleichsweise viel seltener. Noch seltener sind die Fälle, in denen der Sabbat keine Gestalt gewann, obwohl alle oder fast alle Voraussetzungen dafür vorhanden waren. Im August 1492 stellte Bartolomeo Pascali, Kanoniker der Vogtei von Oulx im Val di Susa (Westpiemont) zwei Mönche vor Gericht, die beide in Umbrien geboren waren und, wie aus den Vernehmungsakten hervorgeht, sich selbst als *barbae*, das heißt als waldensische Wanderprediger, bezeichneten. Einer von ihnen, Pietro di Jacopo, erklärte, sie reisten durch die Welt, predigten und nähmen den Sektenmitgliedern die Beichte ab. Später zählte er die Täler von Piemont und der Dauphiné auf, in denen sie ihre Aktivitäten entfalteten: Val Chisone, Val Germanasca, Val Pellice, Val Fressinières, Val l'Argentière, Val Pute. Von sich und seinen Gefährten sagte er, sie würden »charretani alias fratres de grossa opinione, vel barlioti, adulatores, fraudatores et deceptores populi« genannt. Es handelte sich um eine Liste von Schimpfnamen: Frömmler (eine den Einwohnern von Cerreto in Umbrien damals traditionell zugeschriebene Wesensart), Fraticellen, doch mit negativem Beigeschmack (»de grossa opinione« statt »de opinione«, »von der großen Meinung« statt »von der Meinung«), Brüder vom Faß (in Anlehnung an die schmähliche Anklage, die im Jahr 1466 gegen die Fraticellen erhoben worden war), Schmeichler, Gauner und Betrüger[39]. Die Motive für diese Selbstbezichtigungen des Pietro di Jacopo sind unklar. Im folgenden Verhör bestätigte er, daß sie in ihrem Jargon *(in eorum gergono)* Brüder vom Faß genannt würden, in der Sprache des gemeinen Mannes Waldenser, und in Italien »de oppinione«, also Fraticellen. Die Austauschbarkeit dieser Bezeichnungen scheint eine im Fluß befindliche Situation widerzuspiegeln, in der von den alten Sektenunterscheidungen beinah nur noch die Namen übriggeblieben waren. Ganz und gar traditionell war hingegen die vielleicht von den Richtern manipulierte Beschreibung, die Pietro di Jacopo und sein Gefährte von den sexuellen Ausschweifungen lieferten, wie sie auf den Versammlungen oder »Synagogen« der waldensischen Sekte praktiziert

würden. Der Hinweis auf »einen gewissen Götzen, genannt Bacchus oder Bacon *(quoddam ydolum vocatum Bacum et Bacon)*«, den die Sektenmitglieder auf ihren Versammlungen anzubeten pflegten, scheint eine völlig unglaubwürdige, künstliche heidnische Note hinzuzufügen. Doch die Namen, die gleich darauf, gewissermaßen durch einen Schnitt getrennt, folgen – »und auch die Sibylle und die Feen *(et etiam Sibillam et Fadas)*« – haben einen anderen Klang[40]. Der Hinweis auf die appenninische Sibylle erscheint vollkommen plausibel auf den Lippen von jemandem, der wie Pietro di Jacopo in einem Dorf in der Nähe von Spoleto (Castel d'Albano) geboren wurde. Was die Feen angeht, so ist ihr Erscheinen in einem Ketzerprozeß völlig absurd, und deshalb mit Sicherheit authentisch[41]. Über ein Jahrhundert später kamen dieselben Ingredienzien wieder zum Vorschein, die genau in jener Gegend zum ersten Mal zum Bild des Sabbat verschmolzen waren: Volkskultur und in Auflösung begriffene Häresien, wenig glaubwürdige Geständnisse sexueller Promiskuität und mythische, mit der Totenwelt verbundene Frauengestalten. Elemente im Wartestand, bereit, sich bei der geringsten Erschütterung herauszukristallisieren. Doch die widersprüchlichen Reden der Brüder vom Faß lösten im Kanoniker von Oulx keinerlei Echo aus.

5. Dieser anomale Prozeß bringt uns eine nur scheinbar banale Wahrheit in Erinnerung: eine Konvergenz zwischen der (spontanen, weit häufiger aber herausgeforderten oder erzwungenen) Bereitwilligkeit der Angeklagten, Geständnisse abzulegen, und dem Willen der Richter, die Geständnisse aufzunehmen, war unabdingbar dafür, daß der Sabbat Gestalt gewann[42]. Gestalt gewann, versteht sich, als Schöpfung der Imagination. Doch war der Sabbat nur dies?

Zu Beginn des 14. Jahrhunderts verkörperten die Teilnehmer an den polternden Umzügen des *Charivari* in den Augen der Zuschauer die von Herlechinus angeführten Scharen der umherstreifenden Toten. Dies ist ein Beispiel für den bald expliziten, bald latenten Isomorphismus, der die Mythen und Riten, die wir analysiert haben, miteinander verbindet. Das Aufkommen des Teufelssabbat ein halbes Jahrhundert später entstellte diese Symmetrie bis zur Unkenntlichkeit. Im Sabbat sahen die Inquisitoren immer häufiger den Bericht physischer, realer Ereignisse. Lange Zeit gehörten die einzigen abweichenden Stimmen jenen, welche unter Berufung auf den *Canon Episcopi* in Hexen und Hexern Opfer teuflischer Vorspiegelungen sahen. Im 16. Jahrhundert formulierten Gelehrte wie Cardano oder Della Porta eine andere Meinung: Tierverwandlungen, Flüge, Teufelserscheinungen seien eine Wirkung der Unterernährung oder des Gebrauchs halluzinogener Substanzen, wie sie im Absud von Pflanzen oder in Salben enthalten seien. Diese Erklärungen haben ihre faszinierende Wirkung noch nicht eingebüßt[43]. Doch keine Form des Mangels, keine Substanz, keine Ekstasetechnik vermag, für sich genommen, das wiederholte Auftreten von derartig komplexen Erfahrungen auszulösen. Gegen jeden biologischen Determinismus gilt es mit Nachdruck daran festzuhalten, daß der Schlüssel zu dieser kodifizierten Wiederholung einzig ein kultureller sein kann. Freilich würde die vorsätzliche Einnahme psychotroper oder halluzinogener Substanzen, auch wenn sie die Ekstasen der Anhängerinnen der nächtlichen Göttin, der Werwölfe usw. nicht

erklärte, diese doch in einer nicht ausschließlich mythischen Dimension ansie-
deln[44]. Läßt sich die Existenz eines solchen rituellen Rahmens nachweisen?

6. Wir werden zwei Hypothesen nachgehen. Die erste ist nicht neu (neu ist nur
der Versuch, einen Beweis zu führen). Sie basiert auf der *Claviceps purpurea:*
einem Pilz, der sich, begünstigt durch einen regnerischen Frühling und Sommer,
auf Getreiden, namentlich auf Roggen, ansiedelt und sie mit schwärzlichen
Auswüchsen, Sklerotien genannt, überzieht. Der Verzehr von Mehl, das von
Mutterkorn befallen ist, ruft richtiggehende Epidemien von Ergotismus hervor
(von *ergot*, dem Wort, mit dem der Pilz in englischer und französischer Sprache
bezeichnet wird). Von dieser Krankheit sind zwei Spielarten bekannt. Die eine,
vor allem in Westeuropa belegt, ging mit schweren Formen von Brandigwerden
des Gewebes einher; im Mittelalter war sie als »Antoniusfeuer« bekannt. Die
zweite, vorwiegend in Mittel- und Nordeuropa verbreitet, verursachte Konvulsio-
nen, heftige Krämpfe, der Epilepsie ähnliche Zustände mit Ohnmachten, die
sechs bis acht Stunden dauerten. Beide Formen der Mutterkornvergiftung, die
brandige und die konvulsive, traten wegen der Verbreitung des Roggens – eines
Getreides, das sehr viel widerstandsfähiger ist als der Weizen – auf dem europäischen Kontinent sehr häufig auf. Oft nahmen sie einen tödlichen Ausgang, vor
allem ehe man im Lauf des 17. Jahrhunderts die Ursache dafür in der *Clavicleps
purpurea* erkannte[45].

All dies läßt einen eher an Verhexte denn an Hexen denken[46]. Doch das
bisher gezeichnete Bild ist nicht vollständig. In der Volksmedizin wurde das
Mutterkorn in großem Umfang als Abtreibungsmittel benutzt. Adam Lonicer,
der es in seinem *Kräuterbuch* (1582) als erster beschrieb, bemerkte, die Frauen
benutzten es in mehrmals wiederholten Dosen von drei Sklerotien, um Schmerzen in der Gebärmutter auszulösen[47]. In Thüringen wurde die Pflanze, wie J.
Bauhinus fast ein Jahrhundert später feststellte, als blutstillendes Mittel
benutzt[48]. Man weiß, daß die Hebammen Sklerotien der *Claviceps purpurea* zu
verabreichen pflegten, um die Wehen zu beschleunigen. In einigen Fällen, so in
Hannover im Jahr 1778, intervenierten die Obrigkeiten, um diese Anwendung
zu verbieten: doch zu Beginn des 19. Jahrhunderts wurde die Wirkkraft der
Pulvis parturiens als Heilmittel zur Beschleunigung der Geburt auch durch die
offizielle Medizin anerkannt[49].

Zur – vor allem weiblichen – Volksmedizin gehörte das Mutterkorn wahrscheinlich bereits seit langer Zeit. Dies bedeutet, daß einige seiner Eigenschaften
bekannt und unter Kontrolle waren. Weitere gehen aus den Beschreibungen der
Symptome des konvulsiven Ergotismus hervor. In einer im Jahr 1723 in Wittenberg diskutierten medizinischen Doktorarbeit sprach J. G. Andreas beispielsweise
von der Epidemie, die Schlesien einige Jahre zuvor heimgesucht hatte. Die
Krankheitsanzeichen waren von Patient zu Patient sehr verschieden. Einige wurden von äußerst schmerzhaften Kontraktionen geschüttelt, andere »fielen, Eks-
tatikern gleich, schläfrig in einen tiefen Schlummer; war der Paroxysmus vorüber, erwachten sie und sprachen von verschiedenen Visionen«. Eine Frau aus
Lignitz, Opfer der Krankheit seit bereits drei Jahren, stand beim Volk im Ruf
einer vom Teufel Besessenen; ein Kind von neun Jahren erlitt denen der Epilep-

tiker ähnliche Anfälle; wenn es sie überstanden hatte, erzählte es von den Visionen, die es gehabt hatte. Die Leute schrieben dies alles einer übernatürlichen Ursache zu[50]. Heute wissen wir, daß einige Arten der *Clavicleps purpurea* in wechselnden Anteilen ein Alkaloid enthalten – Ergonovin – aus dem im Jahr 1943 im Labor Lysergsäurediäthylamid (LSD) synthetisiert wurde[51].

Roggen wurde seit der Antike in den Alpen und im größten Teil Mitteleuropas angebaut; in anderen Gegenden, wie etwa in Griechenland, wuchsen andere Arten der *Clavicleps,* die Alkaloide enthielten, welche als Ersatzmittel fungieren konnten[52]. Doch die materielle Zugänglichkeit einer potentiell halluzinogenen Substanz beweist offensichtlich nicht, daß sie bewußt eingesetzt wurde[53]. Aufschlußreicher sind einige Ausdrücke, die man im Volksmund zur Bezeichnung der *Clavicleps purpurea* benutzte, so das französische *seigle ivre* (trunkenes Korn) und das deutsche *Tollkorn,* die auf ein altes Wissen um die in der Pflanze beschlossene Wirkkraft hinzudeuten scheinen[54]. Um die Mitte des 19. Jahrhunderts wurde den Kindern in den ländlichen Gebieten Deutschlands von entsetzlichen Wesen wie dem *Roggenwolf* oder dem *Roggenhund* erzählt. Es handelte sich möglicherweise um mythische Verklärungen des Mutterkorns: der *Roggenmutter,* die auch *Wolf,* oder, wegen ihrer länglichen Form, *Wolfzahn* genannt wurde. In den Erzählungen einiger Gegenden wurden die schwärzlichen Auswüchse der *Clavicleps purpurea* zu eisernen Brüsten, an denen die Roggenmutter die Kinder saugen ließ, damit sie stürben. Zwischen dem *Roggenwolf* und dem *Werwolf* gab es eine tiefe Affinität. »Der Werwolf hockt mitten im Korn«, hieß es[55].

Die Hypothese, daß das Mutterkorn benutzt wurde, um Zustände der Bewußtlosigkeit oder der Bewußtseinsveränderung zu erreichen, wird durch diesen Reichtum an mythischen Assoziationen plausibler[56]. Sie würde eine endgültige Bestätigung finden, wenn sich mit Gewißheit behaupten ließe, daß zwischen einem Wort dunkler Etymologie wie *ergot* (Mutterkorn) und dem germanischen Wort *warg* (Gesetzloser, auch Werwolf) ein – leider unbeweisbarer – Zusammenhang bestünde[57].

7. Völlig unabhängig davon hat man in einem ganz anderen sprachlichen und kulturellen Bereich einen Zusammenhang zwischen Werwölfen und psychotropen Substanzen vermutet. Und hiermit kommen wir zur zweiten Möglichkeit. Man hat angenommen, daß die Wörter *saka haumavarka,* die in iranischen Texten eine Familie bezeichnen, von denen die Achaimeniden abstammten, »Leute, die sich in Werwölfe verwandeln, wenn sie sich an *Haoma* berauschen«, bedeute. Es handle sich dabei um eine Anspielung auf den Zustand kriegerischer Frenesie, wie er als typisches Attribut der geheimen Männerbünde angesehen wurde. Diese Interpretation ist jedoch keineswegs gesichert[58]. Zudem weiß man nicht genau, worum es sich bei *Haoma* handelt. Im *Awesta,* dem heiligen Buch der zoroastrischen Religion, wird eine Pflanze so bezeichnet, die, zumindest ursprünglich, mit dem *Soma* identisch gewesen sein muß, aus dem man einen Trank gewann, den die vedischen Dichtungen in salbungsvollen Tönen beschreiben. Nach vielen unergiebigen Versuchen, herauszufinden, welcher Pflanze *Soma* und *Haoma* entsprächen – die Vorschläge, bezogen auf das eine oder andere oder auf beide, umfaßten Hirse, Weinstock, Rhabarber, indischen Hanf und anderes mehr –,

wurde eine Hypothese aufgestellt, die mit den in den Texten enthaltenen Angaben vollkommen übereinzustimmen scheint. Beim *Soma* soll es sich um die *Amanita muscaria* handeln: um den Fliegenpilz, der einen rauschähnlichen Zustand hervorruft, wenn man ihn ißt oder seinen ausgepreßten, eventuell mit Wasser vermischten Saft oder gar den Urin von jemandem, der ihn gegessen hat, trinkt (in diesem letzten Fall scheint die Wirkung besonders stark zu sein). Von diesem Pilz machen die sibirischen Völker (mit Ausnahme der altaischen) umfassenden Gebrauch: besonders die Schamanen, um die Ekstase herbeizuführen. In dem Gebiet zwischen Afghanistan und dem Indus-Tal, wo sich die aus dem nördlichen Eurasien kommenden arischen Völker im 2. Jahrtausend v. Chr. niederließen, war es weniger einfach, diesen Pilz zu beschaffen: die *Amanita muscaria* wächst nur unter Tannen und Birken. Vielleicht versuchten die Priester, sie durch andere Stoffe zu ersetzen. Die vedischen Dichtungen aber bewahrten dem alten Kult ein lebendiges Andenken[59].

Die Anwendung der *Amanita muscaria* zur Herbeiführung eines ekstatischen Zustandes ist sicherlich sehr alt. Sprachliche Gründe geben Anlaß zu der Vermutung, daß sie mindestens seit 4000 v. Chr. gebräuchlich war, als es noch eine gemeinsame uralische Sprache gab. Ferner soll sich eine Gruppe von Wörtern, welche die *Amanita muscaria*, die Pilze im allgemeinen, die Bewußtlosigkeit sowie die Trommel (der Schamanen) in den finno-ugrischen und samojedischen Sprachen bezeichnen, aus ein und derselben Wurzel *poŋ* herleiten. Die mit dieser Wurzel zusammenhängenden Wörter sollen die indoiranischen Völker aus Gründen des Tabu durch *Soma* und *Haoma* ersetzt haben[60]. Doch die verdrängte Wurzel kommt vielleicht in einem Sanskritwort – offenbar nicht arischen Ursprungs – wieder zum Vorschein, das mit einem hypothetischen Sanskrit *paggala* (toll, Tollheit) zusammenhängt, von dem sich mehrere indische Dialektausdrücke herleiten sollen. Das fragliche Sanskritwort ist *pangú*, was »hinkend, lahm« bedeutet[61].

Die Existenz eines Konnexes zwischen dem Pilz, den die Schamanen zur Herbeiführung der Ekstase benutzten, und der Lahmheit wird an diesem Punkt prinzipiell keineswegs unmöglich erscheinen. Überdies steht diese Konvergenz nicht alleine. In einigen französischen Gegenden tragen die Lamellenpilze (wie beispielsweise die *Amanita muscaria*) Namen wie *bò* (Haute-Saône) oder *botet* (Loire), die unmittelbar an *bot* (lahm) und *bot* (Kröte) erinnern. Wir sehen eine Verflechtung von drei Elementen sich abzeichnen: Pilz, Kröte und Geh-Anomalie[62]. Man hat vertreten, die Konvergenz zwischen dem Adjektiv *bot*, »lahm« (*pied bot*, Klumpfuß), und dem Substantiv *bot*, »Kröte«, sei illusorisch, weil die beiden Wörter sich aus zwei verschiedenen Wurzeln herleiten (von *butt*, »verstümmelt«, das erste, von *bott*, »sich aufblähen«, das zweite)[63]. Doch die Bezeichnungen, die die Kröte in den norditalienischen Dialekten mit »scarpa« (Schuh), »ciabatta« (Hausschuh) usw. gleichsetzen, scheinen darauf hinzudeuten, daß es eine semantische Affinität gibt, die sich gewiß nicht auf eine äußerliche Ähnlichkeit reduzieren läßt[64]. Ebenso unbestreitbar, wenngleich dunkel, ist die Affinität zwischen Pilz und Kröte. In China heißt die *Amanita muscaria* »Krötenpilz«, in Frankreich *crapaudin* (von *crapaud*, »Kröte«)[65]. »Krötenbrot«, *pin d'crapâ*, ist der Name, mit dem man in der Normandie die Agaricus-Pilze (die *Amanita* inbegriffen) bezeichnet[66]. Im Veneto bezeichnet *rospèr zalo* die *Amanita mappa* (den gelblichen Knollenblätterpilz); speziell in Treviso meint *fongo rospèr* die *Amanita pantherina* (Pantherpilz)[67]. »Krötenpilze« *(žabaci huby)* oder »Krötenähnliche« *(zhabajachyi hryb)* werden die nicht eßbaren Pilze in der Slowakei (in der Gegend der Tatra) und in der Ukraine genannt[68]. Ferner werden Ausdrücke wie »Krötensitz«, »Krötenhaar« usw. im Englischen, Irischen, Walisischen, Bretonischen, Friesischen, Dänischen, Niederdeutschen, Norwegischen zur Bezeichnung von Pilzen gebraucht. Man hat vermutet, daß eine so enge Verknüpfung mit einem für häßlich, abstoßend, ja sogar teuflisch gehaltenen Tier wie der Kröte eine zutiefst ablehnende Haltung den Pilzen gegenüber zum Ausdruck bringe, wie sie der keltischen Kultur zu eigen sei[69]. Doch wie man sah, ist die Konvergenz zwischen Pilzen und Kröten, und speziell zwischen *Amanita muscaria* und Kröten, sehr wohl auch jenseits der Grenzen der keltischen Welt, ja sogar in China belegt. Wenn wir die negativen Konnotationen der Kröte als späte und oberflächliche beiseite lassen, sehen wir eine andere Erklärung zum Vorschein kommen. Von Norditalien über Deutschland, die Ukraine bis nach Polen wird die Kröte als »Fee«, »Hexe«, »Zauberer« bezeichnet[70]. Man hat mit guten Gründen angenommen, das italienische *rospo* (Kröte) käme vom lateinischen *haruspex*, dem Magier und Weissager, den die Römer aus Etrurien importierten[71]. Allem Anschein nach stellte auch die Kröte, wie die *Amanita muscaria* und die Geh-Anomalien, in vielen Kulturen einen symbolischen Mittler zum Unsichtbaren dar. Ob dazu die psychotropen Potenzen (die Meinungen hierzu sind jedoch kontrovers) des Bufotenins, einer Substanz, die in den Absonderungen der Krötenhaut enthalten ist, beitrugen, ist schwer zu sagen[72].

Wir sagten, daß die *Amanita muscaria* an Bäume wie die Tanne oder Birke gebunden ist, wie sie in den europäischen Berggegenden reichlich wachsen. Es ist bekannt, daß in den Alpen, im Jura, in den Pyrenäen die Hexenprozesse besonders häufig waren. In den Geständnissen der meisten Angeklagten klangen, bewußt oder unbewußt, die von den Inquisitoren vorgeschlagenen Modelle an. Doch auch in den äußerst seltenen anomalen Fällen, in denen Beschreibungen von Ekstasen schamanistischen Typs zum Vorschein kommen, tritt die *Amanita muscaria* nicht in Erscheinung[73]. Der Zusammenhang mit Zuständen der Bewußtseinsveränderung, wie sie Ausdrücke wie *cocch matt, coco mato, ovol matt, bolé mat* nahezulegen scheinen, mit denen die *Amanita muscaria* in den lombardischen, venetischen, emilianischen Dialekten bezeichnet wird, findet im Belegmaterial der Prozeßakten keine Bestätigung[74]. Nur in einigen wenigen Fällen scheint es legitim, zumindest Bedenken anzumelden. Wir erwähnten bereits, daß in den Prozessen gegen die piemontesischen Ketzer vom Ende des 14. Jahrhunderts an einem gewissen Punkt von einem Trank die Rede ist, den eine Frau aus Andezeno bei Chieri, Billia la Castagna, unter jenen austeilte, die an der rituellen Orgie teilnahmen[75]. Der Trank war mit dem Kot einer dicken Kröte hergestellt, die Billia angeblich *(fama erat)* unter ihrem Bett hielt und mit Fleisch, Brot und Käse fütterte. Diese abstoßenden oder wunderlichen Details könnten zu manchen Teilen durch ein Mißverständnis der Inquisitoren bedingt sein. Von Europa bis nach Amerika werden die Pilze oft mit Namen belegt, die an Urin, tierische Fäkalien oder Ausdünstungen erinnern: »Hundepisse«, »Wolfsfurz«, »Fuchskot«, »Pumakot«[76]. Andezeno ist kein Pilzgebiet: aber der Urheber des Geständnisses, Antonio Galosna, durchreiste predigend die piemontesischen Bergtäler. Könnte der »Krötenkot« der Billia la Castagna nicht ein verzerrtes Echo von ähnlichen Ausdrücken wie *crapaudin, pain de crapault* sein – den »Krötenpilzen«, wie in Frankreich und andernorts die *Amanita muscaria* genannt wird?

Auf der anderen Seite der Alpen schilderte ein junger Mann einige Jahrzehnte nach Antonio Galosnas Geständnissen dem Berner Richter Peter von Greyerz (der wiederum Nider davon berichtete) das makabre Initiationsritual, das all jenen auferlegt war, die Mitglied der Hexensekte werden wollten. Jeder, der von dem in einem Schlauch enthaltenen schaudererregenden Trank einen Schluck nahm, »hatte auf einmal die Empfindung, die Vorstellung von unserer Kunst und die Hauptriten der Sekte zu empfangen und in sich zu bewahren«[77]. Die Möglichkeit, daß diese Worte eine verzerrte Form einer ekstatischen Erfahrung, verursacht durch die Einnahme halluzinogener Substanzen, zum Ausdruck bringen könnten, ist äußerst gering. Im Unterschied zu den in die Sekte Aufgenommenen müssen wir anerkennen, daß ihre Riten für uns nicht faßbar sind. Im übrigen ist nicht gesagt, daß es sie tatsächlich gegeben hat.

8. Sicher hingegen ist die tiefe Ähnlichkeit, die die später in den Sabbat eingeflossenen Mythen untereinander verbindet. Alle verarbeiten ein gemeinsames Thema: die Reise ins Jenseits, die Rückkehr aus dem Jenseits. Dieser elementare Erzählkern hat die Menschheit Jahrtausende hindurch begleitet. Die unzähligen Variationen, die verschiedenste, auf Jagd, Viehzucht, Ackerbau basierende Gesellschaften eingeführt haben, veränderten seine Grundstruktur nicht. Weshalb diese Dauer? Die Antwort darauf ist vielleicht sehr einfach. Erzählen bedeutet, hier und jetzt mit einer Autorität zu sprechen, die sich daraus ableitet, – buchstäblich oder metaphorisch – dort und damals gewesen zu sein[78]. In der Teilnahme an der Welt der Lebenden und der der Toten, an der Sphäre des Sichtbaren und der des Unsichtbaren, haben wir bereits ein Unterscheidungsmerkmal der menschlichen Gattung erkannt. Was wir hier zu analysieren versucht haben, ist keine Erzählung unter vielen, sondern die Matrix aller möglichen Erzählungen.

[1] Vgl. N. S. Trubetzkoy, *L'Europa e l'umanità*, ital. Übers., Turin 1982.
[2] Siehe oben, S. 138, 194 und *passim*.
[3] Vgl. M. Bonnet, *Traditions orales des vallées vaudoises du Piemont*, in: »Revue des traditions populaires«, XXVII (1912), S. 219–21; J. Jalla, *Légendes et traditions populaires des vallées vaudoises*, 2. verm. Aufl., Torre Pellice 1926, S. 38–39, wo die Hummel *(Galabroun) masc*, »Hexe«, genannt wird (beide Texte hat mir Daniele Tron angezeigt und zukommen lassen, dem ich herzlich danken möchte). Zu Guntram siehe oben, S. 144. Ein Vergleich mit schamanistischen Phänomenen scheint mehrfach in R. Christinger – W. Borgeaud, *Mythologie de la Suisse ancienne*, Genf 1963, auf; im Vorwort betont E. Lot-Falck (S. 11), daß die Schweiz ein richtiggehender Kreuzungspunkt zwischen verschiedenen Kulturen ist.

4 Es handelte sich um die Art, die später per Antonomasie *Pasteurella pestis medievalis* genannt wurde: Vgl. Le Roy Ladurie, *Un concept: l'unification microbienne*, cit., S. 50 ff.

5 Vgl. Giorgetta, *Un Pestalozzi*, cit.

6 Vgl. ders., *Documenti sull'Inquisizione a Morbegno nella prima metà del secolo XV*, in: »Bollettino della società storica valtellinese«, XXXIII (1980), S. 59–83, insbes. S. 81 ff.: die beiden Frauen, »malleficiatrices et in fide defficientes…« sollen freiwillig gestanden haben, »a diabolo fore seductas et longo tempore in heretica pravitate extitisse et diabolicis suasionibus et serviciis obedivisse una cum certa mulierum quantitate eundo coram quadam appellata domina ludi, qui demon est, et cum ea certis nocturnis horis conversationem habuisse et in eius societate perseverasse, nonnulla committendo que manifestam sapiunt heresim, *que pro presenti non veniunt publicanda* …« (Hervorhebung von mir).

7 Vgl. *Monumenta conciliorum generalium saeculi decimi quinti, Concilium Basileense*, III, I, Vindobonae 1886, S. 483. Siehe auch J. Gill, *The Council of Florence*, New York 1982 (Nachdr. d. Ausg. Cambridge 1959), S. 317.

8 Auf diesem Punkt insistiert zu Recht P. Paravy, *Faire croire. Quelques hypothèses de recherche basées sur l'étude des procès de sorcellerie en Dauphiné au XVᵉ siècle*, in: *Faire croire*, Rom 1981, S. 124.

9 Bibliographische Angaben unter dem Stichwort »Albizzeschi, Bernardino degli« in: *Dizionario biografico degli italiani* (hg. v. R. Manselli). Unter den neueren Publikationen siehe insbes. *Bernardino predicatore nella società del suo tempo* (Convegni del Centro di studi sulla spiritualità medievale, XVI), Todi 1976.

10 Vgl. Lazzerini, *Arlecchino*, cit., S. 100. (Es handelt sich um die lateinische Übersetzung der Mitschrift eines Hörers, des Paduaners Daniele de Purziliis). Der Ausdruck »andare in corso« findet sich bereits bei Boccaccio (*Dekameron*, 8. Tag, 9. Novelle): vgl. Bonomo, *Caccia*, cit., S. 59 ff.

11 Vgl. S. Bernardino von Siena, *Le prediche volgari. Predicazione del 1425 in Siena*, hg. v. C. Cannarozzi O. F. M., I, Florenz 1958, S. 3, 5 u. 55–66.

12 Vgl. B. de Gaiffier, *Le mémoire d'André Biglia sur la prédication de Saint Bernadin de Sienne*, in: »Analecta bollandiana«, LIII (1935), S. 308–58. Daß Bernardinos Verhör im Jahr 1427 und nicht 1426 stattgefunden hat, wurde überzeugend von E. Longpré, *S. Bernardin de Sienne et le nom de Jésus*, in: »Archivum Franciscanum Historicum«, XXVIII (1935), S. 460 ff. gezeigt. Doch der ganze Aufsatz ist wichtig: vgl. *ebd.*, S. 443–76; XXIX (1936), S. 142–68, u. 433–77; XXX (1937), S. 170–92. Es ist zwar richtig, daß man auf Grund der Aussage von Leonardo Benvoglienti in einem der Kanonisationsprozesse Bernardinos vorschlug, dieses Ereignis auf das vorhergehende Jahr (1426) vorzuverlegen: vgl. D. Pacetti, *La predicazione di San Bernardino in Toscana* …, in: »Archivum Franciscanum Historicum«, XXXIII (1940), S. 299–300, und, mit größerer Entschiedenheit, C. Piana, *I processi di canonizzazione* …, ebd., XLIV (1951), S. 397–98, Anm. 3 u. 4, u. S. 420, Anm. 2; im selben Sinne siehe jetzt die mangelhafte *Enciclopedia Bernardiniana*, IV, L'Aquila 1985, S. XVIII (hg. v. M. Bertagna). Doch Benvoglienti (der im Jahr 1448 von zwanzig Jahre zurückliegenden Ereignissen sprach) sagte nur aus, er habe den römischen Predigten des Jahres 1426 beigewohnt (von denen wir auch anderweitig wissen: vgl. Longpré, *S. Bernardin*, cit., 1935, S. 460). Die von Longpré angeführten Gründe dafür, Bernardinos Verhör in das Jahr 1427 statt 1426 zu legen, werden durch Benvoglientis Zeugnis nicht angetastet, weil der darin enthaltene Hinweis auf »einige Hexen« *(nonnullas sortilegas)*, die Bernardino in Rom und in Perugia habe verbrennen lassen, sich zumindest im ersten Fall (der Bezug auf Perugia ist nicht überprüfbar) mit Sicherheit auf das Jahr 1427 bezieht; siehe weiter unten, Anm. 15.

13 Vgl. Longpré, *S. Bernardin*, cit., 1936, S. 148–49, Anm. 6; Bernardino predigte in San Pietro achtzig Tage lang.

14 Vgl. S. Bernardino da Siena, *Le prediche volgari*, hg. v. P. Bargellini, Rom 1936, S. 784 ff. (der Band gibt den Text der sienesischen Predigten vom Sommer 1427 nach der Edition von L. Banchi, 1884, wieder). Die Bedeutung dieser und anderer Stellen derselben Predigt hat Miccoli, *La storia religiosa*, cit., S. 814–15, hervorgehoben.

15 Vgl. S. Infessura, *Diario della città di Roma*, hg. v. O. Tommasini, Rom 1890, S. 25, der das Ereignis auf den 8. Juli (vielleicht zu korrigieren in 28. Juli) 1424 datiert (zitiert nach d. dt. Übers., *Römisches Tagebuch*, Jena 1913, S. 23). Das Manuskript, das Muratori seiner Edition des *Diario* zugrunde legte, gibt ein anderes Datum an, nämlich den 28. Juni, doch in jenen Tagen hielt sich Bernardino, wie E. Longpré (*S. Bernardin* …, cit., 1935, S. 460–61, Anm. 5) feststellte, in Siena auf. Der Hinweis auf das Jahr 1424 ist aller Wahrscheinlichkeit nach jedoch auch das Ergebnis eines chronologischen Versehens – eines der vielen, mit denen das *Diario* gespickt ist (vgl. O. Tommasini, *Il diario di Stefano Infessura* …, in: »Archivio della Società Romana di Storia Patria«, XI, 1888, S. 541 ff.). Die Hexe Finicella ist in der Tat mit einer der anonymen römischen Hexen zu identifizieren, die Bernardino in einer Predigt vom Sommer 1427 erwähnt, in einem brüsken Exkurs, dem keine Zeitangaben vorangehen (»Ich will euch berichten, was in Rom geschah…«: vgl. San Bernardino, *Le prediche*, cit., S. 784) und der sich daher wahrscheinlich auf erst kurz zurückliegende Ereignisse bezieht. Es erscheint logisch, 1424 in 1427 zu verbessern; 1426 scheint auch deshalb auszuschließen, weil Bernardino, der seit April jenes Jahres in Rom gepredigt hatte, zwischen Juni und Juli durch Montefalco und Spoleto kam (vgl. Longpré, *S. Bernardin*, cit., S. 460–61, Anm. 5). Man beachte, daß M. Miglio, nachdem er den Aufsatz von Longpré zuerst (zu Recht) rühmt, dann der von C. Piana vorgeschlagenen Chronologie folgt, indem er Infessuras Datum 1424 ohne weiteres in 1427 verbessert; doch dann zitiert er im Widerspruch dazu eine Stelle aus den sienesischen Predigten vom Sommer 1427, von der er behauptet, sie sei »einige Monate« nach den römischen Vorfällen ausgesprochen worden, während er aus Gründen der Kohärenz »ein Jahr« hätte sagen müssen (*Il pontificato e S. Bernardino*, in: *Atti del convegno storico Bernardiniano* …, Teramo 1982, S. 237–49, insbes. S. 238–39).

16 Vgl. San Bernardino, *Le prediche*, cit., S. 785.

17 Vgl. de Gaiffier, *La mémoire*, cit., S. 318: »Aut unde magos, ariolos, praestigiatores reprehendimus et dampnamus, nisi quod quibusdam caracteribus fide adhibita, demonum responsa atque auxilia eliciunt? Totimque hoc genus sacrilegii est, pro rebus figuras amplecti«. Vgl. R. Fubini, *Poggio Bracciolini e S. Bernardino* …, in: *Atti del convegno*, cit., S. 157, zu G. Miccoli, *Bernardino*

predicatore..., im oben, Anm. 9 angeführten gleichnamigen Band. Was die Datierung der kleinen Abhandlung von Biglia angeht, so folge ich Longpré, *S. Bernardin*, cit., 1936, S. 147–48.

18 Siehe oben, S. 98.

19 Vgl. Infessura, *Tagebuch*, cit., S. 23 (unter dem Datum vom 21. Juli; in anderen Manuskripten vom 21. Juni).

20 Vgl. San Bernardino, *Le prediche*, cit., S. 607–08 (auf S. 1140–41, Anm. 33 u. 35, übernimmt Bargellini die irrige Interpretation, die der frühere Herausgeber L. Banchi vorgeschlagen hat, der »Faß« als Synonym von »Dummkopf« versteht und eine ebenfalls unbegründete Hybridisierung mit den waldensischen »barbetti« vorschlägt). Auf den Text weist auch Cohn, *Europe's*, cit., S. 49–50 hin, der jedoch nicht die Bezüge zu der Gegend hervorhebt, in der der Sabbat aufgekommen war. Im weiteren (S. 50–54) nimmt Cohn mit überzeugenden Argumenten an, es sei Bernardino gewesen, der Giovanni da Capestrano, dem unerbittlichen Verfolger von Ketzern und Juden (der später heiliggesprochen wurde), die Geschichten über die Riten vom Faß mitgeteilt habe, die später, im Jahr 1466, in Rom (wenn nicht sogar 1449 in Fabriano) den Fraticellen abgepreßt wurden.

21 Siehe oben, S. 73.

22 Vgl. San Bernardino, *Le prediche*, cit., S. 785 ff.: »Und sie sagten, daß sie sich mit diesen (Salbenbüchsen) einrieben, und sobald sie eingerieben waren, dünkte es sie, sie seien Katzen, was aber nicht stimmte, weil sich ihr Körper nicht in eine andere Gestalt verwandelte, sondern es sie nur so dünkte etc.« Es folgt (S. 786) ein Hinweis auf den *Canon Episcopi*.

23 *Ebd.*, S. 788.

24 Das Urteil wurde mehrfach publiziert: siehe zuletzt D. Mammoli, *Processo alla strega Matteuccia di Francesco. 20 marzo 1428*, Todi 1983 (insbes. S. 16, 18, 20, 30, 32).

25 Vgl. Lazzerini, *Arlecchino*, cit., S. 101, der auf S. Bernardino da Siena, *Opera omnia*, I, ad Claras Aquas, Florentiae 1950, S. 117 verweist: zur Datierung – zwischen 1429 und 1436 – vgl. S. XVIII–XIX.

26 Siehe oben, S. 77.

27 Neben Mammoli, *Processo*, cit., vgl. Longpré, *S. Bernardin*, cit., 1935, S. 458.

28 Vgl. Lévi-Strauss, *Le Père Noël supplicié*, cit.

29 Vgl. Charachidzé, *Le système*, cit., S. 369 ff., insbes. S. 398–99.

30 Vgl. Duvernoy, *Le registre de Jacques Fournier*, cit., I, S. 135: »Dixit etiam quod mortui, prout audivit ab aliquibus ex eis, vellent quod omnes homines et mulieres viventes esse mortui«. Siehe auch oben, S. 47.

31 Vgl. Hertz, *Contribution*, cit.

32 Vgl. R. Riegler, *Caprimulgus und Verwandtes*, in: »Wörter und Sachen«, VII (1912), S. 136–43, der die allgemeinen Implikationen des Themas sehr gut erfaßt, aber bei der Identifizierung der Hexenschicht stehenbleibt. C. Lévi-Strauss deutet flüchtig die Todeskonnotationen des Ziegenmelkers in Europa an, konzentriert sich dann aber auf jene, teils analogen, die dieser in Südamerika (*Die eifersüchtige Töpferin*, cit., S. 61–63) und Nordamerika hat (*ebd.*, S. 99 ff.). Zum Zusammenhang zwischen Tieren und Toten (hierzu siehe oben, S. 265) vgl. allgemein R. Riegler, *Lo zoomorfismo nelle tradizioni popolari*, in: »Quaderni di semantica«, II (1981), S. 305 ff. Siehe auch M. Alinei, *Barbagianni*, ›zio Gio-

vanni‹ *e altri animali-parenti: origine totemica degli zoonimi parentelari*, ebd., S. 363–85, insbes. S. 371 (reich an Materialien und Beobachtungen, auch wenn der rigid totemistische Ansatz Zweifel hinterläßt).

33 Zur Seele als Vogel, Schmetterling usw. ist die Bibliographie äußerst umfangreich. Ich beschränke mich auf einige Titel: G. Weicker, *Der Seelenvogel in der alten Litteratur und Kunst*, Leipzig 1902; O. Tobler, *Die Epiphanie der Seele in deutscher Volkssage*, Kiel 1911; O. Waser, *Über die äußere Erscheinung der Seele in den Vorstellungen der Völker, zumal der alten Griechen*, in: »Archiv für Religionswissenschaft«, 16 (1913), S. 336–88; Güntert, *Kalypso*, cit., S. 215 ff.; M. Haavio, *Der Seelenvogel*, in: *Essais folkloriques*, »Studia Fennica«, 8 (1959), S. 61–81; M. Bettini, *Antropologia e cultura romana*, Rom 1986, S. 205 ff. Zur Unmöglichkeit, in der *strix* einen speziellen Nachtvogel auszumachen, vgl. F. Capponi, *Avifauna e magia*, in: »Latomus«, XL (1981), S. 301–04. Weniger überzeugend S. G. Oliphant, *The Story of the Strix: Ancient*, in: »Transactions and Proceedings of the American Philological Association«, XLIV (1913), S. 133–49; ders., *The Story of the Strix: Isidorus and the Glossographers*, ebd., XLV (1914), S. 44–63, der eher an die Fledermaus denkt. Für weitere Hinweise vgl. A. Scobie, *Strigiform Witches in Roman and Other Cultures*, in: »Fabula«, 19 (1978), S. 74–101; Alinei, *Barbagianni*, cit., S. 379–80.

34 Vgl. oben, S. 211. Von Ovid siehe auch *Ars amandi*, I, 8, 13 ff.; I, 14, 40 (zur Kupplerin Dipsas, die sich in einen Vogel verwandelt); *Fasten*, 6, 131 ff. Nach F. Bömer (*Die Fasten*, cit., II, S. 344–45) hat Ovid an dieser Stelle dem Volksglauben nachgegeben.

35 Vgl. Gervasius von Tilbury, *Otia*, cit., S. 987 ff. In einem Fragment von Johannes Damascenus (7.–8. Jh.) in: *Opera omnia*, hg. v. M. Lequien, Parisiis 1712, I, S. 473, das Tartarotti, *Apologia*, cit., S. 160, anführt, war bereits von Frauen (genannt *stryngai* oder *gheloudes*) die Rede, die dem Volksglauben zufolge um die Häuser fliegen, durch die geschlossenen Türen eindringen und die Neugeborenen in den Wiegen ausweiden.

36 Vgl. A. Lecoq de la Marche, *Anecdotes historiques... tirés du recueil inédit d'Étienne de Bourbon*, Paris 1877, S. 319 ff. Und siehe Schmitt, *Les masques*, cit., S. 93–95.

37 Ein völlig anomaler Fall ist möglicherweise Island, wo, wenn die Daten in einer alten Arbeit (O. Davidsson, *Isländische Zauberzeichen und Zauberbücher*, in: »Zeitschrift des Vereins für Volkskunde«, 13, 1903, S. 151) exakt sind, von 1554 bis 1720 125 Hexenprozesse geführt wurden: nur 9 Angeklagte waren Frauen. Ganz anders ist das Panorama, das sich aus den Akten des friaulischen heiligen Offiziums ergibt: über eine Zeitspanne von zwei Jahrhunderten (1596–1785) ist die Zahl der Männer und Frauen, die angeklagt wurden, magische Künste zu praktizieren, fast gleich (386 und 391), wie aus der Tabelle hervorgeht, die E. W. Monter u. J. Tedeschi, *Toward a Statistical Profile of the Italian Inquisition. Sixteenth and Seventeenth Centuries*, in: *The Inquisition in Early Modern Europe*, hg. v. G. Henningsen u. J. Tedeschi, Dekalb (Ill.) 1986, S. 135, zusammengestellt haben. Unterschiede werden auch deutlich, wenn man die wegen Hexerei zu Tode Verurteilten untersucht. In der Waadt waren es in der Zeit von 1581 bis 1620 970; davon waren 325 (d. h. 34,2 %) Männer und 624 (d. h. 65,8 %) Frauen (in 21 Fällen fehlen die Angaben) (vgl. P. Kamper, *La chasse aux sorciers et aux sorcières dans le Pays de Vaud*, in: »Revue historique vaudoise«,

1982, S. 21–33). In Südwestdeutschland führten die Fälle massiver Verfolgung des Hexenwesens zwischen 1561 und 1684 bei 1050 Frauen und 238 Männern zu einem Todesurteil (vgl. Midelfort, *Witch-Hunting*, cit., S. 180–81); doch aus den Würzburger Prozessen (1627–29) ergibt sich ein komplexeres Bild (*ebd.*, S. 172 ff.). Diese (gleichsam zufällig herausgegriffenen) Gegensätze zu annullieren, um für den europäischen Bereich insgesamt Verallgemeinerungen zu versuchen, scheint kaum nützlich.

38 Siehe oben, S. 113, Anm. 248.

39 Zu »charretani« vgl. B. Migliorini, *I cerretani e Cerreto*, in: »Romance Philology«, 7 (1953–54), S. 60–64, der die andere Bedeutung der Belege aus dem 15. Jahrhundert (der erste stammt aus dem Jahr 1477, ist also wenig früher als der Prozeß, den wir hier analysieren) im Verhältnis zu jenen aus dem folgenden Jahrhundert verzeichnet, als der Begriff die Bedeutung von »Quacksalber« oder »Scharlatan« annahm.

40 Cambridge University Library, Ms. Dd. 3.26 (H6), Bl. IX*v*: »et eorum lege consueverunt adorare [gestr.: quandam ydolam] quoddam ydolum vocatum Bacum et Bacon [gestr.: et fade consueverunt facere] et etiam Sibillam et Fadas. Et quod illi Bacon et Fade consueverunt facere dictas congregationes in quibus nullus habetur respectus de filia ad patrem nec de commatre prout tamen habetur extra dictam sinagogam...« Zu diesen Prozessen vgl. Cohn, *Europe's*, cit., S. 40–41, der nur auf die Präsenz von Bacchus eingeht: durch sie sieht er bestätigt, daß es sich um Geständnisse handelt, die zur Gänze durch die Richter abgepreßt oder gefälscht worden sein sollen. E. Cameron, *The Reformation of the Heretics. The Waldenses of the Alps (1480–1580)*, Oxford 1984, zählt, nachdem er vielleicht allzu rigide unterstrichen hat, daß es sich um Fraticellen, nicht um Waldenser handelte (S. 15), auch die anderen Götzen auf, wobei er von »perplexing admissions« spricht (S. 112; und siehe auch im Index unter »Jacopo, Pietro di«); auf die selbstbezichtigenden Elemente geht er nicht ein. Die Hypothese, daß diese Verhöre durch die Richter manipuliert wurden, formulierte bereits M. Vulson, *De la puissance du Pape*, Genf 1635, S. 207 (siehe auch E. Cameron, *The Reformation*, cit., S. 236).

41 Zur Sibylle siehe oben, S. 113 ff.

42 Der Prozeß gegen den Benandante Olivo Caldo (*Die Benandanti*, cit., S. 173–76) zeigt die Wirkungen einer skeptischen Einstellung der Richter gegenüber den Sabbatgeständnissen in exemplarischer Weise.

43 Vgl. P. Camporesi, *Il pane selvaggio*, Bologna 1980, S. 123 ff. Weitere Angaben bei Duerr, *Traumzeit*, cit., S. 165–73.

44 Ich entwickle hier einen Standpunkt, den ich in *Die Benandanti*, cit., S. 35–38 formuliert habe.

45 Vgl. G. Barger, *Ergot and Ergotism*, London 1931. Das Wissen um den Zusammenhang zwischen brandigem Ergotismus und Mutterkorn, das man erstmals im Jahr 1630 erkannte, brach sich langsam Bahn. Siehe den Bericht von J. K. Brunner, *De granis secalis degeneribus venenatis*, in: *Miscellania curiosa sive ephemeridum medico-physicarum Germanicarum Academiae Caesareo-Leopoldinae naturae curiosorum decuriae III*, II, Lipsiae 1695, S. 348–49: bei einem Aufenthalt im Schwarzwald war er auf einen Fall von brandigem Ergotismus gestoßen, ohne die Ursache dafür zu erkennen, die der örtliche Wundarzt hingegen als selbstverständlich angenom-

men hatte. Worauf der Unterschied zwischen brandigem Ergotismus und konvulsivem Ergotismus zurückgeht, ist unklar: vgl. V. A. Bauer, *Das Antonius-Feuer in Kunst und Medizin*, Basel 1973 (mit einem Vorwort von A. Hofmann).

46 L. R. Caporael hat vermutet, daß die Krankheitserscheinungen, die im Jahr 1692 in Salem auftraten und damals als Fälle von Teufelsbesessenheit gedeutet wurden, in Wirklichkeit Fälle von konvulsivem Ergotismus gewesen seien (*Ergotism: The Satan Loosed in Salem?*, in: »Science«, Bd. 192, Nr. 4234, 2. April 1976). Eine konträre Meinung vertreten, mit überzeugenden Argumenten, N. P. Spanos u. J. Gottlieb (*Ergotism and the Salem Village Witch Trials*, ebd., Bd. 194, Nr. 4272, 24. Dezember 1976). Caporaels Hypothese wurde in einem europäischen Kontext von Naama Zahavi erneut formuliert, in einer Magisterarbeit, die an der Hebrew University Jerusalem diskutiert wurde, mit Prof. Michael Heyd als Referenten. Ich danke Frau Dr. Zahavi dafür, daß sie mich eine ausführliche Zusammenfassung ihrer Arbeit lesen ließ, die mich indirekt zu diesen Seiten angeregt hat.

47 Vgl. Barger, *Ergot*, cit., S. 7, wo bemerkt wird, daß die mehrmals hintereinander verabreichte Dosis von ungefähr 0,5 Gramm der immer noch gebräuchlichen entspricht.

48 Vgl. J. Bauhinus – J. H. Cherlerus, *Historia plantarum universalis*, II, Ebroduni 1651, S. 417.

49 Vgl. Barger, *Ergot*, cit., S. 10, Anm.; A. Hofmann, *Die Mutterkorn-Alkaloide*, Stuttgart 1964, S. 11; Mannhardt, *Mythologische Forschungen*, cit., S. 314–15.

50 Vgl. *De morbo spasmodico populari hactenus in patria sua grassante... praeside... Christiano Vatero... exponet Joannes Gotofredus Andreas*, Witenbergae 1723, S. 6, 8 u. 26.

51 Es ist der Entdecker selbst, A. Hofmann, der in R. G. Wasson u. a., *The Road to Eleusis*, New York and London 1978, S. 25 ff. davon spricht. Hofmann verifizierte die halluzinogenen Wirkungen der Lysergsäure an sich selbst.

52 A. Hofmann (*ebd.*, S. 33 ff.) erwähnt beispielsweise die *Clavicleps paspali*, die auf dem Gras *Paspalum distichum* wächst. Der Roggen ist das jüngste unter den vom Menschen angebauten Getreiden: in protohistorischer Zeit war er in China, Japan, Ägypten unbekannt, während er von Slawen, Germanen und Kelten angebaut wurde (vgl. O. Janicke, *Die Bezeichnungen des Roggens in den romanischen Sprachen*, Tübingen 1967, S. 7).

53 So hingegen, ein wenig voreilig, I. P. Couliano, *Eros e magia nel Rinascimento*, ital. Übers., Mailand 1987, S. 380. Der Chemiker A. Hofmann stellt in der unmittelbar darauf zitierten Bemerkung seine historische Sensibilität unter Beweis.

54 Vgl. A. Hofmann, in: Wasson, *The Road*, cit., S. 26. Weitere Beispiele bei Camporesi, *Il pane*, cit., S. 120 ff.

55 Vgl. W. Mannhardt, *Roggenwolf und Roggenhund. Beitrag zur germanischen Sittenkunde*, Danzig 1866², S. 23–24, 43 u. *passim*. Dem Mythos zufolge boten auch die Harpyen den Säuglingen die Brust, um sie zu vergiften. Die Identifizierung des »Roggenwolfes« mit dem Mutterkorn wird auf Grund der von Mannhardt gesammelten Daten von M. R. Gerstein, *Germanic Warg: The Outlaw as Werewolf*, in: *Myth in Indo-European Antiquity*, cit., S. 131–56, insbes. S. 147–48 vorgeschlagen (den oben, S. 178 angeführten Texten hinzuzufügen). Eine reiche Materialsammlung bietet der Artikel »Korndä-

---

monen« in: *Handwörterbuch des deutschen Aberglaubens*, V, Berlin und Leipzig 1932–1933, Sp. 249–314.

56 Merkwürdigerweise tut sie H. P. Duerr als banal ab (*Traumzeit*, cit., S. 173, Anm. 25).

57 Diesen Vorschlag hat Gerstein, *Germanic Warg*, cit., S. 150–55, vorgebracht. Die Verfasserin scheint den möglichen außersprachlichen Zusammenhang nicht zu kennen, den die halluzinogenen Potenzen des *ergot* darstellen: sie ist sich hingegen darüber im klaren, daß der Beweis auf linguistischer Ebene nicht erbracht ist (»whatever the exact linguistic relationships may be«, S. 155). Zum selben Schluß – wenngleich er die Möglichkeit eines Zusammenhangs, der durch ein unbeweisbares sprachliches Tabu ausgelöscht worden sein könnte, nicht ausschließt – ist Prof. Riccardo Ambrosini in einigen Briefen vom Oktober 1982 gelangt: ich danke ihm herzlich für die Geduld, mit der er meine Fragen beantwortet hat.

58 Vgl. S. Wikander, *Der arische Männerbund. Studien zur indo-iranischen Sprach- und Religionsgeschichte*, Lund 1938, S. 64 ff., wo auch auf die oben (S. 176–77, Anm. 2) angeführten Untersuchungen von O. Höfler hingewiesen wird. Siehe auch M. Eliade, *Les Daces — loups*, in: »Numen«, 6 (1959), S. 22. Siehe jedoch H. Kothe, *Der Skythenbegriff bei Herodot*, in: »Klio«, 51 (1969), S. 77 ff.

59 Zu all dem vgl. R. G. Wasson, *Soma. Divine Mushroom of Immortality*, o. O. u. J. (Verona 1968); auf S. 95–147 ein Aufsatz von W. Doniger O'Flaherty, *The Post-Vedic History of the Soma Plant*. Die Gleichsetzung von Soma mit der *Amanita muscaria* wurde unter anderem von dem Sanskritforscher J. Brough verworfen: doch seine Diskussion mit Wasson berührt Themen, die diesem Buch fremd sind. Allgemein vgl. C. Lévi-Strauss, *Les champignons dans la culture*, in: »L'homme«, X (1970), S. 5–16; dt. Übers. in: *Strukturale Anthropologie II*, cit., S. 251–266 (stark befürwortend).

60 Vgl. Wasson, *Soma*, cit., S. 164 ff. (dieser Teil stützt sich auf Untersuchungen von B. Munkácsi, T. Lehtisalo, J. Balázs, die im Anhang zum Teil übersetzt sind, S. 305 ff.).

61 Vgl. R. L. Turner, *A Comparative Dictionary of the Indo-Aryan Languages*, Oxford 1966, Nr. 7643 u. 7647, wiederaufgenommen bei Wasson, *Soma,* cit., S. 169, Anm., der auf hypothetischem Wege einen möglichen Zusammenhang mit der Wurzel »poŋ« hinzusetzt. Siehe auch Joki, *Uralier*, cit., S. 300-1.

62 Vgl. Wasson, *Soma*, cit., S. 189. Und, emphatischer, in *Persephone's Quest*, cit., S. 80–81.

63 Vgl. J. Hubschmid, *Romanisch-germanische Wortprobleme: franz. bouter und it. buttare*, in: »Zeitschrift für romanische Philologie«, 78 (1962), S. 111–26, insbes. S. 122 ff.

64 Ein »unhaltbares« Kriterium, »weil es immer paßt... Diese Konzeption ist durch jene der ›kulturellen Zugehörigkeit‹ zu ersetzen«: M. Alinei, *Rospo aruspice, rospo antenato*, in: »Quaderni di semantica«, VIII (1987), S. 265–96, insbes. S. 294. Im selben Aufsatz werden ikonographische Zeugnisse von der Kröte als »Fuß« oder »Huf« vorgelegt. Zur »Pantoffel«-Kröte usw. vgl. H. Plomteux, *Les dénominations des batraciens anoures en Italie: le crapaud*, in: »Quaderni di semantica«, III (1982), S. 203–300, insbes. S. 245–53.

65 Wasson, *Soma*, cit., S. 189, bemerkt, daß der Teufel *le bot* (der Hinkende) qua Antonomasie sei: hingegen beruft er sich nicht auf das Sanskritwort *pangú* (hierzu vgl. oben, Anm. 61). Zu *crapaudin* vgl. *ebd.*, S. 10, 35 etc.

66 Vgl. C. Joret, *Essai sur le patois normand du Bessin...*, Paris 1881, S. 75. Im Frankreich des 16. Jahrhunderts war *pain de crapault* ein generischer Ausdruck, um die wildwachsenden Pilze zu bezeichnen; vgl. Wasson, *Soma*, cit., S. 186–7.

67 Vgl. O. Penzig, *Flora popolare italiana*, I, Genua 1924, S. 231 u. 467. (Diesen und weitere Hinweise teilte mir Prof. Tullio Telmon freundlicherweise mit.)

68 Wasson, *Soma*, cit., S. 193.

69 *Ebd.*, S. 185 ff.

70 Vgl. Plomteux, *Les dénominations*, cit., S. 287–90 (*fada* in Mantua etc.); Alinei, *Rospo aruspice*, cit., S. 289.

71 Vgl. *ebd.*, S. 265 ff., wo in bezug auf die schamanistischen Implikationen der Kröte in einer spezifischen Kultur auf den ziemlich konfusen Aufsatz von A. B. Kennedy, *Ecce Bufo: the Toad in Nature and in Olmec Iconography*, in: »Current Anthropology«, 23 (1982), S. 273–90, hingewiesen wird.

72 Vgl. Duerr, *Traumzeit*, cit., S. 166; Kennedy, *Ecce Bufo*, cit., S. 250 ff.

73 Ihre Absenz in den europäischen Hexenprozessen wird von Wasson, *Soma*, cit., S. 176, hervorgehoben.

74 Vgl. Penzig, *Flora popolare*, cit., S. 27.

75 Vgl. oben, S. 82.

76 Vgl. Lévi-Strauss, *Les champignons*, cit., S. 15.

77 Vgl. *Malleorum*, cit., I, S. 718: »Postremo de utre bibit supradicto: quo facto, statim se in interioribus sentit imaginem nostrae artis concipere et retinere, ac principales ritus hujus sectae«.

78 Vgl. Benjamin, *Der Erzähler*, cit., S. 450; »Vom Tode hat er [der Erzähler] seine Autorität geliehen« (siehe jedoch gesamten Aufsatz. An ihm orientiert sich wahrscheinlich auch G. Swift, *Waterland*, London 1983, S. 47, das ich las, nachdem ich diese Seiten geschrieben hatte).

Register

Namen

307

Farnell, L.R., 272.
Fatos, S., 57-58.
Faun, 262.
Faure, P., 147.
Fauth, W., 145, 275.
Fay, H.M., 62.
Fazekas, J., 179.
Febvre, L., 29, 36.
Fédry, J., 279.
Feen (Fatae), 108, 124, 296, 304.
Feix, J., 282.
Felix V., Papst, 290.
Ferenczi, S., 280.
Ferrari Pinney, G., 274.
Ferri, S., 149, 286.
Fertand Spanhol, 47-48.
Festus, 203, 286.
Fettich, F., 221.
Filargis, P., *siehe* Alexander V.
Finicella, 291, 302.
Finley, M.I., 36, 145, 148.
Finn, S.M., 279.
Firmicus Maternus, 254.
Flacelière, R., 145.
Flavius Josephus, 44, 62.
Fleck, J., 152.
Fleischer, R., 151.
Fochsa, G., 200.
Foix, V., 180.
Fortuna, 97.
Foucault, M., 61.
Fougeyron, P., 73, 75, 87, 292.
Foulon, C., 279.
Fournier, J., 46-48, 55, 60, 65, 85, 91.
Fournier, P., 115.
Fournier, P.-F., 33.
Fox, D.C., 277.
Francescato, G., 120.
Franz von Assisi, hl., 45.
Franz, A., 115.
Franz, R., 146.
Frazer, J.G., 15, 22, 199, 203, 220, 272,
   275, 278, 284-85.
Freier, H., 286.
Freixas, A., 119.
Freud, A., 280.
Freud, E., 280.
Freud, L., 280.
Freud, S., 180, 203, 273, 279-80, 285,
   288.
Freymond, E., 121.
Fridrich, S., 151.
Friedberg, E., 115, 118.
Friedrich, A., 280, 282.
Friedrich, J., 89.
Friis, Johansen, K., 277.
Fritzner, J., 151.
Fründ, J., 77, 293.
Fubini, R., 302.
Furien, 189.
Furumark, A., 285.

Gahs, A., 150.
Gaidoz, H., 118, 150.
Gaiffier, B. de, 302.
Galinier, J., 278.

Gallini, C., 277, 285.
Gallus, S., 219.
Galosna, A., 82-84, 301.
Galton, F., 180.
Gamkrelidze, T., 222.
García y Bellido, A., 149.
Garsoïan, N., 87.
Gasparini, E., 200, 202.
Gasparo, 174.
Gatiev, B., 180.
Gaufridus de Dimegneyo, 64.
Gautier, P., 87.
Gauvain, 243.
Geertz, H., 12, 33.
Gélis, A., 91, 100-01, 114, 294.
Gellner, E., 61.
Gelzer, T., 148, 199.
Génicot, L., 117.
Gennep, A. van, 62, 199, 201-03, 278.
Gentili, B., 35.
Georgiev, V.J., 147.
Gérard de Frachet, 61.
Gérard-Rousseau, M., 148.
Géraud, H., 59, 61.
Géricault, T., 214.
Germanus, hl., 97, 100, 115, 138, 140,
   151, 249.
Gernet, L., 178, 272, 274, 277, 283.
Gerstein, M.R., 305.
Gervasius von Tilbury, 145, 249, 281,
   294, 303.
Geryoneus, 238.
Giani Gallino, T., 278.
Gibbons, B., 119.
Gignoux, P., 219, 280, 282.
Gill, J., 302.
Gimbutas, M., 178, 219.
Ginzburg, C., 35-36, 62.
Ginzburg, M., 180.
Giorgetta, G., 115, 302.
Giovanni, 258.
Giovanni da Capestrano, hl., 303.
Giraldus Cambrensis, 158, 178.
Girard de Frachet, 41.
Girard, R., 86, 273.
Giulio d'Assisi, Fra', 91.
Glaserin, D., 176.
Gmelin, J.G., 282.
Gočeva, Z., 147.
Goethe, J.W. von, 35, 143, 145, 273.
Goldman, B., 220.
Gonnet, G., 88.
Goossens, R., 275.
Gorgo, 134, 229-30.
Göttermutter, 126.
Gottlieb, J., 304.
Götze, A., 203.
Gouillard, J., 88.
Gowdim, T., 99, 116.
Graf, A., 120, 145.
Graf, F., 199.
Graham, A.J., 219.
Grambo, R., 152, 178, 181.
Granet, M., 202, 219, 278.
Granfield, P., 87.
Grantovskij, E.A., 218, 222.

Grass, N., 116.
Gratian, 93.
Graumann, C.F., 35.
Graus, F., 87.
Grayzel, S., 63-64.
Green, A., 273.
Gregor XIII., Papst, 225.
Gregor der Große, 74.
Gregor von Tours, 105, 118.
Greyerz, P. von, 74-75, 83, 97, 301.
Griaznov, M.P., 218.
Grimm, J., 16, 22, 89, 118-19, 120-21,
   143-45, 150, 152, 177.
Grimm, W., 89.
Grisward, J.H., 180, 220.
Gross, H., 61.
Grout, P.B., 120, 279.
Gruppe, O., 24, 273-75, 280, 283.
Guarnerio, P.E., 280-81.
Guenée, B., 64.
Guérard, B.E.C., 88.
Guerchberg, S., 86.
Guerreau-Jalabert, A., 121.
Guerrini, P., 118.
Gugitz, G., 202.
Gui, B., 39, 43, 49-50, 61, 63.
Guibert, L., 62.
Guibert de Nogent, 80, 88.
Guichard, Bischof von Troyes, 59.
Guillaume de Lorris, 117, 152.
Guillaume de Machaut, 86.
Guillaume de Nangis, 41-42, 59, 61.
Guillaume Normanh, 47-48.
Gulmin, 88.
Gunda, B., 179.
Gunkel, H., 276.
Güntert, H., 119, 202, 286-87, 303.
Guntram, 144, 152, 279, 289, 301.
Gurjewitsch, A.J., 115, 117.
Gušic, M., 221.
Guthrie, W.K.C., 147.

Haavio, M., 303.
Habonde, 98, 100-01, 118, 152.
Hades, 158, 178, 236, 269, 271, 276.
Hadingus, 269, 287.
Haekel, J., 220, 284.
Haerecura, 106, 119.
Hagenbach, K.R., 182.
Hahl, L., 145.
Hakluyt, R., 286.
Halliday, W.R., 219, 274.
Hallowell, A.I., 150.
Hamayon, R., 151.
Hančar, F., 218, 221.
Hand, W.D., 286.
Hanell, K., 272.
Hanika, J., 115, 149, 176-77.
Hansen, J., 33, 87, 89.
Harf-Lancner, L., 119, 177.
Harmatta, J., 221.
Harpyen, 304.
Harris, W.V., 276.
Harrison, J., 201, 203.
Hartmann, A., 274.
Hartog, F., 35, 218, 282-83.

Harva (Holmberg), U., 151, 181, 219-20, 281.
Haselriederin, K., 149.
Hatt, G., 278.
Hatto, A.T., 218, 281.
Haudry, J., 222.
Haug, W., 120.
Hauser, H., 121.
Haverkamp, A., 86-87.
Hawkes, C.F.C., 221.
Hazlitt, W.C., 116.
Heer, O., 222.
Heiligendorff, W., 119.
Hein, W., 202.
Heine, H., 120, 152.
Heine-Geldern, R., 150, 218, 223, 278.
Heinrichs, A., 87.
Hekate, 101, 116, 134, 149, 232.
Helbig, W., 275.
Helias, 53.
Helike, 128.
Hellequin (siehe auch Herlechinus), 102, 193.
Hellot, A., 61.
Helm, A., 61.
Helm, K., 115-116.
Helt, 102.
Henig, M., 119.
Henning, W.B., 219.
Henninger, J., 150, 281.
Henningsen, G., 33-34, 145, 303.
Henoch, 51.
Henrichs, A., 147.
Hentze, C., 202.
Henzen, W., 286.
Hephaistos, 230, 257-60.
Hera, 106, 149.
Herakles, 229, 238, 253.
Heraklit, 240.
Herlechinus, 102, 296.
Herkules, 262.
Hermannus Livonus, siehe Witekind.
Hermes, 229-30, 241.
Herodes, 60, 66, 237.
Herodiades, 113.
Herodiana, 93, 106, 133.
Herodias, 17, 92, 94-96, 100, 104-06, 113, 117, 135, 150, 190, 194, 210, 290.
Herodot, 130, 154, 157-58, 178, 193, 207-08, 210-11, 218-19, 220, 238-39, 253-55, 282-83.
Herolt, J., 102-03, 117.
Heroyda, 290.
Herrmann, P., 287.
Herrnstein Smith, B., 280.
Hertz, R., 62, 178, 278, 280, 303.
Hertz, W., 149, 177-78, 284.
Hesiod, 120, 253-54, 273-74, 282.
Heubeck, A., 148.
Heurgon, J., 286.
Heusch, L. de, 282, 283.
Heusler, A., 279.
Hibbard Loomis, L., 120, 152.
Hilde, 150.
Hilscher, P.C., 143, 152, 183-86, 199.

Hippodameia, 228, 252.
Hnefill Adalsteinsson, J., 286.
Ho-lu, König von Wu, 240-41.
Hobsbawm, E., 199.
Hocart, A.M., 282, 284-85.
Hoddinott, R.F., 146, 220.
Hoeniger, R., 86-87.
Hoepffner, E., 86.
Höfer, O., 272.
Hoffmann-Krayer, E., 201.
Höfler, O., 117, 176-79, 199, 201, 203, 277-78, 305.
Hofmann, A., 304.
Holda (siehe auch Hilde, Holle, Holt, Hulda), 13, 17, 92, 94, 113-14, 117, 121, 143, 150, 185, 266.
Holenstein, E., 36, 273.
Holle, 114.
Holt, 114.
Holt, C., 287.
Holtved, E., 286.
Homer, 27, 231.
Hommel, H., 274.
Honnorat, S.J., 33.
Hoops, J., 286.
Hoppál, M., 151, 179.
Horagalles, 140, 248.
Horatius Cocles, 276.
Horsfall, N.M., 178.
Horváth, T., 219.
Hosea, 52.
Hubaux, J., 284.
Hubert, H., 118.
Hübschmann, H., 180.
Hubschmid, J., 305.
Hulda, 97, 117.
Hull, D.L., 37.
Hultkrantz, Å., 151, 181.
Husserl, 273.
Hvarfner, H., 181.
Hyginus, 273.
Hyppolite, J., 285.

Iason, 228-31, 235-37, 241, 252, 255, 267, 275, 280.
Ihm, M., 119, 145-46.
Ilos, 149.
Infessura, S., 291, 302-03.
Iokaste, 229.
Iphigenie, 130.
Iphikles, 238.
Irodeasa, 190-91, 195-96, 201.
Irodiada, 105.
Israel, 237.
Itkonen, T.I., 177, 181.
Ivanov, V.V., 36, 222.

Jacobson, E., 221.
Jacobsthal, P., 149, 218, 221.
Jacoby, M., 178.
Jacopo da Varagine, 97, 100, 138.
Jaffe, I.B., 222.
Jakob, 237, 263, 266, 276.
Jakobson, R., 28-29, 35-36, 177, 181, 279, 286-287.
Jalla, J., 301.

James, R.O., 178.
Jameson, R.D., 281.
Janicke, O., 304.
Jankó, J., 285.
Jauss, H.R., 218.
Jean d'Outremeuse, siehe Jean de Preis dit d'Outremeuse.
Jean de Meun, 117, 152.
Jean de Preis dit d'Outremeuse, 41-42, 61.
Jeanmaire, H., 201, 274, 277-78, 282-83.
Jeanne d'Arc, 100.
Jensen, A.E., 278.
Jesi, F., 203.
Jesus, 75, 95-98, 151, 236-37, 249, 291.
Jessen, E.J., 150-51.
Jettmar, K., 218-19, 221, 282.
Jobstin, A., 149.
Jodab, 51.
Jodogne, O., 120.
Johann von St. Viktor, 41, 43, 61-62.
Johanna von Navarra, 59.
Johanna von Provence, 68.
Johannes XXII., Papst, 50, 52-53, 59-60, 63, 66.
Johannes IV. von Ojun, 79, 80-81, 88.
Johannes Damascenus, 303.
Johansons, A., 176.
Johnson, R., 268.
Johnson, S.E., 148.
Joki, A.J., 222, 305.
Jolles, A., 35.
Joret, C., 305.
Jost, M., 151.
Jourdain, 48.
Jung, C.G., 24, 26, 36, 121, 203, 278-79.
Jungmann, J.A., 87.
Jüstinger von Königshofen, 77.
Justinian, 119.
Justinus, 79.

Kahil, L.G., 147, 151.
Kahn, C.H., 277.
Kalchas, 272.
Kalleničenko, S., 176.
Kallimachos, 129.
Kallisto, 129, 146-47, 274.
Kaltenmark, M., 278.
Kalypso, 269.
Kamper, P., 303.
Karajich, V., 280.
Karl der Große, 284.
Karl IV. (der Schöne), 40, 55.
Karsten, R., 150.
Karystios, 240.
Katraeus, 273.
Katzarova, R., 200.
Kauffmann, F., 115.
Kennedy, A.B., 305.
Kerényi, K., 275, 277.
Kern, H., 278.
Kershaw, J., 62.
Kertész, I., 276.
Keysler, J.G., 119, 142, 152.

311

315

Orte

Bildnachweis:

S. 2, 38, 90, 122, 204, 224, Archiv für Kunst und Geschichte, Berlin. S. 106 aus: F. Benoit, *L'heroisation équestre*, Gap. 1954, Taf. I, 2. S. 107 aus K. H. Linduff, *Epona, a Celt among the Romans*, in »Latomus«, 38, 1979. S. 109 Bonn, Rheinisches Landesmuseum (Foto des Museums). S. 104 Staatsarchiv Modena. S. 112 Foto Archiv Scala, Florenz. S. 127 Foto Soprintendenta ai Beni Culturali e Ambientali, Syrakus. S. 131 Historisches Museum, Bern. S. 137 Archäologisches Museum, Madrid. S. 140 British Museum, aus: A. Salmony, *Corna e lingua*, Mailand 1968. S. 206 Eremitage, Leningrad. S. 215 John Walters Museum, Baltimore und Los Angeles County Museum, Los Angeles (unten). S. 233 Konservatorenpalast (Foto: Vasari, Rom). S. 234 Foto: Archiv Fabbri, Mailand. S. 261 Kunstsammlung Basel, aus: S. Sas, *Der Hinkende als Symbol*, Zürich, 1964.

Kunst und Geschichte

ARLETTE FARGE
Das brüchige Leben
Verführung und Aufruhr im Paris des 18. Jahrhunderts
»*Das brüchige Leben* ist ein großes Buch, weil die
Autorin ihre eigene historische Mentalität in den Text
einfließen läßt, weil es beweist, daß die beste historische
Methode darin besteht, sich den Problemen zu stellen.«
Daniel Roche, Annales
Aus dem Französischen von Wolfgang Kaiser
Englische Broschur. 336 Seiten mit vielen Bildern

ROGER CHARTIER
Die unvollendete Vergangenheit
Geschichte und die Macht der Weltauslegung
»Erfreulicherweise ist jetzt ein Sammelband erschienen,
der mit acht Aufsätzen einen geschickt ausgewählten
Querschnitt durch Chartiers Schaffen bietet.«
Max Grosse, Frankfurter Allgemeine Zeitung
Englische Broschur. 160 Seiten

GIOVANNI ROMANO
Landschaft und Landleben in
der italienischen Malerei
Ein kurzgefaßter, reich bebilderter Abriß
über die Landschaft und das Landleben in der
italienischen Kunst: Wie hat sich der Blick
auf die Natur verändert?
Englische Broschur. 112 Seiten mit 53 Abbildungen

GEORGES DUBY
Der Sonntag von Bouvines   27. Juli 1214
»Dubys erzählerische Anatomie von Bouvines ist – diese
Prophezeiung sei gewagt – eines der klassischen Bücher,
denen der Fortgang der Einzelforschung nichts mehr wird
anhaben können. Dies ist auch die Folge des Stils.
So schön wie Duby schreibt selbst in Frankreich
kein zweiter Historiker.«
Gustav Seibt, Frankfurter Allgemeine Zeitung
Aus dem Französischen von Grete Osterwald
Englische Broschur. 208 Seiten mit Abbildungen

Schreiben Sie uns eine Postkarte – dann schicken wir
Ihnen unseren jährlichen Almanach ZWIEBEL:
Verlag Klaus Wagenbach, Ahornstraße 4, 1000 Berlin 30